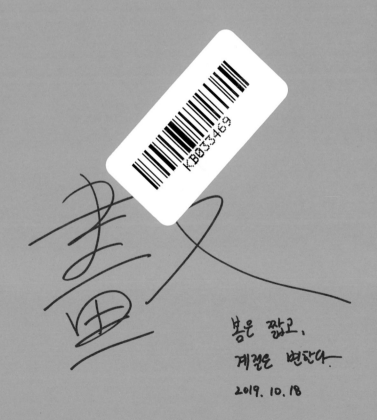

봄은 짧고,
계절은 변한다.

2019. 10. 18

비익조

比翼鳥

上

이수연 장편소설

비익조

比翼鳥

上

이수연 장편소설

D&C
BOOKS

00. 여는 장

00. 여는 장

태양 위로 매가 날아올랐다. 날아오른 매들의 다리에는 복을 기원하는 오색 끈이 매달려 있었다.

둥, 둥, 둥, 공기를 울리는 북소리가 성곽에서 들려왔다. 그 소리를 시작으로 온 제국에 메아리치는 함성은 실로 뜨거웠다. 개선식凱旋式의 시작을 알리는 북소리에, 환희에 찬 백성들의 목소리가 제국의 온 땅과 하늘을 뒤흔들 정도였다.

7년.

한두 해도 아닌 무려 7년간 이어진 기나긴 전쟁이 드디어 종지부를 찍었다. 보름 전 국경에서 일어난 서국犀國[1]과의 마지막 전투에서 승리한 군사들이 개선문을 통과했다. 거대한 개선문의 양쪽 기둥에는 금방이라도 날개를 펴 날아오를 것 같은 무서운 형상의 매가 조각되어 있었다. 군마에 오른 장수들의 뒤로 병사들이 깃발을 높이 들고 뒤따랐다. 활짝 날개를 편 매가 그려진 나투국娜偸國2)의 국기와 함께 승전기가 펄럭였다.

역사는 승리의 기쁨을 주체하지 못한 나투국의 황제가 전례 없이 버선발로 계단을 뛰어 내려와 친히 군대를 맞이했다고 기록한다. 그 정도로 서국과의 7년 전쟁은 지독했으며 전쟁이 할퀴고 지나간 흔적은 무려 그 곱절이 넘는 오랜 시간 동안 수백 수천의 사람들에게 고통을 주었다고 전해진다.

"어서 오시오, 홍 장군."

나투국의 황제는 환한 미소로 군대를 맞이했다. 황제의 환대에 군마의 선봉에 서 있던 장수가 말에서 내려 한쪽 무릎을 꿇었다. 그것을 시작으로 그를 뒤따르던 군사들이 일제히 바닥에 자세를 낮췄다. 수만에 이르는 병사들의 탁한 은빛 갑주가 파도처럼 물결쳤다. 이는 아무 때나 볼 수 없는 장관이었다.

"홍가紅家 영철英哲, 황제 폐하를 뵙습니다."

전장이 아닌 개선식이기에 홍 장군은 전장에서 입었던 중갑주가 아닌 가벼운 견갑주만을 착용한 상태였다. 벗어 던진 투구 아래로 희게 세기 시작한 잿빛 머리카락이 드러났다. 전쟁은 그의 몸에 수많은 상흔을 남기고 세월은 그의 얼굴에 주름을 그리며 검었던 머리칼을 희게 만들었으나, 강인한 기백이 선명한 노장의 눈빛만큼은 꺾지 못했다.

제국의 상징인 매처럼 매서운 눈매를 자랑하는 무관 홍 씨 가문의 가주 홍영철.

나투국의 홍씨 가문은 대대로 제국의 검이자 방패요 중추를 세우는 큰 기둥이었다. 그의 집안은 개국공신 집안으로 오래전부터 수많은 장수와 대장군을 배출하였으며, 그 또한 대장군을 역임한 제국의 영웅이었다. 황제는 오랜 친우이자 전 대장군인 그의 어깨에 손을 올렸다.

"고맙네."

또 장군의 어깨에 두었던 손을 들어 제국에 승리를 가져와 준 군사들에게 감사를 전했다. 폐부를 태울 것 같은 뜨거운 열기보다도 더 뜨거운 함성이 병사들 사이로 터져 나왔다. 지난 7년의 한과 울분을 보상받기라도 하듯 장내를 가득 채운 열기는 기쁨 그 자체였다.

그러나 그런 기쁨에도 홀로 쓸쓸히 남겨진 자리가 있었다. 무수히 가득 찬 열기 속 한 곳, 주인 없이 쓸쓸히 투레질을 하고 있는 현직 대장군의 군마가 그러했다. 황제는 착잡한 마음을 감추지 못하고 홍 장군에게 위로의 말을 전했다.

"이런 말이 자네에게 위로가 될지 모르겠지만, 대장군의 회복을 위해 황실에서도 힘닿는 대로 애쓰겠네. 내 약조하네."

"못난 자식을 위해 주시니 황공할 따름입니다."

"아닐세. 할 수만 있다면 어보御寶를 팔아서라도 영이의 신체를 되돌리고 싶은 마음이니."

"전장에서 목숨을 잃는 건 장수의 영예입니다. 하물며 전장에서 부상을 입은 게 무어 그리 대수겠습니까."

황제는 그의 대답에 어쩔 수 없다는 듯 웃었다. 하지만 벽창호 같

---

1) 서국(犀國): 쇠뿔이 치솟은 모양으로 기개가 높은 나라.
2) 나투국(娜偸國): 여신의 아름다움을 훔친 나라.

은 친우가 겉으로는 아무렇지 않은 척해도 속으로는 천 갈래 만 갈래로 찢어지는 마음을 애써 감추고 있다는 사실을 모를 리 없었다.

역사는 기록한다.

나투국娜偷國 온穩 황제 16년. 서국鶙國과의 7년 전쟁에서 승리를 거두다. 그러나 애석하게도 마지막 전투에서 전쟁을 승리로 이끈 대장군 홍가紅家 응휘鷹揮 준영隼領이 불구가 되다.

01. 날개 잃은 매

01. 날개 잃은 매

"애, 그거 들었어? 대장군님 소식 말이야."

수도의 중심에 위치한 벽록서碧綠署의 관할 수학관. 그 안에서는 무녀 후보생으로 모인 소녀들의 수다가 한창이었다.

여신의 아름다움을 훔쳐 만든 땅이라는 뜻의 나투국은 예부터 신묘한 재주를 가진 무녀가 태어나는 나라로 유명했다. 타국의 무녀는 신의 뜻에 따라 국가의 제사만을 맡았으나, 나투국의 무녀는 타국의 무녀와 달리 제사뿐 아니라 치료술과 예언에도 능통한 재주가 있었다.

나투국에서는 신력을 이어받은 여자아이들이 태어나는데, 그들은 무녀가 될 수 있는 자질을 갖고 태어나 스무 살 성인식을 올리기 전까지 제국 최대의 무녀 수학 기관인 벽록서에 소속된 학관에서 후보생으로 지낸다.

열 살부터 후보생으로 지내는 동안 매달 시험을 거쳐 탈락자는 퇴거하고 합격자는 계속 벽록서에서 지낼 자격을 얻게 된다. 통계적으로 마지막에 남는 후보생들은 50이 채 넘지 않는데, 이는 후보생의 나이 열아홉까지 진행된다. 또한 스무 살이 되는 해 성인식을 치르고도 신력이 그대로 남아 있다면 무녀가 될 수 있지만, 50여 명의 후보생 중 절반 이상이 성인식 직후 신력을 잃는다.

따라서 마지막까지 남아 벽록서에서 무녀로 지낼 수 있는 여성은 나투국 내에서도 거의 황가의 핏줄에 준하는 대접을 받았다.

"그 소식 나도 들었어. 전투에서 큰 부상을 당하셨다면서? 웬만한 치료술로는 고치지 못할 정도로 심각하다던데."

"맙소사! 그럼 어떻게 되는 거야? 장차 홍가의 가주가 되실 분이 그 지경이 됐으니."

"다 틀렸지 뭐. 대장군 자리도 다시 홍영철 장군님께서 맡는 것 같던데?"

"제국의 일등 신랑감이 하루아침에 불구가 되다니. 비통하다, 비통해……."

"잠깐, 그럼 혜린 무녀님은? 혜린 무녀님은 대장군님의 약혼녀잖아."

"그러네! 혜린 무녀님은 어떻게 되는 거지?"

소수로 무리를 지어 여럿 나뉘긴 했으나 후보생들이 떠드는 주제는 모두 개선식에 불참한 대장군에 관한 것이었다.

"아마 파혼하지 않을까?"

"쉿! 목소리 낮춰. 혜린 무녀님 귀에 들어가면 우린 끝이야, 끝."

"그런데 내 생각에도 파혼할 거 같아. 홍씨 가문 정도는 아니어도 혜린 무녀님 가문인 문씨 가문도 대단한 귀족 집안이잖아."

"맞아. 치료술로도 완치 불가능한 환자랑 사돈을 맺을 리 없지. 윤조야, 너는 어떻게 생각해? 너는 학관 무녀님 보조 무녀니까 들은 게 더 많을 거 아냐. 그렇지?"

가만히 이야기를 듣고 있던 윤조는 갑자기 집중되는 시선에 손사래를 치며 고개를 저었다.

"나도 잘 몰라. 너희가 더 잘 아는 것 같은데?"

"에이, 그러지 말고."

"정말 들은 게 없어. 학관 무녀님이 입이 좀 무겁잖아."

사실 학관 무녀님께서 이보다 더한 얘기를 밥 먹듯이 떠들어 댔지만, 사실대로 말할 순 없지.

"그래? 그 마귀할멈 입이 무겁다고? 이상하네. 전혀 그렇게 안 보이는데."

"하하, 겉보기와 다른 사람도 있으니까?"

네가 제대로 봤지만 내가 들은 걸 말할 수는 없으니 그만 물어 봐. 괜히 말 잘못 꺼냈다가 소문이라도 돌면 화살은 여지없이 자신을 향할 것이 뻔했다. 매달 시험 버티는 것만 해도 힘든데 내 무덤을 팔 수야 없지. 윤조는 입 안에서 맴도는 말을 삼키고 애써 웃는 얼굴을 유지했다.

올해로 스무 살. 성인식을 앞둔 무녀 후보생 중 하나인 윤조鸞鳥는 흐트러진 예복 끈을 고쳐 매는 척 동기들이 떠드는 주제를 피해 한숨을 쉬었다.

그녀는 나투국 국경의 가장 변방, 지도에도 잘 나와 있지 않을 정도로 자그마한 촌락 출신이었다. 윤조는 그 촌락에서도 찢어지도록 가난하지만, 형제만은 다복한 평민 집안의 셋째로 태어났다.

유난히 얼굴이 예뻤던 첫째 언니는 윤조가 열 살일 무렵 지방 시찰을 나온 귀족을 따라 집을 나가 버렸다. 더는 비참하고 가난한 생활을 버틸 수 없다는 게 이유였다. 그녀는 귀족의 시녀라도 되어 집을 벗어나면 자기 인생도 달라질 수 있을 거라 믿었다. 또 유난히 방랑벽이 심했던 둘째 오라비 역시 윤조가 열세 살일 무렵 집을 나가 다시 돌아오지 않았다.

그래서 윤조는 그때부터 아래로 줄줄이 네 동생의 맏이 노릇을 도맡았다. 설상가상으로 그녀의 어머니는 막내를 낳은 뒤 약해진 몸으로 시름시름 앓았으며, 그런 어머니의 약값을 벌기 위해 장거리 상행商行에 짐꾼으로 나섰던 아버지는 도적 떼를 만나 비명횡사하고 말았다.

그 뒤로 윤조는 열여섯까지 집안의 가장으로 혹독한 나날을 보냈다. 여섯 식구의 입에 풀칠이라도 하기 위해 안 해 본 일이 없었고 못 하는 일이 있어서도 안 됐다.

그러던 중 수도에서 관찰사로 나온 벽록서 무녀의 눈에 띄어 무녀 후보생으로 발탁된 것은 하늘이 도운 일이었다.

변방 촌락의 여자아이가, 그것도 열여섯의 나이에 뒤늦게 수도의 무녀 후보생으로 뽑히는 일은 기적과도 같았기 때문이다. 또 후보생으로 뽑힌 여아의 집은 여아가 성인식을 치를 때까지 나라에서 주는 쌀과 비단, 적지 않은 보조금과 약재 등을 지원받을 수 있었다. 거기다 성인식을 치르고도 신력을 잃지 않고 정식 무녀가 되면 황가에 준하는 대우를 받게 되니 마다할 이유가 없지 않은가?

따라서 윤조는 무슨 수를 써서라도 이번 성인식에서 낙오되지 않고 정식 무녀가 되어야만 했다. 다시 변방 촌락의 고단하고 혹독한 밑바닥 생활로 돌아가지 않기 위해서라도 기필코.

그리고 그런 윤조에게는 남들에게는 말 못 할 비밀이 한 가지 있었는데, 그 비밀이란-

'다시 태어난 이 세상에서만큼은 출세해서 보란 듯이 떵떵거리며 살겠어!'

대한민국의 '신채영'이란 이름으로 살았던 전생의 자신을 또렷이 기억한다는 점이었다.

"모두 조용!"

그때 닫혀 있던 문이 열렸다. 학관 안으로 들어온 사람들은 다름 아닌 감찰부監察部 무녀들이었다.

성인식에서 정식 무녀의 자질을 감별하는 감찰 무녀들의 등장에 소란했던 장내가 순식간에 고요해졌다. 무녀들은 날카로운 눈으로 후보생들을 훑었다. 때때로 불식간에 이루어지는 복장과 태도 검사에서 '미달'을 받아 벌을 받는 후보생들도 있었지만, 다행히 오늘은 걸린 후보생이 없었다.

"모레 있을 성인식을 맞이해 공문을 전하겠다."

감찰 무녀가 앞으로 나와 벽록서 최고 무녀인 묘길妙吉과 황제의 인장이 나란히 찍힌 공문을 읽어 내려갔다.

"벽록서 관할 수학관의 모든 무녀 후보생은 들어라. 성인식인 음력 7월 7일 칠성제七星祭를 맞아 후보생들에게 각각 의복과 비단 머리끈을 준비할 여비를 하사하니, 의례 준비를 소홀히 하지 말라. 올해 비단 머리끈에 수놓을 길자吉字는 매를 뜻하는 '응鷹' 자이니,

올해 성인식 특별 과제로는 가장 고귀한 매의 단장판丹粧板³⁾을 가져 오는 것으로 하겠다.”

공문을 읽은 감찰 무녀는 이번 특별 과제에서 '으뜸'을 받은 후보 생은 특별히 정식 무녀 선별에서 탈락하더라도 황궁에서 보조 치 료사로 일할 수 있는 특례가 주어지니 기회를 놓치지 말라는 말을 덧붙였다.

“선별에 탈락하더라도 황궁에서 일할 수 있다고? 무녀가 되지 못해도 말이야?”

“와, 무녀가 되는 것 못지않게 엄청난 기회잖아!”

전에 없던 파격적인 특례에 후보생들이 술렁였다. 믿을 수 없는 특례에 넋이 나간 후보생 가운데 끼어 있던 윤조는 재빨리 정신을 차리고 번쩍 손을 들었다. 감찰 무녀가 그런 윤조를 발견하고 손짓했다.

“거기 후보생, 질문해도 좋습니다.”

“만약에 선별에 통과한 사람이 특별 과제에서 으뜸까지 받게 되면 어떻게 되는 건가요?”

한 사람이 두 가지를 모두 해냈을 경우에도 특별 과제의 특례가 인정되는지에 대한 궁금증이었다. 다른 후보생들 역시 그 대답이 궁금한지 귀를 쫑긋 세웠다. 감찰 무녀가 의외의 질문을 한 윤조를 지긋이 바라보다 입을 열었다.

“공문에 적힌 특례는 정식 무녀 선별에서 탈락한 사람에 해당합니다. 만일 한 사람이 두 가지 모두를 선행했을 경우에는 그에 걸맞은 특례가 수여되겠지요.”

그 대답에 윤조의 가슴이 벅차올랐다.

'이거다!'

다른 건 몰라도 이번 칠성제만 성공적으로 지내면 앞으로 나의 인생은 탄탄대로. 황금빛 꽃길만 걷겠구나! 누이 좋고 매부 좋고, 임도 보고 뽕도 따고, 가재 잡고 도랑 치고, 얼씨구나 지화자! 윤조는 결의로 눈을 빛내며 주먹을 쥐었다.

"좋았어."

칠성제까지 남은 기간은 이틀. 다른 후보생들보다 빠르고 은밀하게 '가장 고귀한 매의 단장판'을 손에 넣어야만 했다.

❧

"가장 고귀한 매의 단장판이라……."

늦은 저녁, 수업을 마치고 기숙관에 돌아온 윤조는 고민에 빠졌다. 가장 고귀하다면 황실에서 키우는 매의 단장판이 제격인데 문제는 함부로 황실에서 키우는 매에 손을 댔다간 손목이 날아가는 건 둘째 치고 목이 달아난다는 점이었다.

"인생이 걸린 한 방이긴 하지만 그래도 목숨이 더 소중하니까 이건 제쳐 두고. 그렇다면 남은 건 제국의 중심이 되는 귀족 집안의 매라는 건데 이건 귀족 출신 후보생에게만 너무 유리하잖아?"

"그야 귀족 가문 자제들을 위한 특별 과제니까 그렇지."

뒤에서 갑자기 들려오는 목소리에 깜짝 놀란 윤조가 고개를 돌렸다. 그곳에는 막 기숙관으로 들어오던 동방생 나래가 있었다. 나래

---

3) 단장판(丹粧板): 매의 주인을 밝히기 위하여 주소를 적어 매의 꽁지 속에다 매어 둔 네모꼴의 뿔(=시치미).

는 나투국 주요 귀족 가문의 하나인 최씨 가문의 장녀로 동방생 중에서도 콧대 높기로 유명한 후보생 중 하나였다.

"귀족 가문 자제들을 위한 거라니?"

순진한 윤조의 물음에 나래는 코웃음을 쳤다.

"바보냐? 정말 몰라서 물어? 아무리 무녀 선발 시험이 공명정대하다고 하지만 귀족들의 위신을 무시할 수는 없는 거라고. 제국을 대표하는 무녀를 뽑는데 귀족 가문에서 무녀가 한 명도 안 나올 경우도 있잖아. 그런 경우를 대비해 귀족들에게 특례를 주는 거지. 일종의 체면 차리기랄까."

"치사해! 그런 법이 어디 있어!"

"뭐야? 지금 나한테 따지는 거야?"

"조금은? 너도 귀족이니까?"

"대답이 왜 의문이냐, 이 멍청아!"

"하지만 정말 치사하잖아! 평민으로 태어난 것도 서러운데 특례마저 밀리다니."

나래는 아무렇지 않게 귀족인 자신의 신분을 들먹이며 불평을 토로하는 윤조의 행동에 어이가 없다는 표정으로 이마를 짚었다.

"그러는 너는 내가 귀족이라는 자각은 있냐? 아니면 그 말도 안되는 특별 과제를 정말 시도라도 할 작정인 거야?"

"응, 할 거야."

"그렇지, 그걸 알고도 시도하는 바보가- 뭐?"

"시도할 거야. 아니, 꼭 해내고 말겠어. 나의 원더풀 라이프를 위해서!"

"원더- 뭐? 무슨 말인지 모르겠지만 네가 헛고생하려는 건 알겠다. 괜히 힘 빼지 말고 포기해. 네가 무슨 수로 '가장 고귀한 매의 단장판'을 구해? 나도 못 구하는걸."

꼭 그것이 어디에 있는지 알고 있다는 투었다. 눈치 빠른 윤조는 그 찰나를 놓치지 않고 나래의 두 손을 덥석 붙잡았다.

"너 그거 어디 가면 구할 수 있는지 아는구나! 그렇지?"

"그, 그런 것쯤이야 당연히 알지!"

"어디 가면 구할 수 있어? 알려 주라! 나 좀 도와주라, 친구야."

"치, 친구? 우리가 언제부터 친구였다고! 너는 가난한 평민이고 나는 지체 높은 귀족가의!"

"에이, 한 이불 덮고 지낸 지 3년째면 거의 부부지, 부부."

"누가 부부라는 거야! 누가 너 따위랑!"

나래는 부끄러움을 모르는 윤조의 말에 얼굴이 빨개져서 소리쳤다. 윤조는 그런 나래를 귀여워하며 음흉한 미소를 지었다.

"후후, 나래 자기. 부끄러워하는 모습이 참 귀엽구려. 그럼 어디 오늘 밤도 뜨겁게!"

"야! 그만해! 징그러워!!!"

"싫어, 알려 줄 때까지 할 거야. 나래랑 나랑 부부라고 온 학관에 자랑하고 다닐 거야."

"너 미쳤어?"

"응, 미쳤어. 나래의 도도하고 콧대 높은 매력에 미쳤지. 크, 어쩜 우리 자기는 화내는 모습도 이렇게 예쁜지!"

"알았어! 알았다고! 알려 줄 테니까 제발 징그러운 소리 좀 그만해. 어흐, 소름 돋아."

닭살이 돋은 팔을 문지르며 질색하던 나래는 문밖에 지나다니는 사람이 있는지 확인하고는 조용히 방문이 걸어 닫고 목소리를 낮췄다.

"특별 과제에서 말한 '가장 고귀한 매'는 일반적인 매를 가리키는 게 아니야."

새를 가리키는 게 아니다? 윤조의 눈이 동그랗게 커졌다.

"그럼? 키우는 매를 가리키는 게 아니면 무엇을 가리킨다는 거야?"

"사람이야. 그것도 제국에서 유일한 분이지."

나래는 잠시 숨을 고르고 말을 이었다.

"제국에서 가장 고귀한 매가 누구겠어? 폐하께 '응휘(鷹揮-고귀한 매의 지도자)'라는 이름을 하사받은 대장군님이시지."

"영이는 어쩌고 있느냐?"

"여전히 방 안에만 계십니다."

황궁에서 남동쪽으로 멀지 않은 곳에 위치한 홍씨 가문의 저택. 궁에서 집무를 마치고 돌아온 홍영철 장군은 가장 먼저 집사를 불러 아들의 안부를 확인했다.

"치료는 어떻게 되어 가고 있지?"

"오전과 오후에 두 번, 황제 폐하께서 보내신 무녀들이 다녀갔습니다. 전신의 찰과상과 가벼운 상처는 치료되었으나 그것이……."

"계속 말하라."

"다, 다른 곳은 치료되었으나 문제는 팔과 눈입니다."

주저하는 집사의 대답에 홍 장군의 미간에 깊은 주름이 졌다.

"상태가 심각한 것이냐? 계속 치료하면 나을 수는 있다더냐?"

"아뢰기 송구하오나 그것이…… 자, 장담할 수 없다 하옵니다."

"자세히 말해 보라, 무녀들이 뭐라고 했는지!"

주인의 물음에 참담한 심정을 감추지 못하던 집사는 자리에 주저 앉아 고개를 조아렸다.

"장군. 거짓 없이 말씀 올립니다. 도련님의 왼쪽 눈은 거의 실명 상태이며 오른쪽 눈의 시력도 앞을 겨우 가늠할 수 있을 정도입니다. 무녀들이 지속적인 치료를 받으면 오른쪽 눈은 완치 가능성이 높다고 했습니다. 그러나 가장 부상이 심한 오른팔은 팔꿈치 부분까지 괴사가 진행되어 손쓸 수 없다 합니다. 속히 결단을 내리지 않으면 목숨이 위태롭습니다."

"그 말은 지금, 영이의 팔을 절단해야 한다는 말인가?"

"이런 소식을 전하게 되어 송구합니다, 장군!"

장수가 검을 쓰는 팔을 잘라 내야 한다니. 청천벽력 같은 소식에 굳건히 이성을 유지하던 홍 장군의 몸이 비틀거렸다.

"장군! 장군! 괜찮으십니까!"

깜짝 놀란 집사가 급히 그를 부축했다. 홍 장군은 집사에게 잡힌 팔을 빼내며 손을 저었다.

"그 사실을 영이도 알고 있는가?"

"아직 모르십니다. 하오나 장군. 이대로 도련님을 죽게 놔둘 수는 없잖습니까?"

"알겠다. 집사는 이만 물러가 보라. 이 일은 내가 영이와 이야기 해 볼 테니."

"알겠습니다. 쉬십시오."

집사가 물러가고, 방 안에 혼자 남은 홍 장군은 깊은 시름에 잠겼다. 겉으로는 냉정하게 상황을 대하고 있으나 온 황제의 짐작처럼 홍 장군의 마음은 천 갈래 만 갈래로 찢어졌다. 무심한 척해도 홍 장군에게 있어 준영은 애틋한 자식이었다.

과거 준영의 위로는 세 명의 형이 있었다. 준영이 열다섯 되는 해만 하더라도 네 형제는 무척 우애 깊은 정을 나눴다. 끔찍한 사건이 벌어지기 전까지는.

그해 겨울, 황궁에서 주최한 범 사냥에 동행했던 네 형제는 막내 준영의 실수로 운명을 달리하게 된다. 당시 날로 일취월장하는 검술에 자만했던 준영이 홀로 범을 잡아 보이겠다며 대열에서 이탈해 버린 것이다.

눈 덮인 산속에서 범의 흔적을 쫓다가 낙오된 준영은 범의 습격을 받아 낮은 절벽 아래로 떨어지게 된다. 다행히 준영을 찾아 산속을 헤매던 그의 세 형이 준영을 발견했으나 그를 구하기 전에 범과 맞닥뜨렸다.

운 나쁘게도 준영의 형들이 마주한 범은 성장기 어린 범이 아닌 성체의 거대한 범이었고, 이는 잘 훈련된 사냥꾼과 무관 10여 명이 덤벼야 겨우 이길까 말까 한 무서운 상대였다. 거기에 준영의 공격을 받고 눈을 다쳐 잔뜩 화가 난 상태인 범을 갓 성인식을 치른 세 아이가 당해 낼 수 있을 리 없었다.

절벽 아래로 떨어져 움직일 수 없었던 준영은 자신을 구하기 위해 달려왔던 형들이 하나하나 범에 의해 처참한 죽음을 맞이하는 것을 그저 지켜볼 수밖에 없었다.

잠시 뒤 홍 장군과 무관들이 현장에 도착했으나 범은 온데간데없이, 보이는 것이라곤 새하얀 눈밭을 붉게 물들인 피와 싸늘히 식어 버린 세 아들의 주검뿐이었다. 홍 장군은 피로 물든 세 아들의 시신을 끌어안고 준영을 향해 소리쳤다.

—네가 죽인 것이다. 너의 어리석음이 네 형제를 모두 죽게 한 것이다. 차라리 네가 죽지 그랬느냐! 세 형의 목숨보다는 어리석은 너 하나의 목숨이 훨씬 가볍지 않았겠느냔 말이다!!!

그때 분노로 눈이 뒤집힌 홍 장군은 미처 준영의 상태를 바로 보지 못했다. 절벽에서 떨어질 때 부러진 다리와 깨진 이마를. 형들을 살리기 위해 다친 몸을 이끌고 절벽을 기어오르다 짓이겨진 무릎과 팔을. 열 손가락 한 군데도 성한 곳 없이 너덜거리며 깨지고 부러져 있던 손톱을. 성난 짐승이 발악이라도 한 것처럼 준영이 기어오르려 했던 절벽 곳곳에 남아 있던 피로 물든 손자국을. 아무것도 할 수 없었다는 무력감과 자괴감에 울부짖던 어린 아들을.

그 뒤 열아홉 살 성인식[4]을 치르던 해 겨울. 검 하나를 들고 홀로 산으로 갔던 준영은 사흘 만에 피투성이가 되어 거대한 범을 잡아 돌아왔다. 눈가에 난 길쭉한 상처. 세 형들을 죽인 바로 그 범이었다.

홍 장군은 뒤늦게 형들의 죽음을 가장 가까이에서 지켜봤을 준영의 마음이 누구보다 고통스러울 것이라고 헤아렸으나, 형제들의 죽음 이후 다시는 해맑았던 막내아들의 미소를 볼 수 없었다.

"아아, 이 일을 어쩌면 좋단 말인가……."

준영에게 있어 검은 형들의 죽음을 기리는 유일한 길이자 자신의 무력한 모습을 극복할 수 있는 해결책이었다. 그 사실을 알고 있는

---

4) 나투국에서는 남자는 열아홉 살에, 여자는 스무 살에 성인식을 치른다.

홍 장군은 준영이 팔을 자를 바에야 차라리 죽음을 선택하리란 것을 알았다. 그리고 준영이 결국 그런 선택을 내리더라도 제대로 자식을 지켜 주지 못했던 못난 아비인 자신은 그 뜻을 꺾을 자격이 없다는 것도.

하지만 마지막 남은 자식까지 이렇게 보낼 수는 없었다. 무슨 수를 써서라도 준영이만큼은 살려야 했다. 홍 장군은 어떤 순간에도 아들을 살리는 길을 택하자고 다짐했다. 그 길이 비록 준영이 자신을 저주하고 증오하게 되는 길이라 할지라도.

나투국의 하늘 위로 칠성제 기간을 알리는 폭죽이 쏘아 올려졌다. 준영은 요란하게 터지는 폭죽 소리에 열려 있던 창문으로 고개를 돌렸다.

"곧 칠성제인가."

똑똑.

그때 문을 두드리는 소리가 들렸다. 그럼에도 준영의 시선은 창밖을 향했다. 보이지 않는다. 파란 하늘도, 그 하늘을 흰 연기로 수놓으며 터질 폭죽도. 감았던 붕대를 풀고 억지로 눈에 힘을 주어 보아도 흐리게 변한 시야는 돌아오지 않았다.

그는 손을 들어 한쪽 눈을 가려 보려 했다. 흐리게 보이는 시야를 집중해 볼 생각에서였다. 그러나 무의식적으로 들어 올리려 했던 오른팔은 전혀 움직이지 않았다. 뒤늦게 그것을 깨닫고 팔을 억지로 움직이려 하자 엄청난 통증이 팔꿈치를 타고 올라왔다. 그는 어금니를 깨물며 신음을 삼켰다.

"제기랄."

흘러내린 검은 머리카락이 땀에 젖었다. 뇌가 지끈거릴 정도로 강한 통증에 허리가 절로 굽어졌다. 대답이 없자 다시금 문밖에서 소리가 들려왔다.

똑똑.

"대장군, 길림입니다."

"돌아가게."

고통을 인내하는 준영의 음성에 별안간 닫혀 있던 방문이 거칠게 열렸다. 다급한 얼굴로 들어온 사람은 준영의 부관인 길림佶臨이었다.

"돌아가라고 했잖은가! 윽."

"대장군! 괜찮으십니까!"

곧장 준영의 곁으로 다가온 길림은 쓰러지는 그의 몸을 붙잡았다. 가슴이며 어깨 등 거의 온몸을 붕대로 감다시피 한 준영의 살갗이 뜨거웠다. 그가 숨을 고르며 이마를 기댄 길림의 옷깃이 땀으로 축축하게 젖어 들었다. 길림은 밖의 시종들을 향해 서둘러 무녀를 데려오라고 외쳤다. 그런 그의 행동을 말린 건 준영이었다.

"부를 필요 없다. 무녀들이라면 조금 전에 돌아갔으니."

그는 뜨거운 숨을 뱉으며 길림에게서 떨어졌다. 비틀거리는 모습이 위태로웠다. 길림이 그런 그를 부축하기 위해 손을 내밀었으나 준영은 고개를 저었다.

"괜찮다. 견딜 만해."

애써 고통을 삼킨 준영의 말에도 길림은 웃을 수 없었다. 자신을 바라보는 준영의 시선이 안개라도 낀 것처럼 흐릿했기 때문이다.

그는 울컥 붉어지는 눈시울을 감추며 준영에게 물었다.

"약을 가져올까요?"

"버틸 만하다."

"그럼 좀 눕기라도 하십시오. 보는 사람 불안합니다."

"괜찮대도."

"고집부리지 마시고요."

준영은 단호하게 내민 길림의 손을 바라봤다. 1척尺도 안 되는 거리건만. 그마저도 간신히 길림이 내민 것이 손이란 걸 가늠할 정도의 형태만 보일 뿐이었다. 준영은 하는 수 없이 왼손을 내밀었다. 흐려진 시야에 거리감도 떨어져 두어 번 헛손질을 한 후에야 길림의 손에 닿을 수 있었다. 부축을 받아 침상에 누운 준영은 한숨을 쉬며 눈을 감았다.

"제대로 보이지도 않는 눈. 신경 쓸 바에야 차라리 뽑아 버리는 게 낫겠군."

"무서운 말씀 마십시오. 그래도 보이는 편이 낫습니다."

"그래 봐야 외눈이지."

준영이 코웃음 쳤다.

"나을 수 있을 겁니다. 안 그래도 벽록서에 들렀다가 오는 길인데 묘길 무녀님 말씀이 갓 성인식을 치른 애기 무녀의 신력이라면 실명한 눈을 되돌릴 수 있을지도 모른다고 했습니다. 그 기간이 가장 폭발적으로 신력을 쏟아 낼 수 있다면서요."

"그런 무녀가 있다면 말이야."

무녀마다 잠재된 능력은 각기 달라서 어떤 무녀는 소량의 신력을 꾸준히 사용할 수 있는가 하면, 어떤 무녀는 커다란 신력을 한 번 사용하고 신력이 보충될 때까지 사용하지 못하는 무녀도 있었다.

또 신력이란 게 무한한 것이 아니라 사용하면 할수록 줄어들기 때문에, 보통 무녀가 되어 5년 이상 치료술에 신력을 써 온 여성들은 처음 무녀가 되었을 때만큼 폭발적인 신력을 끌어내지 못했다. 게다가 신력을 사용하는 치료술도 만능이 아니어서, 심각한 괴사 혹은 실명 등은 원래대로 되돌리기 어려우며 완전히 잘려 나간 신체는 재생이 불가능했다.

준영은 냉소적으로 웃으며 뇌까렸다.

"이렇게 누워서 놀고먹는 게 몇 년 만인지."

홍준영紅俊領.

그가 처음 진검을 잡은 건 열두 살 무렵이었다. 일곱 살 때부터 형들이 받는 검술 수업을 쫓아다녔던 그는 네 명의 형제 중 유난히 검에 대한 습득력이 빨랐다. 무관으로 타고난 신체와 능력, 그리고 검에 대한 욕심. 무엇보다 겁 없이 대담한 성정까지. 그는 타고난 장수이며 대장군의 재목이었다.

열다섯 살 겨울, 형제들을 잃었던 끔찍한 사건으로 마음의 일부를 닫긴 했으나 그 사건은 그가 누구보다 진중하고 이성적인 대장군으로 성장하는 중요한 밑거름이 되었다.

형제들을 죽였던 범을 잡아 돌아온 후 그는 더욱 미친 듯이 검에만 매달렸다. 뜨거운 연무장에서 거친 장수들과 함께 훈련하며 빠르게 성장하던 그가 처음 검으로 사람을 베었던 나이는 고작 열아홉. 그 이후 성인식을 갓 치른 해부터 시작된 서국과의 전쟁은 7년이라는 긴 세월 동안 그를 피비린내 나는 전장에 서게 했다.

처음 사람을 죽였던 날 밤, 그는 잠을 이루지 못했다. 사람을 향한 검이란 것은 범을 향해 휘둘렀던 검과는 완전히 다른 무게를 안고 있었다. 그러나 망설일 수는 없었다. 망설여서는 안 됐다. 죽은 형제들을 대신해서라도 그는 끝까지 살아남아 최고의 자리에 서야 했다. 처음에는 죽지 않기 위해 검을 휘둘렀다. 그러나 어느 순간부터는 반드시 전쟁에서 승리한다는 목표 하나로 검을 휘둘렀다.

전쟁이 4년째 되던 해, 그는 부상을 당한 아버지를 대신해 황제로부터 '응휘鷹揮'라는 이름을 하사받고 대장군의 자리에 올랐다.

그 시기는 나투국의 군사들에게 있어 가장 지옥 같은 시기로 불릴 정도로 패전에 패전을 거듭하던 때였다. 그러나 적의 핵을 찌르는 지략과 거침없는 전술, 준비된 대장군이었던 그의 등장은 순식간에 전황을 뒤집었다.

그는 적을 향해 검을 휘두르고 또 휘둘렀다. 그리고 마침내 완전한 승리가 눈앞으로 다가왔다. 끝나지 않을 것 같던 전쟁의 끝이었다. 그러나 지독한 전쟁이란 녀석은 7년간 자신 안에서 함께한 그를 놓아주기 싫어 발악이라도 하듯 그의 전신을 불운의 손톱으로 무참히 할퀴었다.

국경에서 있었던 마지막 전투. 준영은 민간인을 미끼로 자신을 사지에 몰아넣었던 사내의 모습을 떠올리며 이를 갈았다.

"그놈을 죽이지 못한 게 천추의 한이로군."

"서국의 황제 말입니까?"

"그래. 잠들 때마다 여우같이 웃던 낯짝이 떠오른다고. 길림 자네가 활을 쏘아 맞혔다지?"

"예. 하지만 화살이 깊지 않았던 모양입니다. 살아 있다는 걸 보면."

함정에 빠졌던 준영이 중상을 입고 쓰러졌을 때 원군을 데리고 달려왔던 길림이 서국 황제를 향해 활을 쏘았다. 나투국에서 제일 가는 명사수인 길림의 화살은 곧장 서국 황제의 심장을 향해 날아갔다. 그리고 화살에 맞은 황제가 낙마하며 승기가 기울었다.

길림은 당시를 회상하며 준영에게 물었다.

"그때 왜 그러셨던 겁니까?"

"무엇 말인가?"

"볼모로 잡혀 있던 아이들을 구하려고 했던 대장군님의 행동이 잘못됐다는 것은 아닙니다. 하지만 저는 그것이 함정이란 사실을 대장군님께서 몰랐을 거라 생각하지 않습니다."

준영은 감았던 눈을 뜨고 경계 없이 허물어져 흐릿한 천장을 응시했다. 그 침묵이 긍정이라는 것을 안 길림이 조심스럽게 물었다.

"무모하게 왜 그러셨던 겁니까? 함정이란 사실을 알고 계셨으면서."

"글쎄, 왜 그랬을까. 어쩌면 죄 없는 아이들을 한 명 한 명 죽이던 그들의 모습이 범으로 보였는지도 모르지."

"범이요?"

"그래, 범."

자연스럽게 입에 올리는 것이 금기된 홍씨 가문의 비극. 그 자세한 내막을 모르는 길림에게는 뜻 모를 소리였다. 더는 묻지 말라는 듯이 그 말을 마치고 입을 다무는 준영의 행동에 길림은 모른 척 다른 주제를 꺼냈다.

"소식 들으셨습니까? 폐하께서 이번 성인식 특별 과제로 재미있는 것을 내셨더군요."

"특별 과제?"

"예. 후보생들에게 '가장 고귀한 매의 단장제'를 가져오라고 했답니다."

웃음기 섞인 길림의 목소리에 의아해하던 준영이 무언가를 눈치 채고 벌떡 몸을 일으켰다.

"윽. 설마 그거……."

길림은 통증을 참으면서도 당황스러운 기색이 역력한 준영의 얼굴을 보며 즐겁다는 듯이 말했다.

"예, 설마가 맞습니다. 대장군님의 단장판이요."

"웃기지 마!"

경악하는 준영의 표정은 길림이 지금까지 본 것 중 가장 우스꽝스러운 표정이었다.

다음 날 오후, 수업이 끝나고 학관을 나서는 길. 칠성제를 하루 앞두고 후보생들은 예복 준비로 기숙관에 모여 한창 바쁠 시간이었다. 하지만 윤조의 발걸음은 기숙관이 아닌 학관 밖 시내를 향하고 있었다.

"윤조 너 진짜 거기에 갈 생각이야?"

"응. 오늘 밤이 결전의 날이야."

그런 윤조를 발견한 나래가 그녀의 뒤를 따라와 속삭였다. 윤조는 당연하다는 듯이 고개를 끄덕였다. 불끈 쥔 주먹이 반드시 해내고야 말겠다는 의지에 차 있었다.

나래는 지끈거리는 이마를 짚었다. 윤조가 연약해 보이는 외모와 달리 억척스럽고 드센 구석이 있다는 건 알았지만 이렇게 막무가 내일 줄은 몰랐다. 세상 물정을 아는 건지 모르는 건지, 가끔은 영악해 보여도 때로는 멍청할 정도로 순진한 구석이 있는 친구의 행보에 속이 타는 건 나래였다.

"어디 전쟁이라도 나가냐? 아니, 그보다 정말 홍 장군님 댁을 가겠다고?"

"그렇다니까. 가서 반드시 대장군님의 단장판을 손에 넣고 말겠어."

그때 복도 맞은편에서 걸어오는 한 무리의 후보생들이 보였다. 나래는 얼른 윤조를 잡아당겨 벽 뒤에 숨었다.

"쉿! 그거 밖에서 떠들고 다니지 말랬지!"

"아차, 미안."

"내가 알려 줬다는 건 절대 비밀인 거다?"

"당연하지."

후보생들이 지나가고, 주위를 살핀 두 사람은 서둘러 학관을 벗어났다. 나래는 마차가 지나다닐 수 있을 정도로 큰길에 들어섰을 때 빠르게 걷는 윤조를 붙잡았다.

"잠깐 서 봐."

"왜?"

"너 지금 어디 가는 거야?"

"그야 홍 장군님 댁이지. 밤에 몰래 들어가려면 염탐은 필수니까. 큰 저택 어디쯤 개구멍 하나는 있지 않겠어?"

"이 훤한 대낮에 떡하니 후보생 차림을 하고 얼굴도 훤히 드러낸 채 염탐을 가겠다고?"

무녀 후보생들이 입는 옷은 붉은색과 녹색, 노란색으로 작은 꽃과 나비가 수놓인 하얀 겹치마에 위로는 연한 보랏빛이 감도는 잿빛 저고리였다. 보통 허리가 짧은 저고리와는 조금 다른 후보생들의 저고리는 사방으로 나뉜 허릿단이 치마 위로 길게 늘어져 허리를 끈으로 묶는 형식이었다.

사람들은 걸을 때마다 팔랑거리는 옷의 움직임이 제비나비와 비슷하다 하여 무녀 후보생들이 입는 옷을 '봉접(鳳蝶-제비나비)', 줄여서 접의(蝶衣-나비 옷)라고 불렀다. 그런 후보생의 옷은 무척 눈에 띄었기에 변복을 하지 않고 염탐을 간다는 윤조의 말에 나래가 펄쩍 뛰는 것도 무리는 아니었다.

"아니! 당연히 얼굴은 가려야지. 여기 가면도 챙겼어. 옷은 생각 못했는데, 갈아입고 가야 하나?"

나래는 윤조가 품에서 꺼낸 직녀 가면을 보고 미간을 찌푸렸다.

"그걸 쓰고 가겠다고?"

"누구인지 들키지만 않으면 괜찮지 않을까?"

"그걸 쓰고 후보생 옷차림으로 가는 순간 '내가 대장군님 단장판을 노리는 후보생이요!' 알리는 꼴이잖아! 이 멍청아!"

"하지만 나 말고도 노리는 후보생들이 많을 텐데 어차피 누가 누구인지 모를 거 아니야."

윤조의 말도 일리는 있었으나 나래는 정색을 하고 고개를 저었다.

"너는 너 자신을 몰라도 너무 몰라. 거울은 보고 사니? 자, 좀 봐라, 봐!"

나래는 품에서 손거울을 꺼내 윤조의 눈앞으로 내밀었다. 거울에 비친 윤조의 두 눈은 놀란 토끼처럼 동그래져 있었다.

"아차, 머리카락!"

윤조는 거울을 확인하고 나서야 자신의 머리카락이 남들과는 다른 색이란 것을 새삼스럽게 깨달았다. 나래는 자신의 검은 머리와는 확연히 차이가 나는 윤조의 금빛 머리카락을 바라보며 혀를 찼다.

"머리카락뿐만이 아니야. 너는 남들보다 피부도 희고 눈동자 색도 연하다고."

나투국 사람 대부분은 또렷한 흑발과 검은색 눈동자를 갖고 있었다. 지극히 소수지만 검은 머리카락이 아닌 밤색이나 적갈색 머리카락을 지니고 태어나는 경우도 있었는데, 윤조는 그중에서도 특이한 경우에 속했다.

"칫, 잘 익은 보리밭색 머리카락이라니. 머리카락을 보리색으로 줄 바에는 그냥 보리를 주지. 보리 한 되 구하는 것도 힘들어 죽을 뻔했었는데."

진심 어린 윤조의 푸념에 나래는 황당한 표정을 지었다.

"황금색이라는 예쁜 표현 놔두고 보리밭 색이 뭐니? 천박하게."

"먹을 수도 없는 거 예뻐서 뭐해. 어렸을 때 배곯아 죽을 뻔했다고. 머리카락으론 죽도 못 쒀."

할 수만 있다면 머리카락으로 죽이라도 쑤었을 것이다. 다른 사람은 몰라도 윤조라면 정말 시도했을지도. 그런 생각에 질색하던 나래는 잡념을 털어 내고 본론으로 돌아왔다.

"아무튼, 넌 머리카락 색도 특이하고 눈에도 잘 띄어서 가면만으로는 부족해. 염탐은 무리라고, 무리."

"그럼 어떻게 해? 나 홍 장군님 댁이 어떻게 생겼는지 한 번도 본적 없단 말이야. 개구멍이라도 미리 찾아 놓지 않으면 들어갔다가 길을 잃어버릴 거라고."

"아, 너 길치였지."

"방향치야!"

"그거나, 그거나! 길도 잘 잃어버리면서 밤에 거길 몰래 들어갈 생각을 해? 얘가 진짜 겁도 없어!"

"아니, 그래도 때려 맞히는 방향이 대충 잘 맞더라고."

"하아, 그래 너 운 좋은 건 알지만- 안 되겠다. 불안해서 내가 안 되겠어. 그냥 따라와."

"응? 어디 가는데?"

윤조는 별안간 앞장서서 나가는 나래의 뒤를 쫄레쫄레 따랐다.

"어디긴 어디야, 홍 장군님 댁이지. 안 그래도 아버지가 병문안 선물 보낸다고 하셨으니 선물 상자에 들어가서 숨어 있다가 어두 워지면 단장판 찾아서 후문으로 갖고 나와."

"나래야."

"뭐, 왜."

겸연쩍어하는 나래의 귓가가 붉었다. 정말이지 솔직하지 못하다니까. 윤조는 세상을 다 가진 얼굴로 환하게 웃으며 나래의 허리에 와락 매달렸다.

"사랑하오! 역시 내게는 나래 자기밖에 없소!"

"으악! 그 자기 소리 좀 집어치워!"

"이리 와. 언니가 뽀뽀해 줄게, 뽀뽀."

"떨어져! 떨어져! 누가 언니야, 이 멍청아!"

기겁한 나래가 윤조의 볼을 우악스럽게 밀어냈지만 윤조의 웃음 은 멈추지 않았다.

"히히, 역시 다시 태어나길 잘했어."

"웬 헛소리야?"

"그냥 좋아서."

이전 생에서는 나를 위해 주는 친구도, 그런 친구와 함께 웃고 떠들었던 시간도 없었으니까. 조용히 감춘 비밀을 아는 사람은 오직 윤조 본인뿐이었다.

✦

"얼른 들어가."

철커덕.

최씨 가문의 마차 안. 나래가 커다란 나무 상자를 잠가 놓았던 자물쇠를 풀었다. 잉어 모양의 자물쇠는 어른 손바닥만 한 크기만큼이나 육중한 소리를 내며 열렸다. 상자 안에는 활짝 핀 각양각색의 꽃이 가득했다.

"이게 다 웬 꽃이야?"

"혹시 누가 상자를 열어 봤을 때 둘러댈 물건 정도는 있어야지."

"왜 하필 꽃인데?"

"병문안 선물로 대장군님 생각하며 내가 따 온 꽃이라고 둘러댈 거다, 왜."

"푸하핫! 나래 너 가녀린 요조숙녀 흉내라도 낼 참이야?"

"이게! 안 도와주는 수가 있다?"

"오, 아냐, 아냐! 고마워, 고마워."

그제야 긴장이 되기 시작한 윤조는 마른침을 삼키며 불안한 눈으로 상자를 쳐다봤다.

"그런데 숨은 쉴 수 있는 거지?"

"상자 틈으로 대롱이라도 꽂아 주리?"

"응."

윤조는 진심으로 고개를 끄덕였다.

"걱정하지 마. 안 죽어. 상자도 열어 놓을 테니 사람 없을 때 눈치껏 문 열고 숨 쉬면 돼."

그렇구나. 그게 그렇게 간단한 거였구나. 윤조는 속으로 눈물을 삼키며 옷을 갈아입고 상자 안으로 들어갔다.

"어때? 괜찮아?"

"생각보다 넓네. 이 정도면 밤까지 버틸 만하겠어."

상자 안에 들어간 윤조의 머리 위로 나래가 들키지 않게 꼼꼼히 꽃을 덮어 주었다.

"크, 꽃향기 죽인다. 이거 먹어도 되는 꽃이야?"

"먹지 마!"

"배고플 수도 있잖아."

"그냥 참아. 그럼 뚜껑 닫는다? 이제 거의 다 왔어. 곧 홍 장군님 댁 앞이야. 쓸데없는 짓 하지 말고 단장판만 찾아서 곧장 후문으로 나와야 해. 알겠지?"

"오케이."

"오케이가 뭐야?"

"알겠다는 뜻이야."

"너는 가끔 이상한 말 많이 하더라. 아무튼, 이제 진짜 닫는다."

"오케이."

상자가 닫히자 순식간에 주변이 어두워졌다. 다행인 것은 상자에 난 열쇠 구멍으로 밖을 살필 수 있다는 점이었다.

그렇게 덜컹거리는 마차에 몸을 맡긴 지 얼마 되지 않아 마차가 멈췄다. 홍 장군의 저택에 도착한 모양이었다.

'와, 나 정말 홍씨 가문의 저택에 들어가는 거야?'

상자 밖에서 사람들의 목소리가 들려왔다. 마차에 싣고 온 물품을 검사하겠다는 내용이었다. 윤조는 쿵쾅거리는 심장을 진정하며 심호흡했다. 달각거리며 물건을 확인하는 소리와 함께 머리 위로 상자의 뚜껑이 열리는 소리가 들렸다. 그녀는 두 손으로 코와 입을 가리며 숨을 참았다.

"이건 내가 직접 대장군님께 드릴 병문안 선물이다. 문제라도 있나?"

"아, 그렇습니까? 실례했습니다. 들어가셔도 좋습니다."

까칠한 나래의 음성에 열렸던 상자의 뚜껑이 다시 닫혔다. 들키지 않은 모양이다. 윤조는 참았던 숨을 뱉으며 가슴을 쓸어내렸다.

그렇게 시간이 얼마나 흘렀을까? 이리저리 옮겨 다니던 상자는 어느 순간 멈춰서 미동하지 않았다. 조금 전까지만 해도 가까이에서 나래의 목소리가 들렸던 것 같은데 깜빡 잠이 들었던 모양이었다.

'도착한 건가?'

상자에 귀를 붙여 봐도 사람이 지나다니는 기척이라고는 느껴지지 않았다. 조심스럽게 상자의 문을 열고 밖을 살피던 윤조는 멀리서 상자를 향해 걸어오는 사람들을 발견하고 얼른 뚜껑을 닫고 안으로 들어갔다.

조금 있자 상자가 공중에 붕 뜨는 느낌이 들었다. 또 어디로 가는 걸까? 제대로 대장군을 찾아갈 수 있는 건 맞겠지? 시간이 갈수록 밀려오는 불안에 윤조는 초조히 입술을 깨물었다. 하지만 불안보다 더 참기 힘든 것이 있었으니 그것은 바로 음력 7월의 무더위였다.

한낮에 달궈진 뜨거운 열기가 상자 안으로 스며들었다. 점점 더워지는 내부에 윤조는 숨을 헐떡였다. 열쇠 구멍으로 밖의 상황을 살피며 더위에 지쳐 가던 그녀는 어느 순간 까무룩 정신을 잃고 말았다.

                                        ✦

"선물?"

"예. 최씨 가문의 장녀가 대장군님께 드리는 병문안 선물이라더군요."

길림의 말에 방 안으로 들여놓은 커다란 상자를 바라보던 준영의 눈이 가늘어졌다. 흐린 시야로 보이기에도 확연히 큰 상자였다.

"안에 무엇이 들었지?"

"대장군님을 위해 특별히 공수한 귀한 꽃이라던데요. 시종들 말이 저 상자 가득 꽃이랍니다. 정말 귀엽지 않습니까?"

흐뭇하게 미소 짓는 길림을 보며 준영은 기가 막힌다는 듯이 혀를 찼다.

"황당하군. 선물이 아니라 쓰레기를 준 격이야."

"쓰레기라니요. 대장군님은 심신의 안정을 위해서라도 꽃 같은 아름다운 것을 곁에 둘 필요가 있습니다. 감성이 너무 메말랐다고요."

"장수에게 감성 따위가 무어 필요하다고."

"사내에겐 필요하죠."

"쓸데없는 소리."

차가운 준영의 반응에 길림의 낯빛이 어두워졌다. 오전에 문씨 가문으로부터 도착했던 한 통의 서신이 떠올랐기 때문이다. 서신에는 문씨 가문의 장녀인 무녀 혜린과 대장군의 파혼을 요청하는 내용이 적혀 있었다. 불구가 된 사내에게 문씨 가문의 장녀를 시집보낼 수는 없다는 내용에 홍 장군과 길림은 진노하였으나 정작 당사자인 준영의 반응은 무덤덤했다.

─알겠다.

서신을 읽고 그가 한 말은 그게 다였다. 길림은 준영이 표현에 서툴지만, 강제이든 혹은 자신의 의지이든 약혼자인 혜린을 위하는 마음만큼은 진심이라는 것을 알고 있었다. 그럼에도 한 톨의 슬픔이나 자책, 체념의 기색도 드러내지 않는 그를 보며 이루 말할 수 없는 답답한 감정에 휩싸였다.

"혜린 무녀님을 만나지 않아도 괜찮으시겠습니까?"

"전쟁을 마치고 돌아왔던 날 그녀가 나를 찾지 않았던 시점에서 우리의 관계는 끝이었다."

"하지만 대장군께서는 그녀를……."

"거기까지. 이 일은 자네가 끼어들 일이 아니야."

"죄송합니다. 주제넘었습니다."

"내일은 칠성제 날이 아닌가. 자네는 가서 전사한 병사들의 가족들을 챙기게."

"알겠습니다. 쉬십시오."

길림이 돌아가고, 준영은 침대에 걸터앉아 어느새 어두워진 하늘을 올려다봤다.

"하아."

저절로 나오는 한숨에 그는 자조했다.

"무기력하구나."

마치 열다섯 그해 겨울처럼.

반복인 걸까? 이번에도 구하지 못했다. 볼모로 잡혀 죽어 가던
죄 없는 아이들을. 자신의 형제들이 범에 의해 하나하나 무참히 살
해되던 그날처럼. 흘러내리는 머리카락을 쓸어 넘기던 그의 시선
이 문득 방 안에 있던 커다란 상자에 가 닿았다.

"꽃이라……."

떠올리니 열아홉부터 스물여섯인 지금까지 7년간 전쟁터에 있으
면서 그는 한 번도 꽃의 향긋함을 느껴 본 적이 없었다. 피로 물든
전장에도 어김없이 봄이 되면 꽃은 피어났다. 하지만 시체 위에서
자라나 죽은 자의 망령처럼 움트는 꽃들을 달갑게 곁에 둘 사람은
없었다.

자물쇠가 걸리지 않은 상자는 열려 있었다. 준영은 왼손을 뻗어
상자의 뚜껑을 열었다. 다음 순간 무심했던 그의 얼굴에 이루 설명
할 수 없는 감정이 섞여 들었다.

만개한 꽃들에 둘러싸여 몸을 웅크린 채 눈을 감고 있는 것은 분
명 여자아이였다. 그 사실을 깨달은 순간 이상하게도 제대로 보이
지 않았던 시야가 일순 환하게 걷히며 주변이 또렷해졌다. 보인다.
앞이. 눈이 보인다. 더듬거리며 자신의 눈을 매만지던 준영의 시선
이 다시 상자 안으로 향했다.

잠든 것처럼 눈을 감은 아이의 머리카락은 방울새의 날개깃을 닮
은 황금색이었다. 수많은 사람을 보아 왔지만, 지금까지 황금색을
신체에 지닌 자는 처음이었다. 꿈인가? 하지만 아무리 다시 보아도
분명 사람이다.

"으음……."

활짝 열린 상자 안으로 시원한 공기가 밀려들었다. 그에 반응하듯 눈을 감고 있던 윤조가 작게 신음하며 뒤척였다. 준영은 그런 윤조의 작은 몸짓마저도 빠짐없이 눈에 담았다. 그 순간 닫혀 있던 윤조의 눈꺼풀이 스르륵 열리며 기이한 느낌을 주는 황갈색 눈동자가 준영을 향했다.

"헉!"

화들짝 정신을 차린 윤조의 얼굴이 경악으로 물들었다. 여기가 어디야! 나, 나 기절했었나? 그녀는 여전히 상자 안에 있는 자신을 확인하고는 눈앞에 선 반라의 사내에게로 시선을 돌렸다.

풀어 헤친 상의 앞섶, 근육질로 단단해 보이는 맨가슴과 배가 고스란히 드러났다. 사내의 상체에는 팔, 어깨, 가슴 할 것 없이 온통 붕대가 감겨 있었는데, 그 외에도 피부 곳곳에 보이는 크고 작은 흉터들에 사내의 몸이 온갖 상처로 난도질되어 있음을 알 수 있었다.

꿀꺽, 절로 마른침이 삼켜졌다. 몰래 숨어들었다는 게 전부 들통 난 상황이건만, 윤조의 시선은 촘촘히 근육이 짜인 사내의 배와 가슴에서 떨어질 줄 몰랐다. 그리고 비로소 사내의 얼굴을 똑바로 마주했을 때 그녀는 흘러내린 눈가의 붕대 사이로 보이는 사내의 깊고 짙은 검은 눈동자에 옴짝달싹할 수 없었다. 매와 비슷한 그 사나운 눈빛을 어디에선가 본 기억이 있었다.

"호, 호, 홍 장군님?"

"홍영철 장군은 나의 부친이시다."

놀라 더듬는 윤조의 말에 대답하며 준영이 한 걸음, 그녀를 향해 다가갔다.

"너는 누구냐. 누구기에 겁도 없이 홍가의 저택에 숨어든 것이냐?"

준영에게 있어서는 미약한 살기도 띠지 않은 단순한 위협이었으나 윤조에게는 달랐다. 생전 처음 무장의 기백을 정면으로 맞닥뜨린 그녀는 금방이라도 목을 졸릴 것 같은 공포에 온몸을 떨었다. 그건 윤조의 의지와는 상관없는 일이었다. 자연의 이치처럼 연약한 초식동물의 오감이 눈앞의 맹수를 알아봤다.

겁에 질린 그녀의 모습에 준영의 손이 조심스럽게 뻗어질 때였다. 방문 밖으로 가까워지는 인기척에 윤조와 준영 두 사람의 고개가 동시에 문을 향했다.

똑똑.

"준영이 아직 깨어 있느냐?"

홍 장군의 목소리였다.

'큰일이다!'

다급해 보이는 윤조의 얼굴을 본 순간 준영의 몸이 빠르게 움직였다. 그는 순식간에 윤조의 몸을 상자 안으로 밀어 넣고 뚜껑을 덮었다. 어째서 집 안에 무단으로 침입한 자를 감싸 주고 있는 건지 그조차도 자신의 행동을 이해할 수 없었지만, 머리보다 몸이 먼저 반응하는 것을 막을 수 없었다.

"들어가마."

그 직후 방문이 열리며 홍 장군이 들어왔다.

"아버지, 오셨습니까."

"그래. 아직 안 자고 있었구나."

부자 사이에 어색한 기운이 감돌았다. 상자의 열쇠 구멍을 통해 이 모습을 지켜보던 윤조의 가슴이 쿵쾅거렸다.

"무슨 일로 오셨습니까?"

준영의 물음에 홍 장군이 주저하며 입을 열었다.

"의논할 게 있다. 네게 중요한 일이다."

"아침에 문씨 가문에서 보낸 서신 때문이라면 신경 쓰실 필요 없습니다."

"파혼 문제보다도 더 중요한 일이다."

'파혼.'

윤조는 학관에서 후보생들이 대장군에 대해 떠들었던 이야기 중 그의 약혼녀인 혜린 무녀에 관한 것을 떠올렸다. 정말 파혼을 한 건가? 하지만 걸어 다니는 걸 보면 그렇게 심각한 상태로는 보이지 않는데……

물론 그의 상체가 온통 붕대로 덮여 있긴 했지만 윤조가 학관 무녀들을 통해 들었던 그의 상태는 상상할 수 없을 정도로 심각했기에 움직이는 그의 모습에 조금 안심을 했는지도 몰랐다. 윤조는 다시 두 사람의 대화에 귀를 기울였다.

"말씀하십시오."

"준영아."

"예, 아버지."

"다녀갔던 무녀들에게 들었다. 영아, 안타깝지만 네 오른팔은 이미 손쓸 수 없다는구나."

순간 무거운 침묵이 내려앉았다. 한참 만에 먼저 입을 연 쪽은 홍 장군이었다.

"팔을 잘라 내야 한다. 그래야 네가 살 수 있어."

'흡.'

충격적인 대화에 놀란 윤조가 숨을 들이켰다. 다급히 양손으로 입을 틀어막았으나 기민한 홍 장군이 그 소리를 듣지 못했을 리 없었다.

"방금 무슨 소리가……."

홍 장군이 매서운 시선으로 방 안을 훑었다. 금방이라도 허리에 찬 검을 꺼내 들 기세였다. 그런 홍 장군의 관심을 돌린 건 단호한 준영의 한마디였다.

"차라리 죽겠습니다."

홍 장군과 윤조의 시선이 준영을 향했다.

"장수가 검을 쓰는 팔을 잘라 내고도 어찌 장수라 할 수 있겠습니까?"

"검은 다시 잡으면 된다. 남은 팔로도 검은 다시 쥘 수 있어!"

"물론 다시 검을 잡을 수는 있겠죠. 하지만 이전처럼은 절대 검을 쓰지 못할 겁니다."

"준영아!"

"그날 이후 제가 지난 14년간 검과 함께 걸어온 길은 두 번 다신 되돌아갈 수 없는 지옥이었습니다. 저는 그 길에 새긴 검의 무게를 버릴 수 없습니다. 절대 그럴 수 없습니다."

"나는 또다시 아들을 잃을 수 없다."

"아버지!"

"네 형제를 위해 살아온 길인 만큼 그 목숨을 그리 쉽게 포기해서는 안 된다. 그것만은 절대로 허락할 수 없어!"

"아버지는 제게 살아가라 말씀하실 자격, 없으십니다."

냉소적인 준영의 비난에 홍 장군이 말을 멈췄다. 준영은 아버지를 대하는 것이라고는 할 수 없을 정도로 싸늘하게 선을 그었다.

"당신은 제 삶을 논할 자격이 없습니다. 아버지."

홍 장군은 무어라 반박하려다 체념한 듯 입을 다물었다. 그러고는 등을 돌려 방을 나서려다 말고 다시 준영을 돌아봤다.

"네가 날 죽이려 든다 해도 나는 너를 살려야겠다."

말을 마친 홍 장군은 복도를 가로질러 멀어졌다. 그런 그의 뒷모습을 바라보는 준영의 눈엔 분노가 가득했다. 손톱이 손바닥을 파고들 정도로 꽉 쥔 주먹이 바르르 떨렸다. 지독하리만치 무거운 공기에 윤조는 감히 나갈 생각도 하지 못하고 상자 안에서 숨을 죽였다.

"이제 나와도 된다."

잠시 뒤 준영이 상자를 향해 말했다. 하지만 한참이 지나도 상자 안은 미동 없이 조용했다. 침대에 걸터앉은 준영은 왠지 겁에 질려 떨고 있는 것 같은 커다란 상자를 빤히 바라보다 조금 짜증스럽게 읊조렸다.

"나는 두 번 말하는 거 싫어한다."

말이 떨어지기 무섭게 닫혀 있던 상자가 벌컥 열렸다. 동시에 자리에서 벌떡 일어났던 윤조는 민망함에 다시금 상자 안에 몸을 웅크렸다. 어떻게든 시선을 피해 보겠다고 상자 안에 든 꽃을 꺼내 얼굴을 감추는 모습에 준영이 어이없다는 듯 웃었다.

"지금 뭐 하는 건가?"

"무, 무서워서요."

"내가?"

"네에……."

"왜지? 나는 너를 친절하게 살려 두고 있는데. 아아, 내 꼴이 이 모양이라 무서울 만도 하겠군."

상처투성이인 몸을 가리키는 준영의 말에 윤조는 고개를 저었다.

"아뇨, 그게 아니라 제가 지은 죄가 많아서-. 하하, 하하하. 살려 두셔서 감사합니다!"

비꼬아서 말한 건데 그걸 또 감사하단다. 준영은 그런 윤조를 이상한 눈으로 바라보다 한숨을 쉬며 말했다.

"언제까지 그러고 있을 건가?"

살려 둔 게 감사하면 얼른 도망이나 가라고.

덧붙이는 그의 말에 상황을 깨달은 윤조가 자리에서 일어나려 했다. 하지만 이번에도 일어나기가 무섭게 다시 주저앉아 버린다.

"지금 재롱떠나?"

험악해진 준영의 목소리에 윤조는 그게 아니라며 거의 울 것 같은 얼굴로 고개를 저었다.

"그게 아니라요, 상자 안에 오래 있었더니 다리에 쥐가 나서. 죄송합니다, 빨리 일어나겠습니다!"

아픈 다리를 붙잡고 끙끙거리는 모습에 준영은 하는 수 없이 몸을 일으켰다. 정말 손이 많이 가는 침입자네. 상자 앞으로 다가간 그가 윤조를 향해 손을 내밀었다.

"잡아라."

내민 손에 윤조가 빼꼼 고개를 들어 준영을 바라보다 살며시 손을 내밀었다. 자그마한 체구만큼이나 겹쳐진 손도 무척 작다. 준영은 제 손바닥을 간질이는 작고 하얀 손을 세게 잡아당겼다.

"어이쿠!"

순식간에 위로 딸려 간 몸에 윤조가 깜짝 놀라 눈을 깜빡였다.

준영은 비틀거리는 그녀의 몸을 품 안으로 받았다. 조금 뜨거운 것 같은 피부가 단단했다. 엉겁결에 준영에 가슴에 기대게 된 윤조는 손바닥 아래로 느껴지는 단단한 근육에 감탄했다.

"와, 몸이 엄청 좋으시네요. 힘도 세고! 그런데 열이 좀 있는 것 같은데……."

준영에게 닿았던 손바닥이 따끈했다. 그런 자신의 손바닥을 바라보며 고개를 갸웃거리던 윤조가 열을 잴 요량으로 준영을 향해 손을 뻗었다.

'손이 안 닿아!'

준영은 힘껏 뻗은 그녀의 손이 제 턱 끝에서 휙휙 움직이는 모양을 바라보며 실소했다. 윤조의 얼굴이 붉게 달아오르는 모습을 지켜보던 그가 안간힘을 쓰는 그녀의 손을 잡으며 심각하게 말했다.

"작군."

"안 작아요!"

"작다."

"아니에요! 못 먹어서 그래요! 저도 삼시 세끼 꼬박꼬박 먹고 자랐으면 쑥쑥 클 수 있었거든요!"

"지금 내게 화내는 건가?"

"혁, 아니요! 제가 잠시 미쳤었나 봅니다. 키에 민감해서 그만. 열 좀 재 봐도 될까요?"

준영이 고개를 살짝 숙여 주자 윤조의 손이 그의 이마에 닿았다.

"확실히 열이 있네요. 약은 드셨어요?"

"먹었다."

"몸에 염증이 심하면 열이 나는데 혹시 곪은 상처가 있나요?"

"아마 팔인지도 모르겠군."

잘라 내야 한다고 했으니 괴사가 손쓸 수 없이 진행된 상태일 것이다. 그의 대답에 윤조는 진지한 표정으로 준영의 오른팔을 살폈다.

"통증이 있으면 알려 주세요."

윤조는 그의 손끝부터 천천히 손가락 끝을 이용해 그의 팔에 압을 가하며 위로 올라갔다.

"느낌이 있나요?"

"아니."

"여기도요?"

"없다."

"그럼 어깨 쪽은―."

"윽."

신음하는 준영의 반응에 윤조는 그의 팔에서 손을 떼고 심각하게 말했다.

"겉은 비교적 멀쩡해 보여도 손끝부터 팔꿈치 바로 위까지 괴사가 심각해요. 제가 손으로 눌렀을 때 이렇게나 깊이 들어가는데도 아무 느낌이 없다는 건 이 안이 전부 피와 고름으로 가득 차 있기 때문이에요. 이대로 괴사가 어깨까지 진행되면 정말 위험한데……."

이러한 상태이기 때문에 무녀장님도 팔을 잘라 내야 한다는 결정을 내릴 수밖에 없었겠지. 그래도 아직 가능성은 있다. 한 번에 폭발적인 신력을 사용할 수 있는 내 힘을 사용한다면. 처음처럼 되돌리는 건 무리겠지만 어떻게든 팔을 치료할 수 있을 정도로는 고칠 수 있을 거야.

하지만 윤조가 사용하는 신력은 한 번 사용한 뒤에는 며칠간 보충이 되기 전까지는 재사용이 불가능했다. 더구나 바로 내일은 무녀 선별 시험이 있는 칠성제가 아닌가. 자칫 신력을 사용했다가 시험에서 떨어지기라도 한다면? 갈등하던 윤조는 준영을 향해 물었다.

"팔을 고칠 수 있다면 시도해 보시겠어요?"

"방법이 있나?"

"네. 하지만 한 번에 원래대로 돌아가진 못할 거예요. 그래도 치료할 수 있을 정도로 고치는 건 가능해요."

준영은 문득 이 종잡을 수 없는 생명체가 대체 어디에서 온 것인지 궁금해졌다.

"방법이 있다면 고치고 싶다. 그런데 너는 어디에서 왔지? 이런 것을 알고 있는 걸 보면 무녀인가?"

"이름도 무엇도 말씀드릴 수 없어요. 만에 하나 홍씨 가문에 무단으로 침입했던 사실이 알려지기라도 하면 저는 땡전 한 푼 못 받고 쫓겨나거든요. 팔을 고치고 싶다면 아무것도 묻지 말고 제 부탁 하나만 들어주세요."

어디의 누구라고 말하지만 않았지 본인이 무녀임을 거의 밝힌 셈이었다. 그런 사실을 아는지 모르는지 심각한 표정으로 당부하는 그녀의 표정에 준영이 헛웃음을 지었다.

"하, 이것 참 대담한 침입자로군. 최소한의 신분도 모른 채 내가 널 어떻게 믿고 팔을 맡기겠나?"

처음부터 전혀 암살자라고는 생각되지 않았지만 그렇다고 낯선 상대에게 다친 몸을 쉽게 맡길 수는 없었다. 윤조는 그런 대장군의 의중을 눈치채고 가볍게 대꾸했다.

"제가 만약 대장군님의 적이었다면 대장군님께서 제 손을 잡았을 때 심장에 칼을 박아 넣었겠죠."

그 내용은 전혀 가볍지 않았지만 준영의 입장에서는 꽤 마음에
와 닿는 대답이었다.

"그래, 좋다. 그 부탁이란 게 뭐지?"

윤조가 씩 웃으며 손바닥을 모은 두 손을 준영의 앞으로 내밀었다.

"제게 대장군님의 단장판을 주세요."

❦

"얘는 뭘 하기에 이렇게 안 나와?"

홍 장군 저택의 후문. 시종들과 함께 마차를 대기 중이던 나래는
아무리 시간이 흘러도 나오지 않는 윤조의 모습에 초조하게 손톱
을 깨물었다.

"설마 잡힌 건가?"

아니, 그렇다면 지금쯤 저택 안이 소란해야 한다. 하지만 밤이
드리운 홍 장군의 저택은 쥐 죽은 듯이 고요하기만 했다.

"아, 불안한데. 윤조 얘 쓸데없는 짓 하고 있는 거 아니야? 예를
들면 대장군님께 단장판을 내놓으라고 조르는 중이라거나?"

거기까지 생각한 나래는 설마 하며 고개를 저었다. 아무리 멍청
해도 매의 단장판이 아닌 사내에게 단장판을 달라는 의미가 무엇
인지쯤은 윤조도 알고 있겠지.

"알고 있어야 할 텐데."

중얼거리던 나래가 불안한 시선으로 주위를 살폈다.

"뭘 하든 간에 빨리 나와라. 이러다 기숙관 통금 시간 넘기겠다."

한편 그 시각 윤조는, 나래의 말마따나 준영에게 단장판을 내어 달라 당당히 요구하는 중이었다.

"지금 뭐라고 했나?"

"제게 대장군님의 단장판을 달라고 했습니다."

"뭐?"

"대장군님의 단장판을 갖고 싶다고요!"

"너 지금 제정신으로 하는 소린가?"

스물여섯 해를 살아오는 동안 준영이 이토록 당황한 건 단언컨대 이번이 처음이었다. 자신의 단장판을 달라니! 여성이 이성에게 단장판을 달라 함은, '당신을 소유하고 싶다', '당신과 자고 싶다', '당신과 혼인하고 싶다'는 최고의 유혹이자 청혼의 행위였다. 그는 이런 엄청난 말을 아무렇지도 않게 내뱉는 윤조가 실성한 것은 아닐까 걱정했다.

"너, 지금, 그러니까, 내 단장판을 내어 달라?"

어찌나 당황했는지 혀가 꼬여 말을 제대로 할 수 없을 정도였다. 준영은 침착하게 이성을 되찾고 윤조의 대답을 기다렸다.

"안 돼요? 저한테 주기 싫으세요? 아니면 다른 사람한테 주실 거예요? 설마! 벌써 다른 사람한테 내준 건!"

"아니! 아니다, 절대 주지 않았어!!!"

거의 울먹이는 윤조의 물음에 준영은 자신도 모르게 변명하듯 소리쳤다. 진실로 힘주어 부정하는 그의 말에 울상이던 윤조의 얼굴이 환히 밝아졌다.

"헤헤, 다행이다. 대장군님 단장판은 제가 꼭 가져야 한단 말이에요."

가지고 싶다도 아니고 가져야 한단다. 예쁘게 웃는 얼굴로 한술더 뜨는 윤조의 말에 준영의 귓가가 드물게 달아올랐다.

"못 당하겠군. 그게 정말 그렇게 갖고 싶은 거냐? 내 단장판이?"

한 손으로 붉어진 얼굴을 감추며 묻는 그의 말에도 윤조는 전혀이상한 점을 눈치채지 못하고 긍정했다.

"당연하죠! 그걸 갖고 싶어서 이렇게 몰래 들어왔는걸요."

"대담하군."

"용기가 없으면 시도도 못하죠."

"그런가. 너, 몇 살이지?"

갑자기 나이는 왜 묻는 거지? 의아해하던 윤조는 이름도 아니고나이쯤이야 알려 줘도 괜찮겠지 싶어 입을 열었다.

"올해로 스물이요."

"거짓말. 이렇게 작은데?"

"아이참! 이건 못 먹어서 그렇다니까요! 저도 삼시 세끼 꼬박꼬박 먹고 자랐으면 쑥쑥 컸을—."

윤조의 말은 이어지지 못했다. 준영의 뜨거운 숨이 그녀의 입술을 덮어 버렸기 때문이다.

갑작스러운 입맞춤에 윤조의 두 눈이 더는 커질 수 없을 정도로동그래졌다. 놀란 토끼 같은 윤조의 모습에 준영이 입술을 움직이다 말고 피식, 웃음을 흘렸다. 맞닿은 입술 사이로 준영의 웃음이느껴졌다. 윤조는 매서운 준영의 눈매가 부드럽게 휘어지는 조화에 굳어진 듯 움직일 수 없었다.

"처음인가?"

준영은 잠시 입술을 떼고 커다란 손으로 조심스럽게 윤조의 뒷머리며 목, 척추를 쓸어내렸다. 그러자 딱딱하게 굳었던 윤조의 몸에서 긴장이 풀리며 자연스럽게 그의 단단한 팔 안에 안기는 자세가 되었다.

"어, 어, 왜 갑자기……."

목이며 얼굴 할 것 없이 새빨갛게 달아오른 윤조가 준영을 쳐다보다 고개를 푹 숙여 버렸다. 저돌적으로 단장판을 내어 달라 대담하게 유혹하더니, 보여 주는 모습은 남자라고는 모르는 순진한 소녀다. 어느 게 진짜 모습인지 모르겠군. 대담함? 순진함? 혹은 둘 다인가. 입맞춤도 처음인 것 같은데 어디에서 그런 용기가 나왔는지 모르겠다. 몸집도 자신의 절반조차 안 될 것 같은데 말이다.

"받아라."

준영은 선반 위에 올려 두었던 자신의 단장판을 윤조의 손에 쥐여 주었다. '응휘鷹揮'라는 이름이 선명히 새겨진 붉은 나무패 끝에는 소뿔로 장식해 고정한 매의 깃털이 달려 있었다.

"와, 정말 저 주시는 거예요?"

"달라고 하지 않았나. 막상 받으니 싫은가?"

"아니요! 아니에요! 정말 좋아요!"

기쁘게 웃는 윤조의 머리 위로 준영의 손이 내려앉았다. 부드럽다. 황금색의 머리카락이라. 신비한 색이라 만져 보고 싶었는데 감촉도 썩 좋다. 어린애 같은 여인은 취향과 거리가 멀다고 생각했는데 보고 있으면 자꾸 만져 보고 싶은 게, 이것도 나쁘지 않다 싶다.

"다음은 나중을 기약하도록 하지. 아직 성인식을 앞둔 것 같으니 말이야. 먼저 팔을 봐 줄 수 있겠나?"

'다음? 무엇을 기약한다는 거지?'

자신이 얼마나 엄청난 짓을 저질렀는지 꿈에도 모르는 윤조는 알겠다며 준영을 침대에 눕게 하고는 그의 오른팔에 신력을 집중했다.

"그대로 가만히 계세요. 순간적으로 정신이 아찔하거나 기절할 수도 있지만, 몸에 무리가 가는 건 아니니 걱정하지 않으셔도 돼요. 아마도?"

'아마도'라니. 불안하게 그게 무슨 뜻이냐고 묻기도 전에 윤조가 불어 넣은 폭발적인 신력이 그의 오른팔과 전신을 휘감았다.

윤조를 중심으로 따스한 바람이 불었다. 뒤이어 땅에서 번개가 치는 것처럼 뿜어진 강력한 신력이 준영의 전신을 타고 흐르다 다시 그의 오른팔로 모여들었다. 혈관을 타고 흐르는 피처럼 팔 안에 고인 죽은피와 고름을 정화한 신력은 부서져 팔 안을 돌아다니던 뼛조각과 어긋났던 뼈와 근육을 제자리로 되돌렸다.

끊어졌던 근육과 신경을 잇는 것은 무척 고되고 섬세한 작업이라 후보생인 윤조가 완벽하게 상처를 치유하는 것을 불가능했지만, 팔을 절단해야 한다는 판정을 받았던 준영에게는 기적 같은 일이 아닐 수 없었다. 흰 빛무리가 되어 방 안을 환하게 밝혔던 신력은 이내 사라져 공기 중으로 흩어졌다.

"됐다! 휴, 정말 성공할 줄은 몰랐는데. 잘돼서 다행이다……."

백 프로 성공을 확신은 할 수 없었다. 그녀조차도 이런 식의 치료는 처음이었기 때문이다. 윤조는 안도의 숨을 내쉬며 미소 지었다.

"이걸로 팔을 자르지는 않아도 될 거예요."

호흡을 가다듬는 윤조의 안색이 이전보다 창백했다. 방대한 신력의 소모 때문이었다. 그녀는 정신을 잃고 잠이 든 준영의 팔을 매만지다 이마 위로 흐트러진 그의 머리카락을 정리해 주었다. 준영이 주었던 단장판을 들고 곧장 방을 나서려 했던 윤조는 머뭇거리며 그의 곁으로 돌아왔다.

"그런데 왜 나한테 키스했어요?"

이전 생에서도 한 번도 경험해 본 적 없던 따스한 입맞춤. 잠든 준영이 대답할 리 없다는 걸 알면서도 윤조는 다시금 그에게 물었다.

"왜 내게 입 맞췄나요?"

살짝 벌어진 준영의 입술이 윤조의 눈을 어지럽혔다. 기분 좋은 그 감촉을 한 번 더 느껴 보고 싶은 충동에 그녀의 고개가 준영의 얼굴 위로 가볍게 숙여졌다.

쪽.

귀여운 소리를 내며 떨어진 입술이 뜨거웠다. 제가 한 행동에 놀라 화들짝 정신을 차린 윤조는 도망치듯 방을 나섰다. 제가 생각해도 참으로 대담한 도둑 키스였다.

다음 날 오후. 성인식을 몇 시간 앞둔 무녀 후보생들은 저마다 몸단장에 바빴다. 그동안 기숙관에서 받았던 용돈을 모아 마련한 색색의 비단옷과 장신구로 예쁘게 꾸민 후보생들의 얼굴에는 생기가 넘쳤다. 귀족 집안의 자제들은 가문에서 온 시녀의 도움으로, 그렇지 않은 후보생들은 서로의 얼굴에 화장을 해 주며 단장을 이어 갔다.

그러던 중, 무녀 후보생 중 콧대 높기로 소문난 김씨 가문의 막내딸이 검은 머리카락의 후보생들 사이에 마땅히 있어야 할 황금색 머리카락이 보이지 않는 것을 알아챘다.

"어머나? 누구 하나가 비는 것 같은데?"

그녀의 말에 주변을 돌아보며 각자의 동방생을 확인하던 후보생들이 윤조가 없다는 것을 깨달았다.

"어? 윤조 어디 갔어?"

"나도 못 봤어."

"포목점에 옷 찾으러 갔나?"

"조금 전에 다녀왔을 때는 없던데?"

"오전부터 안 보이던데. 얘 혹시 아직 자는 거 아니야?"

일대의 소란 속에서 맨 처음 말을 꺼낸 김씨 가문의 막내딸, 김의령이 코웃음을 쳤다.

"설마 아직도 안 일어난 거야? 오늘 같은 날에 늦잠이라니. 역시 수준 낮은 평민은 이래서 안 돼."

그러자 그녀를 추종하는 한 무리의 후보생들도 저마다 윤조를 깎아내리리 바빴다.

"그러게 말이에요. 수준 떨어지게 그런 평민을 기숙관에 두다니."

"뭐, 어차피 시험에 떨어질 테니 신경 쓸 거 없죠."

"듣자 하니 신력은 꽤 강하다지?"

"호호, 늦잠 자느라 그 신력 한번 제대로 보여 주기나 하겠어요? 가난해서 몸치장도 제대로 못할 거. 보아하니 기숙관에서 받은 용돈이며 약재며 전부 고향 집으로 보낸 것 같던데. 비단옷을 사 입을 수는 있으려나 몰라."

"가난이 벼슬도 아니고 지지리 궁상이야, 정말. 꼭 그렇게 티를 내다니까? 창피한 줄도 모르고."

그때 깔깔거리며 듣기 싫은 농을 주고받는 그들 사이로 끼어든 목소리가 있었다.

"뒤에서 남 험담이나 하다니, 정말 귀족적이고 고상하네. 정말 수준 높은 대화예요. 존경스럽군요."

가문에서 온 시녀의 도움으로 화장과 머리 장식을 마친 나래가 그들을 향해 미소 지었다. 금색 자수가 놓인 짙은 자줏빛 비단옷을 걸치고, 세련되게 눈꼬리를 올린 화장은 도도한 그녀의 분위기를 한층 돋보이게 했다.

나래의 강렬한 눈빛에 윤조를 험담하던 여러 후보생들이 헛기침을 하며 모른 척 다른 곳을 향했다. 모든 후보생이 지켜보는 가운데 자신에게 감히 함부로 할 사람은 없다고 생각했던 의령의 얼굴에 균열이 갔다.

"지금 그게 무슨 뜻이죠? 나래 양?"

"어머, 예의 없어라. 통성명도 제대로 하지 않은 귀족 자제의 이름을 함부로 입에 올리다니."

"크흠! 최씨 가문의 영애께서 내게 무슨 불만이라도 있는 건가요?"

"하! 기고만장도 하지. 하늘 아래 최씨 가문의 지위가 김씨 가문 위에 있거늘, 어찌 나를 높이지 않고 본인을 높인단 말입니까? '내게'가 아니라 '제게'겠지요. 언문 수업을 다시 받아야겠습니다?"

나래의 말이 이어질수록 의령의 안색이 붉으락푸르락해졌다. 단단히 화가 난 그녀가 나래를 향해 삿대질하며 소리쳤다.

"최나래 너! 감히 내게 이런 모욕을 주고도 무사할 줄 알아!"

그러자 고운 미소를 유지하고 있던 나래의 표정이 차갑게 굳어졌다.

"협박인가요?"

흠칫, 나래의 무서운 기세에 의령이 바로 답하지 못했다.

"지금, 김씨 가문의 막내 영애께서 최씨 가문의 장녀인 나, 최나래를 협박하는 것이냐고 물었습니다."

의령은 자신이 화를 참지 못해 실수를 저질렀다는 사실을 알았다. 이대로 싸움을 크게 만들었다가는 자칫 가문끼리의 문제가 될 수도 있었다. 더군다나 최씨 가문은 이 나라 최고의 승상 가문이 아닌가.

"나, 나는……."

"저는-!!!"

"히익!"

"윗사람 앞에서 본인을 높이는 건 어디에서 배워 먹은 예절이죠? 배움이 모자란다면 기숙관을 나가 가문의 학사에게 다시 배우고 오는 편이 좋겠습니다."

나래의 호통에 겁에 질린 의령이 비명을 지르며 자리에 주저앉았다. 의령의 추종자들이 놀라 그녀를 부축했다. 나래는 몸을 비껴서며 기숙관 밖으로 나가는 길을 가리켰다.

"당장 그 모자란 것을 내 눈앞에서 치워 주겠습니까?"

그 무서운 기세에 의령의 추종자들이 하나같이 고개를 조아렸다. 나래는 급히 의령을 데리고 방을 빠져나가는 무리를 지켜보다 발길을 돌렸다. 그녀가 곧장 향한 곳은 자신의 동방생 윤조가 잠들어 있는 침실이었다.

"윤조! 너 당장 안 일어나!!!"

밖에서 무슨 일이 있는 줄도 모른 채 곤히 잠들어 있는 윤조의 모습에 발끈한 나래가 소리쳤다. 그 박력 넘치는 고함에 축 늘어져 시체처럼 자고 있던 윤조가 깜짝 놀라 몸을 일으켰다.

"뭐! 뭐뭐! 무, 무슨 일이야? 불이라도 났어?"

"윤조 너-!"

"어?"

"얼른 성인식 준비 안 해? 빨리 달려가서 씻고 와!"

"하지만 졸리단 말이야."

"당장!"

"네!!!"

나래는 부리나케 옷가지를 걸치고 달려 나가는 윤조를 보며 혀를 찼다. 간밤에 무슨 일이 있었는지 몰라도 윤조의 상태가 이상했다. 부지런하기로는 기숙관 제일인 녀석이 대체 무슨 일이 있었기에 저러는지.

"저래서 성인식 때는 괜찮으려나."

걱정되는 마음에 한숨을 쉬던 나래는 윤조의 머리맡에 놓인 단장판을 바라봤다. '응휘鷹揮'라는 글자가 새겨진, 대장군의 단장판을.

비슷한 시각, 혼절한 상태로 깊은 잠에 빠졌다가 정신을 차린 준영이 눈을 떴다.

"내가 언제 잠이 들었지?"

꼬박 하루가 지났다. 몽롱한 정신을 바로 하던 그는 선명하게 보이는 두 눈에 깜짝 놀라 몸을 일으켰다. 앞이 보인다. 앞이 다시 선명하게 보인다.

"이게 대체 어떻게……."

눈가를 더듬으며 침대를 짚고 일어난 그는 자신의 오른팔이 거짓말처럼 움직인다는 사실을 깨달았다. 어제만 해도 급격히 진행된 괴사에 잘라 내야 한다던 팔이 아니던가! 그런데 어떻게……. 손을 쥐었다 펴며 팔을 움직이던 그는 자신이 정신을 잃기 전 마지막으로 봤던 황금빛 머리카락의 작은 손님을 기억해 냈다.

─그대로 가만히 계세요. 순간적으로 정신이 아찔하거나 기절할 수도 있지만, 몸에 무리가 가는 건 아니니 걱정하지 않으셔도 돼요. 아마도?

불확실하게 속삭이던 목소리를 끝으로 기억이 없었다. 설마. 설마 그 아이가 정말 자신의 눈과 팔을 고쳤단 말인가?

"여봐라! 밖에 아무도 없느냐! 당장 말을 준비해라!"

벌컥 방문을 열고 나간 그는 청소하던 하인을 붙잡아 당장 말을 준비하게 했다. 성인식 참관 전 준영의 안부를 확인하기 위해 도착했던 길림은 그런 준영을 발견하고 놀란 눈을 했다. 바로 어제만 해도 제 몸 하나 가누지 못해 비틀거리던 사람이 아닌가. 그런데 이게 어떻게? 순간 준영의 또렷한 시선과 마주한 길림은 감격에 몸을 떨었다.

"대장군, 제가 보이십니까? 팔이 다시 움직이는 겁니까!"

"길림! 마침 잘 왔네. 급히 찾아야 할 사람이 있다."

준영은 믿을 수 없다는 듯이 자신을 바라보는 길림을 붙잡았다.

"진정하십시오. 갑자기 누굴 찾아야 한다는 말씀입니까?"

"내 눈과 팔을 치료해 준 무녀. 그 무녀를 찾아야 해. 여봐라, 말은 준비되었느냐–!"

홍씨 가문의 저택에서 준영과 길림을 태운 두 필의 말이 힘차게 땅을 박찼다. 소란함에 방 밖으로 나왔던 가주 홍영철은 빠르게 대문을 벗어나는 말 두 필을 발견했다.

"웬 소란이냐?"

그의 물음에 마당에 있던 가솔들이 소리쳤다.

"가주님! 도련님께서! 도련님께서 일어나셨습니다!"

"준영이가 일어나다니? 그게 무슨 소리냐?"

"도련님께서 몸이 다 나으셨나 봅니다!"

가솔들의 외침에 홍영철의 시선이 급히 대문을 향했으나 준영과 길림을 태운 두 필의 말은 이미 사라지고 없었다.

❖

성인식 준비를 마친 무녀 후보생들이 대회장에 모여 있었다. 한껏 멋을 부린 후보생 무리가 마치 언덕에 피어난 꽃 같았다. 잠시 후 학관 무녀들의 지시에 따라 무리를 나누어 이동을 시작한 그들 안에는 윤조와 나래도 함께였다.

"자꾸 만지지 마. 기껏 올린 머리 망가져."

"무겁고 불편해."

"머리 장식이 다 그렇지 뭐. 그래도 가체加髢 안 올린 게 어디야? 나는 지금 목이 부러질 것 같다고."

"으으, 목이 부러질 정도로 무겁다니 대체 그걸 머리에 올리는 이유가 뭐야?"

"내 말이. 아버지께서 준비해 주셨다는데 안 할 수도 없고. 성인식 끝나고 윤조 너 줄게."

나래의 말에 윤조가 무슨 소리냐는 듯 그녀를 쳐다봤다.

"이게 웬만한 군마 한 필 가격보다 비싸."

덧붙이는 나래의 말에 관심 없다며 늘어지게 하품하던 윤조가 급히 입을 다물었다.

"그게 정말이야?!"

"쉿! 조용히 해!"

버럭 튀어나온 큰 소리에 나래가 깜짝 놀라 윤조의 입을 틀어막았다.

"으읍, 푸하! 정말이야? 정말 그 머리 장식 하나가 그렇게 비싸? 어디 보자, 그냥 말도 아니고 군마 한 필이면 거의 금화 두 냥 값인데! 그거 팔면 방 두 칸 있는 초가집 한 채 새로 살 수도 있어! 마당에 우물도 파고!"

흥분한 윤조가 자신의 입을 막고 있던 나래의 손을 치우며 눈을 반짝였다. 빠르게 셈을 하면서 주변을 둘러보던 윤조는 다른 귀족 집안 후보들이 머리 장식으로 쓴 가체를 바라보며 침을 삼켰다.

"성인식 끝나고 달라고 해 볼까? 인생 역전할 기회가 이렇게 가까이에 있었다니!"

"어휴, 꿈도 꾸지 마! 진짜 못 말린다, 너란 애."

나래는 고개를 절레절레 흔들며 윤조를 타박하면서도 돈이란 말에 번쩍 기운을 차린 윤조가 우습기도 하고 귀엽기도 해 실소했다. 살면서 이렇게 특이하고 재미난 생명체를 보게 될 줄이야. 주변에

늘 고지식한 사람들만 많아서 답답했는데, 윤조를 보고 있으면 왠지 자신도 일탈하는 기분이라 숨통이 트인다. 돈만 밝히는 장사치들은 징그럽기만 하던데 참 이상하지. 나래는 이런저런 생각을 숨기며 시치미를 뚝 뗀 얼굴로 표정을 갈무리했다.

무녀들의 성인식 준비가 바쁘게 진행되는 동안, 의례가 진행될 궐 안팎으로는 축제 준비가 한창이었다. 시장의 매대에는 당과나 작고 달콤한 과일로 만든 사탕들이 즐비하고, 식당 상인들은 꼬치구이 같은 축제 음식을 만들기에 바빴다. 바싹하게 튀겨 엿기름에 굴린 과자가 아이들의 손에 들리고, 부모들은 아이들과 함께 매 모양을 본뜬 연을 만들어 날렸다. 칠성제 기간에 착용할 수 있는 견우와 직녀 가면은 이미 불타나게 팔려, 거리를 오가는 사람들의 얼굴에 씌워져 있었다.

"대장군, 벽록서가 비었습니다. 이미 의례장으로 이동한 것 같습니다."

"이런, 엇갈렸군."

자신을 치료한 무녀를 찾아 급히 말을 몰아 벽록서에 도착한 준영과 길림은 이미 의례장으로 출발했는지 텅 비어 버린 건물을 확인하고 혀를 찼다.

"대관절 어떤 무녀기에 장군의 부상을 하루아침에 치료할 수 있단 말입니까?"

"모른다, 나도 누구인지."

"치료를 맡겼다면 이름자 정도는 아실 거 아닙니까?"

"이름을 듣지 못했다."

"예?"

길림이 황당한 표정으로 입을 벌렸다.

"상대가 누구인지도 모른 채 치료를 맡겼다는 말씀입니까?"

"그래. 위험해 보이진 않았다."

"제정신입니까! 그자가 만약 서국에서 보낸 암살자였다면!"

"암살자? 핫, 아니야. 그건 절대 아닐세."

준영은 간밤에 자신의 앞에서 한껏 재롱을 떨었던 작은 생명체를 떠올리곤 실소했다. 작다는 말에 유난히 민감하게 반응하던 것을 생각하니 더욱 웃음을 참을 수가 없다. 삼시 세끼 다 챙겨 먹었으면 자기도 더 클 수 있었을 것이라 했던가?

다시 생각해도 어처구니가 없었다. 겁도 없이 그 작은 여인의 몸으로 홍씨 가문의 저택에 몰래 들어올 생각을 하다니. 그것도 자신의 단장판을 얻기 위해서 말이다. 계속되는 준영의 실소에 길림은 이전보다 더 경악스러운 표정으로 침을 삼켰다.

"대체 누구랍니까? 대장군을 그리 풋풋하게 웃게 만든 무녀가."

"음? 내가 웃었나?"

"네, 계속 웃고 계십니다. 지금도요."

"재미있는 방울새였지."

그 아이의 머리카락 색이 방울새의 황금 깃과 꼭 닮은 색이었으니. 준영은 짧은 감상을 마치고 말 머리를 돌렸다.

"이곳에 없다니 의례장으로 가자."

길림은 앞서가는 준영을 바라보며 멍청하게 입을 벌렸다. 재미라니. 저 재미없이 진지하기만 한 투신 홍준영의 입에서 '재미'라는 단어가 나올 줄이야. 그것보다 '그치', '그자', '그놈' 정도로 사람을 가리는 인사가 여인에게 무려 '방울새'라니! 그새 별칭을 지어 부를 정도로 마음에 들었다는 뜻인가!

"내일은 해가 서쪽에서 뜨는 거 아닌지 몰라?"

길림은 이 재미난 상황을 즐기기로 했다.

✦✦✦

성인식이 거행되는 의례장 앞. 나란히 열을 맞춰 선 무녀 후보생들의 긴장된 시선이 상석을 향했다. 곧이어 온 황제와 무녀장 묘길이 등장했다.

묘길은 벽록서 최고 무녀의 장으로 백옥같이 흰 피부를 지닌 매우 아름다운 모습의 젊은 여인이었다. 특이한 점이 있다면 발끝까지 내려오는 긴 머리카락 또한 눈처럼 희다는 것과, 그녀의 목소리를 직접 들은 사람이 거의 없다는 것이다. 신비로운 무녀의 장은 바닥에 길게 늘어뜨린 물빛 비단옷을 걸치고 앞으로 걸어 나왔다.

"황제 폐하와 묘길 무녀님을 뵙습니다!"

장내에 있던 모든 사람이 황제와 묘길을 향해 예를 올렸다. 황제의 손바닥 위에 가볍게 손을 겹치고 계단을 내려오는 무녀 묘길의 모습을 바라보던 윤조가 곁에 있던 나래에게 속삭였다.

"묘길 무녀님은 꼭 다른 세상 사람 같아."

"맞아. 뿌리까지 흰 저 머리카락도 그렇고, 소문으로는 나이도 먹지 않는다고 하더라."

"나이를 먹지 않는다고?"

"어디까지나 소문이긴 한데 무녀님 나이를 정확히 아는 사람이 없다고 해. 내가 태어났을 때도 저 모습 그대로였다고 아버지께서 그러셨거든."

"승상님께서 모르시는 것도 있구나."

나래의 말에 고개를 끄덕인 윤조가 묘길을 뚫어져라 바라보며 말했다.

"예전부터 느꼈지만 정말 이 세상 사람이 아닌 것 같아, 저분."

"기이한 아름다움이긴 하지."

"그런 것도 있지만 그냥, 그냥 느낌이 그래."

묘길의 손짓에 횃불을 들고 대기하고 있던 무녀들이 화살에 불을 붙여 봉화를 향했다.

"축제의 시작을 알려라!"

불꽃을 매단 화살이 공중에 쏘아졌다. 칠성제의 시작을 알리는 봉화가 피어오르고 풍악이 울렸다. 둥둥둥! 마치 심장을 직접 두드리는 것 같은 느낌을 주는 북소리를 선두로 퉁소와 거문고, 피리와 쟁, 비파가 뒤따랐다. 동시에 응방(鷹坊-매를 관리하는 곳)에서 날린 매들이 꼬리에 붉은색과 노란색, 파란색 등의 기다란 장식깃을 달고 하늘 높이 날아올라 공중을 수놓았다.

"오늘은 중요한 무녀 선발식이 거행되는 날이다. 신성한 의례인 만큼 이를 방해하는 불경한 행동은 용서하지 않겠다. 모두 알겠느냐?"

"네, 무녀님."

각 후보생 무리의 지도를 맡은 학관 무녀들이 행동거지를 조심하라 단단히 일렀다. 윤조와 나래의 얼굴에도 긴장한 기색이 떠올랐다. 학관 무녀는 무녀 선발식에 앞서 신력을 인증하는 시험이 어떻게 치러지는지에 대해 설명했다.

"차례가 오면 세 명씩 앞으로 나가 시험관 무녀님들이 계시는 자리로 가라. 준비된 탁자 위에 지난 전투로 상처를 입은 매들이 준비되어 있을 거다. 각자 자신의 신력으로 그 매를 치료하면 된다. 앞으로 한 식경(30분) 뒤, 오는 자정을 넘기면 선발식을 시작하겠다. 자정이 지나도 신력을 유지하는 후보생은 매를 치료하고 정식 무녀로 임명받을 것이고, 그렇지 못하는 후보생은 짐을 싸 집으로 돌아가면 된다. 알겠느냐?"

"네, 알겠습니다. 무녀님."

학관 무녀의 설명이 끝나고, 시험을 위해 대기하는 동안 많은 후보생이 불안함에 몸을 떨었다.

"이러다 떨어지면 어쩌지?"

"집으로 돌아가면 부모님이 실망하실 텐데⋯⋯."

"어떻게든 정식 무녀가 되어 황궁에 들어가야 해."

"지금까지 어떻게 지냈는데. 반드시 성공할 거야."

걱정 반 다짐 반인 후보생들의 목소리를 듣던 윤조가 손바닥을 쥐었다 펴며 한숨을 쉬었다. 간밤의 일로 무리한 탓일까. 평소라면 활력 있게 몸속을 타고 느껴져야 할 신력이 너무도 미약했다.

"미치겠네⋯⋯."

"왜? 어디 아파?"

"충전이 안 된 것 같아서."

"충전? 그게 뭐야?"

윤조는 알아들을 수 없는 단어에 의문하는 나래를 보며 어색한 웃음을 지었다.

"아무래도 신력이 바닥난 거 같아."

"뭐? 그게 무슨? 신력이 왜! 잠깐, 윤조 너 설마-!"

"하하하, 하하하, 망했다. 망했어. 하하하, 하하하하."

"지금 웃음이 나와! 너 바른대로 말해. 어제 홍씨 가문 저택에서 무슨 일이 있었던 거야."

"무슨 일이 있긴 있었지……."

지난밤 겪었던 많은 일 중 대장군과의 입맞춤을 떠올린 윤조의 얼굴이 발갛게 달아올랐다.

"뭐, 뭐야 너. 왜 얼굴이 붉어져! 무슨 일이 있었냐니까! 대체 어디에 신력을 다 써 버리고 온 거야? 중요한 선발식을 코앞에 두고!"

"크흠! 괜찮아. 나에겐 이게 있으니까!"

윤조가 자랑스럽게 보인 것은 소매 아래 감춰 두었던 준영의 단장판이었다. 나래는 미간을 좁히며 이마를 짚었다. 설마하니 정말로 성인 남녀가 단장판을 주고받는 뜻을 몰랐던 거냐!

"그건 혹시나 일이 잘못됐을 때 쓰는 거지! 너 지금 그걸 여기에서 보였다간!"

"보였다간?"

"거기 후보생! 정숙하세요!"

학관 무녀의 호통에 윤조와 나래가 입을 다물었다. 손으로 입을 가린 나래가 윤조의 귓가에 작게 속삭였다.

"그걸 여기에서 보였다간 너 무조건 시집가야 해! 이 멍청아!"

동시에 자정을 알리는 북소리가 울렸다.

"성인식이 시작되나 봅니다."

의례장 입구에 도착한 준영과 길림은 자정을 알리는 북소리에 급히 의례장 안으로 향했다. 무녀 선발 의식을 구경하기 위해 입구에 모여든 수많은 사람을 헤치고 앞으로 향하던 두 사람은 의례장 안에 도착해 모여 있던 수십의 무녀 후보생과 그런 후보생을 지도하는 무녀들을 발견했다.

"방울새님은 보이십니까?"

"길림."

"하하하, 귀엽잖습니까? 방울새라니. 저도 어서 뵙고 싶다고요. 대장군을 치료해 준 분인데, 암요."

"한동안 놀림받게 생겼군."

"하하하. 아유, 대장군님도 참. 뭐 이런 거 갖고 그러십니까. 어서 방울새님을 찾으셔야죠."

준영보다 신이 난 길림이 휘파람을 불며 주변을 살폈다. 준영은 그런 길림을 바라보다 짧게 한숨을 쉬곤 윤조를 찾아 이리저리 시선을 옮겼다. 어디에서도 찾기 힘든 황금색 머리카락을 지녔으니 쉽게 찾을 수 있을 거라 여겼는데 쉽지 않다.

"황금색 머리카락이 없군."

"황금색이요?"

준영의 읊조림에 시선을 돌리던 길림의 시야에 작고 노란 뒤통수 하나가 들어왔다.

"장군 저기! 무녀 후보생들 사이에 있는 것 같습니다."

"후보생이라고?"

길림의 말대로 그가 가리키는 곳에 익숙한 황금색 머리카락이 보였다. 자신을 치료해 준 자가 정식 무녀도 되지 못한 후보생이었다니.

그런 강력한 신력을 가진 후보생이 있다는 말은 들어 본 적이 없다.

"후보생이 맞는 것 같습니다. 옆에 최씨 가문의 장녀도 함께인 걸 보면."

"최씨 가문의 장녀?"

"예, 어제 꽃 선물을 보냈던 그 영애 말입니다. 지금 보니 두 사람이 동기생인 것 같은데 제가 알기로 저런 머리색을 가진 귀족 가문의 여식은 없습니다."

자신의 단장판을 가져갔던 여인은 최씨 가문이 선물한 꽃 상자에 들어 있었다. 한동안 길림의 말을 가만히 듣고 있던 준영이 후보생 무리를 바라보며 말했다.

"일전에 나에게 해 준 이야기, 기억하나? 황제 폐하께서 후보생들에게 냈다던 특별 과제 말이야."

"아, 대장군님의 단장판을 가져오는 후보생에게 무녀 시험에서 떨어져도 면책권을 주신다는 이야기 말씀이시죠? 하온데 그것은 갑자기 왜……."

말을 하던 중 이상한 기류를 알아차린 길림이 깜짝 놀라 준영을 돌아봤다.

"설마 대장군님의 단장판을 준 겁니까?"

준영은 이전과 달리 착 가라앉은 음성으로 답했다.

"그래, 주었지. 그것이 무척이나 갖고 싶다 하여 주었다. 하나 그녀가 특별 과제를 받은 후보생이라면, 그것도 귀족이 아닌 일개 평민 후보생이라면 스스로 홍씨 가문의 저택에 출입할 수 있었겠는가?"

"그 말씀은, 누군가의 사주를 받고 대장군님의 단장판을 노렸다는 겁니까?"

"글쎄, 어떨까. 힘없는 평민 후보생 하나가 뒤를 봐주는 사람 하나 없이, 본인 목이 달아날 것을 알고도 귀족 집안의 저택에 침입해 내 단장판을 노렸다. 혹은 귀족 후보생에게 뒷돈을 받고 대신 일을 처리했다. 무엇이 더 진실에 가깝다고 보는가?"

"장군, 지금 최씨 가문을 의심하시는 겁니까?"

"최씨 가문의 영애가 선물로 보냈던 상자에 사람이 들어 있었다. 누구의 짓이겠는가."

"확실히 폐하께서 내린 특별 과제는 무녀 시험에서 떨어진 귀족 가문의 후보생을 위한 일. 하나 승상 가문이 무엇이 아쉬워 그런 짓을 한단 말입니까? 승상이라면 설령 자신의 딸이 무녀가 되지 못한다 해도 아쉬울 것이 없는 분입니다."

"그렇긴 하지. 승상이라면 아쉬울 것이 없다. 하지만 최씨 가문의 영애가 가문의 명예에 누가 되는 일이 생길까 염려되어 벌인 일이라면?"

"만일 그렇다면 어떻게 하실 생각입니까?"

의심스러운 정황에 준영이 예리한 눈빛으로 시험장을 바라보며 말했다.

"직접 당사자의 말을 들어 본 후 결정할 것이다."

특별 과제를 이루기 위해 한 나라의 대장군을 농락한 것인지 아닌지.

❦

"다음 후보생 앞으로!"

차례가 되었다. 윤조와 나래 옆으로 의령까지 세 명의 무녀 후보생이 시험대 앞에 섰다. 의령은 앞서 기숙관에서 나래와 있었던 일에 대한 화가 아직 풀리지 않았는지 모난 눈을 하고 나래와 윤조를 노려봤다. 계속되는 의령의 뾰족한 시선에 윤조가 팔꿈치로 나래의 옆구리를 살짝 건드리며 물었다.

"김씨 가문 영애가 자꾸 노려보는데 왜 그러는지 알아?"

"신경 꺼. 모자란 애야."

"아, 정말? 그런 줄 알았으면 기숙관에서 좀 더 잘해 줄걸."

"양옆으로 모지리가 둘이라니. 어휴."

한숨을 쉰 나래가 시험관들 모르게 윤조의 손을 꽉 잡았다.

"신경 끄고 시험에 집중해. 떨어지기만 해 봐. 너 다신 안 봐."

시험에서 떨어지면 어차피 다시 보지 못한다. 정식 무녀가 되면 무녀의 지위에 있는 한 황궁 안에서 살아가야 했기 때문이다. 윤조는 꽉 잡힌 손을 통해 나래의 신력이 흘러 들어오는 것을 느꼈다.

윤조의 신력이 폭발적인 방출이라면 나래의 신력은 분배였다. 윤조가 한 번 신력을 사용하면 며칠 동안 사용할 수 없는 것에 반해 나래는 전체 신력을 일정량으로 분배해 원하는 때에 사용할 수 있었다.

"나래 너-!"

"조금만이야. 아주 조금만 나눠 줬어. 그러니 꼭 붙어."

"고마워."

소량의 신력이었지만 그래도 한 번, 매를 치료하는 것은 가능하지 않을까. 설령 안 된다 하더라도 내게는 히든카드가 있다. 절대 붙는다, 시험. 윤조는 고마움에 나래의 손을 맞잡았다.

"최씨 가문의 장녀 최나래, 김씨 가문의 삼녀 김의령, 그리고 후보생 윤조. 이상 세 명의 시험을 시작한다."

시험관 무녀의 말과 동시에 세 사람이 시험을 칠 탁자 위에 매가 놓였다. 의령의 매는 부리가 조금 깨져 있었고 나래의 매는 발톱이 빠져 있었다. 그리고 윤조의 매는 날개가 부러져 있었다. 그것을 확인한 순간 나래의 시선이 시험관 무녀들을 향했다. 누가 봐도 합격자와 불합격자를 나눠 놓은 것 같은 시험 문제였다.

"어머나, 탈락자는 보나 마나겠네."

비아냥거리는 의령의 목소리에 나래가 주먹을 꽉 쥐었다. 그리고 시험관 무녀들을 향해 항의하려는 순간, 윤조가 그보다 먼저 나래의 손을 잡았다. 그러지 말라는 듯 천천히 고개를 젓는 윤조의 행동에 나래가 분한 마음을 애써 감추며 흥분을 가라앉혔다.

날개가 부러진 매는 한껏 신경이 날카로운지, 조금만 손을 가까이 대도 날카로운 부리와 발톱을 휘둘렀다. 매를 시험대 위에 올려놓던 시종이 매의 발톱을 피하려 급히 몸을 뒤로 빼다 발라당 넘어졌다.

"어이쿠! 죄송합니다. 이 녀석이 다친 뒤로 너무 사나워져서 이러다 누구 하나 크게 다칠까 겁나는데, 그냥 돌려보내는 게 낫지 않을까요?"

황실 응방鷹坊에서 일하는 시종이 걱정스러운 낯으로 시험관 무녀들과 매 앞에 선 윤조를 쳐다봤다. 매가 날뛰는 것이 어찌나 험악한지 매의 다리 한쪽에는 족쇄가 채워져 있었다. 멀쩡한 나머지 날개를 퍼덕이며 패악질을 하는 매의 기세에 시험관 무녀들도 몸을 피할 정도였다.

"잠시 살펴봐도 될까요?"

윤조의 말에 시종이 걱정하며 손에 차고 있던 보호구를 건넸다.

"그냥 손댔다간 손가락이 잘릴 거요. 이거라도 쓰시오."

"감사합니다."

보호구를 착용한 윤조가 천천히 손을 뻗어 매를 향했다. 아니나 다를까, 흥분한 매는 다가오는 윤조의 손과 팔을 부리와 발톱으로 매섭게 공격했다. 보호구를 차고 있어도 느껴지는 격렬한 몸짓에 윤조의 눈이 살짝 찌푸려졌다. 매는 보호구를 부리로 꽉 문 채 놓지 않았다.

상처를 살피려면 이때다. 얼른 매의 눈을 가려야 한다. 윤조는 급히 머리를 장식할 요량으로 묶어 두었던 머리끈을 풀어 매의 눈을 가렸다. 한동안 날개를 퍼덕이며 소란을 피우던 매의 움직임이 잦아들었다. 윤조는 조심스럽게 보호구를 착용하지 않은 맨손을 뻗어 매의 머리를 쓰다듬었다.

"괜찮아, 착하지."

겁먹은 매의 숨이 거칠었다. 며칠 제대로 먹지도 못했던 건지 매의 몸은 무척이나 말라 있었다. 머리와 목을 지나 천천히 매의 날개에 난 상처를 살피던 윤조의 표정이 점점 심각해졌다. 중심이 되는 날개 뼈가 관절이 있는 곳까지 조각조각 부서졌다. 더군다나 뼈가 튀어나와 상처가 난 곳은 이미 심각하게 썩어 곪아 있었다.

살기 위해서는 날개를 잘라 내야 한다. 하지만 날개 잃은 매는 이미 죽은 것과 다름없다. 날지 못하는 매는 버려진다. 치료하지 못하면 결국 이 매는 다시는 하늘을 날 수도, 살아남을 수도 없을 거다. 윤조는 눈앞의 매가 지난밤 만났던 대장군과 닮았다고 느꼈다. 그리고 생각했다.

'지금은 치료할 수 없다.'

나래의 신력을 빌렸다고 해도 소모량 차이가 너무나 크다. 신력이 바닥난 지금 상태로는 매를 치료할 수 없다. 시도는 할 수 있겠지만 그러다 잘못되기라도 하면……

다음 순간 윤조의 판단은 누구보다 빨랐다. 생각을 마친 그녀의 입에서 한숨이 새어 나왔다. 스스로 기회를 차 버리는 꼴이 되겠지만 아닌 건 아니었다. 그녀가 시험관 무녀들을 향해 천천히 손을 들어 올렸다.

"시험관님. 후보생 윤조, 시험을 포기하겠습니다. 지금의 저는 이 매의 상처를 고칠 수 없습니다."

"너 그게 무슨!"

"괜찮아."

윤조는 경악한 나래의 손을 잡았다.

'괜찮아.'

나래는 마음을 진정하면서도 이런 상황을 만들어 낸 누군가에게 분노했다.

"시험관 무녀님, 이는 처음부터 부당한 시험이었습니다!"

"조용. 다른 후보생이 나설 자리가 아닙니다."

"하지만!"

"조용히 하세요. 윤조 후보생에게 묻겠습니다."

나래의 항의에 시험관 무녀가 그녀를 막으며 윤조를 향했다.

"시험을 포기하겠다고 했습니까? 후보생, 혹시 신력이 사라진 겁니까?"

시험관 무녀의 말에 윤조가 고개를 저었다.

"그건 아닙니다. 단지, 저 매의 날개는 이미 산산이 부서진 것도 모자라 괴사가 심각합니다. 지금의 저로서는 치료가 불가능하다고 판단했습니다."

"신력이 사라진 것도 아니라면서 시도도 하지 않을 작정인가요?"

"네, 그렇습니다."

윤조의 대답에 시험장의 분위기가 차게 식었다. 황제 폐하까지 자리한 무녀 선발 의식이다. 고작 출신지 하나 모를 평민 때문에 그 위상과 분위기를 망쳐서는 안 되는 의례였다. 분위기가 좋지 않게 흘러가기 시작했다. 이를 막은 건 무녀장 묘길이었다.

"후보생."

그건 산골짜기를 굽이굽이 치는 메아리처럼 힘 있는 울림이 느껴지는 목소리였다. 쉽게 들을 수 없는 무녀장 묘길의 신비로운 음성에 좌중이 침묵했다. 황제의 옆자리에 앉아 있던 묘길은 자리에서 일어나 윤조와 나래가 있는 시험대 앞으로 걸어왔다.

"이름이 윤조라고 했던가요?"

"네, 무녀장님."

묘길은 윤조를 바라보다 고개를 돌려 시험대 위에 놓인 세 후보생의 시험 문제를 바라봤다. 그러고는 윤조와 나래 그리고 의령의 모습을 하나하나 세심히 눈에 담았다. 묘길이 미소를 머금고 윤조를 향해 말했다.

"윤조 후보생의 매는 다른 후보생의 매에 비해 한눈에도 심각해 보이는 부상이군요. 하나 신력이 여전하다면 시험대 위에 선 후보생의 책임으로 시도해 볼 수는 있는 바. 그런 한 번의 기회까지 포기하는 이유가 무엇인지 알려 주겠어요?"

"그건⋯⋯."

윤조가 고개를 들어 묘길과 그 뒤의 시험관 무녀들을 바라보며 말했다.

"저 매가 다시는 날지 못할까 염려되었습니다."

황제 폐하까지 참여한 국가 행사의 위상에 비하면 미천한 이유일 수 있으나, 매에게는 그 미천한 이유에 세상 전부가 걸려 있다. 출세를 위해 한 생명을 위태롭게 할 수는 없다. 그것이 윤조가 내린 결정이었다.

"고작 그런 이유로 국가 의례를 망쳐 버리겠다는 거야? 다 죽어 가는 매와 이곳에 모인 귀한 분들을 어찌 비교할 수 있다는 거지?"

이해할 수 없다며 비웃는 의령의 말을 자른 건 나래였다.

"네가 그러니까 모자라다는 소릴 듣는 거다, 이 모지리야. 다른 이의 생명을 살리는 목적으로 치료술을 행하는 무녀가 어떻게 생명의 가치를 저울질할 수 있어?"

나래의 으름장에 의령은 무어라 따지려다 말고 입을 다물었다. 묘길이 미소 띤 얼굴로 윤조와 나래에게 다가왔기 때문이다. 그녀의 시선이 나래와 윤조가 꽉 맞잡고 있던 손에 닿았다가 떨어졌다.

"윤조 후보생의 말도, 나래 후보생의 말도 맞습니다. 살리기 위한 치료술을 행하는 자가 생명의 무게를 저울질할 수는 없는 법. 하지만 윤조 후보생. 이렇게 되면 당신은 시험에서 탈락하고 맙니다. 그래도 포기하겠습니까?"

"이것으로 올해의 무녀 선발 의례를 마친다—!"

합격자 발표를 마지막으로 무녀 선발 의례가 파했다. 합격자 명단에 윤조의 이름은 없었다.

"보이나?"

"아뇨, 보이지 않습니다. 분명 조금 전까지 이곳에 있었는데 어디로 갔을까요?"

의례가 파하고 준영과 길림이 윤조를 만나기 위해 시험대 근처로 왔으나 그녀의 모습도, 함께 있던 나래의 모습도 보이지 않았다.

"분위기가 이상했다. 단순히 시험 기권자를 다룬다기에는 이상해 보였어. 길림, 네 생각은 어떠한가?"

"제 생각도 장군과 같습니다. 마치 끌려가는 것 같이 보였습니다."

"단장판 때문인가."

"대장군님의 단장판을 가져오면 특례로 황궁에서 일할 수 있게 해 준다 하였으니, 혹시 황궁으로 간 게 아닐까요?"

"그런 거라면 다행이지만……."

"걱정되신다면 찾아보겠습니다. 장군께서는 의복을 갖추고 입궐하십시오. 폐하께 인사 올려야 하지 않겠습니까."

"그래, 부탁한다."

길림과 헤어져 돌아가는 준영의 앞을 돌연 막아서는 이가 있었다.

"대장군이 아니십니까?"

"무녀장."

무녀장 묘길은 준영에게 가볍게 고개를 숙였다 들며 그의 귀환을 축하했다.

"무사한 모습으로 다시 뵈니 참으로 좋군요."

"내 팔을 잘라 내려 했다지?"

"부상이 심각해 목숨을 살리려고 결정한 일이었으니 노여움을 푸시지요."

"다시 한번 내가 모르게 내 몸에 손대려 한다면 그대의 목이 먼저 떨어져 나갈 거요."

"명심하겠습니다. 하온데 장군, 제가 보낸 무녀들로는 장군의 치료가 불가능했기 때문에 그런 극단적인 조치를 내렸던 것인데 누가 장군의 눈과 팔을 낫게 한 것입니까?"

"후보생 윤조라고 했던가. 조금 전 의례에서 소동을 일으켰던 여인 말이다."

그의 말에 평소 변화가 거의 없는 묘길의 얼굴에 눈에 띄게 놀라움이 서렸다.

"윤조 말입니까? 특이한 머리색을 가진 그 아이요?"

"그래. 그 아이가 나를 치료했다."

재차 사실을 확인한 묘길의 눈빛에 이채가 어렸다. 그래, 그래서 그 아이가……

그녀는 뜻밖의 즐거움에 흥이 난 사람처럼 소리 내어 웃었다. 준영은 그녀의 웃음이 불쾌하다는 듯 미간을 찌푸렸다.

"무엇이 그리 우스운가?"

"하하, 죄송합니다. 너무도 뜻밖의 일에 기뻐 그만. 그 아이가 시험을 치지 못한 이유가 장군 때문이었군요."

"그게 무슨 말이냐?"

"본디 개개인의 신력은 그 양이 한정되어 있습니다. 치료 시 그 양을 다 써 버리고 나면 신력이 다시 차오르기까지 시간이 걸리지요. 아무래도 윤조 같은 경우는 방대한 신력을 한 번에 몰아 사용할 수 있던 것 같습니다만, 그 바람에 시험을 망치게 되었군요. 장군을 치료하고자 신력이 바닥날 때까지 다 써 버린 탓에 말입니다."

묘길의 말에 준영의 눈썹이 움찔 떨렸다.

"그 아이는 지금 어디에 있지?"

"대장군님의 단장판을 훔친 죄로 끌려간 줄 압니다. 그 아이가 갖고 있던 단장판, 장군께서 주신 것입니까?"

"내가 준 것은 맞으나, 그녀를 만나 확인할 것이 있다."

"그것이 무엇입니까?"

"나를 기만한 의도."

"기만이요?"

"그래, 기만."

힘주어 내뱉는 준영의 말에 의문을 갖던 묘길이 곧 그 속뜻을 알아채고 다시금 웃음을 터뜨렸다. 준영의 귓가가 눈에 띄게 붉어져 있었다.

"이거 참 경사스러운 일이 아닙니까! 대장군의 마음을 훔친 자라! 하하하! 암요, 여인이 사내에게 단장판을 달라 함은 최고의 유혹이지요. 하하하. 장군께서 여인내의 유혹에 넘어가다니, 윤조가 그리 색기 있는 아이는 아니온데 뜻밖이군요."

"그건, 무모하게 집 안에 들어온 것도 모자라 막무가내로 단장판을 갖고 싶다 하니― 후, 아닐세. 그 아이는 지금 어디에 있나?"

묘길이 웃음 진 눈가에 맺힌 눈물을 닦으며 말했다.

"기다리면 곧 보게 되실 겁니다."

"후보생 윤조는 고개를 들라."

벽록서의 별관 지하.

규율을 어긴 무녀들의 처벌을 위해 만들어진 집행소 가운데 윤조가 오라에 묶인 채 무릎을 꿇고 있었다.

"처벌이라니요! 황제 폐하께서 윤허하신 특례입니다. 귀족이 아니라는 이유만으로 그녀를 죄인으로 몰 수는 없습니다!"

나래의 강한 항의에 의령을 중심으로 몰려든 귀족 집안의 후보생들이 소리를 높였다.

"그 특례는 엄연히 귀족 자제들을 위한 것이었다. 그런데 그런 특례를 가로챈 것도 모자라 홍씨 가문의 저택에 몰래 들어가 아픈 대장군님의 단장판을 훔쳐 오다니! 그것도 황제 폐하께서 하사하신 단장판을! 이는 범죄 중에서도 중범죄야!"

"하, 평민들이 그렇지 뭐. 시험장에서는 매가 날지 못할까 염려되어 치료술을 못한다는 둥 박애주의자처럼 굴더니, 결국에는 뒤에서 도둑질이라? 이래서 천한 것들이란!"

시험 탈락의 위기에서 윤조가 꺼내 보였던 대장군의 단장판은 오히려 역효과를 낳았다. 대귀족 가문의 저택에 침입해 도둑질로 대장군의 단장판을 훔친 죄를 물으라는 귀족 영애들의 반발이 거셌기 때문이다. 이는 시험장 분위기를 흐려 놓아 의례를 위태롭게 했던 것을 지켜봤던 시험관 무녀들도 마찬가지였다.

"아주 당돌한 아이가 아닙니까? 국가 의례를 망치려 했던 것도 모자라 대장군의 단장판을 훔치다니!"

"맞습니다. 이는 절대로 용서할 수 없는 중죄입니다!"

"그만! 모두 조용히 하십시오."

상석에 있던 시험관 무녀 중 하나가 소리쳤다.

"신성한 벽록서 안에서의 소란은 용납하지 않습니다."

"하지만 혜린 무녀님! 대장군님의 단장판을 도둑질한 죄는 죽음으로 다스려도 가볍지 않습니다!"

"흠, 그건 그렇지요. 사안이 사안인 바, 정식으로 후보생 윤조를 심문토록 하겠습니다."

황궁의 도서 및 문서를 담당하는 비서랑 문씨 가문의 장녀이자 대장군과도 약혼한 정혼자라 알려진 무녀 혜린의 말에 목소리를 높이던 귀족 집안의 영애들이 입을 다물었다. 윤조를 정식으로 심문하겠다고 선언했다는 것은, 곧 그녀를 죄인으로 인정하고 죄를 묻겠다는 공표였기 때문이다.

김의령과 귀족 영애들이 입꼬리를 당겨 웃었다. 천한 평민 주제에 최씨 가문의 친분을 믿고 설치더니 꼴좋다는 투의 비웃음이 오갔다.

"후보생 윤조에게 묻겠습니다. 홍씨 가문의 저택에 숨어들어 대장군님의 단장판을 훔쳐 온 것이 사실입니까?"

"아닙니다. 저는 대장군님의 단장판을 훔치지 않았어요!"

"하면, 어떻게 대장군님의 단장판을 손에 넣을 수 있었습니까? 대장군께서는 전장에서 입은 상처가 깊어 거동조차 못하시는데."

"그건⋯⋯."

윤조는 사실을 말하려다 입을 다물었다. 여기서 나래가 자신을 도와줬다는 말을 하게 되면 최씨 가문이 귀족들의 공격을 받게 된다. 이 일이 승상님의 귀에까지 들어가면 나래가 곤란해져.

"무녀장님 드십니다!"

혜린이 입을 다문 윤조를 다시금 다그치려는 때였다. 밖에서 소리가 들려옴과 동시에 집행소의 문이 열렸다. 어쩐지 다급한 발걸음으로 계단을 내려온 묘길은 오라에 포박당한 윤조를 확인하고 진노해 소리쳤다.

"대체 누가 내 명도 없이 저 아이를 짐승처럼 묶어 두었단 말이냐ㅡ! 여봐라, 당장 저 오라를 풀어라!"

묘길의 명령에 그녀를 따르던 호위 무녀들이 윤조를 묶고 있던 거친 밧줄을 풀어 주었다.

"아이야, 괜찮느냐?"

"감사합니다, 무녀장님. 저는 괜찮습니다."

호위 무녀들의 부축을 받으며 일어난 윤조의 손목이 푸르게 멍들어 있었다. 윤조가 풀려난 것을 보고 한달음에 달려온 나래가 그녀를 부축했다. 묘길은 윤조를 심문하고 있던 무녀 혜린과 몰려 있던 귀족 가문의 영애들을 보며 말했다.

"무녀장 묘길, 무녀 선발식에 추가 합격자가 있어 공표합니다."

묘길의 등장으로 침묵했던 좌중이 다시 소란해졌다. 추가 합격자라니. 대체 이게 무슨 소리일까? 묘길이 계속해서 말을 이었다.

"황제 폐하께서 내린 특별 과제를 완수한 후보생 윤조를 추가 합격자로 정식 무녀로 인정합니다. 이는 황제께서 공표하신 바, 무슨 일이 있어도 지켜져야 할 어명임을 아시기 바랍니다."

"무녀장님, 무녀 혜린 말씀 올립니다."

"말씀하세요."

"그녀는 시험에 합격하지 못했습니다. 매를 치료하지 않고 시험을 기권한 후보생을 어떻게 무녀로 인정할 수 있단 말입니까?"

혜린의 말에 몰려 있던 귀족 영애들도 그녀의 편을 거들었다. 다음 순간 묘길의 입매가 부드럽게 말려 올라갔다.

"그녀는 이미 매를 치료했습니다."

그것도 가장 고귀한 매를.

"그리고 여기 있는 모든 무녀와 후보생들은 추후, 오늘 이 상황에 대한 문책은 피할 수 없을 겁니다. 모두 각자 있어야 할 자리로 돌아가십시오."

엄중한 묘길의 말에 시험관 무녀들은 물론이고 주축이 되어 움직였던 의령과 귀족 가문 영애들의 낯빛이 어두워졌다. 그들은 빠르게 자리를 피해 집행소를 빠져나갔다. 그중 단 한 명, 윤조의 단장판을 빼앗아 들고 있던 의령이 집행소 문을 벗어나려 하자 묘길의 호위 무녀들이 그녀의 앞을 가로막았다.

"왜 이러는 것이냐! 당장 비켜서지 못할까!"

"김가 의령은 후보생, 아니 무녀 윤조에게 주어야 할 것이 남아 있지 않습니까?"

"윽!"

묘길의 말에 의령은 분한 표정을 지으며 윤조에게 다가왔다. 그녀는 소매 안에 감춰 두었던 대장군의 단장판을 꺼내 윤조에게 돌려주며 그녀를 노려봤다.

"황제 폐하의 특례로 언제까지 버티나 두고 보겠어!"

양손으로 윤조를 세게 밀쳐 넘어뜨린 의령이 발을 구르며 나가 버렸다.

"저게 미쳤나!"

무서운 줄 모르고 행동하는 의령의 작태에 나래가 버럭 성을 냈으나 무녀장 묘길이 그녀를 진정시키며 말했다.

"두 분 다 제 뒤를 따르시지요."

✦

묘길과 호위 무녀들을 따라 도착한 곳은 황궁 안에 자리한 묘길의 처소였다. 자줏빛 연꽃이 가득 핀 연못을 지나 각종 꽃이 자리한 화원이 아름다웠다. 독특하게도 못에 핀 연꽃을 제외하면 정원 안에 핀 꽃들은 모두 눈처럼 흰색이었다. 마치 신비로운 묘길의 머리카락처럼.

묘길은 처소로 들어가기 전 버드나무 가지를 꺾었다.

"이쪽으로."

방 안에 도착한 묘길은 잔뜩 긴장한 윤조와 나래를 향해 걱정할 것 없다며 안심시켰다.

"죄를 묻고자 부른 것이 아니니 긴장 푸세요. 따뜻한 차를 내올 것이니 두 분 다 목을 좀 축이시지요."

"감사합니다. 하온데 저희 두 사람을 왜?"

나래의 물음에 묘길의 시선이 윤조를 향했다.

"확인하고 싶은 게 있어서 말입니다."

묘길이 화원에서 꺾은 버드나무 가지를 흔들었다.

"버드나무 잎으로 보는 간단한 점이지요. 윤조, 당신에 대해 알아보고자 합니다."

"저에 대해서요?"

윤조는 마른침을 삼켰다. 눈앞의 무녀장은 제국의 과거부터 존재해 미래를 점친다는 유능한 무녀였다. 혹시라도 자신이 남들과 '다르다'는 것을 그녀가 알게 된다면? 갑자기 나에 대한 점괘를 왜 본다는 것일까? 걱정과 더불어 궁금증이 늘어 가는데, 묘길이 말을 이었다.

"네. 폐하의 특례로 황궁에서 일하게 되었으나 저의 의견은 조금 다릅니다. 당신이 가 주었으면 하는 곳이 있거든요. 당신에게 어울리는 자리가 어디일지 확실히 하고 싶은 것이니 너무 염려치 않아도 됩니다. 잠시 손을 주겠어요?"

윤조는 주저하면서도 묘길의 말 대로 손을 내밀었다. 묘길은 그녀의 손바닥 위로 먹물 한 방울을 떨어뜨렸다. 그리고 버드나무 잎을 하나씩 떼어 윤조의 손바닥을 가릴 때까지 올렸다. 그러고는 그 위로 자신의 신력을 응축해 불어넣었다. 윤조는 손바닥을 통해 느껴지는 묘길의 신력이 무척 따스하다고 느꼈다.

이윽고 모든 절차를 마친 묘길이 윤조의 손바닥 위에 올려 두었던 버드나무 잎사귀를 하나씩 걷어 냈다. 하나, 둘, 마침내 마지막 잎사귀를 걷었을 때 먹물로 만들어진 그림이 윤조의 손바닥 위에 새겨져 있었다. 묘길은 준비해 놓은 종이를 가져와 윤조의 손바닥을 눌렀다. 윤조의 손 위에 있던 그림이 종이 안에 새겨졌다.

그것은 얼핏 한 마리의 새처럼 보였으나, 날개와 눈이 하나씩밖에 없는 두 마리의 새가 해와 달을 배경으로 서로 몸을 붙인 채 한 마리의 새처럼 날고 있는 모습이었다. 그 새의 정체를 가장 먼저 알아본 건 윤조였다. 알아볼 수밖에 없었다. 그건 전생에서 병든 자신의 어머니가 매일 밤 돌아가신 아버지를 그리워하며 들려주었던 이야기가 아니던가.

"비익조比翼鳥……."

윤조의 읊조림에 묘길이 고개를 끄덕였다. 윤조의 손바닥을 들여다보던 묘길의 눈빛이 점차 기이한 빛으로 물들었다.

"부족한 새가 날개 잃은 새를 어깨동무해 같은 하늘을 날아가는구나. 실로 놀랍다! 변방의 이름 없는 가문에서 태어난 이가 날개 잃은 하늘의 제왕을 다시 일으켜 세우는구나."

마치 다른 사람인 것 같은 음성이었다. 메아리와 같은 울림을 지닌 음성에 윤조와 나래가 마른침을 삼켰다. 묘길이 기이하게 변한 눈을 들어 윤조를 바라봤다.

"이 땅에 그대로 인해 변할 것이 많구나. 중요한 순간 그대는 두 개의 목숨 중 하나를 선택해야 할 것이다."

"대체 무슨 뜻일까? 두 개의 목숨 중 하나를 선택해야 한다니."

묘길과의 대화를 마친 후, 두 사람은 묘길의 처소 밖으로 나와 연못을 지나는 중이었다. 예언 중 마지막 부분이 걸렸던 윤조가 나래를 바라봤다. 그녀의 물음에 가만히 생각하던 나래가 답했다.

"두 개의 목숨이니 두 사람을 뜻하는 게 아닐까?"

"두 사람 중 한 사람의 목숨만을 살릴 수 있다는?"

"왠지 그런 거 같은데."

흘려듣기에는 꺼림칙한 예언이었다. 으스스한 기분에 소름 돋은 팔을 문지르던 윤조가 잊었던 것이 생각난 듯 손뼉을 쳤다.

"아, 깜빡했다. 나래야, 잠깐만 기다려 줄 수 있어?"

"무슨 일인데?"

"무녀장님께 말씀드린다는 걸 깜빡했어! 금방 다녀올게!"

뒤돌아 멀어지는 윤조의 걸음이 다급했다. 다시 무녀장의 처소 앞에 도착한 윤조는 다행히 근처를 거닐던 묘길을 발견했다.

"무녀장님!"

"윤조 무녀? 돌아간 것 아니었나요?"

"헤헤, 잊은 게 있어서요."

머쓱하게 볼을 긁적인 윤조가 결심한 듯 묘길을 향해 크게 허리를 굽혔다.

"무녀장님, 부탁이 있습니다!"

"부탁이요?"

"오늘 저의 시험 과제로 나왔던 매를 치료할 수 있게 해 주세요."

긴장한 채 고개 숙인 그녀를 바라보던 묘길의 얼굴에 미소가 번졌다. 다시는 날지 못할 수도 있을 매가 내내 마음에 걸렸던 모양이었다.

"확실히 치료할 수 있겠어요?"

"맡겨 주신다면 신력이 회복되는 대로 치료하겠습니다."

"좋아요. 황실 응방에는 내가 말해 둘 테니 회복되는 대로 가 보도록 해요."

허락의 말이 떨어짐과 동시에 윤조가 숙였던 머리를 들고 함박웃음을 지었다.

"감사합니다! 그럼 이만 실례하겠습니다!"

기쁜 마음으로 멀어지는 윤조의 뒷모습을 바라보던 묘길이 이내 미소를 지은 채 읊조렸다.

"저 아이인가. 모든 것에 종지부를 찍을 아이가……."

"정녕 대장군이 맞는가!"

같은 시각, 황궁.

감격에 찬 온 황제의 부름에 정복을 갖춰 입은 준영이 무릎을 꿇고 예를 올렸다.

"대장군 홍가 준영, 황제 폐하께 인사 올립니다. 그간 심려를 끼쳐 송구합니다."

"괜찮다. 다 괜찮다. 이렇게 쾌차한 모습을 보니 짐이 그대의 아비인 것처럼 행복하구나."

"황공합니다. 폐하."

"그래, 이제 복귀할 정도의 여력이 있는가?"

기쁨에 찬 황제의 물음에 대신 대답한 것은 준영의 아버지인 홍 장군이었다.

"폐하, 아들의 병증이 완전히 낫지 않아 조금 더 시간이 필요할 것 같습니다. 복귀를 늦추는 것을 윤허하여 주시옵소서."

"오, 그렇지. 아무렴 전장에서 쌓인 여독도 다 풀지 못했을 텐데 짐이 성급했군. 복귀는 서두르지 않아도 되니 대장군은 사가에 머물며 몸이 완전히 나을 때까지 휴식하라."

"황공하옵니다, 폐하."

어전에서 물러난 준영의 시선이 자신을 바라보며 서 있던 아버지 홍 장군에게 잠시 머물렀다가 멀어졌다.

"이만 돌아가 있겠습니다."

"알겠다."

멀쩡한 모습으로 돌아온 준영을 보고도 홍 장군은 마음껏 기뻐할 수 없었다. 그저 차갑게 돌아서는 아들의 뒷모습을 보며 살아 주어 다행이라고 여길 뿐이었다.

한편, 불구가 되었다는 말과 달리 너무도 건강해 보이는 준영의 모습에 무녀 혜린의 아버지인 비서랑 문상겸이 경악하여 홍 장군에게 물었다.

"부상이 심각하여 칩거 중이라 들었는데 이렇게 건강한 모습이라니! 대체 어떻게 된 것입니까?"

일방적으로 파혼을 요구하는 서신을 보낸 사람답지 않게 허둥지둥하는 모양이 우스웠다. 홍 장군은 눈에 빤히 보이는 그의 의도를 조롱하며 말했다.

"대장군의 부와 명성만을 노리던 사족蛇足이 떨어져 나갔으니 더욱 강건해진 것 아니겠습니까."

"그런……."

"그럼 이만."

"홍 장군! 잠시 기다리게! 홍 장군!"

홍 장군은 문 비서랑의 애타는 부름을 무시한 채 멀어져 갔다. 뒤늦게 되돌릴 수 없는 실수를 저질렀다는 사실을 깨달은 문 비서랑은 하얗게 질린 낯으로 멀어져 가는 홍 장군을 바라봤다. 그때였다.

"아아, 문씨 가문에서 홍씨 가문에 파혼을 요청했다지요? 대장군께서 순순히 파혼을 받아들이셨다고 들었습니다."

문씨 가문의 섣부른 판단을 꼬집는 승상 최익현의 말에 문 비서랑의 얼굴이 일그러졌다.

"최 승상."

"흐음? 무엇이 불편하십니까? 어차피 되돌릴 수 없는 어리석음인 것을."

"크흠! 승상, 말씀이 지나치십니다."

"글쎄요. 지나친 것이 과연 누구일지. 대장군이 불구가 되어 돌아왔다는 소식에 얼굴 한번 마주하지 않고 파혼 문서를 보내 버린 쪽이 더하면 더하지 않겠습니까? 그것도 전쟁을 승리로 이끈 장수에게 말입니다."

"그건 가문을 위해 어쩔 수 없는 선택이었습니다! 승상이라면 불구가 된 사내에게 딸아이를 시집보낼 수 있겠습니까?"

"머저리."

나지막하게 울리는 단어에 문 비서랑은 자신의 귀를 의심하며 최 승상을 바라봤다.

무표정을 한 최 승상이 문 비서랑을 내려다보고 있었다.

"득세를 위해 홍씨 가문을 이용하려 했으면서 딸아이에 대한 애정이라 변명하는구나."

"그, 그것은-!"

"됐네, 애써 변명할 필요 없지. 내일이면 그대의 가문이 홍씨 가문에 파혼 문서를 보냈다는 사실을 온 천하가 알게 될 터이니."

최 승상은 더는 할 말이 없다는 듯 들고 있던 부채를 펼쳐 얼굴을 가렸다. 멀어져 가는 그를 바라보는 문 비서랑의 안색이 파랗게 질렸다.

⸎

"홍 장군님."

사저로 향하던 홍 장군의 말을 멈춘 건 묘길이었다. 홍 장군이 말에서 내려 묘길을 향해 감사 인사를 전했다.

"무녀장님이 아니었다면 아들놈은 죽었을 겁니다. 감사합니다. 이 은혜를 어찌 갚아야 할지-."

"아닙니다. 대장군을 살린 건 제가 한 일이 아닙니다. 고개를 드시지요."

준영을 살린 것이 무녀장 묘길이 보낸 치료사 무녀가 아니다? 줄곧 그렇게 짐작하고 있던 홍 장군이 퍼뜩 고개를 들었다.

"무녀장님께서 하신 일이 아니라면 대체 누가 한 일이란 말입니까?"

"윤조라는 아이입니다. 이번에 무녀가 된 아이지요."

"윤조라면…… 혹, 시험장에서 문제를 일으켰던 후보생이 아닙니까?"

"맞습니다. 기특하게도 그 아이가 이미 매를 살렸더군요."

묘길의 말뜻을 단번에 이해한 홍 장군의 눈에 놀라움이 어렸다.

"그럼 제 아들 녀석을 살린 이가? 이럴 수가."

"저도 놀랐답니다. 하나 정말 기쁜 일이 아닙니까? 대장군의 건강도 회복되고 제국에 막강한 신력을 지닌 무녀도 탄생하였으니 말입니다."

"그게 가능한 일입니까? 전해 듣기로 괴사가 심각해 준영의 팔을 잘라 내야 할 정도라고 했습니다."

"무녀마다 타고난 신력의 운용이 다르니까요. 윤조라는 아이는 폭발적인 신력을 단숨에 사용할 수 있는 것 같더군요. 그렇게 되면 대장군의 팔과 눈이 살아난 것처럼 기적 같은 일도 가능하지요."

"지금 그 아이를 만나 볼 수 있겠습니까?"

"하하, 물론입니다. 하지만 며칠만 더 기다려 주시겠습니까? 지금 그 아이를 홍씨 가문으로 보내 달라, 폐하께 청을 드리러 가는 길입니다."

"예?"

"모르셨습니까? 그 아이, 대장군의 단장판을 갖고 있었습니다."

"그럴 리가요. 설마 준영이 녀석이 그 아이에게 단장판을?"

"하하, 그렇답니다. 대장군께 듣고 오는 길입니다. 대장군이 단장판을 윤조에게 주었다고 하더군요."

홍 장군은 믿을 수 없다는 듯이 눈을 깜빡이다 함박웃음을 터뜨렸다.

"준영이 녀석이? 여인에게 단장판을 내줬, 하하! 으하하하하! 하하하하! 그 무쇠 같은 녀석이 언제 그런 짓을! 으하하하하!"

"감축드립니다. 머지않아 손주를 보시겠습니다?"

"하하하, 감사합니다. 묘길 님 말씀대로 윤조라는 아이가 오길 기다리고 있겠습니다."

감정을 드러내는 일이 드물어 돌 같다고 알려진 홍 장군이 흥겨운 마음을 감추지 못하고 어깨를 들썩였다. 다시 말에 오르던 그가 급히 생각난 것이 있는지 묘길을 향해 물었다.

"그 나이대의 여자아이들은 무엇을 좋아하는지 아십니까?"

"흠, 아무래도 여인이니 몸치장하는 것을 좋아하지 않겠습니까?"

"몸치장이라. 평생 사내아이만 키우다 보니 뭘 알아야죠. 이럴 때 안사람이 있었으면 살뜰히 챙겼을 텐데. 홀아비가 이렇게 무지합니다."

"새장가 드실 생각은 없으시고요?"

농담 섞인 묘길의 말에 홍 장군이 정색하며 고개를 저었다.

"그러다 아들놈한테 칼침 맞습니다."

"아까 뭐 때문에 다시 갔던 거야?"

"아. 시험에 나왔던 매, 내가 치료하고 싶다고 말씀드렸어."

기숙관에 돌아온 윤조와 나래가 각자의 침대에 걸터앉은 채 대화를 이어 갔다.

"할 수 있겠어? 상태가 안 좋아 보이던데."

"나도 고민했는데. 그래도 가능성이 있으니까."

윤조가 자신의 손바닥을 바라보며 손을 쥐었다 폈다.

"대장군님을 치료하기 전까지는 솔직히 잘 몰랐었거든. 내가 사용할 수 있는 신력이 어느 정도인지."

"하긴, 대장군님 상처를 치료했을 정도면 가능할지도."

갑자기 너무 많은 일이 일어난 탓에 머리가 아팠다. 누가 먼저랄

것도 없이 침대 위에 누운 두 사람이 한참 동안 멍하니 천장을 바라봤다. 윤조의 머릿속에 오늘 하루 폭풍처럼 지나갔던 모든 사건들이 꼬리에 꼬리를 물고 지나쳤다. 시험에 무사히 합격한 것도, 다친 매를 치료할 수 있게 된 것도 다 좋았다. 다 좋았지만 딱 한 가지 걸리는 것이 있었다. 바로 나래가 경고했던 대장군의 단장판이었다.

사람들 앞에 꺼내 보이면 무조건 시집을 가야 한다던 나래의 말을 떠올린 윤조가 돌연 벌떡 일어나 짐을 싸기 시작했다. 어디 전쟁이라도 났는지 난민처럼 바닥에 커다란 보자기를 펼치고 필요한 것만 닥치는 대로 챙기는 윤조의 모습에 나래가 황당한 얼굴을 했다.

"너 뭐 해?"

"짐 싸."

"짐을 왜 싸는데?"

"아무래도 예감이 안 좋아서. 귀찮은 일에 휘말리기 전에 미리 짐을 싸 둬야 도망치기도 편하지."

"지금 그게 무슨 소리야? 겨우 문제가 해결됐는데 도망이라니?"

윤조는 몇 벌 없는 옷가지를 보자기 위에 던져 놓고 침통하게 나래의 손을 잡았다.

"아무래도 실수한 것 같아. 나래 네 말대로 대장군님의 단장판을 꺼내는 게 아니었어."

"하지만 어쩔 수 없었잖아. 위기 상황이었으니까."

"그건 그렇지만 예감이 안 좋아. 그것 때문에 인생 완전 고달파질 각이라고. 생각해 봐. 시험관 무녀님들도 그렇고 귀족 집안 애들한테 완전히 찍혀 버렸잖아? 이러다 밤길에 퍽치기 당해도 아무도 모를 거야. 으아아! 나 어떡해!"

불안과 불행이 파도처럼 덮쳐 올 것 같은 위기감에 바르르 몸이 떨렸다. 골치 아픈 상황을 예감한 윤조가 머리카락을 쥐어뜯자 나래가 그녀의 어깨를 토닥였다.

"진정해. 이제 와 사태 파악한다고 뭐가 달라져? 이미 벌어진 일."

"그래도오! 나는 있는 집안 자식도 아니고, 나 없으면 변방에 있는 우리 가족은 다 굶어 죽는단 말이야! 인생 역전하려다 인생 말아먹게 생겼네! 좋아, 어차피 나갈 거 귀족 애들이 썼던 가체만 들고 튈까? 그거라도 팔아야 두 다리 뻗고 살 거 같은데."

"정신 차려라. 그러다 걸리면 손목 먼저 날아간다."

"흐어엉, 이러다 쥐도 새도 모르게 처리당하는 거 아니야? 사극 드라마 보면 그런 거 많이 나오던데! 귀족들 눈 밖에 나면 소리 없이 끌려가서 쓱싹!"

손을 들어 목 부근에 선을 긋는 윤조의 행동에 나래가 깜짝 놀라 답했다.

"뭐? 어디에서? 누가 그런 짓을 벌이는데!"

"아니, 누가 벌였다는 게 아니고 나한테 벌어질 것 같다고! 커밍 쑨!"

"카밍 순? 그건 또 뭐야? 못 알아들을 말 그만하고 좀 진정해! 정신이 하나도 없네!"

"몰라, 일단 나 좀 도와줘. 짐 먼저 싸 놓고 눈치 봐서 튄다."

"하이고, 나가면 갈 곳은 있고?"

"이 넓은 제국 땅 어디든 푼돈이라도 벌며 살아갈 곳은 있겠지."

"너 못 가."

나래가 콧방귀를 뀌며 윤조의 말을 잘랐다.

"응?"

"너 못 간다고 바보야. 어딜 가도 다시 잡혀 오게 되어 있어."

"그게 무슨 뜻이야?"

"너도나도 이제 정식 무녀잖아. 국가 소유라고. 제국 땅 어딜 가든지 우리 신력이 탐지된다 이 말이야."

"그 말은……."

"포기해. 제국 땅에 도망칠 곳은 없어. 국경 넘어 서국으로 도망치면 또 몰라."

"오, 그런 방법이!"

"아서라. 국경에 어슬렁거렸다가 첩자로 오해받고 화살 맞아 죽는다. 탈출은 무슨. 당장 벽록서 담도 못 넘고 잡힌다에 한 표."

"나도 나래 말에 동감."

나래의 신랄한 평에 울먹이던 윤조는 갑자기 열린 방문에 깜짝 놀라 굳어 버렸다. 그런 그녀를 보며 방 안으로 들어온 건 후보생이었을 동안 함께 기숙했던 동기들이었다.

"도망은 반대야. 그러다 잡히면 정말 큰일 난다고."

"맞아. 아 참, 윤조 길치잖아? 도망치다가 황궁으로 가면 어떡해?"

"푸하하하! 그거 정말 웃기겠다!"

"너희들 다 너무해. 그리고 나는 길치가 아니라 방향치야!"

"어휴, 그거나, 그거나. 길 못 찾는 건 똑같지 뭐. 아무튼, 도망은 반대야. 이곳을 떠나는 건 우리로 충분하니까."

"너희들, 떠나?"

시험을 보기 전부터 누군가에게는 예견된 이별이었으나 그것을 알면서도 이별은 갑작스러웠다. 동기들은 멋쩍은 표정으로 볼을 긁적이며 말했다.

"네가 문제 일으키고 끌려간 뒤라 잘 몰랐겠지만, 우리 시험에 떨어졌거든."

"응. 나는 신력이 완전히 사라졌어."

"나는 불합격. 신력이 있다 해도 조절이 안 되는 신력은 무용지물이지."

"뭐 어차피 평민 출신의 무녀는 하늘의 별 따기라니까. 그러니까 너라도 잘 지내. 우리 몫까지! 확실하게 누리면서 지내라고! 알겠어?"

"얘들아, 나는……."

동기들이 각자 기숙하며 지니고 있던 이름패를 꺼내 윤조에게 주며 당부했다.

"이거, 이젠 필요 없으니까 너 줄게. 나중에 높은 자리 올라도 우리 잊지 마. 알겠지?"

"나중에 기회 되면 우리 고향에 놀러 와. 언제든지 환영이니까."

"우리 같은 평민 출신도 출세할 수 있다는 걸 보여 주라고. 그리고 나래야— 음, 이렇게 이름 부르는 것도 이번이 마지막이겠다."

"새삼스럽게. 같은 동방생끼리 편하게 불러."

"헤헤. 그래, 나래야. 너는 귀족이면서도 귀족같지 않게 호탕하고 편안하게 대해 줘서 좋았어. 처음에는 콧대 높은 귀족가 영애인 줄 알았는데 우리가 오해해서 미안해. 사실 윤조랑 같이 어울리는 거 보고 혹시 윤조를 시종처럼 부리는 게 아닐까 했었거든."

"시종도 똑똑해야 부려 먹지. 이 모지리를 어디다 써먹어?"

"하하, 그 말이 맞네. 윤조가 좀 허당이긴 하지."

동기들이 웃으며 윤조와 나래에게 마지막 인사를 건넸다.

"둘 다 건강히 잘 지내. 특히 윤조, 엉뚱한 짓 하다가 사고 치지 말고."

"이제 가는 거야?"

"응, 가야지. 시험에 떨어진 사람은 바로 짐을 싸서 나가라고 했으니까."

"보고 싶을 거야."

"우리도 너희가 많이 보고 싶을 거야. 항상 응원할게. 기죽지 말고 힘내!"

힘내라는 말을 마지막으로 동기들은 발길을 돌렸다. 그들이 나간 후 탁, 하고 닫힌 문을 바라보며 윤조는 급하게 싸던 짐을 다시 원래 자리로 되돌렸다.

"이러면 도망칠 수도 없잖아……."

"글쎄, 처음부터 무리였대도."

"벌써 보고 싶다."

"나도."

여러 명이 함께 생활했던 기숙관이 하루 만에 절반도 넘게 비어 버렸다. 윤조는 가만히 주인 잃은 침대를 바라보며 말했다.

"무섭다."

"뭐가?"

"텅 빈 침대."

"침대가 무서워?"

나래의 물음에 윤조가 한숨을 쉬며 두 눈을 감았다.

"응. 세상에서 가장."

길었던 하루가 지나고 새로운 아침이 밝았다. 고단한 일에 지쳐 깊은 잠이 들었던 윤조와 나래를 깨운 건 다름 아닌 황제의 칙령이었다.

"최씨 가문의 장녀 최나래와 무녀 윤조는 들으시오!"

사람이 자고 있거나 말거나, 기숙방의 문을 벌컥 연 황제의 칙사는 막힘없이 들고 있던 두루마리를 펼쳐 적힌 내용을 소리쳐 읽었다. 그 소리가 어찌나 우렁찬지 고막을 뚫어 버릴 기세였다.

"두 사람은 오늘부로 홍씨 가문의 저택으로 가 치료사 무녀로 성심을 다해 임할 것을 명한다는 황제 폐하의 명이오! 이에 두 사람은 속히 짐을 꾸려 벽록서 기숙관을 떠나시오─!!! 이상 황제 폐하의 어명이오!!!"

기숙관이 떠나가라 목청을 돋우던 칙사는 할 일이 끝났는지 커흠, 하고 마른 목을 가다듬고는 처음 왔던 것처럼 벌컥 기숙관 문을 열고 나가 사라졌다. 이불로 두 귀를 틀어막고 있던 윤조와 나래는 그럼에도 울리는 귀를 만지작거렸다.

"고막이 나간 것 같아."

나래의 말에 윤조가 귀를 들이대며 물었다.

"뭐라고?"

"고막이 나간 것 같다고."

"뭐라고? 안 들려!"

"고막이! 나간 것 같다고! 에잇! 장난 그만 치고 얼른 짐이나 싸!"

"후, 그냥 못 들은 걸로 하면 안 되겠지?"

"황명을 어기면 그날로 지옥행이야. 염라대왕이랑 인사하고 싶어?"

"아니! 그건 안 될 말이지. 그런데 황궁이 아니라 홍씨 가문으로 가라니, 좀 이상하지 않아?"

윤조의 말이 맞았다. 폐하께서 내린 특례는 무녀 선발 시험에서 떨어져도 황궁에서 시종으로 일하게 해 주겠다는 뜻이라고 생각했는데 갑자기 홍씨 가문의 치료사가 웬 말인가? 더군다나 그곳에는 마주하면 매우 어색할 인물이 있다. 준영의 얼굴을 떠올린 윤조는 뒤이어 자연스럽게 떠오르는 그의 탄탄했던 몸매에 도리도리 머리를 털었다.

'엄마야, 음란마귀가 끼었나.'

"왜 그래? 아직도 머리 아파?"

"아, 아니. 아무것도 아니야. 그런데 나래 너는 승상님께 먼저 알려야 하는 것 아니야?"

"이미 알고 계실 텐데 뭐."

두 사람은 각자 짐을 싸며 대화를 이어 갔다.

"아는 데도 가만히 계신 걸 보면 승상님도 참 교육 엄하게 하셔."

"집안의 장자가 사내가 아니어서 부끄럽다고 하신 분이 시시콜콜 신경이나 쓰겠어?"

"헐. 그랬어? 여기도 참 문제야. 아니, 딸 바보 아빠들이 얼마나 보기 좋은데 좀 예쁘다, 예쁘다, 보듬어 주면 어디 덧나나!"

"딸 바보 아빠?"

"자기 딸밖에 모르는 아버지들을 그렇게 불러."

"하? 우리 아버지가 그런다고 상상하면 징그럽다. 아서라."

"하긴 무표정한 승상님께 그런 모습은 상상이 잘 안 되네."

"그렇게 따지면 아버지는 어머니 바보지. 어머니 일이라면 자다 가도 벌떡 일어나시니."

"정말? 승상님 그렇게 안 보였는데 애처가셨구나? 어머님 부럽다. 나도 그런 남편 만나서 알콩달콩 살아야 할 텐데."

윤조의 말에 나래가 짐을 싸다 말고 무슨 소리냐는 듯 되물었다.

"이미 네 남편은 정해졌잖아?"

나래의 한마디에 윤조의 얼굴이 딱딱하게 얼어붙었다.

"그거 어떻게 무를 방법 없을까?"

"네 팔자려니 해. 인생 뭐 있어? 이참에 귀족 가문 며느리도 해 보고 그러는 거지 뭐."

"무슨 일 있나? 집 안이 소란스럽군."

길림과 바둑을 두던 준영이 부산스러운 집안 종자들의 움직임에 의문을 표했다.

"얼핏 들은 말로는 밖에서 누가 온다고 하던데요?"

"손님인가? 이런 이른 시간에?"

"네. 그런데 장군. 단장판 안 찾아오실 겁니까?"

"사내가 되어서 한 번 준 물건을 어찌 도로 빼앗아 온단 말이냐."

"방울새님이 정말 마음에 들긴 하셨나 봅니다?"

"쓸데없는 소리 말아라. 특례를 위함이었다면 황궁에서 마주쳤을 때 알아서 돌려주지 않겠느냐."

"하하, 아직도 마음 상해 계셨습니까? 하긴, 그런 이유였다면 그렇겠죠. 아, 그런데 오늘 오시는 손님이 누군지 제가 말했습니까?"

"아니. 누군지 아나?"

"예. 대장군님 색시 되실 분이 오신다고 했습니다."

돌을 집어 올리던 준영의 손에서 바둑돌이 툭, 하고 떨어졌다.

"오, 이거 잘하면 제가 이기겠는데요? 어서 돌 놓으세요. 이번 판은 제가 이깁니다."

"방금, 누가, 오기로 했다고?"

"장군님 신붓감이요."

"누가?"

"신부님이요."

"누구의?"

"당연히 대장군님이죠. 설마 홍 장군님께서 새장가 드시겠습니까?"

길림의 말을 듣고 있던 준영이 돌연 벌떡 일어났다. 그 움직임에 바둑판의 돌이 흩어져 버렸다.

"으악! 이기고 있었는데! 장군? 대장군! 어딜 가십니까! 색시님 보러 가십니까!"

"닥쳐라!"

"하하하, 잘 다녀오십시오!"

장난스러운 길림의 말에 버럭 소리친 준영이 급히 향한 곳은 본가 안채였다. 그는 아버지인 홍 장군이 있는 방문을 기별도 없이 벌컥 열어 버렸다.

"아버지!!!"

"준영이? 네가 기별도 없이 웬일이냐?"

"아버지, 지금 뭘 하시는 겁니까?"

홍 장군을 향해 씩씩거리던 준영은 홍 장군의 앞에 놓인 수십 벌의 아름다운 비단옷과 각종 여인의 장신구를 보고 어안이 벙벙해졌다.

"너도 와서 골라 봐라. 며늘아기가 뭘 좋아할지 도통 알아야 말이지."

"이게 대체 무슨!"

"며늘아기 줄 선물인데 종류가 너무 많아 힘들구나."

"며늘아기라니요! 제정신이십니까? 문씨 가문과 파혼한 지 고작 이틀밖에 안 됐습니다!"

파혼이란 말에 홍 장군은 콧방귀를 뀌며 귀를 후볐다.

"하! 그따위 걸 누가 신경이나 쓸까 보냐."

"아버지! 아무리 그래도 그렇지, 제게 한마디 말도 없이 갑자기 웬 신붓감입니까!"

준영의 말에 홍 장군은 도리어 누가 누구에게 할 소리를 하느냐며 물었다.

"단장판."

뜨끔.

준영이 드물게 깜짝 놀라 몸을 떨었다. 그 모습에 홍 장군의 입매가 짙은 호선을 그렸다.

"황제 폐하께서 하사하신 단장판이 요즘 통 안 보이더구나. 매일같이 검에 달고 다니더니."

"그것은······."

"무녀장에게 들었다. 윤조라는 아이에게 단장판을 주었다지?"

"그걸 언제! 설마 이미 다 알고 계셨으면서 모른 척하셨던 겁니까!"

"아는 척했으면 네놈이 퍽 살갑게 굴었겠다. 말씨름할 시간 없다. 너도 어서 신부 맞을 준비해라. 커흠!"

홍 장군은 괜한 헛기침을 하며 자리를 피했다. 괜히 마주하고 있다가 싸움만 나지. 준영을 뒤로한 채 밖으로 향하는 그의 표정이 그 어느 때보다 즐거워 보였다.

윤조는 갈등했다. 지금이라도 잽싸게 도망을 칠 것인가. 아니면 이대로 유부녀가 될 것인가. 홍씨 가문의 저택 앞에서 그녀는 주저했다. 표정에 다 드러나는 그녀의 갈등에 나래가 혀를 차며 속삭였다.

"그냥 눈 딱 감고 시집가는 게 좋을걸? 홍씨 가문이면 제국 최고의 가문이지, 부유하지, 명예롭지. 네 말마따나 인생 펴는 거 순식간이지."

"하지만 갑자기 결혼이라니! 날벼락도 이런 날벼락이 없잖아!"

"쯧쯧쯧, 하나는 알고 둘은 모르는 윤조 씨. 셈을 한번 제대로 해봅시다. 세상에서 윤조가 가장 좋아하는 건?"

갑작스러운 물음에 고개를 모로 기울인 윤조가 당연하다는 듯 답했다.

"돈."

"윤조가 가장 사랑하는 건?"

"돈?"

"윤조가 가장 갖고 싶은 건?"

"돈돈돈! 이왕이면 금화!"

"그래. 너 시집가면 그냥 유부녀 아니고 부富유부녀 된다. '부유富有' 부녀. 평생 떵떵거리면서 먹고 싶은 거 다 먹고, 사고 싶은 거 다 사면서 살 수 있어."

나래의 말에 윤조가 발그레한 볼을 들며 입을 헤 벌렸다.

"헤헤, 그렇게 말하니까 갑자기 혹한다."

"그치? 그러니까 시간 끌지 말고 들어가자."

"그래도 싫어."

"왜 또!"

"어차피 내 돈도 아니잖아."

윤조가 딱 잘라 선을 그었다.

"내가 돈을 좋아하는 건 사실이지만 '내 돈'을 좋아하는 거지. 어차피 내 돈도 아닌 거 펑펑 써 봤자 하나도 즐겁지 않다고. 마음도 편치 않고."

"얘는 꼭 이상한 데서 상식적이더라. 그냥 속는 셈 치고 들어가. 설마 대장군님이 너를 잡아먹기라도 하겠어? 친절하게 단장판도 주셨는데."

"그건……."

가만히 생각하니 아직도 의문이다. 대체 대장군은 무슨 이유로 내게 이렇게 엄청난 의미가 담긴 단장판을 선뜻 내준 것일까? 혹시 가장 심각하게 다쳤던 곳이 팔이 아닌 머리였다거나?

'꿍…….'

윤조는 갑작스럽게 입을 맞춰 왔던 그의 행동을 떠올렸다. 혹시 내가 좋았던 걸까? 아니면 그냥 고맙다는 인사 같은 거였나? 아니,

고맙다는 인사를 꼭 그렇게 진하게 할 필요가 있나? 그런 풍습이 새로 생겼나?

"나래야, 혹시 수도의 귀족들은 인사할 때 상대방에게 입 맞추는 풍속이 있다거나?"

뜬금없는 윤조의 말에 사레가 들린 나래가 잔기침을 삼키며 말했다.

"웬 자다가 봉창 두드리는 소리야? 그런 풍속이 있을 리 없잖아."

"없어? 정말로 없어?"

"세상에 그런 풍속이 있는 나라가 어디에 있어?"

"프랑스는 있었어! 프랑스는 국가 정상끼리 만나서도 볼에 입 맞추고 그랬다고!"

"프랑스? 그건 또 어디야? 그런 풍속이 있는 나라가 있다고?"

"그래, 있었단 말이야. 한국에 살 때는……."

"한국?"

"아니, 아니야. 그냥 말이 막 나오네. 아무튼, 없단 말이지?"

"결단코."

"끙."

윤조가 더욱 심각한 표정으로 골몰할 때였다. 별안간 닫혀 있던 저택의 대문이 활짝 열리는 것이 아닌가!

"내 집 앞에서 누가 이리 소란이냐?"

더군다나 문을 열고 나온 건 다름 아닌 홍 장군이었다. 준비할 겨를도 없이 홍씨 가문의 가주와 맞닥뜨린 윤조와 나래는 놀란 눈으로 서로를 바라보다 냉큼 고개를 숙였다.

"치료사 무녀 최나래와 윤조, 홍 장군님을 뵙습니다!"

"너희들이로구나. 오늘 오기로 한 무녀들이."

"예, 그러합니다."

윤조와 나래가 숙였던 고개를 바로 하고 홍 장군을 바라봤다. 무섭기로 호랑이보다 더하다고 소문이 자자한 분답게 얼굴의 생김새도 거칠고 매섭다. 특히나 부리부리하고 매서운 눈매가 사람을 압도하는 기운이 있었다. 수도의 냉혈한이라 불리는 최 승상을 아버지로 둔 나래조차도 마른침을 삼키게 할 만큼, 넘치는 위용은 차가운 최 승상과는 달리 불같이 강렬한 느낌이었다. 홍 장군은 자신보다 머리 두 개는 작을 것 같은 두 사람을 번갈아 바라보다 말했다.

"따라 들어오너라."

홍 장군의 뒤를 따라 들어간 홍씨 가문의 저택은 무척 분주해 보였다. 마당이며 집 안 청소에 여념 없는 가솔들은 윤조와 나래가 있다는 것도 모르는 것 같았다. 그렇게 보였다. 하지만 어느 순간 두 사람이 동시에 서로의 귓가에 속삭였다.

"나래 너도 느꼈지?"

"응. 왜 자꾸 우릴 보며 웃는 거지?"

"나 얼굴에 뭐 묻었어?"

"아니? 나는?"

"아무것도."

"대체 뭐야. 호랑이 굴에 들어온 것 같아 긴장되어 죽겠는데. 이 집 가솔들 좀 이상해."

"너희 집 가솔들은 안 이래?"

"우리 아버지 그림자만 봐도 벌벌 떨며 바닥에 엎드리는데 누가 누구인지 얼굴 익힐 시간도 없어."

"대체 뭐지? 괜히 불안하네."

윤조와 나래의 불안한 마음을 아는지 모르는지, 홍 장군을 따라 집 안으로 들어갈 때까지도 홍씨 가문 가솔들의 알 수 없는 웃음은 계속되었다. 곧 두 사람의 모습이 안채 안으로 사라지자, 집안에 작은 마님이 오셨다며 소리 죽여 덩실덩실 춤을 추는 가솔들이었다.

홍씨 가문 저택의 안채.

가부좌를 튼 홍 장군 앞에 나란히 무릎을 꿇고 앉아 있는 윤조와 나래의 모습은 흡사 죽을죄라도 지어 벌을 받는 사람 같았다. 언제까지 이렇게 앉아 있어야 하는 거지? 다리에 쥐가 난 윤조가 몰래 팔을 뻗어 발바닥을 주무르려고 할 때였다.

"두 사람 다 환영한다. 황제 폐하께서 너희를 보내 주신 만큼 우리 가문에서도 그에 준하는 대접을 할 테니 심려 말거라."

뜻하지 않은 환대에 윤조와 나래가 의외라는 듯 홍 장군을 쳐다봤다. 두 사람은 마른 목을 가다듬었다.

"장군의 환대와 배려에 감사합니다."

홍 장군이 전보다 부드럽게 풀어진 얼굴로 두 사람을 향해 고개를 끄덕였다. 그러곤 한참을 번갈아 윤조와 나래를 살피더니 씨익 웃음 지었다.

"네가 최 승상의 여식이로구나. 선이 긴 눈매도 그렇고 이렇게 가까이에서 보니 승상을 꼭 빼다 박았어."

"아버님께 말씀 많이 전해 들었습니다. 부족하지만 이곳에서도 잘 지낼 수 있게 노력하겠습니다."

기다렸다는 듯 흐트러짐 없이 반듯한 나래의 대답에 홍 장군이 고개를 끄덕였다.

다음은 윤조였다. 홍 장군의 입에서 '그럼 네가 윤조겠구나'라는 말이 나오기를 기다리며 대답을 준비하던 윤조는 한참이 지나도 자신을 뚫어져라 바라보기만 하는 홍 장군의 행동에 진땀이 흘렀다. 1초, 2초, 3초, 호흡까지 참아 가며 그 눈길을 마주하던 그녀는 참지 못하고 소리쳤다.

"네! 제가 윤조입니다!!!"

"……."

"……."

씩씩하다 못해 우렁찬 자기소개에 일순 방 안에 침묵이 내려앉았다. 본인이 소리쳐 놓고도 깜짝 놀라 토끼 눈을 하던 윤조는 바들바들 떨며 나래와 홍 장군을 번갈아 쳐다봤다.

"못 산다……."

조용한 나래의 핀잔에 윤조는 거의 울 지경이 되었다.

"아니, 내가! 아니지, 제가! 일부러 그런 게 아니라요. 그렇게 무섭게 쳐다보시면 누구라도 긴, 긴장을……."

나래와 홍 장군을 향해 두서없이 변명하던 윤조의 말에 끼어든 웃음소리는 홍 장군의 것이었다.

"푸핫, 푸하하하하! 으하하하하! 이 노인네가 많이 무서웠나 보구나."

"네. 조금 많이요오……."

홍 장군은 거의 울고 있는 윤조를 향해 다정하게 말했다.

"우리 집에 온 걸 환영한단다, 며늘아가야."

소식은 빠르게 퍼져 나갔다. 한 가지는 홍씨 가문과 문씨 가문이 파혼했다는 것이었고 다른 한 가지는 대장군에게 새로운 정혼자가 생겼다는 소식이었다. 불과 이틀 만에 일어난 두 가지 큰 사건에 사람들의 이목이 집중되는 건 당연한 일이었다.

"그 소식 들었어? 혜린 무녀님이랑 대장군님 이미 개선식 때 파혼했다고 하더라고."

"나도 들었어. 문씨 가문에서 파혼서를 보냈다던데. 그리고 대장군님께 새로운 정혼자가 생겼다며?"

"어머머, 그게 정말이야? 그런데 아무리 대장군이라지만 불구가 되었다는데 대체 누가 그런 남자에게 시집을 간다는 걸까?"

"그러게 말이야. 혜린 무녀님이 파혼하길 정말 잘했지. 아무렴 신세 망칠 일 있어?"

"아무리 그래도 개선식 당일 날 파혼은 좀 그렇지 않아? 소문으로는 찾아가 보지도 않았다던데."

"정말이야? 그건 좀 너무하긴 했다."

"거기, 정숙하지 못할까."

"혜린 무녀님! 죄, 죄송합니다."

"궐 안의 소리는 황궁 담을 넘어선 안 된다고 했다. 알겠느냐?"

"예, 명심하겠습니다!"

혜린은 자신을 피해 달아나는 신입 무녀들을 바라보다 발길을 돌렸다. 그녀는 황궁 곳곳에서 들려오는 자신의 이름에 신경이 날카로운 상태였다. 구설수에 오르는 것이 귀족가 영애에게 치명적인 일이나, 그나마 위안이 되었던 사실은 거의 대부분의 사람들이 자신이 선택한 파혼을 옳다고 이야기하며 긍정적인 편이 되어 준다는 것이었다.

"후, 시끄럽게 떠들어 대기는."

혜린은 귀찮다는 듯 어깨 위로 늘어뜨린 머리카락을 귀 뒤로 쓸어 넘겼다.

"신경 쓰지 마십시오. 어차피 한 달도 못 가 들어갈 겁니다. 그래도 역시 혜린 무녀님을 지지하는 사람들이 많네요."

"당연한 일이지. 어느 여인이 불구가 된 사내에게 평생을 의지할 수 있겠느냐?"

"대장군님의 일은 안됐으나 그 말이 맞습니다. 괜히 고생길에 발을 올릴 필요는 없지요."

시녀의 말에 그녀가 고개를 끄덕였다.

"암, 그렇고말고. 힘든 결정이었으나 이것이 가문의 미래와 나의 명예를 위해서도 옳은 일임을 대장군도 이해하실 거다."

황궁에서의 일을 끝내고 무녀장 묘길에게 보고를 올리러 가던 혜린은 마주 오는 최 승상을 발견하고 고개를 숙였다.

"승상님을 뵙습니다."

"혜린 무녀로군. 집안은 평안한가?"

"예. 아버님도 저도 무탈하게 잘 지내고 있습니다."

"평안하다고? 그것 참 이상하군."

최 승상의 말에 의미 모를 뼈가 있었으나 그것이 무엇인지 모르는 혜린은 웃는 낯으로 말을 돌렸다. 뱀 같은 사람이다. 앞뒤 상황을 모르는 상태에서 휘말렸다간 좋을 게 없었다.

"승상의 따님께서 이번에 정식 무녀가 되었다지요? 감축드립니다."

"고맙군. 그대는 파혼을 했다지?"

직설적으로 물어오는 말에 혜린의 표정이 아주 잠깐 굳어졌다 풀어졌다.

"예, 안타깝게도 그렇게 되었습니다. 가문의 결정이니 따를 수밖에요. 대장군께서는 반드시 자리에서 일어나실 겁니다. 이제 곁을 지킬 수는 없지만 항상 기도하고 있답니다."

혜린은 마치 자신은 파혼을 원치 않았으나 가문의 결정이라 어쩔수 없었다는 투로 말끝을 흐렸다. 여인이 이리 말하면 제아무리 냉혈한이라 불리는 승상이라도 대놓고 비난할 수는 없겠지. 혜린의속내를 간파한 최 승상은 미소를 가장한 비틀린 그녀의 입매를 바라보다 피식, 입술을 당겼다.

"그렇군. 그런 이유라니 참으로 안타까운 일이야. 대장군에게 새로운 정혼자가 생겼다는 소식은 들었나?"

"예, 들었습니다. 누구인지 몰라도 참으로 마음이 따뜻한 사람아닙니까? 적적할 대장군의 곁을 지켜 줄 사람이 생겨 저도 참으로다행이라고 여기고 있습니다."

"그렇지. 그 여인의 치료술로 다시 건강을 회복한 대장군이 더없이 좋은 반려를 맞이했으니 제국의 경사일세."

최 승상의 말을 들은 혜린의 낯이 눈에 띄게 굳어졌다.

"지금 무어라 하셨습니까? 대장군께서 다시 건강을 찾았다뇨?"

"몰랐나? 잘라 내야 했던 팔도, 앞이 안 보이던 눈도 다 회복되어 간밤에 황제 폐하께도 인사를 드리러 왔더군."

"그럴 리가, 그럴 리가 없습니다! 대장군의 부상은 쉬이 치료할 수 있는 게 아니었다고……."

혼란스러워하는 혜린을 보며 최 승상이 말했다.

"문 비서랑이 아무 얘기 하지 않던가? 자네 아비도 그 자리에 함께 있었는데 말이야."

"그럴 수가. 어찌 그런……."

"그럼 다음에 보지."

승상이 떠나간 자리, 충격적인 사실을 전해 들은 혜린이 비틀거리며 자리에 주저앉았다.

"아가씨! 괜찮으십니까!"

"대체 뭐가 어떻게 돌아가는— 아버님. 당장 아버님을 만나 사실을 확인해야겠다! 저 뱀 같은 승상이 나를 조롱하고자 세치 혀를 놀린 것이라면 가만두지 않을 것이야!"

"가마를 준비하겠습니다!"

"아니, 그럴 것 없다."

갑작스럽게 들려오는 익숙한 음성에 혜린이 퍼뜩 고개를 들었다. 그녀의 눈앞에 선 이는 갑주를 두른 채 정복 차림을 한 홍 장군이었다.

"아버님……."

혜린의 부름에 홍 장군의 눈에 불쾌감이 서렸다. 그는 그 감정을 애써 지우거나 삭히지 않고 그대로 무녀 혜린을 향했다.

"누가 네 아비라는 것이냐?"

"아버님, 저는! 저는 찾아뵙고자 했습니다! 대장군께서 돌아오신 날부터 지금까지 줄곧 찾아뵙고자 하였습니다! 믿어 주십시오. 소녀의 마음은 가문의 결정과 달랐습니다!"

혜린은 바닥에 주저앉아 거의 빌다시피 했다. 이렇게는 안 된다. 대장군이 멀쩡하다면 이렇게 끝나서는 안 된다. 어떻게든 다시 붙잡아야 한다. 어떻게든! 그러나 그녀를 바라보는 홍 장군의 태도는 그런 그녀의 소망 따위는 통하지 않는다는 듯 단호하기만 했다.

"이제 와 그런 마음이 다 무슨 소용이겠느냐? 일방적으로 파혼을 진행한 것도, 불구가 된 대장군과 함께할 수 없다 파혼한 사실을 공공연하게 사람들에게 알린 것도 다 너희 가문이 한 일이다. 내 아들을 사랑한 척 굴지 말라. 네 그 시커먼 속내를 승상을 비난하는 너의 모습으로 직접 보았으니."

홍 장군의 일갈에 혜린이 하얗게 질린 얼굴로 바닥을 기어 그의 팔을 붙잡았다.

"아닙니다! 아버님, 오해십니다! 저는 대장군을 사모합니다! 이 마음은 진심입니다!"

"놓아라! 다시는 나를 아버님이라 부르지 말거라! 네 얼굴을 보고 싶지 않구나. 거짓을 말하는 네 목소리도 듣지 않을 것이다. 너는 내 아들과 파혼했다. 내 며느리는 이미 내 집에 와 있으니 남이 된 너는 결단코 준영이와 엮여선 아니 될 것이야!"

홍 장군이 혜린의 손을 뿌리치고 멀어져 갔다. 주저앉은 혜린의 얼굴은 이미 눈물범벅이었다.

"이럴 수는 없어. 이럴 수는 없어! 이럴 수는 없다고!!!"

"아가씨, 진정하세요. 보는 눈이 많습니다. 일단 일어나시지요."

시녀가 혜린을 부축해 황궁을 벗어났다. 멀리 가지 않고 이 모습을 조용히 지켜보던 최 승상이 수염을 쓸어내리며 중얼거렸다.

"움직일 때가 된 것인가."

그는 알 수 없는 말을 하며 비틀거리며 멀어지는 혜린과 그녀의 시종을 응시했다.

✦

"아버님! 아버님은 어디에 계시느냐!"

문씨 가문의 저택에 도착한 혜린은 가마에서 내리자마자 시종을 붙잡았다. 시종은 무서운 그녀의 기세에 덜덜 떨며 한 곳을 가리켰다.

"서, 서고에 계십니다요, 아가씨. 한데 손님이……."

혜린은 시종의 말을 더 들을 필요도 없다는 듯이 서고로 향했다. 서고 앞에 도착해 문을 열고 들어간 그녀는 누군가와 대화 중이던 자신의 아버지, 문 비서랑을 향해 소리쳤다.

"대체 어떻게 된 일입니까! 대장군이 건강을 회복했다뇨! 지난 밤 폐하를 뵙고 인사까지 드렸다는데, 아버님도 알고 계셨습니까?"

갑작스러운 혜린의 등장에 손님 대접을 하다 놀란 문 비서랑이 그녀의 팔을 끌고 서고를 나왔다. 복도를 지나 걸어가던 그는 버둥 거리는 혜린의 팔을 뿌리치며 호통쳤다.

"손님이 와 있는 자리에서 이 무슨 경거망동한 행동이냐!"

"지금 그게 대수랍니까? 왜 제게 말씀하지 않으셨습니까! 황궁에서 제가 어떤 모욕을 당했는지 아십니까!"

"후, 일이 복잡하게 되었다. 하지만 이미 엎어진 일. 파혼을 무를 수도 없는 것 아니냐."

"아니요, 엎을 것입니다."

"혜린아! 지금 무슨 소릴 하는 게냐!"

혜린이 흥분을 가라앉히고 문 비서랑을 바라봤다.

"사람들은 제가 가문의 압박에 못 이겨 대장군과 파혼한 줄로 알고 있습니다. 이를 잘 이용한다면 한번 시도해 볼 법합니다."

"홍 장군의 진노를 이기진 못할 것이다."

"하! 이미 당하고 오는 길입니다. 그 노인네 길길이 날뛰며 다신 눈앞에 나타나지 말라 겁주더군요."

그 말에 문 비서랑이 한숨을 쉬었다.

"그것 보거라. 그런 사람을 무슨 수로 달랜단 말이냐."

"제가 왜 홍 장군을 달래야 합니까?"

혜린이 흐트러진 머리카락을 쓸어 올렸다.

"제가 달랠 사람은 대장군 하나로 족합니다."

"뾰족한 수라도 있는 것이냐?"

"사내의 마음은 여인과 달라 미련이 많다 했습니다. 대장군의 마음을 움직여 봐야지요."

"대장군의 새 정혼자가 홍씨 가문 저택에 머문다고 들었다. 그는 어찌할 작정이냐?"

"어느 날 갑자기 생기는 것이 변고입니다. 사지 멀쩡하던 대장군도 하루아침에 불구가 되어 돌아왔는데 그 정혼자라고 그러지 말란 법은 없지요."

문 비서랑이 분노에 찬 딸아이의 무서운 결심을 말리려는 때였다.

"상당히 흥미로운 대화를 하시네요, 두 분."

끼어든 낯선 목소리에 두 사람이 흠칫, 고개를 돌렸다. 소리가 들려온 건 서고 방향이었다.

"문 비서랑님, 따님의 기백이 무서울 정도입니다. 안 그렇습니까?"

목소리의 주인공은 젊은 사내였다. 허름한 승려의 옷차림을 했으나 느껴지는 가벼운 말투와 다소 거친 느낌을 주는 태도가, 그가 평범한 승려가 아님을 나타냈다. 사내가 얼굴을 가리고 있던 승립僧笠을 벗었다. 웃고 있는 사내의 머리색은 나투국에서는 볼 수 없는 붉은빛이었다. 마치 노을과 같은 사내의 붉은 머리카락을 확인한 혜린이 경악했다.

"서국西國 사람!"

젊은 사내는 그런 혜린을 보며 자신의 머리카락을 만지작거렸다.

"아아, 역시 머리색이 문제예요. 이렇게 튀는 색이라니. 나투국에는 머리카락을 검게 염색할 수 있는 약이 있다던데 좀 사 가야겠습니다."

"사람을 시켜 구해 놓겠습니다. 귀공을 모셔 놓고 실례를 범했군요. 부디 지금 들으신 내용은 모른 척해 주십시오."

"뭘요, 이곳에는 딱히 떠벌리고 다닐 데도 없고. 그런데 모른 척하자니 흥미로운 사실을 들어 버려서 말입니다."

사내의 입매가 얇은 호선을 그렸다.

"대장군 홍준영이 건강을 회복했다, 라. 거의 반죽음이 되어 불로로 돌아가는 것을 이 눈으로 확인했는데 이게 어찌 된 일일까요?"

"아, 그것은 어떤 무녀에게 치료를 받은 모양입니다."

"그의 부상은 제아무리 나투국의 무녀라 해도 쉬이 고칠 수 없는 것. 대체 그를 치료해 준 그 무녀가 누군지 궁금하군요."

무척이나.

사내는 문 비서랑에게 속삭이듯 이야기하며 예리한 눈빛을 번뜩였다. 자세히 보니 그의 벌어진 옷 틈으로 감춰 놓은 단검이 보였다. 그런 사내를 지켜보던 혜린이 경악하여 외쳤다.

"아버님, 저자는 서국 사람이 아닙니까? 적국의 사람을 집에 들이다니요!"

"아? 따님은 모르고 계셨나?"

혜린의 반응이 의외라는 듯 사내가 볼을 긁적였다. 그러자 문 비서랑이 진땀을 흘리며 사내를 향해 몇 번이고 고개를 조아렸다.

"죄송합니다, 귀공. 딸아이에게는 아직 말하지 못했습니다."

혜린은 적국의, 그것도 누군지 모를 젊은 사내에게 깍듯이 고개를 숙이는 아버지의 행동에 눈살을 찌푸렸다. 대체 아버님께서 이런 태도를 보일 만한 적국의 인물이 누구란 말인가! 빠르게 머리를 굴리는 혜린을 바라보며 의문의 사내가 미소 지었다.

"그럼 지금 말해 주면 되겠군요."

❖

"오늘도 안 계신가?"

이틀째였다. 홍씨 가문에 온 첫날부터 인사를 하기 위해 아침저녁으로 준영을 찾았지만 그의 방은 비워진 채였다. 윤조는 시무룩한 표정으로 걸음을 돌렸다.

"분명 이 시간에는 방에 계실 거라고 했는데……."

유모에게 물어 그가 자리에 있을 시각을 알아 놓은 그녀였다. 하지만 홍씨 가문에 들어온 후 이틀 동안 준영의 머리털 한 가닥조차 보지 못했다. 이래서는 치료는커녕 눈인사조차 불가능했다.

터덜터덜 걸음을 돌려 준영의 처소를 벗어나는데, 마주 오던 길림이 윤조를 발견하곤 당황한 얼굴을 했다. 윤조는 도깨비와 마주친 사람처럼 자신을 보며 경기하는 그를 의아하게 바라봤다.

"누구세요?"

조심스러운 그녀의 물음에 길림이 목뒤를 긁적이며 고개를 가볍게 숙였다.

"대장군님의 부관 길림입니다. 윤조 무녀님 맞으시죠?"

"부관님이요? 그런데 제 이름을 어떻게?"

"아, 머리색을 보고 알았습니다."

어색하게 웃으며 자신의 머리카락을 가리키는 길림의 말에 그녀가 얼떨떨하게 고개를 끄덕였다.

"아, 네. 그런데 무슨 일로?"

"예, 하하. 대장군님을 뵈러 왔습니다."

다녀온 준영의 방은 빈 채였다. 길이 엇갈렸나 싶었던 그녀가 고개를 모로 기울이며 준영의 처소를 가리켰다.

"대장군님 방에 안 계세요. 저기 불도 꺼져 있고."

그녀의 손가락 끝을 따라 길림이 시선을 옮겼다. 그는 불이 꺼진 준영의 방을 확인하고 혀를 깨물었다. 대장군님 어쩌자고! 길림이 알기로 준영은 방 안에 있음이 확실했다. 그는 난처한 기색을 숨기며 너털웃음을 터뜨렸다.

"하하, 아이고 이런! 제가 깜빡했습니다. 대장군님은 지금 황궁에 계신데……."

"황궁에요?"

"예, 급한 일이 있어서요."

"그럼 어제도?"

"어제요?"

"어제도 안 계시고, 오늘도 못 뵈었어요. 치료를 해야 하는데……."

"아."

시무룩한 윤조의 표정에 길림이 미안한 얼굴로 고개를 숙였다.

"죄송합니다."

"예? 아니에요! 부관님이 죄송하실 건 아니죠. 그나저나 부관님도 헛걸음하셔서 어쩌죠?"

"저는 괜찮습니다. 황궁에 가 보죠."

"네, 저도 이만 돌아가 볼게요. 혹시 대장군님 만나시면 제가 찾아왔었다고 말씀 좀 전해 주세요. 내일 아침에 다시 오겠다고."

"알겠습니다."

길림은 멀어지는 윤조의 뒷모습을 바라보다 모난 눈으로 준영의 방을 노려봤다.

"어쩌자고 저렇게 착한 아가씨를 괴롭게 하는지."

일부러 발을 크게 구르며 준영의 방으로 향한 그가 주먹 쥔 손으로 방문을 세게 두드렸다.

"대장군님! 대장군님! 안에 계신 거 다 압니다!"

길림의 외침에 급히 열린 방 안에서 준영이 나와 그의 입을 틀어막았다.

"쉿! 그러다 들킨다."

"나 원. 정말 방에 계셨습니까? 대체 이렇게까지 피하는 이유가 뭡니까? 홍 장군님께서도 계속 찾으시던데."

"아버님 생각이야 뻔하지. 나랑 그 아이를 만나게 하자마자 혼인 문제를 들먹이실 거다.”

“그렇게 혼인하기가 싫으세요? 착하고 귀엽고 예뻐 보이기만 하던데.”

“만났나?”

“예, 방금 요 앞에서 만났습니다. 순진한 아가씨 자꾸 헛걸음하게 만드실 겁니까? 사랑하는 사이가 아니라고 해도 일부러 피하는 건 좀 아닌 것 같습니다.”

“그건 나도 안다.”

“알면서 계속 이러실 겁니까? 싫다, 좋다, 뭐라도 결정을 하셔야죠.”

준영이 지끈거리는 이마를 짚었다. 윤조를 만나는 것까진 좋다. 하지만 그다음이 문제였다. 처음 그녀가 저택을 방문한 날 자신의 아버지인 홍 장군이 저지른 엄청난 사건을 들은 준영이었다. 뭔가 꿍꿍이가 있다고 생각하긴 했지만, 처음 집에 들어온 날부터 ‘며늘아기’라고 공표를 해 버리다니. 그 바람에 마주치는 가솔들마다 음흉한 웃음을 지으며 지나가는데 머리가 아파 죽을 지경이었다.

가문에서 가주의 말은 제아무리 사소한 것이라도 ‘법’으로 지켜지는 힘이 있었다. 국가의 법이 다를지라도 집안에서 일어나는 모든 일에 대한 결정권은 가주의 힘이 크게 작용했다. 이번 일도 다르지 않을 것이다. 일이 복잡하게 되었다는 생각에 준영이 한숨을 내쉬었다.

“그 아이, 윤조는 어때 보이던가?”

“코빼기도 안 보이는 대장군님 때문에 시름에 잠겨 있죠. 명색이 대장군님 치료사 무녀로 폐하께서 자리를 내주신 건데 이렇게 무시하면 그분 입장은 뭐가 됩니까? 집안의 모든 사람들이 며느리,

작은 마님이라고 부르고 있는데 마음이 얼마나 불안하겠어요."

"잔소리 그만하거라. 불안한 건 나도 마찬가지니."

길림이 기가 막혀 팔짱을 꼈다.

"대체 뭐가 그리 불안하십니까? 전쟁 영웅 홍준영 대장군님께서."

"모르겠다. 그냥−."

"그냥?"

"그냥 그 아이 앞에 나서는 것이……."

"무녀님 앞에 나서는 것이 불안하시다고요? 아니, 대체 왜요? 풋사랑하는 시골 소년도 아니고."

말을 하다 말고 이상한 기색을 눈치챈 길림이 눈을 가늘게 떴다. 그가 놀란 눈으로 준영을 바라보며 물었다.

"설마, 좋아하십니까?"

"무슨!"

"어? 반응 보니 맞는 것도 같은데! 한눈에 반하기라도 하신 겁니까? 그분을 마음에 두셔서 지금 불안하신 거잖아요? 그렇죠?"

"그, 그런 거 아니다."

"아니기는요! 딱 봐도 무녀님께 마음이 있는데 갑작스러운 혼인이라는 말에 그분이 어떻게 반응할지 몰라 그게 불안해서 숨으시는 거 맞잖아요, 지금!"

더듬거리는 준영의 반응에 길림이 확신한다는 듯 소리쳤다. 본인이 말해 놓고도 믿기지 않는다는 얼굴을 한 그가 입을 벌린 채 준영을 바라봤다.

"세상에. 우리 대장군님, 수만 대군 앞에서도 주눅 든 적이 없던 분이 지금 그 작은 무녀님께 거절당할까 봐 도망 다니시는 겁니까?"

"입 다물어라."

정곡을 찔린 사람처럼 예민하게 반응하는 준영의 모습에 길림이 어깨를 으쓱했다.

"알겠습니다. 대장군님 일이니 알아서 하셔야죠. 그래도 내일은 만나 보세요. 이러다 걸리면 크게 터집니다. 아주 크게."

✦

한편, 방으로 돌아가던 윤조는 잠시 산책을 하기로 했다. 사람들의 눈을 피해 본채에서 가장 멀리 떨어진 별채에 다다른 그녀는 별채에 딸린 꽤 넓은 정원을 발견했다.

"내일은 뵐 수 있으려나?"

복잡한 심정에 터덜터덜 걸음을 옮기며 정원을 돌아보자 여기저기 무성하게 잡초가 자라 있었다.

"그런데 여기는 관리를 안 하나? 하인들도 안 보이고, 잡초도 꽤 자란 것 같은데."

새하얀 목련이 가득 핀 나무 아래 정돈되지 않은 풀들이 꽤 높이 자라 있었다. 가꾸기만 하면 아름다운 정원일 것 같은데 왜? 정원을 관리할 사람이 부족한 것도 아닐 텐데 일부러 방치해 둔 걸까? 거기까지 생각이 닿은 윤조가 다음 순간 떠오르는 생각에 불안한 눈을 했다.

"설마, 뭔가 사연이 있다거나?"

보통 멀쩡한데 버려진 장소는 깊은 사연이 있기 마련이었다. 이를테면 귀신이 나온다거나, 산짐승이 내려온다거나 하는. 무서운 상상에 꼴깍, 절로 침이 삼켜졌다.

"발 닿는 대로 온 건데 엄청난 곳에 와 버린 건 아니겠지?"

사람 없이 잡초가 무성한 정원이 을씨년스러웠다. 차가운 밤바람이 그녀의 곁을 스쳤다. 오소소 돋아난 소름에 팔을 문지르던 윤조는 어느새 별채 앞에 다다랐다.

'어화당語花堂.'

별채 앞에 붙은 현판을 확인한 그녀가 고개를 갸웃거렸다.

"어화라면 말을 하는 꽃이란 뜻인데……."

순간 당나라의 현종이 양귀비를 두고 해어화解語花라고 했던 고사가 떠올랐다. 말을 이해하는 꽃이라는 뜻의 해어화는 보통 미인을 이르는 말이었다. 현판에 적힌 어화도 같은 뜻으로 쓰인 것이라면 별채의 주인은 여인일 것이다. 그것도 몹시 사랑받는 여인의. 별채의 주인이 누구일까 떠올리던 윤조는 문득 홍씨 가문의 안주인 자리가 비어 있다는 사실을 깨달았다.

"대장군님 어머님의 공간이었던 걸까?"

홍 장군의 아내이자, 대장군인 준영의 어머니는 그가 어릴 적에 운명을 달리하셨다고 했다. 당시 홍 장군의 나이가 젊었기에 많은 귀족 가문에서 혼인을 요청했지만 전부 거절했다고.

기숙관에서 지낼 때 동기들에게 주워들었던 이야기를 떠올린 윤조는 별채를 바라봤다. 젊은 나이에 갑자기 돌아가셨다고 하던데 무슨 일이 있었던 걸까? 주변에 아무도 없다는 것을 확인한 그녀는 조금 전에 목련 나무 근처에서 주웠던 꽃가지를 별채 계단 위에 올려 두며 말했다.

"저도 어머니가 계셨는데요. 이곳에 살아 계신 어머니 말고, 다른 세상에 돌아가신 어머니요."

불현듯 떠오른 어머니의 얼굴에 윤조는 먹먹한 표정으로 두 손을
모았다.

"저는 아직도 조금 원망스러워요. 이러면 안 되는데 하면서도 그
래도 왜 그렇게 빨리 가 버리신 건지, 저를 두고 가셨어야 했는지,
조금만 더 곁에 머물러 주실 수는 없었는지."

사업에 실패한 아버지가 빚더미에 쫓겨 자살로 생을 마감한 후,
어머니는 시름시름 앓았다. 건강은 점점 악화되었지만 윤조가 할
수 있는 건 아무것도 없었다. 이미 삶의 의지를 놓아 버린 그녀의
어머니는 계속해서 말라 갈 뿐이었다.

친척들도 등을 돌린 지 오래였다. 어렸던 윤조가 할 수 있는 일
은 병원비를 버는 것과 말라 가는 어머니의 곁을 지키는 것밖에 없
었다. 서글프고 외로웠다. 한편으로 원망도 많이 했다. 하지만 그
럼에도 어머니와 함께하고 싶은 소망이 더 컸다. 하지만 그 소망은
이루어지지 않았다.

"어머니는 아마 아버지와 더 함께 계시고 싶었나 봐요. 그렇게
급하게 저를 두고 가신 걸 보면. 그런데 왜 저는 함께하지 못한 걸
까요? 죽으면 다시 만날 수 있을 거라고 생각했는데……."

사고가 났던 순간을 떠올린 윤조의 눈이 질끈 감겼다. 죽음만이
다시 가족을 하나로 만들어 줄 것이라 여겼다. 하지만 아니었다.
죽음은 완전하게 그녀를 다른 세상, 다른 삶으로 이끌었다.

이유는 몰랐다. 아니, 어쩌면 이전의 삶에서 벗어나고 싶었던 그
녀의 숨은 욕망이 이러한 결과를 불러온 것일지도 몰랐다. 이유가
있을까? 이유가 있다면 누가 알고 있을까? 이전 삶에서는 신만이

모든 이유를 알 것이라 여겼다. 하지만 이곳에는 아무것도, 자신이 대한민국의 신채영으로 알고 있던 모든 것이 사라진 이곳에서는 그녀가 알던 신도 존재하지 않을 터였다.

흐르는 눈물에 윤조가 소매로 얼굴을 닦았다. 기억이 여전한 만큼 고통도 여전했다. 새로운 삶을 줄 거면 차라리 기억도 다 지워 버리지. 기억해 봤자 무슨 소용이라고. 괜히 헛기침을 하며 목소리를 가다듬은 그녀가 다시금 별채를 향해 꾸벅 인사했다.

"실례했습니다! 제 이름은 윤조예요. 다음에 또 뵐게요."

그녀가 떠나고 한차례 바람이 불었다.

다음 날 이른 아침, 새벽빛을 받은 별채 앞에서 계단 위에 올려진 목련 가지를 주워 드는 손이 있었다.

"누가, 다녀갔나?"

준영은 손에 든 꽃가지를 바라보다 주변을 살폈다. 사람의 손길이라고는 느껴지지 않는 쓸쓸한 정원의 풍경 속에 그는 오래도록 서 있었다.

❧

"며늘아가, 며늘아가 어디에 있으냐?"

멀리 자신을 부르는 홍 장군의 부드러운 목소리에 윤조는 쥐구멍에라도 들어가고 싶은 심정이었다. 이곳에 처음 온 날부터 그녀를 며늘아가라 부르는 홍 장군의 다정한 호칭은 자신이 윤조가 아니게 되지 않는 이상 좀처럼 끝나지 않았다. 거기다 가솔들까지 합세해 '아기씨', '작은 주인마님' 하며 여기저기에서 찾아다니니 죽을 지경이었다.

"나래야, 나 어떡하지?"

"익숙해져. 벌써 사흘째다. 홍 장군님이 네 호칭 절대 안 바꾼다에 한 표."

"으앙아아악!"

윤조가 울음과 비명 사이의 괴상한 소리를 내며 고개를 푹 숙였다. 손톱을 다듬던 나래는 무릎을 모은 채 주저앉아 있는 윤조의 머리를 토닥거렸다.

"이게 네 운명인가 보지. 그래도 나, 홍 장군님 다시 봤다? 세상에, 영웅호걸이라 소문이 자자하신 분께 저렇게 다정한 모습이 있을 줄 누가 알았겠어?"

"그 다정함을 제발 아드님한테 쓰셨으면 좋겠다고요······."

"흠, 홍씨 부자 사이가 안 좋다는 말은 들었는데 같은 집 안에 있으면서 겸상 한 번 안 할 줄 누가 알았나. 그런데 너, 대장군님은 만나 봤어?"

"아니."

"뭐?"

당연히 만났을 것이라고 생각했던 예상이 빗나갔다. 윤조의 대답에 나래가 깜짝 놀라 윤조의 뒤통수를 때렸다.

"아야! 왜 때려!"

"미안, 너무 놀라서 나도 모르게. 이 집에 온 지 벌써 3일이 지났는데 아직도 안 뵀었단 말이야?"

"그게 일부러 그러려고 한 건 아닌데 어쩌다 보니. 나도 시도는 계속하고 있어! 아침에 일어나자마자 대장군님 방에도 가 보고 했

비익조

比翼鳥

이수연 장편소설

D&C
BOOKS

는데 새벽같이 일어나서 훈련장 가셨다고 하지. 점심까지는 이번 전쟁 이후 처리해야 할 문서가 많아서 일하시느라 못 뵙지. 식사 자리에서 보려고 하면 홍 장군님이 대장군님 빼고 같이 먹자고 하셔서 불러 가지. 뵙고 싶어도 못 뵙는다고."

"저녁에는? 너 저녁에 대장군님 치료하러 가 봐야 하잖아?"

"없었어."

"뭐?"

"대장군님이 안 계셨다고. 업무가 바빠서 황궁에 가셨다고 하던데?"

"그럴 리가……."

황제께서 대장군에게 빠른 복귀 대신 넉넉한 휴식 기간을 주었다는 사실을 승상에게 들어 알고 있던 나래의 눈매가 매서워졌다.

"윤조 너, 대장군님께서 황궁에 가셨다는 말 누구한테 들었어?"

"대장군님 부관이라는 분께. 휴, 아니면 나를 만나기 싫으신 걸까?"

윤조가 잔뜩 풀이 죽은 표정으로 한숨을 쉬었다.

"대장군님 단장판 덕분에 특례도 받아서 이렇게 살았는데, 고맙다는 말 한마디 하기가 너무 어렵네. 이 단장판도 폐하께서 하사한 거라던데 언제쯤 돌려줄 수 있을지……."

"에이 싫다니, 그런 건 아닐 거야. 네가 대장군님께 밉보일 짓 한 것도 아니고. 목숨을 구해 준 은인인데!"

"혹시 입맞춤을 했던 일이 후회되시는 걸까?"

일순 윤조를 달래던 나래의 낯이 서늘히 굳어졌다.

"누구랑 뭐를 맞춰?"

"아차, 생각한다는 게 말해 버렸네. 하하하."

"웃지 말고 제대로 말해 봐. 대장군님이 뭘 어떻게 했다고?"

"그게, 입을 맞췄거든. 대장군님이 갑자기."

윤조가 머쓱한 표정을 지으며 볼을 긁적였다.

"아마 그 일이 후회되시는 게 아닐까? 봐, 나는 키도 몸집도 작고 머리색이 특이한 거 빼면 그렇게 빼어난 미인도 아니고, 거기다 군식구 딸린 평민이잖아. 단장판을 주고받은 사람끼리 혼례를 해야 한다는 사실을 알았다면 그런 부탁 안 했을 거야. 휴……."

"입을 맞췄다고. 대장군님이 윤조 너한테."

재차 확인하는 나래의 음성이 점점 가라앉았다. 그 사실을 아는지 모르는지, 이왕 이야기를 꺼낸 김에 묵혀 둔 이야기를 다 해 버리자 싶던 윤조는 계속해서 말을 이었다.

"응. 그런데 사실 나도 그랬다? 헤헤, 비밀인데 나래 너니까 말한다. 내 신력 때문에 대장군님이 정신 잃었을 때 나도 몰래 했는데, 남자랑 하는 입맞춤은 처음이라 심장이 막 쿵쾅거리더라고. 원래 처음은 다 이런 건가? 연애하는 사람들 보면 시도 때도 없이 쪽쪽거리던데. 매번 이렇게 쿵쾅거리는 거면 심장이 아프지 않을까?"

나래의 인내심이 한계에 다다랐다. 어찌나 손에 힘을 주었는지 나래가 들고 있던 빨래 바구니의 입구가 '빠각-' 하는 소리와 함께 어그러졌다. 윤조가 깜짝 놀라 나래를 올려다보자 나래는 아무 일도 아니라는 듯 빙그레 미소 지을 뿐이었다. 윤조는 처음 보는 나래의 무서운 미소에 움찔 몸을 떨었다.

"나래야, 너 지금 표정 엄청 무서워."

"오호호호, 그으래? 그거 잘됐네."

"왜 그래? 누가 화나게 했어? 누구야? 내가 때려 줄게!"

"아니."

나래가 단호히 거절하며 자리에서 빨래 바구니를 던지듯이 내려놨다.

"내가 직접 처리한다."

❖

길림은 무언가 일이 잘못되어도 아주 단단히 잘못되었다고 직감했다. 저택 뒤뜰에 있는 훈련장에서 대장군을 기다리던 그는 자신의 앞에서 팔짱을 낀 채 무척이나 화가 난 것 같은 표정으로 자신을 노려보는 나래를 마주하고 식은땀을 흘렸다. 올 것이 왔구나.

"하하, 최씨 가문의 영애가 아니십니까. 이곳에는 어쩐 일로?"

"댁이 대장군님의 부관이라는 분이 맞습니까?"

"대, 댁이요?"

"그래요. 댁이요."

첫 인사부터 삐딱선을 제대로 탄 나래의 반협박 같은 물음에 길림이 마른침을 삼키며 고개를 끄덕였다.

"예, 제가 대장군님의 부관 길림입니다. 무슨 연유로 저를?"

"각설하고, 지금부터 제가 하는 말에 거짓으로 답할 경우, 나 최씨 가문의 장녀 최나래, 가문의 이름을 걸고 그대의 혀를 뽑아 버리겠습니다. 아시겠습니까?"

꼴깍.

길림은 자신도 모르게 마른침을 삼키며 고개를 끄덕였다. 나래는 그런 그의 모습을 아래위로 훑어보며 말을 이었다.

"본론으로 들어가서 첫째, 대장군님 지금 어디 계십니까?"

"예? 대장군님은 지금은 화, 황궁에……."

"혀를 뽑아 달라고요?"

"저택 서북쪽 별채에 계십니다!"

"그곳은 빈 건물이잖습니까?"

"가끔 그곳에서 사색을 즐기기도 하십니다. 하하, 그분이 좀 선비같이 풍류를 즐기셔서……."

"성인식 치른 직후 7년간 전쟁터에서 살아오신 분이 말이죠?"

"전쟁터에서도 풍류를 찾으려면 못 찾을 것도……."

"혀."

"죄송합니다!"

"둘째, 3일간 아버지인 홍 장군님과 겸상하는 모습을 한 번도 못 뵈었는데 원래 부자 사이가 이렇게 안 좋습니까? 이유가 있다면 무엇인지 알 수 있을까요?"

"크흠, 두 분 다 고집이 세셔서 그렇습니다. 그만하실 때도 되었는데 두 분 다 자존심만 강하셔서. 이유는 홍씨 가문의 금기라는데 저도 명확히 아는 바가 없습니다. 죄송합니다."

"홍씨 가문의 금기라. 과거 심각한 사건이 있어 부자 사이가 틀어졌다고 들었는데 사실 같군요. 알겠습니다. 이건 넘어가도록 하죠. 마지막 셋째, 대장군님께서 윤조를 일부러 피하시는 것 같은데 맞습니까?"

정말 올 것이 왔다. 대장군님! 그러게 제가 그만하자고 말렸잖습니까! 길림은 소리 없이 대장군을 탓하며 이실직고했다. 여기에서 거짓을 말했다간 눈앞의 영애가 정말 자신의 혀를 뽑아 버릴 것 같았기 때문이다.

"대장군님 죄송합니다."

"사과는 대장군께 하세요. 맞습니까? 아닙니까?"

"맞습니다. 일부러 피하고 계십니다……."

한숨과 함께 흘러나온 길림의 대답에 나래의 눈매가 더욱 무섭게 변했다.

"하! 그럼 그렇지. 어리숙한 윤조는 속여도 저는 못 속입니다. 폐하께서 대장군께 휴식을 주신 일을 뻔히 들어 알고 있는데 어찌 이런 눈가림으로 여인 마음을 조바심 나게 하신답니까!"

"제 말이 그 말입니다! 옆에서 보기에도 얼마나 답답하던지! 누구는 좋아서 그런 거짓부렁을 했겠습니까? 대장군님께서 너무하신 게 사실입니다!"

나래의 호통에 이번에는 길림이 오히려 맞장구를 치며 나섰다. 그 반응에 잠시 멈칫한 나래가 이전보다 누그러진 표정으로 길림을 바라봤다.

"그럼 부관께서는 저와 뜻이 같은 것이지요?"

"당연하죠! 저는 처음부터 방울새님 편이었습니다! 아차."

길림이 윤조의 별칭을 자신도 모르게 외쳤다가 입을 다물었다. 나래의 입가에 비틀린 미소가 어렸다.

"대장군님께서 윤조에게 그런 귀여운 별칭을 지으셨나 봅니다?"

"실언했습니다. 지금 건 못 들은 척해 주십시오."

"두 귀로 똑똑히 들은 것을 어찌 모른 척할 수 있단 말입니까! 방울새? 하, 윤조의 머리색이 어여뻐 그리 지으셨나 봅니다? 그렇게 별칭까지 지으신 분이 왜 자꾸 윤조를 피해 다니신답니까! 옆에서 보고 듣는 사람 열받게!"

화가 폭발한 나래의 말투가 거칠어졌다. 길림은 나래의 얼굴에 손으로 부채질을 해 주며 달랬다.

"영애, 진정하십시오. 고운 얼굴에 주름지십니다."

"지금 그깟 게 대수랍니까! 애가 사흘 동안 몇 번이나 찾아갔다던데! 아침에 일어나자마자 대장군부터 찾았다던데! 홍 장군님은 물론이고 집안 가솔들 모두 윤조를 며늘아기, 작은 마님이라 부르고 있는 상황에서 얼굴조차 비치지 않다니! 이게 목숨을 구해 준 은인에게 할 행동이랍니까?"

"영애, 진, 진정을!"

"후, 거기다 사내가 되어 여인에게 먼저 입을 맞춰 놓고 이제 와 모른 척하시겠다? 백번 양보해도 이건 절대 못 참습니다!"

나래의 말에 경악한 건 오히려 길림이었다.

"대장군님께서 뭘 하셨다고요?"

"윤조에게 입을 맞추셨답니다!"

"그래 놓고 피하시는 거라고요?"

"모르셨습니까? 네! 그렇답니다!"

"이런 몹쓸 자식이!!!"

"그래요, 이런 몹쓸 자식, 예?"

흥분한 길림이 덥석 나래의 손을 잡았다.

"갑시다!"

"어, 어딜 말입니까? 부관, 이 손은 좀 놓고!"

"몹쓸 자식 정신 차리게 해야지요! 아니, 사내가 되어서 책임감이 있어야지! 단장판 내줘, 거기다 입까지 맞춘 여인을 지금까지 방치한 겁니까? 세상에! 갑시다! 하극상도 불사할 겁니다!"

"부관, 잠시 손을 좀! 부관!"

얼떨결에 손이 잡힌 나래가 종종걸음으로 길림의 뒤를 따랐다. 한평생 검과 활로 다져지고 전장에서 뒹굴어 거친 손이, 작고 고운 나래의 손을 최대한 아프지 않게 감싸고 있다는 것을 나래는 알 수 없었다. 화를 내는 척 나래의 손을 잡고 앞서 나가는 길림의 입가에 미소가 어렸다.

❖

"나래야? 나래야? 어디에 있어? 방에 있나? 나래야?"

갑자기 다녀올 곳이 있다고 하더니 아무리 집 안을 돌아다녀도 나래의 모습이 보이지 않았다. 할 일 없이 방 안을 돌아다니던 윤조가 텅 빈 방을 돌아보다 방 한구석 바닥에 앉아 치마를 만지작거렸다.

"빈 방은 싫은데……."

그녀는 불쑥 떠오르는 전생의 기억을 털어 버리려 고개를 흔들었다. 마음과 머리 깊숙이 새겨진 기억이 쉬이 떨쳐지는 것은 아니었으나 두 눈을 감고 노래를 흥얼거리면 그나마 마음이 편안해졌다.

이런 게 트라우마라는 걸까? 윤조는 유난히도 텅 빈 침대와 사람이 없는 빈 방을 무서워했다. 곁에 있던 사람을 하루아침에 잃어 사라진다는 슬픔과 외로움이 뼛속 깊이 새겨진 탓일까.

전생에서 아버지가 돌아가실 때도 그랬고, 병마에 시달리던 어머니가 아버지의 뒤를 따라 병원 침대 위에서 숨을 거뒀을 때도 그랬다. 다시 태어난 이전과 전혀 다른 새로운 세상, 이곳의 아비가 행상을 나가 비명횡사했을 때도 그러했고, 가난을 못 이겨 집을 나간 언니와 오빠들이 사라졌을 때도 그러했다. 모두가 자신의 곁을 자신보다 먼저 떠났다. 가지 말라, 있어 달라 매달릴 수도 없었다. 매달렸다 해도 결과는 바뀌지 않았겠지만.

사람의 목숨이 그리 연약했다. 사람의 목숨은 그리 쉽게 사라져 버릴 수 있는 것이다. 윤조는 그것을 뼈에 사무치도록 잘 알았다. 자신보다 먼저 자신을 떠나 버린 것들의 빈자리가 사무치도록 그립고 그리워, 그 외로움이 공포가 될 때까지도 그녀는 떠나는 이들에게 매달릴 수 없었다. 그것이 얼마나 쉬운지 잘 알기에. 그들이 자신의 곁을 떠나가는 것이 자신이 살아 숨 쉬며 살아가는 것에 비해 얼마나 쉬운지 잘 알기에.

윤조는 말없이 늘어뜨린 두 손을 주먹 쥐었다. 곱씹으면 자신의 생은 늘 어려웠다. 기억에 있는 생이라곤 전생과 현생뿐이지만 그 두 번의 모든 생이 그녀에겐 늘 힘겹고 어려웠다. 살아간다는 게 이렇게 고되고 힘든 거구나. 그럼에도 살아가려는 사람들 틈에서 나도 살아가려 발버둥 치고 있구나. 죽어 사라지는 것은 그리도 쉬운데 생을 이어 가는 것은 무척이나 힘들고 외로운 일이구나.

내 곁에 사람이 없을 거라면 차라리 돈이라도 있었으면 좋겠다. 돈이라는 것은 물건도, 사람도, 무엇도 살 수 있으니 차라리 돈이라도 있으면 덜 힘겹지 않을까? 그녀가 돈에 집착하는 이유는 그랬다. 누구보다 부유하게 살기 위해서가 아니라, 누구의 위에 서기 위해서가 아니라, 단지 누군가의 곁에 있고 싶어서.

"아가, 왜 이런 곳에서 울고 있니?"

언제부터 눈물이 흘렀는지 모르겠다. 윤조는 자신의 젖은 뺨을 가만히 훔쳐 주는 홍 장군을 바라보며 고개를 저었다. 아무것도 아니라고, 대답조차 하지 못하고 그렇게 몸짓하는 작은 윤조의 행동이 가여워 홍 장군은 그녀의 머리를 토닥였다. 홍 장군은 윤조의 시선처럼 몸을 낮춰 텅 빈 방 안을 바라봤다.

"외로운 게지. 나도 혼자가 되어 안단다."

윤조가 젖은 눈을 훔치며 홍 장군을 바라봤다.

"장군님도 외로우세요?"

"그럼, 나도 내 아내가 떠난 자리가 매일같이 그립고 외롭단다. 지금 네가 바라보는 방의 모습이 꼭 내 방과 같구나."

처음이었다. 이렇게 윤조의 마음을 알아주는 사람은. 부족한 것 없이 다 가진 것처럼 보이는 사람도 나와 같은 외로움이 있구나. 윤조가 눈물을 멈추고 홍 장군을 바라보며 미소 지었다. 그 모습에 홍 장군이 그녀의 아버지처럼 다정하게 웃으며 그녀를 놀렸다.

"금방 울더니 또 금방 웃는 게냐?"

"둘이면 괜찮거든요."

홍 장군은 그 의미가 얼마나 아픈 건지 알았다. 알았기 때문에 윤조에게 더 눈길이 갔다. 마냥 어리고 세상 물정 모르는 아이인 줄 알았더니, 그저 그렇게 살고 싶었던 게 아닐까. 나이답지 않게 깊은 눈동자와 군데군데 성한 곳이 없는 거친 손은 윤조의 삶이 얼마나 고되고 힘겨웠는지 짐작케 했다.

"윤조야, 네 눈은 전쟁을 아는 장수의 눈이로구나."

윤조가 고개를 갸우뚱했다.

"저는 전쟁에 나가 본 적이 없는걸요?"

홍 장군이 바닥에 앉아 있던 그녀를 일으키며 먼지 묻은 치마 자락을 털어 주었다.

"꼭 검과 피가 있어야만 전쟁이 아니란다."

윤조는 그 뜻을 알 것 같았다. 홍 장군은 윤조의 손을 잡고 방을 나서서 마당을 거닐었다.

햇살을 받아 피어나는 꽃 무리가 아름다웠다. 하지만 윤조의 시선이 향한 곳은 생생하게 피어난 꽃 무리가 아닌, 그 뒤로 죽어 있는 메마른 고목이었다. 홍 장군은 문득 윤조의 시선이 고목에 닿으면서도 그 너머의 어딘가를 보고 있다는 느낌을 받았다. 아니, 그건 비단 느낌만이 아니었다.

생과 사를 오가는 전쟁 한복판에서 보낸 세월이 평안하게 집 안에 앉아 있던 시간보다 길었던 그다. 그런 그의 기민함이 죽음을 부러워하는 이의 감정을 지나칠 리 없었다. 형제들의 죽음을 목격한 후 준영에게도 머물렀던 그 감정을 절대 모를 리 없었다. 홍 장군이 윤조의 손을 다정하게 어르며 눈을 맞췄다.

"아가, 나를 좀 보련?"

홍 장군은 윤조의 키에 맞춰 무릎을 굽혔다.

"준영이 놈이 윤조 너보다 어릴 때 말이다. 그 녀석에게 형들이 있었거든. 그것도 세 명의 아주 우애 좋은 형들이. 그런데 사고로 준영이가 보는 앞에서 모두 세상을 떠났단다. 그때의 난 세 명의 자식을 잃은 슬픔이 너무 커서 남아 있던 준영이가 얼마나 괴롭고 외로웠을지 미처 보듬지 못했지. 녀석이 한동안 밥도 먹지 않고 잠도 자지 않고, 매일같이 형제들이 묻힌 무덤가에서 울다 지쳐 혼절하길 수개월이었다. 그러다 나중에는 꼭 지금의 네가 저 고목나무를 보듯 그 무덤가를 쳐다보더구나."

홍 장군의 목소리에 울음기가 섞인 것도 같았다. 윤조는 가만히 손을 뻗어 홍 장군의 어깨를 토닥였다. 다른 사람이 보면 무엄하다고 생각될 행동이었으나 홍 장군은 개의치 않았다. 그는 계속해서 말을 이었다.

"아이야, 너는 앞으로도 살아갈 것이다. 그러니 누군가의 죽음을 부러워하며 살아가진 말거라. 죽음은 쉬우나 죽어 간 자들은 오히려 오늘을 살아가는 우리를 부러워하니 말이다. 잡아 주는 이가 없다면 내가 잡아 주마. 하나 남은 아들놈 하나 제대로 잡아 주지 못한 못난 아비지만, 한 번도 그 아이를 놓은 적은 없단다. 그러니 내 아들놈의 짝인 너 하나의 손을 더 못 잡아 줄까."

눈물을 참는 윤조의 얼굴이 일그러졌다. 끝내 그녀의 볼 위로 눈물이 흘렀다. 쉬이 멈출 수 없는 울음이었다. 그녀는 마치 아버지의 품에 안긴 것처럼 홍 장군의 어깨에 매달려 꺼이꺼이 울음을 터뜨렸다. 전생에도, 현생에도 누군가의 품에 기대어 흘려 본 적 없는 그런 눈물을.

"미치겠군. 내가 어쩌다가."

준영은 어떻게 해야 할지 모르겠다는 듯 한숨을 쉬었다. 제자리에서 빙글빙글 돌아도 보고, 괜한 마음에 땅에 박혀 있는 돌을 발로 걷어차 보기도 했지만 발만 아플 뿐이다.

조금 전.

피신하듯 저택의 서북쪽 별채에 있던 준영은 갑작스럽게 별채로 들이닥친 길림과 나래의 모습에 놀란 눈을 했다. 훈련장에서 만나기로 한 길림이 찾아온 건 그렇다 치더라도 예고도 없이 최씨 가문의 영애를 갑자기 마주하게 될 줄은 꿈에도 몰랐기 때문이다. 그동안 멀리서 관찰한 바, 최씨 가문의 영애와 윤조의 친분이 두터워 보여서 더 그랬다.

아니나 다를까, 나래는 준영이 있다는 것을 확인하자마자 길림의 손에 끌려오는 동안 당황으로 잊고 있던 분노를 다시 상기했다.

"최씨 가문의 장녀 최나래, 대장군님을 뵙습니다."

인사를 위해 잠시 고개를 숙였다가 치켜드는 모습이 단단히 벼르고 벼른 모양이다, 라고 준영이 생각했다. 대체 어떻게 된 일이냐며 눈짓으로 길림을 쳐다봤지만 길림은 난처한 표정으로 '알아서 하세요'라는 말을 입 모양으로 전달했을 뿐이었다.

그 후 잔뜩 화가 난 나래의 일방적인 분노가 토해지길 한참. 준영은 가까스로 나래를 말리는 길림을 향해 피곤한 얼굴을 했다.

"알겠다. 만나 보겠다. 지금 가면 되겠나?"

피곤한 듯 미간을 찌푸리는 준영의 말에 나래가 더욱 버럭 했음은 말할 것도 없었다.

"만나 보겠다가 아니라 진즉 만나셨어죠! 읍읍!"

"아이고, 영애 진정하십시오. 그래도 대장군님 앞입니다! 이러다 큰일 납니다?"

여인내들 싸움처럼 나래가 대장군의 머리채라도 잡을 기세라 길림이 얼른 나서서 나래를 붙잡았다. 하지만 보기보다 힘이 어찌나 센지 이만저만 기운이 빠지는 게 아니었다.

"읍으, 푸하! 부관도 똑같습니다! 상관이 잘못하고 있으면 충언을 드려야지 어찌 사내대장부 둘이 여인 한 명을 우롱하는 것입니까!"

"우롱? 지금 우롱이라 했나?"

준영의 반문에 나래가 지지 않고 받아쳤다.

"이게 우롱이 아니면 무어란 말입니까!"

길림의 손에서 벗어나 소리친 나래의 쐐기에 준영의 낯빛이 조금 어두워진 것도 같았다. 아차, 이러다 대장군님 기분까지 언짢아지면 정말 걷잡을 수 없게 되는데! 두 사람의 상태를 확인하던 길림은 하는 수 없이 자신이 나서기로 결심하고 소리쳤다.

"두 사람 다 그만!"

버럭 끼어든 길림의 목소리에 나래가 깜짝 놀라 입을 다물었다. 놀란 건 준영도 마찬가지였다. 길림이 한숨을 쉬며 두 사람을 돌아봤다.

"지금 두 분 감정싸움 할 때입니까? 잘잘못을 알았으니 행동으로 보여 줘야 할 것 아닙니까! 대장군, 아니 형이 잠깐 말 놓는다, 준영아."

길림은 무어라 말하려는 준영의 입술에 손을 가져다 댔다.

"쉿, 지금은 부관이 아니라 전쟁에서 한솥밥 먹고 지냈던 형으로 말한다. 너 인마, 사내자식이 책임감 없게 그러는 거 아니야! 네가 아무리 전쟁만 알고 지내서 연애의 '연' 자도 모른다고 해도! 기본적으로 여인한테 지켜야 할 도리가 있는 거라고! 입까지 맞췄다면서 언제까지 피하고 다닐 거야?"

길림은 갑작스러운 자신의 행동에 당황한 듯 보이는 준영의 등을 별채 밖으로 떠밀었다.

"뭐 해! 어서 가 보지 않고!"

준영을 계단 아래까지 떠민 길림은 뒤도 돌아보지 않고 별채의

문을 쾅 닫아 버렸다. 그가 손바닥을 털며 의기양양하게 나래를 돌아봤다. 그러자 나래가 심히 걱정스럽다는 듯 입술을 달싹였다.

"그렇게 해도 괜찮은 겁니까? 그래도 대장군님이신데……."

"뭐, 죽기밖에 더 하겠습니까?"

"예에? 그러다 정말 잘못되면─."

"지금 제 걱정해 주시는 겁니까?"

"부관은 지금 농담이 나오십니까!"

발끈하는 나래의 모습을 귀엽다는 듯이 바라보던 길림이 어깨를 으쓱이며 답했다.

"뭐, 잘못돼서 파직당하면 찾아뵐 테니 사병으로 써 주시든지요."

"못 말려."

어처구니가 없어 실소하는 나래의 표정이 한결 편안해 보였다.

이러한 이유로 쫓기듯 등 떠밀린 준영은 하는 수 없이 윤조가 있을 저택 본채로 향했다.

그리고 현재. 나래와 길림의 기세에 밀려 어떻게 윤조가 머무는 방 앞까지 오기는 했는데 차마 입이 떨어지지 않는다. 고민하던 준영은 마치 듣고 있다면 알아서 나오라는 듯 여러 번 헛기침을 했지만 방 안에서는 아무런 기척도 느껴지지 않았다.

"방에 없는 건가?"

"어머, 도련님!"

등 뒤에서 갑자기 들려오는 유모의 목소리에 화들짝 놀란 준영이 몸을 돌렸다. 방 안에 있을지도 모를 윤조의 기척에 집중하느라 누가 다가오는 줄도 모르고 있었다. 장수가 등 뒤를 이리 쉽게 내주다니, 훈련이 더 필요하다고 생각하는 준영이었다.

"유모."

깜짝 놀라 머쓱하게 자신을 부르는 준영을 보며 유모가 웃음 지었다.

"호호, 작은 마님 찾으세요? 방에는 안 계셔요."

"그런가요. 혹시 지금 어디에 있는지 아십니까?"

"흐응, 사흘이나 찾아오지 않기에 혼례도 치르기 전에 소박인가 싶어 걱정했는데 그건 아닌가 봅니다?"

"유모."

"뭐, 말이 그렇다고요. 작은 마님은 지금 홍 장군님과 함께 마당에 계십니다."

"아버지와요?"

"예. 두 분 사이가 어찌나 좋은지 보고 있는 저도 흐뭇해 죽겠습니다."

"아버지가 남에게 마음을 쉽게 여실 분이……."

"어휴, 이러니 부자 사이가 좋아질 기미가 안 보이죠!"

준영의 말에 유모가 뭘 모른다며 핀잔을 주었다.

"도련님은 잘 모르시겠지만, 홍 장군님이 얼마나 애정이 많으신 분인데요. 그러니 이참에 작은 마님을 다리로 두고 두 분도 좀 화해하고 하세요. 식사도 함께하시고요!"

"그건 나중에 생각해 보겠습니다."

"나중이고 자시고! 있을 때 잘하세요! 매번 따로따로 밥상 차리는 게 어디 쉬운 일인 줄 아십니까!"

"크흠, 이만 가 보겠습니다."

유모를 뒤로하고 나선 준영의 걸음이 마당으로 향했다. 한 걸음

씩 옮길수록 이상하게 걸음이 빨라지는 것이 자신답지 않다 생각하면서도 준영은 빠르게 마당에 도착했다.

꽃 무리가 흐드러지게 피어 있는 마당 한쪽에 익숙한 두 사람의 모습이 보였다. 한 명은 자신의 아버지인 홍 장군이었고, 한 명은 자신이 만나야 하는 여인 윤조였다. 두 사람은 나란히 준영이 있는 방향으로 걸어왔다. 준영이 앞으로 나아갈지, 돌아갈지, 고민하는 사이 두 사람은 점점 가까워졌다. 그런데 윤조의 모습이 가까워질수록 준영은 그녀의 눈가가 촉촉하고 붉게 달아올라 있다는 것을 깨달았다.

'눈물?'

준영이 정말 윤조가 미워 보지 않기 위해 피해 다닌 것은 아니었다. 열아홉 살 성인식을 치른 후 꼬박 7년을 사내들이 가득한 전쟁터에서 보내며 그가 배운 것은, 적을 이기는 전술과 살아남기 위한 검술이 다였다. 중간중간 수도로 돌아온 적도 있었으나 머문 시간을 다 합쳐도 한 달도 못 되었다. 단지 그는 서툴렀다. 그것도 마음에 든 여인을 대하는 모든 행동이 무척이나 서툴렀다.

첫 마디를 어떻게 할지, 다시 마주하면 무엇을 먼저 물어야 할지, 윤조를 다시 만나면 해야지, 했던 모든 행동들이 뒤죽박죽으로 섞여 아무 생각도 할 수 없었다. 하지만 윤조를 본 순간 다리가 먼저 움직였다. 그다음에는 윤조를 향해 뻗는 팔이, 그녀의 눈가를 어르는 손이, 그리고 그녀를 걱정하는 말을 담은 입이 마지막이었다.

"울었느냐? 왜 울었느냐? 나를 치료하느라 신력을 다 써 버렸다고 들었는데 혹 그것 때문에 아픈 것은 아니냐?"

갑자기 나타난 준영의 모습에 놀란 건 윤조뿐만이 아니었다. 그녀와 함께 산책을 하고 있던 홍 장군도 놀라긴 마찬가지였다.

윤조보다 한발 앞서 상황을 파악한 홍 장군은 너털웃음을 터뜨렸다. 걱정스럽게 윤조를 살피던 제 아들이 흉흉한 눈길로 자신을 바라보는 것이 꼭, 아버지가 이 아이를 울렸느냐고 하는 것 같았기 때문이다. 그때 정신을 차린 윤조가 급히 대장군을 향해 인사했다.

"무녀 윤조, 대장군님을 뵙습니다!"

목소리가 갈라져 않는 것 같은 소리가 나왔다. 아차, 하고 목을 가다듬은 윤조가 준영을 바라봤다.

"왜 울었는지 물었다. 혹, 곁에 있는 분이 너를 괴롭게 한 것이냐?"

준영의 말에 윤조가 펄쩍 뛰며 손을 저었다.

"예? 아니에요! 홍 장군님 때문에 운 것이 아닙니다! 홍 장군님께서는 오히려 저를 위로해 주셨는걸요."

"위로?"

윤조의 말에 준영이 홍 장군을 바라봤다. 홍 장군은 어처구니가 없다는 듯이 준영을 핀잔했다.

"너는 이 아비가 한참 나이 어린 여자나 울리고 다닐 사람으로 보이느냐?"

"아니면 됐습니다. 그럼 이 아이가 왜 운 겁니까? 이 집에 무서운 사람은 아버지밖에 없을 텐데."

그러자 윤조가 말했다.

"저는 홍 장군님보다 대장군님이 더 무서운데……."

사실 그건 누군가에게 하는 말이라기보다는 혼자 중얼거리는 소리에 가까웠다. 너무도 작은 목소리였으나, 준영과 홍 장군이 그소리를 놓칠 리 없었다. 아주 잠깐의 정적이 흐른 후, 홍 장군이 폭소를 터뜨렸다.

"아하하하! 으하하하하! 준영이 들었느냐? 나보다 네놈이 더 무섭단다! 으하하하!"

"앗! 들렸나요? 들렸어요?"

"그걸 나한테 왜 묻나?"

당황한 윤조의 물음에 준영이 퉁명스럽게 답했다. 홍 장군은 준영의 눈치를 보며 주눅 든 윤조의 어깨를 두드렸다.

"아가, 어깨 펴거라. 이놈 무서울 거 하나 없다. 이 집안의 가주도 나고, 이 집안의 실세도 나란다. 너는 왜 애꿎은 내 며늘아기 겁을 주고 그러냐? 사흘 동안 뭘 하는지 보이지도 않더니?"

"그건! 사정이 있었습니다. 그래서 오지 않았습니까."

"사정은 무슨. 단장판 때문에 벌어진 일 수습하려니 골치 아파 피하고 다녔겠지. 대장군이란 녀석이 소심해서는. 아가, 봤지? 이게 바로 대장군의 실체란다. 여자 앞에서는 아주 숙맥이야."

"아, 그럼 혹시 그동안 저를 피하신다고 느꼈던 게 크흠, 그, 그 일로 쑥스러워서 그러셨던 거죠?"

"옳지. 우리 며늘아기가 아둔한 아들놈보다 더 총명하구나."

윤조가 깨달았다는 듯 말하자 홍 장군이 웃으며 고개를 끄덕였다. 그럴수록 두 사람을 앞에 둔 준영의 표정이 심각하게 굳어져 갔다.

"지금 자식 앞에 두고 뭐 하시는 겁니까? 그리고 언제부터 이 아이가 아버지 며늘아기였습니까? 저와 혼인한 사이도 아닌데!"

"그래서 안 할 거냐?"

"그런 말이 아니잖습니까!"

"그럼 무슨 말이냐? 혼인을 할 건지, 안 할 건지 그것만 답하거라. 안 할 거냐?"

재차 이어진 홍 장군의 물음에 윤조 역시 동그랗게 눈을 뜨고 준영을 올려다봤다. 자기도 준영의 의견이 궁금하다는 표정이었다.

당연히 이렇게 갑자기는 못한다고 말하려던 준영은 마치 강아지처럼 순둥순둥해 보이는 눈망울로 촉촉하게 눈물에 젖은 채 자신을 올려다보는 그녀의 시선에 마음이 약해졌다. 지난 사흘간 피해 다닌 것도 상처가 되었을 텐데, 여기에 혼례까지 안 하겠다 큰소리치면 정말 울며 뛰어나갈지도 몰랐다. 어쩐지 그건 좀 싫었다.

"그건! 혼사가 그리 쉽게 결정할 문제도 아니고 좀 더 준비하고 싶어서 그렇습니다."

홍 장군은 말을 하다 말고 자신의 눈길을 슥 피하는 준영의 행동에 그의 기분을 금세 눈치챘다.

"그러냐? 난 또 네가 혼인 안 하겠다고 바락바락 대들 줄 알았지. 그랬으면 윤조를 내 딸 삼는 건데. 윤조야, 어떠냐? 이 늙은이 며느리 못하면 딸이라도 되련?"

어느 순간부터 홍 장군이 준영을 두고 장난을 치고 있다는 것을 깨달은 윤조가 웃음을 참으며 고개를 끄덕였다.

"홍 장군님 딸이면 좋죠. 큰 집도 생기고, 제 방도 생기고, 제 말도 생길까요?"

"말? 그럼, 얼마든지."

"우와! 그럼 용돈도 주시나요? 히히."

장난스러운 그녀의 말에도 홍 장군은 기쁘게 웃으며 그러마, 했다.

"으하하! 그럼! 아가가 용돈이 필요했나 보구나. 사고 싶은 거라도 있느냐?"

"헤헤, 아래로 동생이 넷 있는데 수도에서 파는 과자를 좋아해서
보내 주려구요."

"그러니? 형제가 넷이나 있다니 다복하네. 아버님 어머님 금실이
좋으신가 보구나?"

"아, 아버지는 행상 나섰다가 돌아가시고 어머니는 병석에 누워
계셔서…… 그전에는 좋으셨죠. 형제는 저까지 일곱인데, 위로 큰
오빠, 큰언니는 집 나가서 소식이 없어요."

"저런."

"제가 좀 가난해서요. 하하."

일상을 이야기하듯 아무렇지 않게 고된 가족사를 언급하는 윤조
앞에서 홍 장군과 준영의 표정이 눈에 띄게 굳어졌다.

"좀 가난한 게 아닌 것 같은데."

별 뜻 없이 흘러나온 준영의 말에 홍 장군이 그의 옆구리를 아프
게 찔렀다. 아들놈이 피 튀는 전쟁에서 수년을 보내더니 할 말 못
할 말 가리는 걸 잊은 모양이다. 홍 장군은 자신에게 맞아 옆구리
를 부여잡은 준영을 무시하고 윤조를 향했다.

"형제들이 많구나. 가족이 많은 건 좋은 거지. 내 특별히 우리 집
에서만 산다고 하면 주마다 과자를 사서 집으로 보내 주마. 어머니
드릴 약재도 함께. 그러니 내가 주는 용돈은 윤조 네가 필요한 곳
에 쓰거라."

"오, 아니에요! 농담하시기에 저도 농담 좀 해 본 건데 너무 신파
였나? 하하, 하하하."

"신파?"

"비참하고 슬픈 연극 같은 거예요. 빗댄 표현이에요, 빗댄 표현."

"그렇구나. 그래도 받아 주련? 이 늙은이가 해 주고 싶어서 그래."

"음, 하지만 아직 저는 이 댁 며느리도 아니고 수양딸도 아닌걸요?"

"마음에 좀 걸리는 게로구나. 그럼, 어디 보자……. 그래! 너는 우리 가문의 치료사 무녀잖느냐? 아들놈 목숨을 구한 은인인데 이 정도야 약소하지."

"아, 맞네요! 제가 대장군님 생명의 은인이었죠!"

깜빡 잊었던 사실에 윤조가 고개를 크게 끄덕이며 준영을 쳐다 봤다. 그는 아버지에게 맞아 아픈 옆구리를 잡고 있던 손을 내리고 몸을 바로 했다. 나이 많은 노인네가 힘은 장사다. 그는 속으로 홍 장군을 욕하며 무언가 기대하듯 자신을 향해 눈빛을 보내는 윤조 를 쳐다봤다.

"왜, 왜 그리 보느냐? 내 얼굴에 뭐라도 묻었느냐?"

"생명의 은인."

"뭐?"

"제가 대장군님 생명의 은인이라고요!"

"안다."

"뭐 해야 할 말 없으세요? 저는 대장군님 살리려고 신력을 바닥 날 때까지 써 버리는 바람에 무녀 시험에서도 곤욕을 치렀는데."

"너 이제 보니 정말 대놓고 다 말한다?"

"사실인걸요? 대장군님 안 계실 때 말하면 모르잖아요."

"그걸 짚은 게 아니야. 아무튼, 고맙다."

준영이 겸연쩍게 고개를 돌리며 말을 이었다.

"네가 치료해 준 덕분에 팔도 낫고 눈도 나았다. 고맙다."

눈도 마주치지 못하고 고맙다니. 윤조는 눈앞의 남자가 자신만큼이나, 어쩌면 자신보다 더 수줍음이 많다고 생각했다. 그래서 웃음이 났다. 조금 전 홍 장군의 어깨를 빌려 펑펑 울었던 사실도 잊어버릴 정도로 웃음이 났다.

다행이라는 생각이 들었다. 첫 번째는 준영이 자신을 싫어하는 것 같지 않아서 다행이었고, 둘째는 그가 자신처럼 무언가에 서툰 점이 있는 평범한 사람이라서 다행이라고 생각했다. 세 번째는 그가 자신을 찾아와 주어 다행이라고 생각했다.

"헤헤."

갑자기 뭐가 그리 좋은지 바보처럼 웃어 버리는 윤조의 모습에 준영도 웃음이 났다.

홍 장군은 준영의 얼굴에 드리운 웃음과 윤조를 번갈아 보며 두 사람 모르게 미소를 지었다. 아들의 웃음을 본 게 얼마 만이더라? 그는 준영이 윤조를 만나 참 다행이라고, 두 사람이 만나 참 다행이라고 생각했다.

"윤조야, 네가 윤조鷲鳥라는 이름처럼 참 길조로구나."

한동안 무거운 기운만 맴돌았던 홍씨 가문에서 웃음소리가 퍼져 나갔다. 세 사람의 동행에 신경 쓰던 가솔들도 오랜만에 듣는 홍 장군의 기분 좋은 웃음소리와 준영의 웃음, 그리고 그 사이로 들려오는 윤조의 웃음소리에 기뻐 감사했다.

혹여 윤조에게 무슨 안 좋은 일이 생기면 끼어들기 위해 대기 중이던 나래는 준영과 홍 장군 사이에서 바보처럼 웃고 있는 제 친구를 발견하곤 실소했다. 그러자 곁에 있던 길림이 말했다.

"보아하니 잘 해결된 것 같죠?"

"뭐, 그런 것 같네요."

"영애 덕분이죠. 친구를 위해 대장군과 맞설 생각을 하다니, 솔직히 놀랐습니다."

"꼭 친구를 위해서는 아니었지만."

"예?"

"가족이니 상부상조하는 거죠, 뭐."

길림의 의문 어린 시선이 느껴졌지만, 나래는 계속해서 세 사람이 있는 방향을 바라볼 뿐이었다.

❦

"무녀장님을 뵈러 왔습니다."

황궁 안 묘길의 처소 앞. 혜린이 문 앞을 지키고 있던 호위 무녀에게 고하자 곧 안으로 들어오라는 답변이 돌아왔다. 전날 최 승상의 말을 듣고 흥분을 감추지 못했던 것과 달리 무척이나 차분하고 여유로워 보이는 표정이었다.

"혜린 무녀가 여기까지 무슨 일로 오셨습니까?

무녀장 묘길은 그녀에게 등을 보인 채 따뜻한 차를 준비하고 있었다. 연잎을 우려내 만든 차향이 향긋했다. 쪼르륵— 찻잔을 채우는 물소리가 들렸다. 혜린은 고개를 조아린 채 묘길을 향해 말했다.

"무녀 혜린, 무녀장님을 뵙습니다. 다름이 아니라 이번에 황제 폐하의 특례를 받은 무녀의 일로 찾아왔습니다."

"윤조라면 혹, 그 아이에게 무슨 문제라도 있나요?"

혜린의 입에서 윤조의 일이 나올 줄은 몰랐다는 듯 묘길이 뒤돌았다. 평소보다 기민한 것 같은 묘길의 반응에 혜린의 눈이 일순 그녀를 스쳤다.

"그저 궁금한 것이 있어 찾아왔습니다. 이번에 그 아이를 홍씨 가문의 무녀로 보내자고 폐하께 청하였다 들었습니다."

"맞습니다."

묘길은 혜린이 윤조의 이야기를 꺼낸 것에 기민하게 반응하며 뒤돌아 그녀를 바라봤다. 차분해 보이는 얼굴. 혜린의 표정이나 기색에서는 별다른 점을 읽어 낼 수 없었다. 그런 묘길을 보며 혜린이 말했다.

"알고 계셨겠지만 본디 대장군과 혼약이 오가던 건 저였지요."

"그랬지요. 문씨 가문에서 파혼서를 보내기 전까지는. 혹, 지나간 일을 탓하러 온 것입니까?"

"아닙니다. 오히려 그 반대입니다."

혜린이 미소를 머금었다.

"대장군님의 정혼자였음에도 저는 그분께 힘이 되지 못했습니다. 가문의 결정이라고는 하나 개선한 장군에게 파혼서를 바로 보냈던 것 또한 좋지 않은 행동이었죠. 여러 가지로 마음이 안 좋던 차에 대장군님의 쾌차 소식을 알고 얼마나 기뻤는지 모릅니다. 해서 대장군님께 죄송한 마음과 대장군님을 살린 윤조라는 무녀에게 고마움을 전하고 싶습니다."

그녀의 말을 가만히 듣고 있던 묘길이 고개를 끄덕였다.

"상황 때문에 가문에서 결정한 일을 따라야 했다면 혜린 무녀도 많이 힘들었겠군요. 한데 고마움을 표하고 싶다면 내가 아니라 홍씨 가문을 찾아야 할 일 아닌가요?"

"사실 그 문제로 청을 드리러 온 것입니다. 파혼이 확정된 후 황궁에서 홍 장군님을 뵌 적이 있습니다. 반갑기도 하고 대장군님의 건강도 걱정되어 인사를 드렸는데 다시는 저를 보고 싶지 않다고 하시더군요. 아마도 파혼서로 인해 화가 많이 나신 것 같았습니다."

"흠, 그런 일이 있었군요."

"예. 그래서 부탁드립니다. 제가 부디 대장군님께 사죄하고 무녀 윤조에게 고마움을 표시할 수 있게 무녀장님께서 공식적으로 홍씨 가문의 출입을 허가해 주셨으면 합니다."

혜린이 바닥에 무릎을 꿇으며 납작 엎드렸다. 묘길이 놀라 그녀에게 손을 내밀었다.

"혜린 무녀, 어서 일어나세요."

묘길의 부축을 받으며 일어난 혜린의 눈에서 눈물이 흘렀다.

"부탁드립니다. 꼭 한 번만이라도 사죄하고 감사를 전할 수 있게 도와주세요."

"이것도! 이것도! 이거랑 이것도 담아 주세요! 또 올 테니까 많이 주세요!"

신이 나서 과자를 골라 담는 윤조를 보며 준영은 할 말을 잃었다. 홍 장군의 입김으로 준영의 말을 타고 함께 나들이에 나선 윤조가 맨 처음 들른 곳은 시장의 과자 가게였다. 복작거리는 장터 가운데, 준영은 이미 자신의 양손 가득 들려 있는 과자 꾸러미와 계속해서 과자를 고르는 윤조를 번갈아 보며 얕은 한숨을 쉬었다.

"그렇게 신나나?"

"그럼요! 홍 장군님이 제 마음껏 사도 된다고 하셨으니 말리지 마세요."

"안 말린다. 그런데 이 많은 걸 다 보내려고?"

"너무 많은가?"

동생들에게 보낼 선물이라고 신나게 골랐더니 좀 많긴 하다. 잔뜩 쌓인 과자 꾸러미를 보던 윤조가 준영의 손에 있던 봉지 몇 개를 손으로 가리키며 말했다.

"이거, 이거, 이거는 제가 먹죠 뭐."

"그러다 이 썩는다. 이것만 먹거라."

준영이 봉투 하나만 들어 윤조의 손에 올려 주자 그녀는 손에 든 봉투와 준영을 바라보며 울상을 지었다.

"너무 적어요."

"그게 적당해."

"이힝."

"이상한 소리 내도 소용없다. 그거 다 먹으면 그때 또 주마."

"사실 대장군님이 다 드시려고 그러죠?"

"내가 애도 아니고 설마 어린아이들이나 먹는 과자 욕심을 내겠느냐?"

"힝, 대장군님은 어릴 때 많이 드셨겠지만 저는 처음 먹어 본다구요. 하나만 더 주시면 안 돼요? 조금씩 먹을게요. 네?"

"과자를 먹어 본 적이 없다고?"

"네."

부족한 것 없는 유년 시절을 보낸 준영으로서는 믿기지 않는 말이었다. 고작 밀가루 튀김에 조청을 묻힌 것을 태어나 한 번도 먹어 본 적이 없다니. 집이 가난하다는 것은 직접 들어 알았지만 이 정도일 줄은 몰랐다.

"대체 얼마나 힘들게 살았던 것이냐?"

준영이 생각하는 틈을 타 그의 손에서 과자 봉지 몇 개를 더 빼내려던 윤조는 화들짝 손을 뒤로 감췄다. 얼마나 힘들게 살았느냐, 라ー. 예상치 못한 준영의 질문에 잠시 고민하던 윤조가 덤덤하게 대답하기 시작했다.

"그러니까, 입에 거미줄 친다는 말이 맞을 정도? 정말 그랬거든요. 기근에는 먹을 게 없어서 풀뿌리 캐서 죽 해 먹고 나무껍질 찢어서 씹고 그럴 때도 있었어요. 아, 혹시 그거 아세요? 산 높은 곳에 가서 땅을 파면 백토白土라는 하얀색 흙이 나오는데 그 흙을 캐다가 물에 잘 반죽하면 밀가루 맛이 나요. 그럼 그걸로 국수를 만들어 먹는데, 국물 끓일 재료가 없어서 어머니가 반죽 썰면 제가 간장만 풀어서 끓이고 했거든요? 가끔 허기질 때 그게 생각나요."

괜히 물었다.

듣고 나니 차라리 묻지 말걸, 싶을 정도로 윤조가 겪은 가난은 심각했다. 흙으로 만든 국수지만 제법 맛있다고 이야기를 덧붙이던 윤조는 다소 심각한 표정으로 생각에 잠긴 준영의 눈앞에 손을 흔들었다.

"장군님? 대장군님?"

준영은 제 눈앞에서 휘휘 움직이는 작은 손을 낚아채 아래로 내렸다.

"아무렇지 않느냐?"

"무엇이요?"

"힘들었던 일을 이야기하는 것 말이다."

"지난 일인데요 뭐. 제가 아직도 흙 반죽해 먹고 다니는 것도 아니고. 지금 생각해 보면 재미있던 일도 많아요."

윤조가 웃으며 말을 이었다.

"참 다행이지 않나요? 그 시절을 이겨 내고 살아남았다는 게. 저는 그게 참 자랑스럽거든요. 제가 저를 포기하지 않고 살아남았다는 거. 이렇게 살아가고 있다는 사실이. 가끔 외롭고 힘들어서 다포기하고 싶을 때도 있지만, 그럴 수 없었어요."

이번 생은 절대로 포기하지 않고 잘 살아 보겠다고 다짐했으니까.

비밀스러운 뒷말은 삼킨 채 윤조는 웃었다. 그 씩씩한 미소가 보기 좋았다.

"그런가."

준영이 잡고 있던 그녀의 손안에 과자 봉지를 하나 더 쥐여 주었다.

"딱 이것까지다. 다 먹고 과자가 생각나면 그때 또 사러 나오자꾸나."

"그때도 같이 와 주실 거예요?"

"짐꾼은 있어야지."

"에이, 그래도 어떻게 대장군님을 짐꾼으로─."

"지금도 그렇게 하고 있지 않느냐?"

"하하, 그러네요. 우와 저 지금 대장군님을 짐꾼으로 부리는 거예요? 나 정말 대단하네. 출세했다! 신채영!"

"신채영?"

"헙! 아, 아니! 말이 헛나왔어요! 출세했다! 신난다, 였는데. 하하, 아하하하!"

윤조의 너스레에 준영은 깊게 생각하지 않고 고개를 끄덕였다.

큰일 날 뻔했다. 여기서 신채영이라는 이름이 왜 나와! 이 멍청이! 윤조는 조마조마한 마음을 숨기며 한숨을 쉬었다.

"거기 색시, 과자 포장 다 됐소!"

과자 가게 주인 할머니의 말에 윤조가 퍼뜩 정신을 차리고 포장된 과자를 받았다.

"멀리 동생들한테 보낸다고 해서 특별히 안 부서지게 포장했어. 동생들이 좋아했으면 좋겠네."

"감사합니다!"

"그려. 색시가 아주 싹싹하니 인사도 잘하고. 서방도 멋져 부러. 그렇제?"

"서방이요? 여기 이분이요?"

준영을 가리키는 윤조의 말에 과자 가게 할머니가 긍정했다. 준영이 갑옷이 아닌 가벼운 일상복을 입어서 못 알아본 모양이었다.

"그려, 그짝 서방. 흐미! 어깨도 쩍 벌어지고 튼실하니, 아주 쌍남자여."

"쌍남자? 아, 상남자요? 푸핫!"

웃음이 터진 윤조가 손으로 입을 막으며 어쩔 줄 몰라 했다. 그녀는 당혹스러워하는 준영을 바라보다 계속해서 터지는 웃음에 팔꿈치로 그의 팔을 쿡쿡 찔렀다.

"할머님이 상남자래요. 와, 역시 어르신들한테도 통하는 우리 대장군님 포스!"

"포스? 상남자라니, 무슨 말인가?"

"남자 중의 남자라는 뜻이에요. 아주 남자답고 좋다구요."

"포스는?"

"앗, 그건- 음, 기운이라는 뜻이에요! 힘이 느껴진다, 그런 거요."

"처음 들어 보는 말이로군. 상남자, 포스 기억하겠다."

"아뇨, 굳이 기억하실 필요는-."

"기억하겠다."

"네, 뭐……."

어디에 사용할 일은 없을 테니 괜찮겠지? 윤조는 자기가 모르는 단어가 있다는 사실에 자존심이 상한 것인지 기억하겠다며 고집하는 준영을 향해 어색하게 웃었다. 앞으로 말조심해야겠다. 전생의 기억이 너무도 선명해 지난 버릇이 남아 있다 보니 이 세계에서 쓰지 않는 말들이 자꾸 튀어나온다.

"더 살 건 없나?"

"오늘은 과자면 될 것 같아요."

"이만 가지."

말에 올라 윤조가 타기를 기다리던 준영은 낑낑거리며 말 등에 손도 올리지 못하는 그녀를 보며 한숨을 쉬었다.

"역시 작아."

"익, 저도 남들처럼 삼시 세끼 다-!"

"그래, 다 먹고 컸으면 컸겠지만 어쨌든 작아. 기다려라. 올려 줄 테니."

하는 수 없이 말에서 내린 준영이 투루루거리는 자신의 말을 달래며 윤조의 허리를 번쩍 잡아서 들었다.

"꺅!"

"얼른 타거라. 팔 아프다."

"깜짝 놀라서 그렇죠!"

간신히 말에 오른 윤조가 준영을 향해 손을 내밀었다. 그 모양이 꼭 손을 잡으면 당겨 올려 준다는 모양새라 준영은 어처구니가 없어 웃어 버렸다.

"네가 나를 끌어 올리다간 도로 떨어지고 말 거다."

"저 제법 힘세요."

"아서라, 다친다."

"정말인데. 제가 몸집이 좀 작긴 해도 노동력에 특화되어서 힘이 제법 좋다구요?"

"그래그래. 그럼 나중에 팔씨름이나 한판 하든지."

"못 믿으시네……."

가뿐하게 말에 오른 준영이 그녀의 뒤에서 고삐를 잡았다. 출발하자마자 이리저리 흔들리는 말에 윤조의 몸도 앞뒤로 흔들렸다. 그 통에 뒤통수를 준영의 가슴에 부딪치길 여러 번. 그럴 때마다 죄송하다는 윤조를 바라보며 준영은 웃어 버렸다. 작은 머리통이라 무게도 가벼운지 통통 부딪쳐 오는 게 조금도 아프지 않아서 더 그랬다.

"나온 김에 이 산이 녀석 산책 좀 시키고 가야겠다."

"산이요?"

"네가 타고 있는 말 이름이다."

그러자 이름을 부르는 것을 알기라도 하듯 준영의 흑마가 투루루 댔다.

"산이, 산이. 이름이 참 멋져요. 산아, 나는 윤조야. 앞으로 잘 부탁해."

윤조가 손을 들어 조심스럽게 산이의 목을 매만졌다.

투루루하며 대답을 하는 게 신기해 몇 번 더 어루만지자 기분이 좋아졌는지 춤을 추듯 걷기 시작한다. 그 모양을 보고 윤조가 까르르 웃음을 터뜨렸다.

"신기해요! 저 군마를 이렇게 가까이에서 본 건 처음이거든요."

뒤돌아 준영을 돌아보는 윤조의 머리카락이 다그닥거리며 앞으로 나아가는 산이의 움직임에 맞춰 하늘거렸다. 바람을 타고 사락거리며 넘어가는 금빛 실타래. 그 모양이 예뻐 준영은 자신도 모르게 그녀의 머리카락을 한 움큼 쥐었다.

"악! 아파요!"

힘 조절이 안 되어 너무 세게 당겼나 보다. 감상에서 깨어난 준영이 급히 윤조의 머리카락을 놓았다. 갑자기 머리채가 당겨진 윤조는 황당한 표정으로 그를 돌아봤다. 머리카락만큼이나 환하게 빛나는 그녀의 눈동자가 약간의 불만을 담은 채 준영의 얼굴을 담았다.

"여인의 머리채를 잡다니, 대장군님 그렇게 안 봤는데!"

"고의가 아니었다. 많이 아팠느냐?"

"뭉텅이로 뽑히는 줄 알았다구요."

"나는 그저 색이 예뻐서……."

"네?"

"크흠, 미안하게 됐다."

"그거 말고 다시 한 번만 말씀해 주시면 안 돼요?"

"무엇을 말이냐?"

"칭찬이요!"

반짝반짝, 이번에는 기대를 듬뿍 담은 금빛 눈동자. 내리쬐는 봄볕 때문일까? 그냥 보았을 때보다 밝게 빛나며 윤이 나는 모양이 꼭 보석 같다. 성인식을 치렀음에도 여인보다는 아직 소녀 같은 아이. 발그레하게 물든 볼과 톡 터지는 웃음소리가 아이 같아, 자신도 모르게 따라 웃게 되는 것 같다고 준영은 생각했다.

"머리색이 곱구나."

자신이 한 말임에도 어쩐지 기분이 이상했다. 낯간지럽다는 표현을 이럴 때 쓰는 걸까? 쑥스러운지 말을 마치고 시선을 슥 피하는 준영을 보며 윤조가 웃었다.

"되게 싫어하는 색이었는데 대장군님이 그렇게 말씀해 주시니 왠지 예쁜 것도 같네요."

"싫어하다니?"

"뭔가 저만 혼자 동떨어진 느낌이라 좀 싫었거든요."

윤조가 어깨 위로 길게 늘어진 머리카락을 손으로 매만졌다. 남들과 다른 머리색. 나투국에서는 볼 수 없는 색. 이곳의 부모님도 형제들도 모두 검은 머리에 검은 눈동자를 지녔건만, 왜 자신만 이런 색을 지닌 걸까?

어릴 때는 이런 머리색과 눈색 때문에 변방 국경에서 순찰을 하던 병사들의 눈초리를 받아야 했고, 돈을 벌기 위해 일을 구하러 다닐 때도 눈총을 받아야 했다. 남들과는 다른 색 때문에 어디에 누군가와 있어도 섞이기 힘들었고, 일하다 조금만 실수를 해도 남들보다 더 눈에 띄어 손해를 보는 경우도 허다했다. 형제들처럼, 다른 사람들처럼 평범한 색이었다면 좋았을 텐데 왜 나는 이런 색으로 태어난 것일까? 이토록 이곳 사람들과 동떨어진 색으로.

아무리 생각해도 답은 하나였다. 자신이 다른 세상에서 온 사람이기 때문에. 전생의 기억을 갖고 태어난 다른 세상의 사람이기 때문에. 온전히 이 세상의 것이 아니기 때문에. 그래서 이 세상이, 세계가, 너는 달라, 라고 표시를 해 둔 건 아닐까.

가만히 바라보는 시선이 느껴졌다. 윤조는 고개를 숙인 채였다.

"예쁘다. 내가 보기에는."

속상해할 것 없다며 머리를 헤집는 손은 무척 컸다. 휘휘, 머리카락을 헝클어뜨리는 준영의 손에 윤조가 당황하며 머리를 정리했다.

"으아아! 다 헝클어져요!"

그녀가 고개를 들어 그를 바라봤다. 윤조는 자신의 머리끝을 잡고 있던 준영과 눈이 마주쳤다.

"못 믿겠다면 계속 말해 주마. 예쁘다고."

분명 머리색을 가리키는 것인데 왜 이리 가슴이 두근거리는지. 윤조는 자신을 바라보는 준영의 시선이 강렬해 자신도 모르게 피해 버리고 말했다. 준영은 만지고 있던 그녀의 머리카락을 놓아주었다.

"어디에, 누군가와 있어도 잘 알아볼 수 있어 좋겠구나."

제국에서 무섭다고 소문이 자자한 대장군이 왜 이렇게 다정한 목소리를 가진 건지. 아무래도 그의 다정함은 아버지인 홍 장군을 닮은 것이 분명하다고 생각하는 윤조였다.

두 사람은 곧 들판에 접어들었다. 산이가 너른 들을 향해 달리기 시작했다. 바람이 좋았다. 산이가 힘차게 달릴 때마다 볼을 스치는 바람이 시원했다. 흔들리는 말 위에서 자신의 등을 받쳐 주는 준영의 너른 가슴도 좋았다. 단단하게 느껴지는 그의 몸이 마치 자신만을 지켜 주는 것 같아 기분이 이상했다.

사내를 모르고 살았다. 이전 생도, 지금 생에서도 살아가기에 급급한 나날만 가득해 그녀 자신의 자유를 꿈꾸는 것이 마치 죄악인 것 같았다. 애초부터 누군가가 자신에게는 생존을 위해 발버둥 치는 것 말고는 아무것도 주어진 것이 없다, 라고 못 박아 놓기라도 한 것처럼.

신채영이라는 이름으로 살았을 때도 그랬다. 언제부터였더라? 그렇게 쫓기듯 삶을 살기 시작했던 때가? 아마 교복을 처음 입은 중학교 1학년 때부터였던 것 같다. 중학생 때에도 고등학생 때에도 교복을 입고 하루도 빠짐없이 편의점 새벽 아르바이트를 나갔다. 졸음을 이기지 못해 잠들면 지각하기 일쑤였다. 선생님은 그녀를 교무실로 불러 혼내면서도 힘들면 이야기하라며 비타민 음료를 한 병씩 건네곤 했다.

학교가 끝나면 친구들은 떡볶이를 사 먹으러 근처 분식집을 찾았다. 친구들보다 한발 늦게 분식집에 도착한 그녀는 분식점 사장님이 건네는 앞치마를 두르고 친구들의 주문을 받았다. 친구들의 테이블로 서빙을 했고, 친구들이 주는 돈을 받아 계산했다. 빈 떡볶이 그릇을 치우고 설거지를 마칠 때쯤이면 병원에서 전화가 걸려 왔다. 수납처에서 걸려 온 독촉 전화였다.

"어디에 그리 넋을 놓고 있느냐?"

침잠한 윤조의 회상은 길게 이어지지 못했다. 퍼뜩 상념에서 깨어난 그녀가 물끄러미 자신을 바라보는 준영을 올려다봤다.

"나 말고, 앞을 보아라. 여기까지 와서 이 풍경을 놓치고 가면 아깝지 않느냐."

준영의 시선이 앞을 향했다. 윤조도 그 시선을 따라 정면을 향했다.

"와—!"

짧은 감탄사가 저절로 터져 나왔다. 들판을 가득 수놓은 분홍빛 꽃들이 바람결에 춤을 추고 있었다. 처음 보는 아름다운 광경에 윤조는 눈을 떼지 못했다. 준영은 그런 윤조를 힐끗 바라보다 산이를 움직여 천천히 앞으로 향했다. 그는 가까이에 있던 꽃 하나를 꺾어 윤조에게 건넸다. 가까이에서 보니 백합 같은 모양을 한 꽃은 백합 보다는 조금 더 작고 꽃잎이 겹으로 되어 있어 풍성했다.

"와, 너무 예뻐요! 무슨 꽃인지 대장군님은 아세요?"

"석화石化다. 본디 서국西國의 꽃이지. 생명력이 강한 꽃이라 꽃씨가 바람을 타고 오랜 시간 날아다니다 정착한다고 들었다."

"서국은 나투국이랑 달리 토양이 거칠고 험한 바위 계곡이 많다고 들었는데 이렇게 예쁜 꽃이 있었다니. 이것도 바람을 타고 날아와 이곳에 뿌리를 내린 것이겠죠?"

"아마도."

"대단해요. 이 꽃들은 성공했네요."

"성공?"

"씨앗 상태로 바람을 따라 오랜 시간 여행하다가 이렇게 좋은 땅을 발견하고 핀 꽃들이잖아요. 아주 많은 씨앗이 찾지 못해 부러워했을 땅을."

"그렇게 생각할 수도 있겠구나."

"저도 그럴 수 있을까요?"

준영이 의문 어린 눈으로 윤조를 바라봤다.

"저도 할 수 있겠죠?"

준영은 윤조가 무엇을 두고 묻는 것인지 알 수 없었으나 한 가지는 확신했다. 그녀가 무언가로 인해 불안해하고 있다는 것을.

"그게 무엇인지 몰라도……."

그는 윤조의 손에서 그녀가 들고 있던 꽃을 가져가 그녀의 머리에 꽂아 주었다.

"분명 할 수 있을 거다."

내가 보기에 네 그 당돌한 기백만큼은 이 꽃보다 강할 것 같으니.

"무려 대장군의 집에 몰래 숨어들어 왔던 자가 아니냐?"

덧붙이는 그의 말에 윤조가 환하게 미소 지었다.

⚜

과자 꾸러미를 한 아름 안고 저택으로 돌아온 두 사람을 맞이한 건 길림과 나래였다.

"나래야!"

윤조는 나래를 발견하자마자 반가움에 말에서 껑충 뛰어내려 달려갔다. 준영이 위험하다고 붙잡을 겨를도 없이 날랜 속도였다.

"못 말리겠군."

투루루-.

어이없어하는 준영을 알았는지 산이가 손뼉이라도 치는 것처럼 발굽을 땅에 부딪치며 낮게 울었다. 그런 산이의 목을 툭툭 치며 무엇이 그리 웃기냐 타박하는데, 길림이 준영의 눈치를 보며 다가와 산이의 고삐를 대신 잡았다.

"대장군님 오셨습니까. 간만의 외출인데 즐거우셨는지─."

말끝을 흐리는 길림의 모습을 지켜보던 준영이 말에서 내려 콧방귀를 뀌었다.

"아아, 책임감 없는 아우 타박하던 형님 아닙니까?"

"하하, 하하하, 제가 그리 말했었습니까? 화 푸십시오, 장군."

"아우가 감히 형님께 어찌 화를 내겠습니까?"

준영이 허리에 찬 자신의 검을 쓰다듬자 길림의 표정이 울상이 되었다.

"대장군! 부관 길림, 죽을죄를 지었습니다!"

털썩 무릎을 꿇으려던 그를 잡은 건 준영이었다.

"이 아우가 한 번만 눈감아 드리지요, 형님."

"휴, 감사합니다. 그런데 그 형님 소리 안 하시면 안 됩니까?"

"왜지?"

"온몸에 소름이⋯⋯."

순간 준영의 눈에 힘이 들어갔다. 길림은 태세를 전환했다.

"소름이 돋을 정도로 좋아 그럽니다! 하하, 아하하하! 대장군 같은 아우가 있으면 참으로 든든할 것 같습니다! 하하하! 아니 그렇습니까? 하하하하!"

준영은 너스레를 떨며 억지로 크게 웃는 길림의 등을 세게 두드렸다.

"나도, 부관 같은 형님이라면 괜찮을 것 같군."

"예?"

스쳐 지나가는 말에 길림이 놀라 반문했지만 준영은 돌아보지 않았다. 길림은 왠지 그가 웃은 것 같다고 생각했다.

"나래 너 어디 갔었어! 한참 찾았잖아!"

"미안, 집에 잠깐 볼일이 생겨서."

윤조의 타박에 나래가 핑계를 대며 말을 돌렸다. 그녀는 윤조의 품에 가득한 종이 꾸러미를 의아하게 쳐다봤다.

"아, 이거? 동생들 주려고 시장에서 과자 사 왔어. 자, 이건 나래 거."

"내 것도 있어?"

"응! 당연하지. 홍 장군님 것도 있어."

나래는 얼떨결에 윤조가 내민 과자 꾸러미를 받으며 속삭이듯 말했다.

"내 것까지 사 올 줄은 생각도 못했네……."

윤조가 그 작은 소리를 들었는지 기뻐 보이는 나래를 향해 씩 이를 보이며 웃었다.

"가만 생각해 보니까 기숙관에서도 그렇고 나래 네가 군것질하는 모습을 한 번도 못 봤더라구. 음식 먹을 때 보면 단걸 꽤 좋아하는 것 같던데. 아마 승상님께서 못 먹게 하셨구나 싶었어. 여긴 승상님도 안 계시니 이거 너 혼자 다 먹어! 알겠지?"

윤조의 말에 나래가 고개를 작게 끄덕였다.

"고마워……."

어쩐지 감격한 것 같은 나래의 목소리와 상기된 두 뺨을 보니 사오길 잘한 것 같다. 윤조가 밝게 웃으며 시장에서의 일을 말하려고 할 때 그녀의 머리를 아프게 쥐어박는 주먹이 있었다. 준영이었다.

"악! 이번엔 일부러 그러셨죠!"

핑 눈물이 돌았다. 윤조가 불만 가득하게 쳐다보자 준영이 엄한 표정을 지었다.

"그래, 일부러 그랬다. 말에서 함부로 뛰어내리지 말아라. 다친다."

"으, 말로 하시면 좋잖아요, 말로!"

"정말 위험한 짓이니 알아 두라는 뜻에서 그랬다. 이래야 기억에 더 잘 남을 것 아니냐? 먼저 들어가마."

말을 마친 준영이 윤조를 앞질러 저만치 멀어졌다.

"아, 혹 난 것 같아. 여인의 머리를 때리다니! 너무해!"

나래는 지금 눈앞에서 무슨 일이 일어난 것인지 파악이 안 돼 눈만 깜빡였다. 그녀는 아픈 정수리를 매만지며 투덜거리고 있는 윤조를 바라봤다.

"어떻게 된 거야?"

"뭐가?"

"대장군님이랑 너."

"방금 봤잖아. 대장군님이 내 머리에 꿀밤 놓은 거! 아까는 머리 카락이 예쁘다고 잡아당기시더니, 차암-."

"나 괜히 나서서 북 치고 장구 친 건지도 모르겠네."

"응? 그게 무슨 소리야?"

푸념 같은 나래의 말에 의문을 가진 건 윤조였다. 나래는 어쩐지 괘씸하다는 표정으로 윤조와 이미 사라져 버린 준영을 번갈아 노려보곤 팔짱을 꼈다.

"이래서 남 연애사에는 끼어드는 거 아니랬는데. 괜히 기운 뺐어! 에이!"

나래는 짜증을 내며 윤조가 사 온 과자를 한 움큼 집어 입 안에 털어 넣었다. 와그작, 와그작, 과자 씹는 소리가 거칠었다. 무슨 일로 나래가 짜증이 난 건지 모르는 윤조는 꼴깍, 마른침을 삼키며

눈을 굴릴 뿐이었다. 무서운 기세로 과자를 씹던 나래가 입 안에
있던 것을 삼키고 말했다.

"윤조 너!"

"으, 응! 왜! 왜?"

"과자 맛있네. 잘 먹을게."

"그, 그래. 그런데 뭐 화난 거 있어?"

나래가 다시금 과자를 입에 넣으려다 말고 불퉁한 표정을 지었다.

"있지. 있었는데, 단거 먹으니 풀렸어. 앞으로 잘 하는지 두 눈
똑똑히 뜨고 지켜보겠어."

다짐하듯 선언하는 그녀의 말에 윤조는 그저 고개를 끄덕일 뿐이
었다. 요즘 나래가 예민한 시기인가 보다. 뭔지 몰라도 모른 척하
자. 괜히 불똥 튈라.

그날 밤, 윤조와 나래가 머무는 처소 안으로 최씨 가문에서 보낸
전서구가 날아들었다. 머리를 감고 나오던 윤조는 나래의 침대 머
리맡에 앉아 있는 비둘기 한 마리를 발견하고는 다가갔다. 볼에 연
지곤지라도 찍은 것처럼 붉은 점이 있는 걸 보니 예전에 나래가 말
했던 '앵두'라는 이름의 전서구인 것 같았다.

"네가 앵두구나? 땅콩 먹을래?"

윤조가 부리나케 선반 서랍장을 뒤져 땅콩 한 움큼을 꺼냈다. 전
서구는 잠시 그녀를 경계하는 것처럼 피해 다니다 곧 땅콩을 받아
먹기 시작했다.

구국-! 구구국-!

한두 개만 주고 말려고 했는데 엄청난 기세로 쪼아 먹는다. 윤조는 손안의 땅콩을 순식간에 없애 버린 앵두의 식성에 감탄했다.

"와, 이러니 괜히 닭둘기가 되는 게 아니래도."

한국의 길거리 어디를 가나 거대한 닭둘기들이 활보했지. 음, 추억이여.

윤조가 고개를 끄덕이고 있을 때 세안을 마친 나래가 나오다 전서구를 발견했다.

"뭐 해? 어? 앵두잖아?"

"너희 집에서 온 것 같은데. 땅콩 엄청 잘 먹더라."

"먹는다고 다 주지 마. 살쪄서 못 날아."

"우리 집 근처 공원의 닭둘기들도 그랬는데."

"닭둘기?"

"살찐 비둘기를 그렇게 불러. 걔들은 비만이라 잘 날지도 못 하더라고."

"쯧쯧, 모이를 적당히 줘야지."

"아무튼. 편지 있는 것 같은데? 승상님이 보내셨나?"

"확인할게."

편지를 확인하던 나래의 표정이 점점 심각하게 굳어졌다.

"왜 그래? 집에 무슨 일 있어?"

"아, 아니, 아무것도. 아버지께서 좀 아프시대."

"뭐? 아무것도 아닌 게 아니잖아! 많이 편찮으셔? 당장 가 봐야 하는 거 아냐?"

"괜찮아. 그렇게 약한 분 아니셔."

"그건 그렇지."

"너무 긍정한다?"

"핫, 미안. 내 머릿속에 새겨진 모습은 워낙 강하신 분이라서. 하하, 하하하."

"내가 봐도 그렇긴 하지. 오죽하면 철혈의 대승상일까. 아무튼, 나는 답장 좀 보내야겠다. 소등이랑 문단속 좀 대신해 줄 수 있어?"

"맡겨만 주시라!"

나래는 앵두의 등을 가볍게 쓰다듬고 방 밖으로 나서는 윤조를 바라보다 조용히 편지로 눈을 돌렸다. 그녀의 아버지 최 승상으로부터 온 편지에는 '경계警戒'라는 두 글자만이 적혀 있었다. 나래는 그 아래 알겠다는 답신을 적고 편지를 접어 앵두의 다리에 달았다. 그리고 조용히 창밖으로 전서구를 날려 보냈다.

"최 승상께서 보낸 전서구인가요?"

급작스럽게 들려오는 길림의 음성에 나래는 깜짝 놀라 창문 아래를 내려다봤다. 나래가 서 있던 창가 아래 벽에 등을 기댄 채 서 있던 길림이 몸을 돌려 나래를 올려다봤다.

"서신이라면 직접 홍씨 가문의 대문을 통하면 될 일인데 무척 비밀스럽군요."

"아버님께서 밤중에 시종을 부리기가 귀찮으셨나 봅니다."

별일 아니라는 듯 이야기하는 나래의 목소리가 조금 떨려 나왔다. 길림은 그 순간을 놓치지 않았다.

"승상께서 따님의 안부가 무척 궁금하셨나 보군요."

"길림 부관, 무얼 묻고 싶은 겁니까? 묻고자 하는 것을 말하세요."

역으로 치고 들어오는 나래의 물음에 길림이 웃으며 어깨를 으쓱했다.

"다른 건 몰라도 이곳은 홍씨 가문의 저택입니다. 이곳에 들어오고 나가는 모든 것은 정당한 검열을 거쳐야 함을 숙고해 주시길 바란다, 승상님께 전해 주십시오."

"알겠습니다. 그리 전하겠습니다."

"평소라면 지금쯤 영애께서 날려 보낸 전서구는 저택에서 키우는 매들이 사냥했을 것이나……."

순간 웃고 있는 길림의 얼굴에서 오싹한 기운을 읽은 나래가 마른침을 삼켰다.

"이번 한 번만 눈감아 드리겠습니다. 아버지가 딸을 염려하는 마음을 생각해서요."

"배려에 감사합니다. 다음부턴 조심하지요."

"예. 그럼 그런 것으로 알고 저는 이만 가 보겠습니다."

"자, 잠깐, 부관!"

"더 하실 말씀 있으십니까?"

나래는 가만히 멈춰선 채 자신의 말을 기다리는 길림을 바라봤다.

"오늘 도와주신 일 감사했습니다."

"아……."

전혀 예상치 못했던 나래의 말에 이번에는 오히려 길림이 놀란 표정이었다. 얼빠진 그의 표정에 나래는 긴장이 풀려 가볍게 미소 지었다.

"부관께서 곤란한 상황이 될 것을 알고도 대장군님 앞에서 저를 감싸 주시려 편을 들어 주신 거 알고 있습니다. 감사하게 생각합니다."

"어, 아뇨. 헛 흠, 당연한 일을 했을 뿐입니다."

"그럼 좋은 밤 보내세요."

길림은 창문 뒤로 나래가 사라지고 그녀의 방 불이 꺼지고 나서도 한참을 그곳을 바라보며 서 있었다.

❖

나래 대신 복도의 등불을 끄며 창문이 잘 닫혀 있는지 단속하던 윤조는 마주 오던 누군가와 세게 부딪쳤다.

"아야!"

"괜찮느냐?"

"죄송합니다. 앞이 안 보여서……."

덜 말린 준영의 머리카락에서 물방울이 똑똑 떨어져 내렸다. 윤조는, 목욕을 하고 오는 길인지 앞섶이 거의 다 열린 채 옷을 걸치다시피 한 준영의 모습에 볼을 붉히며 시선을 피했다.

"대, 대장군님! 오, 오, 옷 좀!"

차마 똑바로 바라보지 못하고 그렇게 소리치자 준영이 풀어진 옷을 제대로 여미며 머리를 털었다.

"소등을 하더라도 네가 들고 다닐 등불 하나는 켜 놓아야 하지 않겠느냐?"

어리숙하게 처음이라는 티가 팍팍 나는 윤조의 행동을 준영이 지적하자 윤조는 아차, 하며 알겠노라 답했다.

"그, 그럼 안녕히 주무세요!"

그때, 준영의 커다란 손이 지나치려는 윤조의 손목을 덥석 붙잡았다.

"히익! 왜 이러세요!"

마치 불한당이라도 본 것 같은 그녀의 비명에 준영이 황당하다는 듯 그녀의 입을 막았다.

"집안사람들 다 깨울 작정이냐? 내 치료는 하고 가야지."

"아, 맞다. 치료! 치료가 있었지 참. 하하하. 오늘은 받으실 거예요?"

민망함에 어색하게 웃는 윤조의 모습을 물끄러미 바라보던 준영이 고개를 끄덕였다.

"그래. 따르거라."

준영의 뒤를 따라 그의 방에 도착한 윤조는 방문턱에 걸쳐 선 채 준영의 눈치만 보고 있었다.

"거기에서 뭐 하느냐? 문 닫고 안으로 들어오거라."

"어, 음, 옷 갈아입으실 거 아닌가요?"

"맞다."

"그런데 들어가라구요?"

"뭐, 문제 있느냐? 어차피 결혼하면 다 볼 사인데."

"으아아아아! 지금 무슨 말씀을 하시는 거예요!"

준영은 농으로 던진 말에 펄쩍 뛰는 윤조가 재미있다는 듯 웃었다.

"장난이다. 옷은 나중에 갈아입을 테니 치료 먼저 하거라."

"어휴, 진짜."

윤조는 농담이라도 그런 농담은 참아 달라며 준영의 어깨를 진찰했다.

"전체적으로는 많이 좋아진 것 같은데 한번 눌러 볼게요. 통증이 느껴지면 바로 말씀해 주세요."

"그래."

"여기는 어떠세요?"

"괜찮다."

"여기는요?"

"거긴 좀 통증이 있구나."

아무래도 팔꿈치 윗부분이 아직 회복이 덜 된 모양이다. 윤조는 어깨를 누르던 손을 떼고 팔꿈치와 팔목 부분을 다시금 눌렀다.

"여기는 괜찮으신 거죠?"

"그래."

"낮에 말 타실 때 혹시 어깨에 통증이 있으셨나요? 짐을 들 때나 그럴 때도요."

"그랬다."

"왜 말씀 안 하셨어요."

"심각한가?"

윤조가 아프게 준영의 팔을 때렸다.

"심각하고 아니고를 떠나서 이제부터 통증이 느껴지면 바로바로 알려 주세요. 그게 가장 중요합니다. 그때그때 신력을 흘려 보내 치료받아야 해요. 대장군님 아직 완쾌되려면 멀었다고요."

"손이 꽤 맵구나."

"흥, 작은 고추가 맵다는 말 모르세요? 아무튼! 꼭 말씀해 주셔야 해요. 아셨죠?"

"그래, 그러마."

준영이 순순히 고개를 끄덕이자 윤조가 기특하다는 듯 그의 머리를 쓰다듬었다. 그러다 아차, 놀라 펄쩍 뛴다.

"죄송합니다! 동생들한테 해 주던 버릇이 남아서……."

"괜찮다."

"네?"

"괜찮다고 했다. 낮의 빛도 있고……."

아마도 자신의 머리카락을 뭉텅 잡아당긴 일을 말하는 모양이었다. 윤조는 그렇게 말하곤 시선을 슥 피하는 준영의 행동이 우스워 작게 미소 지었다.

'귀여워.'

윤조는 처음으로 눈앞의 남자가 귀엽다고 생각했다. 감히 한 나라의 대장군에게 붙이기엔 불경스러운 단어라고 생각하면서도, 근엄한 표정의 준영이 가끔 자신의 눈을 피하며 진솔하게 나올 때면 사람들에게는 잘 드러내지 않는 수줍음 많은 그의 내면이 드러나는 것 같아 귀엽게 느껴졌다.

"뭐가 그리 웃기나?"

그녀의 의미 모를 미소에 준영이 살짝 입을 내밀며 그녀를 흘겼다. 윤조는 자신을 향해 불만스럽게 눈을 흘기는 준영의 모습마저도 귀엽게 느껴졌다. 보통은 사내가 여인을 이리 생각한다던데 왜 나는 반대지? 윤조는 그런 생각을 숨기며 준영에게 당부했다.

"크흠! 아무튼, 팔 조심하세요. 눈은 괜찮지만 팔은 아직 나으려면 멀었어요. 지속해서 치료와 운동요법이 필요해요. 당분간 검은 들지 마세요. 간신히 되살린 근육, 무리해서 잘못되면 정말 큰일 나니까요."

"알겠다. 운동은 언제부터가 좋겠나?"

"제가 일정을 짜 볼게요. 식단이랑 맞추면 더 좋아서 그것도 같이 짜 볼게요."

"그래, 알겠다. 그런데 보통 치료사 무녀들이 하는 치료법은 아닌 것 같은데?"

"아, 제 노하우예요."

"노하우?"

"비법이요. 어머니 병간호하면서 배웠어요."

스쳐 지나가는 기억 속, 전생의 어머니가 재활치료를 받던 모습이 잠깐 떠올랐다 사라졌다. 식단과 운동을 병행한 재활치료의 한 과정을 떠올리던 윤조는 어딘지 조급해 보이는 준영의 물음에 의문을 갖고 되물었다.

"검이 그렇게 좋으세요?"

"그건 왜 묻지?"

"대장군님 표정이 엄청 조급해 보여서요. 걱정하지 마세요. 검은 꼭 다시 들 수 있으니까. 저 윤조만 믿고 따라오시면 됩니다!"

주먹으로 가볍게 가슴을 두드리는 자신감 넘치는 동작에 준영이 헛웃음을 지었다.

"그래, 썩 믿음직하진 않지만 믿어 보마."

"제가 이래 봬도 장군님 생명의 은인이라구요."

자랑스럽게 턱을 들고 킁, 콧김을 뿜는 그녀의 모습에 준영이 실소했다.

"하하하. 그래그래, 알겠다. 이만 밤이 늦었으니 돌아가 보아라. 싫으면 자고 가도 좋고."

"예? 그, 그게 무슨!!!"

준영의 말을 들은 윤조의 볼이 순식간에 달아올랐다.

"원한다면 자고 가도 좋다고 했다."

장난스럽게 웃으며 침대 옆자리를 팡팡 두드리는 준영의 모습에 윤조가 사색이 되어 벌떡 일어났다.

"으아아아아! 안녕히 주무세요!"

뒤도 돌아보지 않고 달려 나가는 윤조를 바라보며 준영은 크게 웃음을 터뜨렸다. 참으로 유쾌한 아이다. 잠시 후 웃음을 멈춘 그는 다친 팔을 매만지며 읊조렸다.

"검을 좋아하냐, 라. 오히려 그 반대지……."

밤공기에 흩어지는 그의 음성이 어쩐지 쓸쓸했다.

◈

다음 날 아침. 홍씨 가문 저택에서는 해가 서쪽에서 떠올라도 이상하지 않을 일이 벌어지고 있었다.

"세상에 이게 무슨 일이야!"

"천지가 개벽할 거여. 암만."

"홍 장군님이랑 도련님이 식사를 같이하시다니!"

가솔들의 목소리가 시끄러운 가운데, 방 안에서 두 사람과 함께 식사하고 있던 윤조의 젓가락이 덜덜덜 떨려 왔다. 방 안에서 들리는 소리라곤 식기가 그릇에 부딪치는 소리가 다였다. 숨 막힐 것 같은 식사 자리에 그녀는 당장이라도 방을 박차고 뛰어나가고 싶은 심정이었다.

"아가, 음식이 입에 안 맞니? 어제보다 못 먹는 것 같구나."

"아, 아니에요. 음식은 맛있어요!"

"맛이 느껴지긴 하나? 금방이라도 체할 것 같은 표정인데."

홍 장군의 걱정에 괜찮다며 고개를 젓던 윤조는 핵심을 찌르고 들어오는 준영을 돌아보며 어색하게 웃었다. 이게 다 누구 때문인데! 준영은 그녀의 속마음을 읽기라도 하듯 대답했다.

"안다, 이 자리 불편한 거. 그래도 너 때문에 온 것이니 도망갈 생각은 접어라."

"왜, 오신, 겁니까?"

"밥 먹으러 오지 않았느냐. 밥 먹으러."

원망스러운 윤조의 물음에 준영이 시치미를 떼며 대꾸했다. 홍 장군은 그런 두 사람의 모습을 지켜보며 내심 뿌듯한 심정을 드러냈다.

"가족끼리 모여 식사한 게 얼마 만인지, 이게 다 윤조 덕분이다. 고맙구나."

"제가 뭐 한 게 있나요. 저야말로 이런 식사 자리에 초대해 주셔서 감사하죠."

고개를 꾸벅 숙이는 윤조에게 준영이 상 위에 놓여 있던 국수를 가리켰다.

"거기 상 위에 있는 국수, 윤조 너 다 먹어라. 유모에게 특별히 부탁해 만든 것이니."

"네? 저를 위해서요?"

"그래. 흙으로 반죽한 건 아니지만, 맛은 비슷할 거다."

전날 시장에서 배고프던 때 간장 국물과 흙 반죽으로 해 먹었던 국수가 가끔 그립다는 윤조의 말에 준비한 국수였다. 준영의 말을 듣던 윤조의 표정이 오묘하게 변했다.

"제가 먹고 싶다고 해서 만드신 거예요?"

"만든 건 유모다. 만나면 잘 먹었다고 하거라."

"흙 반죽이라니 무슨 말이냐?"

두 사람의 대화를 가만히 듣고 있던 홍 장군이 이해가 가지 않은 부분을 묻자 밥을 먹던 준영이 윤조를 향해 피식, 웃으며 답했다.

"찢어지게 가난했던 어느 아가씨께서 흙 반죽으로 국수를 해 먹었던 게 그립다고 해서요."

"뭐야? 흙으로 국수를? 그게 정말이니, 아가?"

"네? 네, 하하하─ 그, 그때는 그게 별미였어요!"

"그래도 흙으로는 좀……."

착잡한 표정을 하는 홍 장군의 말에 윤조가 절대 사람들이 생각하는 보통의 갈색 흙이 아니었다고 강하게 주장했다.

"흙 맛 하나도 안 났어요! 정말 밀가루 반죽 같은 흙이라!"

"그래도 흙은 흙이지."

"윽."

반박할 수 없게 만드는 준영의 말에 윤조는 뾰로통한 시선으로 그를 쳐다봤다.

"국수 다 분다."

"먹어요! 먹는다구요!"

쫓기듯이 입 안에 넣은 국수는 생각보다 훨씬 더 맛있었다. 흙으로 만들어 먹던 국수보다 더 좋은 재료가 들어갔고 호박이며 양파, 당근 따위의 채소 건더기도 더 많았지만 따뜻한 간장 국물 맛은 어쩐지 비슷했다.

"맛있다……."

조용한 윤조의 한마디에 준영이 그녀에게서 시선을 떼고 천천히 먹으라 일렀다. 홍 장군은 계속해서 반찬 따위를 윤조의 수저에 올려 주었고, 윤조는 어색해하면서도 국수 한 그릇을 뚝딱 비웠다. 시원한 국물까지 깨끗하게 비워 내자 속이 따뜻해졌다. 오고 가는 대화는 부족해도 따뜻한 시간이었다.

"이제부터 매일 이렇게 같이 식사하자꾸나."

청천벽력 같은 홍 장군의 선언만 없었다면 말이다.

"으, 나래야. 나 속이 좀 부글거려."

"그러게 적당히 좀 먹지."

"아냐, 이번엔 많이 먹어서 그런 게 아니라. 정말 두 분 대화가 없더라. 숨 막혀 죽는 줄 알았어."

윤조의 말에 나래가 알 만하다며 긍정했다.

"가솔들 말로는 거의 삼 년 가까이 서로 말을 안 했을 때도 있었다던데?"

"삼 년이나?"

"그래. 오늘 식사 같이한 것도 거의 10여 년 만이라고, 기적이 일어난 것처럼 좋아하더라."

"엄청나……."

"그런 두 사람 사이에서 식사를 함께한 기분이 어때?"

"겪어 보지 않은 사람은 몰라. 너도 끼워 줄까?"

"나는 생략. 그러다 체하면 답도 없다."

"내가 그럴 뻔했다, 내가. 휴, 대체 두 분 사이에 무슨 일이 있었던 걸까? 나래 너는 혹시 알아?"

나래가 말을 하려다 말고 멈칫, 입을 다물었다.

"그건 나도 자세히 몰라. 하지만 홍씨 가문에 '금기'가 있다고 들었어. 입에 올리면 안 되는 '금기' 말이야. 아마도 그거랑 연관된 거 같아."

"금기?"

"응. 그러니까 괜히 대장군님이나 홍 장군님께 묻지 말고 나중에 자연스럽게 알게 되면 그런가 보다 해."

"알겠어."

"그런데 너 어디 가?"

나래가 새 옷을 꺼내 입더니 머리카락을 정돈하는 윤조의 행동에 의아한 얼굴을 했다.

"아아, 황궁. 잠시 다녀올게!"

윤조는 미소와 함께 휘휘 손을 흔들며 방을 나섰다.

"별감님! 저 왔어요!"

황실 응방鷹坊. 윤조의 방문에 황실의 매를 돌보고 있던 중년 남성이 익숙하게 다가와 그녀를 맞이했다.

"무녀님 또 오셨습니까?"

"헤헤, 네. 한번 맡은 환자는 끝까지 책임져야죠."

"허허, 녀석도 이제는 은근 기다리고 있는 눈칩니다."

"정말요? 저를요?"

"네. 그 성질 고약한 녀석도 자기를 치료해 준 은인은 알아보는 모양입니다. 여전히 다른 사람들에겐 꼬리 깃 하나 만지지 못하게 패악질이 심하지만요."

"그 성질 어디 가나요."

두 사람이 이야기를 나누며 도착한 곳은 어느 커다란 매 사육장이었다. 이제는 거의 다 나은 날개를 퍼드덕거리며 나는 연습을 하고 있던 매가 인기척을 느끼고 부리부리한 눈동자를 굴렸다.

"잘 있었어?"

반갑게 손을 흔드는 윤조를 발견한 매가 '삐이-!' 하고 높은 소리를 내며 고개를 흔들거렸다. 경계하면서도 슬금슬금 다가오는 모습에 윤조가 키득거렸다.

"처음에는 죽자고 덤벼들더니 이제 나 없으면 심심하지?"

"그래도 혹시 모르니 보호구는 꼭 차고 들어가십시오."

"그럴게요."

별감이 건네주는 보호구를 팔에 착용한 윤조가 조심스럽게 사육장 문을 열고 안으로 들어갔다.

삐이이- 삐이-!

가까운 횃대에 앉은 매가 자신을 향해 내미는 윤조의 손에 얼굴을 비비며 반갑게 울었다.

"날개 좀 살펴볼게."

다친 날개를 살피는 그녀의 손길에도 매는 이전과 달리 고분고분하게 몸을 맡겼다. 칠성제 때는 거의 잘라 내야 할 정도로 심각한 상태였던 매의 날개는, 이제 다 아물어 새 깃털이 자라나고 있었다.

"좋아, 이제 날아도 되겠다. 축하해."

윤조가 뿌듯한 미소와 함께 매의 머리를 가볍게 쓰다듬었다. 그에 대답이라도 하듯 매가 가슴을 쭉 펴고 날개를 퍼덕였다.

"으푸푸! 으악! 먼지 날려!"

삐이!

흙먼지와 함께 자신의 깃털을 뒤집어쓴 윤조의 모습이 웃겼는지 매가 흔들흔들 몸을 털며 울었다.

"장난꾸러기 같으니. 에취! 에취!"

윤조는 재채기가 나는 코를 틀어막으며 매를 향해 눈을 흘겼다. 등 뒤로 갑작스러운 목소리가 들려온 것은 그때였다.

"한번 날려 보겠나?"

뒤를 돌자 용포를 입은 온 황제가 인자한 미소를 머금은 채 그녀를 바라보고 있었다. 소스라치게 놀란 윤조가 급히 황제를 향해 고개 숙였다.

"송구합니다, 폐하! 행차하신지 미처 몰랐습니다!"

"괜찮네. 내가 조용히 하라 했으니. 큰 소리에 매가 놀라기라도 하면 그대가 다칠 것 아닌가."

"황공합니다. 무녀 윤조, 황제 폐하를 뵙습니다."

"홍씨 가문에서는 지낼 만한가?"

황제가 자신의 안부를 물을 것이라고는 생각하지 못했던 윤조가 놀란 눈으로 그를 올려다봤다.

"놀랄 것 없네. 그대의 거취는 내가 명한 것이었으니까. 잘 지내고 있는 것 같아 다행이야."

"황공합니다. 폐하의 은덕입니다."

"좋은 소식 기대하네."

무슨 좋은 소식을 말하는 건지 모르겠지만 윤조는 일단 웃는 얼굴로 고개를 조아렸다. 나래가 그랬지. 황궁에서 누가 말을 걸면 '황공합니다' 또는 '송구합니다' 두 가지만 알고 있어도 웬만한 대화는 이어갈 수 있다고.

잔뜩 긴장한 기색이 역력한 윤조를 바라보던 온 황제가 허허 웃으며 그녀를 이끌었다.

"저 매, 그대가 치료했다고 하던데. 이제 날 수 있는가?"

"예. 아직 먼 거리의 정찰은 힘들겠지만 이제 활공을 해도 문제없습니다."

"잘됐군. 첫 활공은 그대가 하는 게 좋겠어."

"예? 제가요?"

"왜? 싫은가?"

"아, 아니요!"

얼떨결에 황제와 함께 매의 활공식을 하게 된 윤조가 황제의 도움을 받아 매의 앞으로 보호구를 낀 자신의 팔을 내밀었다. 그러자 기다렸다는 듯이 그녀의 팔 위로 냉큼 옮겨 앉는 매의 모습에 온 황제가 웃음을 터뜨렸다.

"매가 그대를 좋아하는 것 같구나."

한쪽 팔에서 묵직하게 느껴지는 매의 무게에 윤조가 어정쩡한 자세를 바로하며 따라 웃었다.

"사육장에만 있으려니 답답했던 모양이에요."

황제를 따라 사육장 뒤편 탁 트인 언덕으로 올라간 그녀가 황제의 지시에 따라 팔을 가볍게 내저었다. 그러자 허공을 향해 가볍게 몸을 던진 매가 커다란 날개를 쫙 펼치며 활공했다. 오랜만의 비행이 어색한지 날개를 여러 번 퍼덕이던 매는 곧 익숙하게 날아올라 윤조와 황제의 머리 위를 날아다녔다.

삐이이이———.

하늘 저 멀리까지 퍼지는 매의 높은 울음에 윤조가 신이 난 아이처럼 감탄하며 매를 바라봤다. 황제는 그런 윤조의 모습을 바라보다 운을 뗐다.

"매는 나투국의 상징이자 전신戰神의 화신이라고 하지. 앞으로도 제국의 매를 잘 부탁하네, 어린 무녀여."

황제가 가리키는 매가 자신의 머리 위를 날고 있는 매가 아니라 준영이라는 것을 깨달은 윤조는 진중한 얼굴로 고개를 숙였다.

"성심을 다할 것입니다."

"고맙군. 짧은 만남이었지만 즐거웠네."

인사를 마치고 뒤돌아 멀어지던 황제가 손을 흔들며 말했다.

"그 매의 이름은 현령現令일세. 스스로 주인을 고른 것 같으니 앞으로도 부탁하네."

황제가 떠난 자리, 머리 위를 빙글빙글 돌고 있는 매를 올려다보며 윤조가 중얼거렸다.

"현령."

그녀의 부름에 대답하듯 매가 울었다.

"그래서 날짜는 언제로 잡을 거냐?"

와작와작 과자 씹는 소리가 가득한 방 안. 준영은 윤조가 선물한 과자 봉지를 든 채 앉아 있는 홍 장군을 바라봤다.

"날짜라니요?"

"혼례식 날짜 말이다. 준비하겠다고 했으니 날짜부터 잡아야지."

와작와작.

홍 장군은 윤조 덕에 오랜만에 먹는 과자 맛이 좋아 계속해서 입을 움직였다.

"생각해 보겠습니다."

"생각만 하다 봄이 다 지나가겠다. 여름이 되기 전에 하는 건 어떠냐? 더울 때보단 낫지."

와작와작.

"윤조도 알아야 하니 그 아이 의견도 들어 봐야지요."

"오, 정말 하긴 할 작정이로구나!"

와작, 와그작.

"안 한다고는 안 했습니다. 하지만 저는 아직 그 아이를 잘 모릅니다. 좀 더 서로를 알아본 다음에 진행하는 게 좋지 않겠습니……."

와작, 와자작.

"그런 것도 나쁘진 않지만, 어차피 할 거면 빨리하는 게 낫다."

준영은 계속되는 과자 씹는 소리에 홍 장군의 손에서 과자 봉지를 빼앗았다.

"제발 그만 좀 하세요! 정신 사나워 죽겠습니다!"

"오랜만에 먹었더니 계속 손이 가는구나. 너도 주련?"

과자 가루가 묻은 손을 탁탁 털며 능청스럽게 묻는 홍 장군의 모습에 준영이 질렸다는 듯 고개를 저었다.

"제 건 따로 있습니다."

"하긴, 미운 놈 떡 하나 더 주랬다."

"무슨 뜻입니까?"

"그대로의 뜻. 윤조가 너무 착해서 탈이야, 착해서."

속이 부글부글 끓었지만 준영은 애써 티 내지 않고 홍 장군의 말을 받아쳤다.

"그 아이를 아신 지 고작 사흘밖에 되지 않으셨습니다. 심성이 착한지 어떤지는 더 두고 봐야 아는 겁니다."

"혜린이 때문에 그러느냐?"

"무관하다고는 못합니다."

그 대답에 홍 장군이 짧은 한숨을 쉬었다.

"괘념치 마라. 본디 자신의 위치가 높음을 아는 여인일수록 그 욕망이 무서운 법이랬다."

"그런 여인임을 알면서도 가까이했죠."

아버지께서요.

덧붙이는 준영의 말에 홍 장군이 자리에서 일어나 준영과 마주했다.

"이용당하기 전에 이용하는 편이 낫다고 판단했기 때문이다."

"제가 불구가 되어 돌아오기 전까지는 말이죠. 상황은 역전되었고, 이용당한 건 결국 제 쪽이었습니다."

"문씨 가문은 이미 황실과 연을 맺었지. 폐하께서는 외척의 세력이 강해지는 것을 염려하신다. 문 비서랑은 출세욕이 남다른 자야."

"그가 자신의 딸을 이용했다고 아버지께서 탓하실 것 없습니다. 아버지께서도 저를 다른 가문을 견제하기 위한 도구로 사용하셨습니다. 아닙니까?"

방 안에서 무서운 소리가 들려오는 가운데, 따뜻한 우롱차를 내

왔던 윤조는 그 앞에서 오도 가도 못하는 신세가 되었다. 황궁에서
기분 좋게 돌아왔더니 이게 무슨 일이람! 그녀는 걱정 어린 시선으
로 방 안의 동태를 살폈다.

"으아, 어떡하지! 두 분 싸우시면 안 되는데……."

그렇다고 문을 열고 들어가서 말리자니, 두 사람 싸움을 말리다
가 자신이 말라 죽을지도 몰랐다. 고래 싸움에 새우 등 터진다고
괜히 끼어들었다가 큰일 칠라. 하지만 그렇다고 싸우는 소리가 들
리는데 모른 척할 수도 없고, 차는 식어 가고, 난감했다. 그때 윤조
의 뒤로 조용히 가까워진 걸음 소리가 있었다.

"안에 홍 장군님 계신가?"

갑작스럽게 들려온 목소리에 화들짝 놀라 뒤를 돌아본 윤조는 자
신의 눈을 의심했다. 나래와 똑같이 생긴 눈매를 가진 검은 옷의
중년 남성이 자신을 내려다보고 있었기 때문이다.

"최 승상님? 헙!"

너무도 닮은 모습에 한눈에 최 승상을 알아본 윤조가 자신도 모
르게 소리 내어 그를 부르다 급히 입을 다물었다. 최 승상은 그런
윤조를 내려다보며 길고 예리한 눈매를 번뜩였다.

"무녀인가? 머리색을 보아 하니 네가 바로 그 윤조라는 아이인가
보구나."

"네, 그러하옵니다!"

"쉿, 조용히. 아무래도 내가 좋지 않은 때에 찾아왔나 보군."

방 안의 상황을 가리키는 승상의 말에 윤조도 울상이 되어 고개
를 끄덕였다. 승상은 그녀가 들고 있던 우롱차 잔과 주전자를 발견
했다.

"차가 식겠구나. 언제부터 기다렸느냐?"

"얼마 안 되었습니다. 그런데 들어갈 수가 없어서……."

"흠, 잠시 기다려 보자꾸나. 지금 들어갔다가 귀찮아질라."

정말 귀찮다는 듯 들고 있던 부채를 탁, 하고 접어 소매에 감추는 승상의 모습에 윤조는 조용히 자리를 옮겨 약간 비낀 그의 뒤쪽에 섰다. 승상은 그런 그녀의 모습을 가만히 지켜볼 뿐이었다.

"준영아."

"혼인, 합니다. 하지만 모든 건 제가 정합니다. 아버지나 폐하께서 무엇을 원하시건 뜻대로 움직이기만 하는 인형이 아니란 말입니다!"

"그렇게 생각한 적 없다. 폐하께서 너를 얼마나 아끼시는지 잘 알지 않느냐!"

"제가 유용한 장기 말이기 때문이죠."

"홍준영!!!"

"그리 흥분하실 것 없습니다. 누구나 아는 사실이니까요. 대대로 홍씨 가문은 제국의 창이요 방패였습니다. 다른 핏줄은 없이 저 혼자 남은 마당에 폐하께서도 마음이 급하셨겠지요. 아닙니까? 결단코 그런 의도는 없다고 말씀하실 수 있습니까? 아니요, 아버지께서는 이미 아십니다. 이 혼인이 나중에 어떤 파문을 불러올지, 제 처가 될 윤조라는 아이가 귀족들 틈에서 어떤 곤욕을 치를지, 그 아이와 제 사이에서 태어난 아이가 또 어떤 식으로 이용당할지! 아버지는 이미 알고 계십니다!"

"지켜 줄 것이다. 내 목숨이 붙어 있는 한 네 처와 자식들이 그런 일 당하지 않게 내가!"

"어머니조차 지키지 못한 아버지를 제가 어떻게 믿을 수 있겠습니까?"

"……."

"아버지는 지키지 못했습니다. 당신 옆에서 당신만을 바라보고 살아가던 여인 하나조차 지켜 내지 못했습니다."

홍 장군은 아무 말도 하지 않았다. 아버지는 늘 이랬다. 형제들이 있던 시절부터 그랬다. 다른 이야기를 하다가도 어머니 이야기가 나오면 입을 다물어 버렸다. 답답함에 준영이 무슨 말이라도, 변명이라도 해 달라 소리치려던 때였다. 별안간 방문이 벌컥 열리는 소리와 함께 만면에 작위적인 미소를 띤 윤조가 걸어 들어왔다.

"따뜻~ 하고 고소한~ 차! 내왔습니다!"

윤조는 어색하게 소리치며 쟁반에 들고 온 찻주전자를 탁자 위에 올렸다. 그러곤 각각의 잔을 준영과 홍 장군에게 주며 주전자에 있던 차를 따랐다.

"자자, 우롱 우롱 우롱을 좋아하시는 대장군님께 드리는 우롱차!"

"너 지금 네가 무슨 말을 하는지 알고는 있나?"

준영의 말에 윤조가 눈물을 참으며 고개를 좌우로 크게 저었다.

"저도 몰라요. 제발 그냥 받으세요."

"나가라. 네가 낄 자리가 아니다."

준영이 윤조를 내보내려는데, 마침 최 승상이 방 안으로 들어왔다.

"내가 들어가라 했네. 차가 식어 가고 있기에."

갑작스러운 최 승상의 등장에 놀란 준영이 자리에서 일어나 묵례했다.

"됐네. 간만에 사돈과 수다나 떨까 해서 온 것이니."

'사돈?'

분명 뜻을 하는 단어인데 왜 이렇게 낯설지. 윤조는 방금 자신이 들은 단어가 제대로 된 것인지 혼란스러웠다. 홍 장군이 자리에서 일어나 승상을 '처남'이라고 부르기 전까지는.

"처남, 어서 오게."

"갑자기 찾아와서 미안하군."

"아닐세. 여기 앉게. 준영이는 이제 일어나려고 했어."

준영은 상황을 파악하고 고개를 가볍게 숙였다.

"저는 이만 나가 보겠습니다."

"저도 이만 나가 보겠습니다!"

기회는 이때다, 윤조도 준영을 뒤따라 방을 나서려 했다.

"홍씨 가문의 예비 며느님께 차 한잔 대접받고 싶은데."

"네? 저, 저요?"

"안 되겠나?"

최 승상의 말에 준영의 눈치를 보던 윤조가 두 사람을 번갈아 보다가 최 승상의 손을 들었다. 적어도 윤조가 보기에 준영보다는 최 승상 쪽이 백배는 더 무서웠기 때문이다.

"당연히 드려야지요! 암요!"

"하하, 괜찮다. 그리 긴장할 것 없다, 아가. 내가 있잖니."

홍 장군의 다정한 부름에 최 승상이 의외라는 듯 눈썹을 움직였다.

"벌써 며느리로 인정한 건가?"

"그럼. 우리 아가가 얼마나 예쁜지 아나?"

"흥. 내 딸보다 못났는데."

"자네 딸은 자네를 똑 닮았더군! 으하하하! 눈매가 아주 판박이야."

"나머지는 아내를 닮아서 다행이지."

"하긴, 성격까지 자네를 빼다 박았으면 이미 나라를 팔아먹었을지도……."

"칭찬인가, 욕인가?"

"둘 다일세, 이 사람아. 하하하!"

홍 장군과 승상의 친근한 대화에 윤조는 제 두 귀를 의심했다. 홍 장군님과 승상님이 사돈지간인 것도 모자라 승상님이! 무려 승상님이 사실은 딸 바보였다!!! 어디 대나무 숲이라도 있으면 찾아가서 소리치고 싶다. 나래에게 얼른 말해 줘야 하는데! 윤조는 흥분을 주체하지 못해 들썩거리는 어깨를 간신히 진정했다.

'그런데 승상님이 홍 장군님 처남이면 누가 이 댁으로 시집을 왔다는 걸까?'

떠오르는 의문을 삼키며 윤조는 조용히 시중을 들며 두 사람의 대화에 집중했다.

"기별도 없이 웬일인가? 자네처럼 일에 치여 사는 사람이 정말 수다나 떨자고 온 건 아닐 테고."

홍 장군의 말에 최 승상이 귀찮다는 듯 혀를 찼다.

"쯧, 그러게 말이오. 귀찮은 일이 생겨 버리는 바람에."

"귀찮은 일?"

최 승상은 대답하려다 말고 곁에서 가만히 이야기를 듣고 있던 윤조를 쳐다봤다. 최 승상의 시선에 얼음이 된 윤조가 시선 둘 곳을 찾지 못하고 방황하자 홍 장군이 웃으며 그녀의 어깨를 두드렸다.

"괜찮네, 괜찮아. 혼례만 아직이지 거의 우리 가족이나 진배없는 아일세."

"흠, 어디 가서 입방정 떨 성격은 아니라고 딸아이도 그러더군. 요즘 나래가 하도 윤조라는 이름만 이야기해서 귀에 인이 박일 지경이야."

마주해 오는 최 승상의 날카로운 눈빛에 왠지 사죄해야 할 것 같은 기분이 들었다. 아무리 애써도 그의 시선을 피할 수 없던 윤조가 어색하게 고개를 숙였다.

"죄, 죄송합니다?"

"말투가 이상하구나?"

"죄송합니다!"

"으하하! 윤조야, 승상이 네게 질투를 하는가 보다. 하하하!"

윤조를 질투하는 것이 분명한 최 승상의 말에 홍 장군이 너털웃음을 터뜨렸다. 아닌 척하면서도 자기 딸 일이라면 자다가도 벌떡 일어나는 사람이니 당연한 일이겠지만.

"둘 사이가 막역해 보이긴 하더군. 하하하. 그래, 귀찮은 일이 생겼다니 무슨 일인지 말해 보게."

"사흘 전 국경 경비대 세 명이 죽은 채 발견됐네."

놀랄 만한 대답에 홍 장군의 얼굴에서도 웃음이 지워졌다.

"무슨 상황인가. 습격이라니? 서국에서 공격을 하기라도 했단 말인가?"

"섣불리 판단할 수는 없지. 하지만 분명한 건 세작細作[5]이 숨어들었다는 거야."

승상의 말에 홍 장군이 자리에서 벌떡 일어나 갑주를 걸치기 시작했다.

"수도의 성벽을 지키는 병사들에게 별다른 소식은 듣지 못했네. 만약 그 정보가 사실이라면 지금쯤 제국의 수도에 도착했을지도 모르겠군."

"그렇지."

"그들이 무슨 의도로 국경을 넘었는지는 아는 게 있나?"

"정확한 목적은 알지 못하네. 하지만 잡다한 것이라도 정보는 얻어 돌아갈 테지. 그리고 그중에는 불구가 되었던 대장군의 회복 소식도 있을 거고. 아직 저들은 대장군의 생사에 대해 모르는 눈치야."

"나투국의 승리로 전쟁이 끝난 마당에 그런 걸 중히 여기겠나?"

"서국의 황제가 살아 있다면 말이 다르지."

최 승상의 말에 홍 장군이 경악했다.

"그놈이 죽지 않았단 말인가!"

"기적적으로 살아났다더군."

"그런! 속히 수도의 경계와 검문을 강화하겠네. 알려 주어 고맙네, 승상. 미안하지만 먼저 일어나도 되겠나?"

"편할 대로."

"다음에 보지."

홍 장군이 급히 나간 자리, 최 승상은 남아 있던 윤조를 바라보다 자리에서 일어났다. 두 사람의 대화를 곱씹던 윤조는 다급한 어조로 승상을 붙잡았다.

---

5) 세작(細作): 간첩. 첩자. 비밀 수단을 써서 적의 정보를 탐지하여 자기편에 알리는 사람을 뜻한다.

"승상님, 서국의 황제가 살아 있다면 세작이 노리는 게 대장군님일 가능성도 있다는 건가요?"

자리에서 일어나던 최 승상은 의외로 노련한 질문을 받은 것에 이채를 띠며 윤조를 바라봤다.

"생각보다 어수룩한 아이는 아니구나. 그래, 어쩌면 그럴지도 모르지. 그렇게 생각한 이유가 있나?"

"지난 전쟁에서 서국의 황제가 대장군님의 목을 베고자 직접 나섰다는 이야기를 들었습니다. 그만큼 대장군님의 존재가 전쟁의 승패를 가르는 데 중요한 역할을 했기 때문이겠죠. 저는 국경에서 자라 그곳 경비가 얼마나 삼엄한지 잘 압니다. 여인들이 새참을 만들어 밭에 이고 갈 때도 바구니 안은 물론이고 그 안의 내용물까지 샅샅이 조사했을 정도니까요."

"호, 그래서?"

"경비 세 명이 죽은 채 발견되었다는 건 그들이 언제 어떻게 죽었는지도 모른다는 뜻 아닌가요? 그렇다면 적국에서 넘어온 세작은 국경의 경비 세 명을 소리 없이 죽일 수 있을 만큼 엄청난 무예를 지닌 자라는 뜻입니다."

윤조가 잠시 숨을 고르며 말을 이었다.

"전쟁 막바지에 서국의 황제가 대장군님을 해치려 했으나 실패하고 그 역시 죽음에 가까운 심각한 상처를 입었다고 들었습니다. 그 이유로 전쟁의 승패가 갈리게 됐던 것이구요. 한데 그런 서국의 황제가 살아 있다면 대장군님께 원한을 가질 이유가 충분하지 않겠습니까?"

윤조의 말에 최 승상이 고개를 끄덕였다.

"네 말이 옳다. 그들이 노리는 게 대장군의 목일지도 모르지."

승상의 대답에 윤조의 안색이 하얗게 질렸다.

"정말 그렇다면 어떡하죠?"

"걱정되느냐? 하긴 곧 부군 될 사람이니 신경이 쓰이겠지. 하나 걱정하지 마라. 홍 장군이 알았으니 수도에서 세작이 날뛸 일은 없을 거다. 그리고 대장군이라면 네 덕에 부상이 회복되었다고 들었다만?"

"완쾌한 것은 아닙니다. 아직 검을 드는 건 무리예요."

"흠, 그런가. 부상이 그 정도로 심각한 줄은 미처 몰랐군……."

겉보기엔 멀쩡해 부상의 심각함을 알지 못했다. 최 승상이 준영의 상태를 걱정하자 윤조가 힘주어 말했다.

"나을 겁니다. 반드시 완쾌하실 겁니다. 그렇게 할 겁니다."

"자신감 넘치고 당돌하구나. 나래가 말한 대로야. 그럼 부탁 하나 하마."

"부탁이요?"

최 승상이 자신에게 명령도 아니고 '부탁'이라는 단어를 사용할 줄은 꿈에도 몰랐던 윤조의 눈이 동그래졌다.

"그래, 부탁. 최대한 이른 시일 내에 대장군이 검을 들 수 있게 해 다오. 그리고 그가 아직 완쾌되지 않았다는 사실이 절대 이 집 대문 밖을 벗어나면 안 된다. 명심하거라."

최 승상을 말을 마치고 자리에서 일어났다. 윤조는 그의 뒤를 따라 배웅했다.

최 승상은 대문을 나서기 전, 힐끗 시선을 돌려 윤조를 살폈다. 직접 만나 보니 제법 머리는 돌아가는 아이나 스스로 몸을 지켜 낼

만한 방어력은 전혀 없어 보였다. 자신의 딸도 왜소하다고 생각했
는데 그보다 더 작은 아이라니. 최 승상은 장차 윤조가 홍씨 집안
의 안주인 역할을 제대로 해낼지 걱정이 들었다. 힘 있는 가문의
여식이라도 걱정할진대, 윤조의 출생이 평민이라 더욱 그랬다.

"하실 말씀이라도?"

"아니다."

"나래는 안 보고 가시나요?"

"녀석, 잘 지내는지 안부 편지 하나 없구나."

"어제 전서구 보내신 거 아니었어요?

"그랬지. 안부를 묻는 내용은 아니었다."

최 승상의 말에 윤조가 알고 있다며 고개를 끄덕였다.

"간밤에 편찮으셨다면서요? 나래가 승상님께서 아프신 것 같다
고 해서 깜짝 놀랐어요."

"아아, 그랬나."

내용을 들키지 않기 위해 둘러댄 모양이다. 그런 일을 까맣게 모
르는 윤조는 정말 최 승상이 간밤에 아팠다가 나은 줄 알고 가슴을
쓸어내렸다.

"오늘 뵈니 괜찮으신 것 같아 다행이에요. 아프지 마세요. 다른
건 몰라도 건강이 최고거든요."

"그래, 그러마."

윤조의 어머니가 병석에 누워 있다는 사실을 알고 있던 최 승상
은 그녀의 당부에 크게 개의치 않고 고개를 끄덕였다. 그 모습에
최 승상을 기다리고 있던 그의 보좌관들이 놀란 눈을 했지만 윤조
는 알 수 없었다.

"나래는 다음에 와서 만나 보마. 지금은 황궁에 들어가 봐야겠다."

"네, 오셨다고 전할게요. 살펴 가세요!"

처음에는 무서워 눈도 못 마주치더니 그새 적응이 됐는지 손까지 흔드는 윤조를 보며 최 승상이 피식, 웃음을 지었다. 마치 친아버지라도 배웅하는 것 같은 친화력이라니. 자신의 주변에서는 잘 볼 수 없는 특징이었다.

"어쩌면 그런 점이 저 아이의 무기가 될지도……."

최 승상을 배웅한 후 긴장이 다 풀린 윤조는 후들거리는 다리를 이끌며 벽을 짚었다.

"무서워!"

뒤늦게 소리쳐 보지만 정말 무서웠다. 무서워. 그 위압적인 눈빛도 그렇고 차가운 목소리도 그렇고, 동작 하나하나 관찰당하고 감시당하는 기분이라 정말 무서워 죽는 줄 알았다.

"기절하지 않고 버틴 게 용하다. 장하다, 나. 장해."

"왜 네 머리를 네가 쓰다듬고 있어?"

"나래야!"

나래에게 뛰어가 와락 안긴 윤조가 투정 부리듯이 그녀의 품에 파고들었다.

"흐어엉, 너희 아버지 너무 무서워. 완전 무서워. 내가 봤던 사람 중에 제일 무서워!"

"너 인마, 그거 엄청난 실례다."

"정말 무서웠다구."

"그래그래, 나도 무서운데 너는 오죽하겠냐. 아버지 언제 다녀가셨어?"

"조금 전에. 황궁에 일이 있다고 급히 가셨어. 다음에 너 보러 다시 오신대."

"그래? 너한테 그런 얘기도 했어? 우리 아버지가?"

의외라는 나래의 반응에 윤조가 고개를 끄덕였다.

"응. 네가 안부 편지도 안 한다고 투덜대셨어. 아 잠깐, 승상님께 투덜이라는 표현이 어울리나? 그럼 짜증? 이건 아니고, 중얼거리셨다? 아냐, 이건 더 아닌데— 아무튼! 그러셨어."

"위험인물이 아니라고 판단하셨나 보네."

"응?"

"우리 아버지 그런 말 자식 앞에서도 잘 안 하시거든. 아마 윤조 네가 편했나 보다."

"그야 나는 나래 친구니까?"

"그래, 드물게 생긴 내 친구…… 크흠, 어쨌든. 또 다른 얘긴 안 했어?"

"했지. 엄청 심각한 이야기를 들어 버렸거든."

"심각한 이야기?"

"잠깐 귀 좀."

주변을 살핀 윤조가 나래의 귀에 속삭였다.

"사흘 전에 국경의 경비대 세 명이 죽은 채 발견됐대. 제국에 세작이 숨어든 모양이야."

"그런!"

"그리고 서국의 황제가 살아 있다고 했어."

그래서 간밤에 아버님께서 그런 긴급한 서신을 보냈었나. 사흘 전이라면 이미 세작은 수도 안에 들어와 있을지도 모른다. 숫자가 몇 명일지도 모르는 일. 근처를 오가는 상인들을 조심해야겠군. 나래가 생각을 마치고 윤조를 향했다.

"홍 장군님께서도 아시지?"

"응. 수도 경비랑 검문을 강화하신다고 나가셨어."

"그래. 아직 수도 안에 들어오지 못했다면 괜찮겠지만……."

"사흘이면 이미 수도 안에 들어왔을지도 모르니 상인들을 조심해야겠네."

나래는 자기 생각을 그대로 읽어 낸 듯이 이야기하는 윤조를 보며 놀란 눈을 했다.

"너 방금 뭐라고 했어?"

"상인들을 조심해야겠다고."

"그걸 네가 어떻게 알아?"

"잉?"

윤조는 나래에게서 처음으로 바보 같은 질문을 들었다는 듯이 대답했다.

"당연한 거 아니야? 세작이 나 세작이요, 하고 국경을 넘진 않았을 거고. 이미 국경을 넘은 시점에서 변복하기 쉬운 건 상인이지. 농민은 금방 티가 나니까. 국경 근처 살 때 별의별 사람을 다 봤는데 대부분 사기꾼이나 범죄자들이 상인으로 위장해서 사고를 치더라고. 식료품은 신선도 때문에 유지가 어려워 피했을 테니 아마 비단이나 향료같이 값비싼 물건을 취급하는 상인인 척할 확률이 높을 거야. 그편이 경비들을 피하기도 쉽거든. 아마 귀족들한테도 접근하기 쉬울 거 같은데?"

"너 그, 아니, 맞는 말이긴 한데……."

막힘없는 윤조의 대답에 나래는 할 말을 잃었다. 멍한 표정으로 한참 동안 그녀를 바라보던 나래는 순간 배신당했다는 표정이 되었다.

"너 지금까지 내 앞에서 일부러 바보인 척한 거지!!!"

"무슨 소리야! 나 바보 아니거든!!!"

확신이 가득한 나래의 호통에 윤조가 아니라며 소리쳤다. 나래는 믿기지 않는다는 듯 윤조의 주위를 빙빙 돌며 그녀를 관찰했다. 마치 진짜 윤조가 맞는지, 혹 가짜가 아닌지 확인하겠다는 불신의 눈초리였다.

"너무해! 나래 너 지금까지 나를 바보라고 생각했던 거야?"

윤조의 투정에 나래가 즉답했다.

"바보까진 아니더라도 멍청한 짓 많이 하긴 했잖아."

"그, 그건 경험의 차이지! 살면서 남의 집에, 그것도 귀족 저택에 몰래 숨어들 일이 어디 있으며 무녀 후보생 생활을 미리 경험해 본 것도 아닌데 어떻게 알아? 당연히 서툴지. 더군다나 나는 귀족은 찾아볼 수도 없는 변방 국경에서 살다 온 평민이라고. 거기 생활은 야생 그 자체야. 이곳 수도처럼 고상하지 않다고."

"흐응."

"너도 가서 딱 한 달만 경험하면 내가 무슨 말 하는지 알걸?"

"딱히 경험하고 싶진 않지만, 알겠어. 무슨 뜻인지는."

"사실, 같은 평민이라고 하지만 수도 출신 아이들이 얼마나 고상한지 넌 모르지? 괄괄한 애들도 몇 없고, 싸워도 말싸움으로 끝이잖아? 얼마나 고상해!"

"그게 고상한 거야?"

"너 까치랑 싸워 봤어?"

"에? 까치? 까치가 왜 거기서 나와?"

윤조가 뭘 모른다며 손가락을 흔들었다.

"국경은 나뭇가지에 걸린 까치밥(홍시) 때문에 사람이랑 까치랑 싸우는 곳이야. 말 다했지 뭐."

나래는 조금 전과는 다른 의미로 말을 잇지 못했다. 윤조는 충격적인 이야기에 굳어 버린 나래의 어깨를 가볍게 두드렸다. 괜찮아. 언니도 거기서 살 때는 환장하는 줄 알았어. 이해해. 대한민국에서도 그런 경험은 못했었거든. 윤조는 한숨을 쉬며 어깨를 으쓱했다.

"아무튼, 그런 일이 일어났다니 대장군님께도 알리고 조심하는 게 좋겠지?"

"크흠, 그, 그러는 게 좋겠지."

"그런데 만약 상인이 아니라면?"

윤조가 걱정스럽게 읊조렸다.

"만약 세작들이 상인으로 변복한 게 아니라면? 그러면 어떡하지, 나래야?"

"글쎄, 아직 떠오르는 건 없는데 다른 것도 고려해야겠지. 그래도 다행인 건 서국 사람이라면 나투국 사람과 쉽게 구별이 된다는 거야."

"머리색이 적색이었지?"

"맞아. 눈동자 색은 나투국 사람과 비슷한데 머리색이 다르다고 들었어."

❦

"평화롭구만."

와삭, 사과를 베어 문 사내가 주변을 돌아봤다. 문 비서랑의 저택에서 나와 승려 복장으로 장터를 거닐던 사내는 연이나 팽이 따위를 들고 나와 뛰노는 아이들과 와자지껄 사람들로 붐비는 시장을 보고 작게 감탄했다. 큰 강을 낀 녹지라 듣긴 했지만, 척박한 자갈밭과 깎아지른 듯한 계곡을 낀 서국과 달라도 이렇게 다를 줄이야.

길을 걷던 그는 마주 오는 나투국의 경비대를 발견하고 승립을 깊게 눌러썼다.

'분위기가 이상한데.'

인파 틈에 섞여 경비대를 지나친 사내가 뒤돌아 그들을 확인했다.

"쳇, 들킨 건가? 예상보다 빠르군."

그는 거리를 돌아다니는 병사들을 피해 시장 뒷골목 으슥한 곳에 다다라 멈춰 섰다.

"나와라."

"파이옌 님을 뵙습니다."

파이옌이라 불린 사내의 한마디에 그림자 속에 숨어 있던 병사들이 모습을 드러냈다. 정찰과 염탐, 암살에 특화되어 세작으로 훈련된 그들은 전신을 휘감은 까마귀 같은 검은 복장 때문에 '까마귀'라고 불렀다.

까마귀들을 불러낸 파이옌은 쓰고 있던 승립을 목에 걸치며 얼굴을 드러냈다. 서국의 상징인 노을빛 적색의 머리카락 아래 드러난 그의 모습은 얼핏 보아도 이십 대 초반으로밖에 보이지 않는 젊은 청년의 모습이었다.

까마귀들이 자신들을 하나하나 돌아보는 그의 시선에 움찔, 몸을 떨었다. 그도 그럴 것이 파이옌은 서국에서도 막강한 전투력을 자랑하는 최정예 특수부대 '괴혈단怪血團'의 좌장군이었다. 전투뿐 아니라 훈련에서도 손속이 자비 없기로 소문난 그였기에 긴장감은 더했다. 그는 자신의 앞에 부복한 까마귀들을 돌아보며 말했다.

"아무래도 국경에서 처리한 병사들의 시체가 발견된 모양이다. 잘 좀 하자, 좀?"

"죄송합니다. 지금은 사용하지 않는 폐창고에 버려두었는데 이렇게 빨리 발견될 줄은……."

"변명은 됐고, 경비병들의 순찰 시간도 바뀐 것 같으니 들키기 전에 이곳을 뜬다."

"파이옌 님께서도 저희와 함께 움직이십니까?"

"아니, 나는 따로. 알아들었으면 흩어져."

"존명."

까마귀들이 흩어진 자리, 파이옌이 먹던 사과를 마저 베어 물며 읊조렸다.

"간만의 나들이인데 좀 더 즐기다 가야지."

그는 휘파람을 흥얼거리며 가벼운 발걸음으로 다시 시장 중심으로 향했다. 서국에서는 쉽게 구할 수 없는 과일들과 향신료 몇 개를 구매한 그가 다음으로 들른 곳은 여인들의 가체나 머리 장식 등을 구할 수 있는 가게였다.

"주인장 계신가?"

"예, 손님. 무엇을 드릴까요?"

"염모제染毛劑[6]를 찾고 있는데 이곳에서 팔고 있나?"

---

6) 염모제(染毛劑): 염색약.

"예, 그럼요. 누가 쓰실 건가요?"

"내가 쓸 걸세. 가장 잘나가는 걸로 한 병 주게."

"손님께서요? 네, 알겠습니다."

계산을 마친 파이옌은 물병만 한 크기의 병 안에 든 검은색 염모제를 보고 고개를 갸웃했다.

"그냥 머리에 적시면 되나?"

"처음 사용해 보세요?"

"그렇다네."

"손이든 붓이든 원하는 곳에 바르면 됩니다. 바르고 한 식경 정도가 지났을 때 물에 헹구면 됩니다. 손으로 바르실 때는 바른 직후 반드시 손을 씻어 내야 합니다. 안 그러면 손이 새까맣게 되거든요."

"그렇군. 알려 줘서 고맙네."

뒤돌아 가 버리는 파이옌을 보던 가게 주인이 가판대에 앉은 먼지를 털며 아무래도 이상하다는 듯이 중얼거렸다.

"스님이 머리털도 없을 텐데 어디를 염색하려는 거지? 거참, 특이한 스님 다 보네."

그로부터 얼마나 지났을까. 수도의 경비와 성문 앞 검문을 강화한 홍 장군이 병사들과 함께 시장 앞을 지나던 때였다. 그는 자신의 앞으로 걸어오는 승립을 깊이 눌러쓴 사내를 발견하고 걸음을 멈췄다.

"거기, 잠시 멈춰 보게."

홍 장군의 말에도 승립을 쓴 사내는 듣지 못했는지 그를 지나치려 했다. 이를 이상하게 여긴 홍 장군의 부하들이 그의 어깨를 잡아 세웠다.

"멈추라는 말이 들리지 않느냐!"

병사들의 위협에 멈춰 선 사내가 어리둥절하게 되물었다.

"예? 저 말입니까?"

"그래, 너 말이다. 어디에서 왔지? 머리에 쓴 승립을 벗어라."

"저는 그저 시주를 받으러 떠돌아다니는 승려라……."

"긴말 필요 없다. 머리에 쓴 것을 벗고 얼굴을 보여라!"

"어이쿠!"

병사들이 거칠게 사내가 쓰고 있던 승립을 벗겼다. 어찌나 힘이 센지 사내의 몸이 휘청거릴 정도였다. 그 모습을 유심히 살피던 홍 장군은 승립 아래 드러낸 사내의 모습을 확인했다.

"스님은 아닌 것 같은데 왜 승려복을 입고 돌아다니지?"

"아, 제가 불가에 몸담은 지 얼마 안 됐습니다. 이번 전쟁이 끝난 직후 결정한 일이라 아직 머리도 못 밀었네요."

"흠, 그런가."

"좀…… 신물이 나서요. 전쟁터도, 세상살이도. 그래서 그냥 속세를 떠났습니다. 그래도 먹고살자니 시주는 받아야지요."

"그래, 그럴 만도 하지. 무척이나 고된 전쟁이었으니……. 됐다, 그만 보내 주어라."

홍 장군의 명령에 병사들이 사내에게서 빼앗았던 승립을 돌려주었다. 사내는 돌려받은 승립을 탁탁 털며 자신을 지나친 그들을 돌아봤다.

"휘유, 염색 안 했으면 정말 큰일 날 뻔했네."

사내, 파이옌의 머리카락은 어느새 짙은 흑색으로 바뀌어 있었다. 그는 염색된 자신의 머리카락을 매만지다 손에 든 승립을 보며 고민했다.

"흠, 눈에 띄어 버렸으니 복장을 바꿔야 하나? 하필 홍영철 장군이랑 딱 마주칠 줄이야. 내 얼굴을 몰라서 다행이지……."

잠시 고민하던 그는 미련 없이 개천이 흐르는 다리 밑으로 승립을 던져 버렸다.

"그럼 나들이를 조금 더 즐겨 볼까?"

검을 들지 말라는 윤조의 말에도 준영은 검을 놓을 수 없었다. 그는 조금 전 있었던 홍 장군과의 말다툼과 자신이 윤조에게 했던 행동을 떠올리고는 한숨을 내쉬었다. 군사 업무적인 것 외에 가족적인 대화가 단절된 지 어언 10년. 최근 윤조의 방문으로 아버지와 다시 얼굴을 마주하게 되었으나 여전히 껄끄러운 앙금은 남아 있었다.

준영은 아버지인 홍 장군이나 또 그를 닮은 자신의 화법이 직설적이며 공격적으로 상대를 몰아붙일 때가 많다는 것을 알고 있었다. 어려서부터 좀처럼 속내를 터놓지 않는 아버지와 이미 10년 이란 세월 동안 멀어져 버린 마음을 하루아침에 되돌리는 건 불가능하겠지만, 그래도 이런 식으로 싸움만 해서는 안 된다고 생각하며 후회하는 준영이었다.

"너무 먼 시간을 마주하지 않았지. 아버지와의 문제로 인한 화를 윤조 그 아이에게 드러냈던 것도 분명 잘못이다……."

그는 윤조를 향해 너는 상관없는 사람이다, 차갑게 쏘아붙였던 자신의 행동을 책망했다. 폐하께서 불구가 된 자신의 처지를 안타깝게 여겨 곁을 지켜 줄 여인을 만들어 주기 위해 억지스럽게 진행했던 시험 과제에 멋모르고 걸려들었던 순진한 아이다.

그는 윤조가 사내와 여인이 단장판을 주고받는 행위가 무엇을 뜻하는 것인지 아무것도 몰랐다는 사실을 나중에야 깨달았다. 거칠게 검을 휘두르던 그는 어깨를 타고 오르는 뻐근한 통증에 이를 깨물었다.

"바보 같군."

윤조가 홍씨 가문에 와 자신을 만나기 위해 찾아왔던 사흘의 시간, 준영은 처소에 숨은 채 그녀를 모른 척했던 시간 동안 윤조가 생각하던 고민을 알아 버렸다. 준영은 한숨과 함께 그때를 떠올렸다.

맨 처음, 윤조의 방문으로 당황했던 그가 처소에 숨죽이며 숨어 있었을 때 윤조는 곧 처소로 돌아올지도 모를 자신을 기다리며 그의 방문 앞에서 한참을 서성였다. 문가에 서 있는 그녀의 그림자를 바라보며 어찌할 바를 모르던 준영은 기민한 청각으로 그녀가 한숨과 함께 푸념하는 작은 목소리를 들었다.

—휴, 방에 안 계신 게 차라리 다행인지도 몰라. 단장판이 그런 의미인 줄 알았다면 억지로 달라고 하지 않았을 텐데…….

순간 준영은 깨달았다. 그녀는 몰랐던 것이다. 그는 당돌하게 홍씨 가문의 저택에 숨어들어 자신에게 단장판을 내어 달라 요구하던 윤조의 얼굴을 떠올렸다. 그녀는 정말 아무것도 몰랐던 것이다.

아무것도. 동시에 그는 순진한 그녀의 입술을 훔쳤던 자신의 행동을 떠올리고 이마를 짚었다. 혼자만의 착각이었나. 부끄러운 마음과 자책하는 한심한 마음이 동시에 들었다.

선물로 배달된 꽃이 가득 담긴 상자 안에서 반짝 눈을 떠 자신을 바라보던 윤조의 모습이 생생했다. 꽃이란 무가치한 것이라 여겨왔던 그다. 일말의 나약한 감정도 전쟁에서는 허락되지 않았다. 감상적인 태도는 오히려 수만의 목숨을 책임진 그에게는 방해만 될 뿐이었다.

하나 육신이 다치고 마음마저 약해졌던 것일까? 아주 조금 아름답다고 생각했다. 어여쁘다고 생각했다. 눈앞에 나타났던 꽃과 여인이. 그 기이하고도 처음 보는 어여뻤던 광경에 가슴이 뛰지 않았다면 거짓이다.

불현듯 왠지 모를 불안이 그를 덮쳤다. 단장판을 주고받는 의미를 몰랐던 윤조가 자신을 찾아온다면 분명 그녀가 자신을 거절할 것이라는 생각이 들었다. 그는 거절당하고 싶지 않았다. 이런 식으로 자신의 목숨을 살리고 기이한 인연을 맺었던 작은 여인을 잃고 싶지 않았다.

처음이었다. 가문의 득세에 휘둘려 정략적인 혼약으로 이루어진 것이 아닌 그저 우연한 만남으로 인한 남녀의 인연을 믿지도, 그런 일이 자신에게 일어나리라 생각조차 하지 않고 살았던 그의 일상에 윤조는 작은 파문이었다. 바람 한 점 없이 잔잔하던 호수에 던져진 작은 돌멩이였다.

처음 느끼는 이 연약한 감정을 대체 무엇이라고 정의하면 좋을지도 그는 몰랐다. 그저 거절당하고 싶지 않았다. 그것이 그 당시에 준영이 내릴 수 있는 판단의 전부였다. 혼인이라는 이야기가 오가며 시간이 흐른 지금에도 단장판을 돌려 달라 이야기하지 못하는 것도 그런 이유였다. 아무것도 모르는 윤조를 끌려다니게 하고 싶지 않았다. 적어도 혼인으로 맺어질 사이라면 자신과 윤조의 마음이 같아서여야 했다.

"후……."

검을 내린 그는 찌르르하게 울리는 손을 한심하게 바라봤다. 잘게 떨리는 모양을 보고 있자니 속이 답답해 미칠 것만 같았다. 모든 것이 엉망이다. 검을 조금 더 휘두르면 괜찮아질까?

하지만 그 결심은 오래가지 못했다. 다시 검을 움켜쥐던 손에서 힘을 푼 까닭은 절대 무리하지 말라던 윤조의 당부를 떠올렸기 때문이다. 손도 작은 녀석이 어찌나 맵게 때리던지. 핑계 같은 이유였지만, 약속은 약속이니까.

그는 하는 수 없이 검을 내리고 가죽 천으로 검의 날과 손잡이 부분을 닦기로 했다. 무기를 관리하는 전문 관리사가 있긴 했지만 준영은 자신의 검이 남의 손을 타는 것을 극도로 싫어했다.

날카로운 검신에는 음각으로 글씨가 새겨져 있었다. 죽은 형제들의 이름 글자를 한 글자씩 새긴 것이었다. 준영에게 있어 형제들의 죽음은 떼어 놓을 수 없는 심장과 같았다. 전쟁에서도 그는 늘 형제들과 함께였다. 나약함이란 그에게 사치였다. 그래서 심각한 부상으로 불구가 되었을 때도 어떻게든 살아야 한다고 생각했다. 검을 놓아선 안 된다고 여겼다. 형제들을 위해 검을 든 이후로는 단한 번도 그는 죽음을 생각할 수 없었다. 살아가야 했다. 이 목숨은 온전히 자신의 것만이 아니므로.

"대장군님!"

멀지 않은 곳에서 윤조의 목소리가 들려왔다. 준영이 놀라 고개를 들었다. 소리가 들려온 곳을 바라보자 너풀거리는 치마를 잡고 종종거리며 달려오는 작은 아이가 보였다. 훈련장에 내리쬐는 강렬한 한낮의 햇볕에 윤조의 머리카락이 반짝거렸다. 이렇게 보니 태양을 닮았다. 하늘에 뜬 커다란 태양과 땅에 뜬 작은 태양. 방울새처럼 작은 아이가 태양처럼 눈부셨다.

그 작은 존재감이 주는 현실감이 비현실적이다. 참으로 이상했다. 쇠와 쇠가 부딪치고 피와 비명이 난무하던 자신의 일상 가운데 어디에선가 날아든 작은 새같이 평화롭고 연약한 존재는.

"대장군님! 듣고 계세요?"

준영은 어느새 자신의 바로 앞에 도착해 숨을 고르고 있는 윤조를 발견했다. 참 이상한 아이라고 생각하면서.

"무슨 일이기에 그리 호들갑이냐?"

준영이 아무렇지 않은 척 평소 같은 무감한 어조로 묻자, 윤조는 어이가 없다는 표정으로 입을 벌리더니 종알거렸다.

"이잉! 역시 하나도 안 듣고 계셨죠!"

자신을 차갑게 대했던 이에게 서운한 마음이 조금도 없는 것인지 평소와 같은 모습으로 눈을 마주해오는 그녀가 어쩌면 자신보다 더 어른스럽고 용기 있는 사람이라고 준영은 생각했다.

"무슨 일인데 그러느냐?"

"홍 장군님께서 수도 경비랑 검문 강화하러 나가셨어요! 대장군님도 알고 계셔야 할 것 같아서요."

갑자기 수도의 경계를 강화하다니? 직감적으로 무슨 일이 생긴 것을 알아챈 준영의 표정이 굳어졌다.

"자세히 말해 보거라."

"사흘 전에 국경 수비대 세 명이 죽은 채로 발견되었다고 해요. 승상님께서는 세작이 들어온 것 같다고 하셨어요."

"서국의 까마귀들인가."

하지만 그들의 방식이라기엔 좀 거칠다. 위장을 하고 비밀리에 움직이는 것을 최우선으로 하는 그들이 굳이 전면의 국경 수비대를 공격하고 넘어왔을 리가 없다. 그렇다면 설마…….

"사흘 전이라고 했나?"

"네, 분명 그렇게 말씀하셨어요."

준영은 검을 챙기고 급히 저택으로 발을 돌렸다. 윤조는 그의 뒤를 쫓으며 자신이 들었던 이야기를 전했다. 준영이 심각한 표정으로 읊조렸다.

"까마귀들이 대체 무엇을 노리고 온 거지?"

"까마귀들이요?"

"서국의 세작들을 그렇게 부른다. 까마귀처럼 온몸에 검은 옷을 두르고 그림자를 넘어 다니며 은밀하게 움직이지. 한데 전쟁도 끝난 마당에 그들이 대체 무엇을 노리고 국경을 넘었을까."

준영의 말에 윤조가 급히 그의 팔을 붙잡았다.

"대장군님이요."

윤조가 다시금 다급한 목소리로 말했다.

"어쩌면 그들이 노리는 게 대장군님일지도 몰라요."

"나를 노린다라. 그래, 그럴 수도 있겠군. 그 과격한 성정에 내 목이라도 가져가야 화가 풀리겠지."

무서운 말을 아무렇지도 않게 하는 준영의 모습에 윤조의 등골이 오싹해졌다.

"서국의 황제가 살아 있다고 했어요. 만약 그가 세작들을 시켜 대장군님을 노리는 거면 어떡하죠?"

"가 봐야겠다. 이참에 슬슬 복귀 준비를 해야겠군."

"그건 안 됩니다."

윤조가 단호하게 그의 앞을 막아섰다.

"승상께서 대장군의 상태가 아직 완전하지 못한 것을 아십니다. 그리고 그 사실이 절대 이 대문 밖을 벗어나선 안 된다고 하셨어요. 몸도 성치 않은 상태에서 복귀라니 안 될 말입니다."

"언제까지 비밀로 할 수는 없는 노릇이다."

"당분간은 참아야 합니다. 대장군님의 담당 치료사 무녀로서도 절대 용납할 수 없습니다."

절대로 뜻을 꺾지 않겠다는 완고한 눈빛이었다. 준영은 윤조와 눈싸움을 하다 말고 한숨을 쉬었다.

"알겠다. 내 치료사 무녀의 말을 따르도록 하지. 하지만 대장군이 되어서 완전히 나 몰라라 할 수는 없다."

"감사합니다! 그래도 절대 안정이 최우선이니 검을 드는 일은 안 돼요!"

"그렇겠지. 최전선에서 싸우던 때가 엊그저께인데 어쩌다 골방 늙은이 신세가 됐는지, 원."

"골방 늙은이도 늙은이 나름이죠. 아프면 답도 없다구요. 이번 일은 홍 장군님께 맡기세요."

"그래그래, 나도 안다, 알아. 그러니 어서 치료를 서두르자꾸나."

"좋아요. 오늘부터 스파르타로 가죠."

"스파르타?"

"빡세게, 아니 고상한 표현으로 강하게!"

"상남자같이?"

"헐, 그새 외운 거 응용하시는 거예요?"

"뭐, 별거라고……."

준영은 놀라 동그랗게 뜬 눈으로 자신을 바라보는 윤조의 시선을 살짝 피하며 말끝을 흐렸다. 그런 그의 반응에 윤조가 씩 이를 보이며 미소 지었다.

"역시 대장군님. 응용력이 대단하세요."

준영은 마치 아이를 달래는 어머니처럼 칭찬하는 그녀의 말에 피식, 웃음을 참았다.

윤조는 준영을 칭찬하면서도 한편으로는 머릿속이 복잡했다. 이러다가 포스라거나 노하우라거나, 내가 지금까지 했던 다른 세상의 언어들을 다 사용하는 건 아니겠지? 왠지 불안한 예감이 들었다.

"그래, 뭐부터 시작하면 되겠나?"

준영의 물음에 윤조가 천천히 해야 할 일을 떠올리며 손가락을 꼽았다.

"흠, 우선 간단한 운동부터 시작해야죠. 제가 알려 주는 대로 하고 계시면 나가서 시장 봐 올게요."

"시장은 왜?"

"대장군님께 딱 맞는 맞춤 식단을 짜야 하거든요. 어제 나래 편으로 약재 관련 책이랑 식료품 성질이 나와 있는 책도 구했으니 살펴보고 사려구요."

"시종을 붙여 주마."

"오, 아니요!!! 저 혼자서도 잘할 수 있어요!"

태생이 귀족이면 모를까, 사람 부리는 건 어색하다. 부려지는 거면 또 몰라. 불편해서 괜찮다고 도리질 치자 준영의 눈빛이 불만스럽게 변했다.

"사야 할 게 꽤 많을 것 같은데. 그 얇은 팔로 짐을 다 들 수나 있느냐?"

"저 힘 꽤 세다고 말했던 것 같은데……."

"퍽이나. 그럼 같이 가자. 나도 나가서 상황은 살피고 와야 할 것 같으니. 검만 쓰지 않으면 괜찮은 것 아니냐?"

"뭐, 그건 그렇죠."

"결정됐으니 앞장서거라."

"큼, 뭔가 말려든 기분인데……."

"종알거리지 말고 얼른 앞장서거라."

"네, 갑니다, 가요!"

밖으로 향하던 중 윤조가 급히 생각난 것이 있는지 손뼉을 쳤다.

"아! 잠시만요! 나가는 김에 그것도 가져가야겠다!"

준영은 다람쥐처럼 재빠르게 자신의 처소로 달려가는 윤조를 잡으려다 말고 입을 다물었다. 집 안에서 저리 뛰어다니면 언젠가 유모한테 혼날 텐데—.

걱정이 들긴 했으나 잠시였다. 그의 눈에는 윤조가 활기차게 집 안을 돌아다니는 모습이 보기 좋았기 때문이다. 윤조를 바라보는 준영의 입가에 흐뭇한 미소가 걸렸다.

"헤헤헤. 지금해야지, 지금."

시장의 입구로 접어든 윤조가 콧노래를 부르며 뒤처진 준영을 돌아봤다.

"어서 오세요! 어서! 이것도 체력 단련에 포함이라구요!"

"하?"

준영이 어처구니가 없다는 듯이 입을 벌렸지만 윤조는 개의치 않고 콧노래를 불렀다.

"대체 그건 뭐에 쓰려고?"

준영이 윤조가 품에 신줏단지 모시듯 안고 있는 가체를 가리켰다.

"팔려구요!"

"색을 보아 하니 네 머리색과는 다른데, 네 것이 맞느냐?"

"아니요. 나래 거예요."

"그런데 판다고?"

"네."

당당한 그녀의 대답에 준영의 표정이 이상하게 변했다. 윤조는 걱정하지 말라며 손가락을 좌우로 흔들었다.

"훔친 것도 아니고, 몰래 가져온 것도 아니니 걱정하지 마시라! 나래가 성인식 끝나고 줬어요. 이거 가격이 금화 세 냥은 된대요! 엄청나죠!"

"승상이 이 사실을 알면 뒤집어지겠군."

"네? 승상님이 왜요?"

"보통 성인식 가체는 아버지가 선물한다."

"헉."

전혀 몰랐다. 크게 숨을 들이켠 윤조가 품에 안고 있는 가체와 준영을 번갈아 보며 경악했다.

"스, 승상님 엄청 딸 바보 같으시던데⋯⋯."

"그렇지. 나래 일이라면 어릴 때부터 그랬다."

딸 바보라는 뜻은 단번에 알아들었는지 준영이 긍정했다. 그나저나 대장군님 입에서 나래 이름이 자연스럽게 나오니 굉장히 이상하다. 준영은 이상한 시선으로 자신을 빤히 바라보는 윤조를 마주했다.

"왜 그리 보지?"

"대장군님 입에서 나래 이름이 친근하게 나오니 이상해서요."

"아아, 너는 몰랐겠구나."

"모르기도 했고, 엄청 놀라기도 했죠. 나래랑 대장군님이 무려 사돈집안일 줄이야! 그래서 나래가 황궁이 아니라 홍 장군님 댁에 온다고 해도 별말이 없었구나 했어요."

"나도 그리 막역하게 지낸 사이는 아니라서. 승상이 어렸을 때 바지폭에 싸고도는 바람에 지금껏 몇 번 만나지도 못했다."

"푸흡."

치마폭도 아니고 바지폭이라니. 그런 말은 두 생을 사는 동안 처음 듣는다. 나래는 승상님이 자기 아끼는 거 전혀 모르던데. 어쩜 그렇게 철저하게 감추셨을까? 아니면 나래만 모르는 걸 수도 있겠다.

"아무튼, 그런 아버지가 다른 사람도 아니고 승상이다. 딸애 선물이 네 용돈이 된 걸 알면 난리 날 텐데?"

사실 최 승상이라면 이미 자기의 손을 떠난 물건, 나래가 어떻게 처분하건 신경 쓰지 않겠지만. 그에게 중요한 건 나래에게 선물한 가체가 아니라, 그 가체를 쓰고 나래가 성인식을 무사히 올렸다는 데에 더 의의를 둘 위인이니까.

겁을 주는 준영의 말에 윤조는 깊은 고민에 빠졌다. 팔아? 말아? 팔아? 말아? 나래가 준 건데, 팔아도 된다고 했는데 이런 복병이 숨어 있을 줄이야. 더군다나 그 복병이 다른 사람도 아닌 최 승상님이라니! 얼굴이 새빨개질 정도로 고민하던 그녀는 에라 모르겠다, 숨을 내뱉었다.

"나래가 제게 줬으니까! 지금은 제 거예요!"

"결국, 팔겠다는 말이군."

"승상님만 모르게 하면 되지 않을까요? 대장군님만 모른 척해 주시면 아무도 모를 것 같은데! 헤헤, 네? 네?"

귀엽게 눈을 크게 뜨고 애교를 부리는 윤조의 행동에 준영이 못 말린다며 웃어 버렸다.

"그래, 모른 척해 주마. 대신 걸려도 난 모른다."

"아무렴요! 모든 건 다 이 윤조가 책임집니다! 하하하!"

작게 웃는 준영의 모습에 윤조도 기분이 좋아 홍 장군의 웃음소리를 흉내 내며 호탕하게 웃었다. 사실 준영은 몰랐지만, 윤조는 이미 최 승상에게 허락을 받은 뒤였다.

'앞으로 두 분이 좀 더 친해지셨으면 좋겠다.'

윤조는 서로 솔직하지 못한 홍씨 부자의 관계를 떠올리며 작게 미소 지었다. 두 번의 생을 통틀어 가족을 소중히 여기는 그녀로서는 진심 어린 바람이었다. 두 분이 서로에게 상처되는 말이 아닌 서로의 아픔을 감싸 주는 좋은 아버지와 아들이 될 수 있기를. 그리고 아직은 어떻게 될지 잘 모르겠지만…….

그녀는 웃고 있는 준영을 몰래 바라보며 꼼질꼼질 맞잡은 손가락을 움직였다. 가능하다면 그 안에 자신도 함께였으면 좋겠다고 조심스럽게 빌어 보는 그녀였다.

"이걸 팔러 왔다고?"

"네! 가격은 금화 세 냥 맞죠!"

가게에 도착하자마자 들고 있던 가체를 주인장에게 내미는 그녀의 모습에 준영은 다시금 터지는 웃음을 참았다. 태어나 이렇게 웃어 본 적이 있던가? 아무리 생각해도 이 작은 여인은 자신을 배 아프게 만들어 죽게 할 암살자인지도 몰랐다. 보고만 있어도 이렇게 재미있는데 같이 살면 어떨까. 문득 떠오르는 생각에 준영이 쓸데없다며 급히 머리를 털었다.

"우와! 이거 봐요! 금화예요! 금화! 주인아저씨가 좋은 가체라고 네 냥이나 주셨어요!"

가체를 돈으로 바꾼 윤조가 손안의 금화를 준영의 눈앞에 내밀었다. 그가 보기엔 별다르게 신기할 것 없는 동전인데 윤조의 눈에는 무척 신기한 모양이었다.

"세상에 내가 금화를 갖다니! 금화 세 냥이면 우물 딸린 초가집도 살 수 있다면서요?"

"설마, 금화를 처음 보나?"

"네! 제 첫 금화예요! 쓰기 아까우니 하나는 행운의 동전으로 남겨 놔야지."

"그러지 말고 쓰고 싶은 데 쓰거라."

"세 냥은 집으로 보내고 하나만 갖고 있을래요. 지금 당장 필요한 것도 없고. 저보다는 어머니랑 동생들이 필요하니까요. 이거 과자 보내실 때 같이 전해 주실 수 있으세요?"

금화 세 개를 건네는 윤조의 작은 손을 물끄러미 바라보던 준영이 알겠다며 금화를 받았다.

"헤헤, 잘됐다. 이거면 깨끗한 새집으로 이사할 수 있을 거예요."

아이처럼 순박하게 웃는 여인의 모습에서 고된 생활을 했던 흔적이 스쳤다. 흙으로 국수를 만들어 먹었다고 했을 때부터 알긴 했지만, 그때는 미처 와 닿지 않던 그녀의 가난이 지금은 자신의 것처럼 가슴에 닿아 스며들었다.

준영은 자신보다 한참은 더 작고 연약한 그녀가 국경의 고된 생활 속에서 얼마나 힘들어했을지, 얼마나 힘겨운 나날을 이어 왔을지 가늠해 봤다. 자신의 삶은 전쟁터를 벗어나면 풍족하고 기름진 부유함이 기다리고 있었으나, 그녀는 아니었다. 아마도 그녀는 살아온 모든 삶이 언제나 전쟁터 같지 않았을까?

"왜 그리 보세요? 제 얼굴에 뭐 묻었나요?"

지긋이 바라보는 준영의 시선을 한참이나 마주한 윤조의 얼굴이 발갛게 상기되어 있었다. 준영은 뭐가 묻었나 싶어 뺨을 문지르는 그녀의 손을 잡아 자신의 커다란 손으로 감쌌다. 감싸 쥔 작은 손은 예상대로 곳곳에 거친 굳은살이 박여 있었다.

"어머니와 동생들을 수도로 모시는 게 어떻겠느냐?"

생각지도 못한 준영의 말에 윤조가 눈을 깜빡였다.

"제 어머니랑 동생들을요?"

"그래, 이제 혼인에 대해서도 의논해야 하고. 네 선택이 어떨지는 모르겠지만, 윤조 네 가족들의 의견도 중요하니 수도로 모시는 게 좋을 것 같구나.”

갑자기 손을 잡힌 것도 당황스러운데 이런 말이라니. 머릿속이 과부하가 걸릴 것만 같았다. 마주한 준영의 눈동자에 거짓은 없었다. 동정이나 위선도 아니었다. 평생을 많은 사람에게 동정 어린 눈빛을 받으며 지내 왔던 윤조는 그 눈빛이 어떤지 잘 알기에, 그의 눈빛이 진심을 담고 있다는 것을 알 수 있었다. 그 사실을 깨닫는 순간 그녀는 조금 전까지 즐겁게 웃고 떠들던 것도 잊은 채 울컥, 눈물이 날 것 같았다.

“대장군님, 저랑 혼인하기 싫어하시는 거 아니었어요?”

물기 어린 그녀의 물음에 준영이 멈칫, 하다 이내 고개를 저었다.

“그렇게 생각하고 있었나?”

“그렇게밖에 생각할 수 없죠. 대장군님께서도 이런 식의 혼인은 생각해 보신 적 없는 것 같고, 또 저는 모든 게 다 부족한걸요…….”

늘 당당하고 당돌해서 자신감에 차 있는 줄 알았는데 아니었나. 준영은 깨달았다. 그녀가 사람들 앞에 당당할 수 있는 이유는 자신의 부족함을 인정하고 있기 때문임을. 온전하게 그것을 받아들이고 인정했기 때문에 그녀의 가난을 이야기하는 사람들 앞에서도 담담할 수 있다는 것을.

그 순간 그는 그녀를 지켜 주고 싶다고 생각했다. 아이처럼 웃고 떠드는 그녀의 모습을 계속 볼 수 있으면 좋겠다고 생각했다. 오로지 스스로에게만 의지한 채 지금껏 살아온 그녀에게, 편히 기대어 쉴 수 있는 휴식처가 되고 싶다고 생각했다. 단단한 굳은살이 박인 작은 손이 참으로 어여쁘다고 생각했다. 돌아올 거절이 두려워 이런 감정을 전하지 못하는 것보다는 지금 이 순간 진솔해 보자고,

준영은 생각했다.

"윤조야."

다정한 그의 음성에 윤조가 바닥을 향했던 시선을 들어 눈을 맞췄다.

"나와 혼인해 주겠나?"

이어지는 준영의 말에 윤조는 참았던 눈물을 터뜨렸다. 갑작스러운 상황이, 자신이 들은 모든 게 꿈인 것 같았다.

"너만 괜찮다면 계속 함께 있고 싶구나."

윤조의 눈에서 방울방울 맺힌 눈물이 떨어졌다. 준영은 그녀를 향해 다정히 미소 지었다.

숨이 가빴다. 히끅거리며 준영을 바라보는 윤조의 뺨이 붉게 달아올랐다. 꿈이 아니었으면 좋겠다. 매번 행복하고 화목하며 평온한 가정 안에 살아가는 자신의 모습은 언제나 꿈이었으니, 언제나 한순간 지나칠 꿈으로만 그려 왔으니 이번은 아니었으면 좋겠다. 설령 꿈일지라도 붙잡고 싶다. 꿈이라도 세게 움켜쥐고 싶었다.

그녀는 맞잡은 준영의 손을 꼭 쥐며 고개를 끄덕였다. 대답조차 할 수 없이 눈물이 새어 나왔다. 끅끅거리며 제대로 울지도 못하고 서있는 그녀의 모습에 준영은 그녀의 눈물을 닦아 주며 핀잔했다.

"못생겼구나."

"끄, 읍, 으……."

"그래그래, 정말 못생겼다. 과거에는 몰랐지, 내 신부가 이리 작고 못생긴 여인이 될 줄은."

그는 아니라며 도리질 치는 윤조의 머리를 토닥이며 장난스럽게 웃었다.

"혼례 때는 이렇게 못나게 울면 안 된다? 알겠느냐?"

윤조가 힘차게 고개를 끄덕였다. 콧물이 나와 훌쩍거리면서도 힘차게 고개를 끄덕이는 모습이 귀여워 준영은 다시 웃어 버렸다. 이것이 평화인가. 그가 생각했다.

"아이고, 아가씨 축하해! 남편 될 사람 인물이 아주 훤하네! 훤— 어라? 어디에서 많이 본……."

두 사람을 지켜보던 가체용품 가게의 주인이 손뼉을 치며 윤조를 축하했다. 그러다 바라본 준영의 얼굴이 왠지 익숙해 한참을 들여다보던 가게 주인은 별안간 깜짝 놀라 머리를 조아렸다.

"아이고오! 대장군님 아닙니까! 몰라뵈어 죄송합니다!"

앉은 자리를 뛰쳐나와 바닥에 엎드리는 가게 주인의 행동에 준영이 괜찮다며 손짓했다. 자리에서 일어난 가게 주인은 듣던 소식과 달리 건강해 보이는 대장군의 모습에 감격한 듯 눈물을 그렁거렸다.

"참말로 다행입니다. 대장군님이 무사하셔서 참말 다행입니다."

"고맙네. 내가 그새 제국의 걱정거리가 됐더군."

"암만요. 다들 얼마나 걱정했는데요. 홍 장군님께서도 걱정 많으셨습니다."

"아버지께서?"

"예예, 손수 시장의 약재 방이란 약재 방은 다 돌아다니셨는걸요?"

"그랬나."

"이렇게 강건한 모습을 뵈니 마음이 놓입니다. 거기다 이렇게 고운 색시까지! 감축드립니다!"

"고맙네. 하지만 지금 본 일은 혼례가 있기 전까지 비밀로 해 주겠나? 이 아이가 곤란해지는 건 보기 싫어서."

준영이 커다란 손이 윤조의 작고 동그란 어깨 위를 가볍게 감쌌다.

"그러믄요, 그러믄요. 당연하죠! 아, 혹시 순찰하러 오신 건가요? 조금 전에 홍 장군님께서도 병사들과 함께 지나가셨습니다."

가게 주인의 말에 준영이 고개를 끄덕였다. 그의 표정에서 심상치 않은 기색을 느낀 가게 주인이 주변을 슥 살피더니 손으로 입을 가리고 준영을 가까이 불렀다.

"제가 그래도 이 바닥에서 장사치 경력이 30년이라 눈치 하나는 빨라서 말입죠. 병사들이 누군가를 찾는 것 같던데……. 생각해 보니 조금 전에 수상한 자를 보긴 했습니다."

"그게 누군가? 어떻게 생긴 인물이지?"

"승려였습니다. 승려복을 입고 승립을 쓴 사내였어요. 목소리는 젊었고, 얼굴은 승립으로 가려 보지 못했습니다. 이상한 점이 염모제를 사러 왔더라고요."

"승려가 염모제를?"

"예! 거참 이상하지 않습니까? 머리 민 스님이 대체 무엇을 염색하겠다고 염모제를 사 갔을까요? 거기다 사용법을 모르는지 묻기에 알려 줬습니다. 분명 머리에 어떻게 바르는지를 물었어요."

가게 주인의 말을 들은 준영의 눈빛이 매섭게 변했다.

"어디로 갔나? 그자가 어디로 갔는지 아나?"

"저쪽, 개천이 있는 다리 쪽으로 갔습니다요."

"고맙네. 혹시 그자를 다시 보거든 내게 꼭 알려 주게. 알겠나?"

"예, 알겠습니다."

준영의 곁에서 가게 주인과의 대화를 듣고 있던 윤조는 남아 있던 눈물 자국을 닦아 냈다.

"저는 신경 쓰지 마시고 어서 가 보세요! 뒤따라가겠습니다."

"정말 괜찮겠느냐?"

"네, 히힛. 정말 괜찮아요. 금방 따라갈게요."

"오다 넘어지지 말고 천천히 오너라."

"알겠어요. 어서 가 보세요!"

윤조는 알았다며 급히 자리를 벗어나는 준영의 뒷모습을 바라봤다. 가게 주인이 붉게 달아오른 그녀의 얼굴이 안쓰러웠는지 찬물에 적신 수건을 건네주었다.

"아가씨, 고운 얼굴 다 망가질라. 이걸로라도 좀 식히시오."

"감사합니다."

찬 수건을 얼굴에 대고 있으니 좀 낫다. 정신을 차린 그녀가 가게 주인에게 물었다.

"그 승려, 혹 다른 이상한 점은 없었나요?"

"글쎄……."

"말투라든지, 걸음걸이라든지, 짐을 들고 있었다든지, 무엇이든 다 생각나는 거 전부요."

"말투는 좀 가벼웠나? 거친 느낌도 나는 게 승려라기보다는 오히려 젊은 병사나 놀음판 사내들 느낌이었지."

"그리고요?"

"짐은 없었어. 딱히 들고 있는 건 없었고, 아! 하나 있었네!"

가게 주인이 무릎을 탁 치며 윤조를 향해 말했다.

"손목! 돈을 줄 때 손목 부분에 문신 같은 게 있었어!"

"문신이요? 어떻게 생긴 문신인지 기억하세요?"

"모양은 잘 기억이 안 나는데, 글자 같았어. 그건 분명해."

"감사합니다! 다음에 또 올게요!"

"조심히 가요! 혼례 때 쓸 장신구는 우리 가게에서 예쁘게 해 줄 테니 걱정하지 말고!"

"정말 감사해요!"

뒤를 향해 크게 손을 흔들던 윤조가 준영이 간 길로 빠르게 달려갔다. 너무 늦은 건 아닐까, 혹시 다른 곳으로 가 버렸으면 어떡하지? 집으로 가야 하나? 골목 지름길로 가야겠다. 이런저런 생각과 함께 시장 골목으로 들어설 때였다. 달리던 속도 때문에 마주 오는 사람을 미처 피하지 못하고 부딪친 그녀가 바닥에 세게 넘어졌다.

"으, 아야야−. 죄송합니다!"

손을 털며 일어난 그녀가 눈앞의 사람에게 꾸벅 고개를 숙였다. 죄송하다는 말에도 상대방은 아무 말이 없다. 이상하게 여긴 윤조가 고개를 들자 그곳에는 머리끝부터 발끝까지 검은 옷을 휘감은 세 명의 남자가 있었다. 그들을 마주한 순간 윤조는 조금 전 준영이 서국의 세작들에 관해 이야기했던 것을 떠올렸다.

"까마귀……."

자신도 모르게 튀어나온 말에 그녀가 급히 입을 가렸다. 하지만 상대방은 이미 그녀의 읊조림을 들은 뒤였다.

"소저, 지금 무어라 했소?"

"분명 우리에게 까마귀라고 했지."

"수도를 빠져나가기 전까지 살생은 안 하려 했는데……."

사람이 아닌 듯, 감정이 식어 버린 차가운 음성이었다.

"이렇게 된 건 소저의 잘못이오."

덧붙이는 그들의 말에 윤조가 흠칫 뒷걸음질 쳤다. 그들은 점점 더 가까이 윤조에게 다가오며 품 안에 숨겨 두었던 단검을 꺼내 들었다. 스릉, 하고 울리는 날붙이의 울림이 섬뜩했다. 일반적인 단검과 달리 그들이 꺼낸 곡도는 푸른 물결무늬가 새겨져 있었다.

이마에서 식은땀이 흘렀다. 이런 식으로 마주하게 될 줄은 몰랐는데−. 윤조는 천천히 뒷걸음질 치며 도망갈 기회를 엿봤다. 다행히 골목 입구라 잘하면 사람들이 많은 시장 길목으로 도망칠 수 있을 것 같았다.

"가만히 있으면 아프지 않게 끝날 거요."

"웃기지 마!"

높이 치켜지는 곡도를 보던 그녀가 기회는 이때다, 빠르게 시장 안을 향해 달려 나갔다. 겁에 질린 작은 여인이라 쉽게 처리할 수 있을 거라 방심했던 까마귀들은 예상외로 날랜 그녀의 달리기에 아차, 당황하며 뒤를 쫓기 시작했다.

"으아아아! 비켜요! 비켜! 미친놈들이 칼 들고 쫓아와요!!!"

최대한 목청껏 소리쳐 주위의 시선을 끈 그녀는 속도를 늦추지 않고 빠르게 사람들 사이를 달렸다. 다른 건 몰라도 달리기 하나는 자신 있다! 잡일을 하며 발달한 근력 덕분에 그녀는 준영도 놀랄 만큼 날랜 몸을 갖고 있었다.

발치에서 펄럭이는 치맛단을 허벅지까지 올려 잡은 그녀는 지나가던 과일 수레를 간신히 뛰어넘으며 위기를 넘겼다. 바닥에 착지할 때 무리가 갔는지 발바닥부터 무릎까지 찌르르 울렸다. 뒤를 돌아보니 까마귀들은 여전히 그녀의 뒤를 바짝 쫓아오고 있었다.

"젠장."

억울해서라도 이렇게 죽을 순 없다. 그런 일념으로 그녀는 이를 앙다물었다. 숨이 턱 끝까지 차올랐다. 긴장한 몸이 후들후들 떨렸다. 이대로 잡히면 정말 죽는다. 신채영! 윤조! 너 정신 차려! 이대로 죽을 거야? 정말 이대로 여기에서 죽을 거야? 절대 안 돼! 고개를 들자 시장의 끝이 보였다. 조금만 더, 조금만 더. 여기만 벗어나면 대장군님이 계신 곳이 나온다. 조금만 더-!

"아악-!"

휘어잡힌 머리카락이 뜯겨 나갈 듯이 아팠다. 언제 따라 잡힌 건지 그녀의 머리채를 움켜쥔 까마귀 하나가 비릿한 미소를 지으며 자신의 얼굴을 그녀의 얼굴 앞으로 가져갔다.

"날다람쥐 같은 계집."

"이거 놔! 악-!! 이거 놓으란 말이야!!!"

그녀가 있는 힘껏 발버둥 쳤지만 꿈쩍하지 않았다. 오히려 그녀의 머리채를 더욱 힘주어 위로 끌어올린 까마귀가 그녀의 목을 노리고 곡도를 치켜들었을 때였다. 어디선가 날아온 장검이 그의 머리를 꿰뚫었다. 퍽, 하는 둔탁한 소리와 함께 까마귀의 움직임이 멈췄다. 사람의 두개골이 장검에 꿰뚫리는 비현실적인 광경을 눈앞에서 목격한 윤조가 넋을 놓고 있을 때, 세게 그녀를 끌어당기는 손이 있었다.

"괜찮느냐!!!"

준영은 멍하니 자신을 바라보는 윤조의 얼굴에 튄 피를 닦아 냈다. 걱정스러움이 가득한 그의 얼굴에 그제야 안심이 된 윤조가 자리에 주저앉아 버렸다.

"대, 대장군님⋯⋯."

"그래, 나다. 어디 다친 곳은 없느냐?"

"괜찮, 후으, 괜찮, 아요."

윤조는 거친 숨을 몰아쉬며 심장을 부여잡았다. 얼마나 뛴 것인지 심장이 터질 듯이 쿵쾅거렸다. 살았다는 기쁨보다는 죽지 않았다는 안도가 더 큰 가운데, 준영이 까마귀의 머리를 꿰뚫은 자신의 검을 뽑아 들었다.

"두 놈이 더 있구나."

그의 말에 퍼뜩 고개를 든 윤조는 검을 든 채 준영과 대치한 두 명의 까마귀를 발견했다. 순식간에 동료가 눈앞에서 당하는 것을 목격한 그들은 몸을 숨길 틈도 없이 나타난 준영의 눈에 걸려 버렸다. 정체는 탄로 났고, 이목은 집중됐다. 난처한 상황에 도주로를 살펴보지만, 시장 골목은 어느새 몰려온 병사들로 인해 막힌 상태였다.

"서국의 세작들이 나투국의 수도까지 어인 행차인가."

위협이 담긴 준영의 일갈에 그들은 준영과 준영이 구한 윤조를 번갈아 보며 침음을 삼켰다. 하필 맞닥뜨려도 대장군 홍준영이라니.

"분명 불구가 되었다고 들었는데 건강해 보이시는군요, 대장군."

"너희들이 원한 게 나에 대한 정보인가? 혹은 나의 목인가?"

"그보다 더 큰 것이지요. 하지만 대장군께서 무사하다는 정보도 꽤 구미가 당깁니다."

"어차피 너희는 이곳에서 죽는다."

"소문에는 발이 없는 법."

까마귀들이 서로 눈짓을 주고받으며 곡도를 고쳐 쥐었다. 금방이라도 달려들 태세에 준영은 윤조를 자신의 뒤에 숨기며 검을 고쳐 잡았다. 동시에 까마귀들이 땅을 박찼다. 곧장 달려들 것이라 예상했던 그들의 검은 예상외의 방향을 크게 베었다.

"이런!"

서로의 목을 벤 까마귀들이 바닥으로 힘없이 추락했다. 놀란 준영이 그들을 확인했을 때는 이미 숨이 끊긴 뒤였다.

"주, 죽은, 거예요?"

덜덜 떨리는 윤조의 물음에 준영이 참담한 표정을 지우지 못하고 고개를 끄덕였다.

"지독한 자들이다. 들키면 자결하라는 명을 받았겠지. 윤조 너는 괜찮느냐?"

"네, 덕분에 살았어요……."

"큰일 날 뻔했다. 조금만 늦었어도 네가-."

죽었을 것이다.

준영은 떠올리고 싶지 않은 사실을 애써 입 안으로 삼켰다. 윤조는 자신을 부축한 그의 팔이 자신만큼이나 떨리고 있다는 것을 깨달았다. 무서웠던 거다. 대장군님도. 그녀는 떨리는 그의 손을 꽉 잡으며 웃어 보였다.

"정말로 괜찮아요. 제가 그래도 거의…… 거의 다 따돌렸다니까요?"

떨림이 고스란히 느껴지는 목소리. 애써 장난스럽게 이야기하는 그녀의 의도를 안 준영이 아프지 않게 그녀의 이마에 꿀밤을 놓았다.

"심장이 떨어지는 줄 알았다."

"저는 심장이 터지는 줄 알았어요. 대장군님은 이런 일을 지난 7년 동안 겪으신 거예요?"

"오늘처럼 긴장된 날은 드물지. 날랜 다리가 널 살렸구나."

"엣헴, 보셨어요? 제가 좀 빠르긴 하죠. 후, 다리가 후들거려요."

"어디 다친 곳은 없느냐?"

"다리 빼고는 괜찮은 것 같아요. 아직은."

"확인해야겠다. 어디냐? 아프다는 다리가 어디야?"

준영이 윤조의 앞에 한쪽 무릎을 꿇고 앉았다. 윤조가 깜짝 놀라 일어나라 말렸지만 소용없었다. 준영은 바로 근처에 놓여 있던 궤짝 위에 윤조를 앉히고 그녀의 발목을 잡았다.

"힉! 치마를 갑자기 들추시면 어떡해요!"

"지금 그게 문제라고! 어서 보이거라. 아픈 다리가 어디냐?"

단호한 준영의 말에 윤조가 조심스럽게 아픈 다리를 내밀었다.

"여, 여기요. 갑자기 달렸더니 근육이 놀란 것 같아요."

준영이 윤조의 발목과 종아리를 살피며 가볍게 주물렀다. 뜨거운 준영의 손바닥에 팽팽하게 긴장되었던 근육이 조금씩 풀어졌다.

"으……."

"많이 아픈가?"

"만져 주시니 좀 괜찮은 것 같아요. 그만하셔도 괜찮아요."

"통증이 며칠 갈 거다. 신력으로 치료할 수 있겠나?"

"너무 놀라서 집중이 안 돼요……."

윤조는 공포로 여전히 바들바들 떨리는 두 손을 꼭 맞잡았다. 그 모습을 지켜보는 준영의 표정이 좋지 못했다. 그는 윤조의 발에 신발을 꼼꼼히 신겨 주며 굽혔던 무릎을 펴고 일어났다.

"병사들을 붙여 줄 터이니 먼저 집으로 가 있거라. 나래가 돌봐 줄 것이다. 금방 가마."

윤조가 일어나는 그의 소맷자락을 급히 붙잡았다.

"아까 가체 가게 주인아저씨께서 알려 주신 게 더 있어요."

"무엇이지?"

"그 수상했다는 승려요. 그 사람 손목에 문신이 있었다고 했어요. 글자였다고."

"손목에 문신? 도움이 되겠군. 알겠다, 검문소에 전하마."

"네. 조심히 다녀오세요."

준영은 자신의 소매를 구명줄이라도 되는 양 꽉 움켜쥔 윤조의 작은 주먹을 감싸 쥐었다.

"두려워 말거라. 내가 지켜줄 것이다. 지금도, 앞으로도."

"네……."

"금방 따라가마. 집에 가서 쉬고 있거라."

"다치지 마세요."

"알겠다."

말을 마치고 뒤돌아 걸어가던 준영이 고개를 돌려 윤조를 바라봤다. 출동한 병사들의 호위를 받으며 그녀의 모습이 멀어지자 그의 표정에 일순 살기가 어렸다. 그는 까마귀의 시신을 수습하던 병사들을 향해 말했다.

"아직 세작 중 한 명이 수도 안에 있는 것으로 파악된다. 녀석은 승려 복장에 승립을 쓰고 있다. 머리카락을 염색해 육안으로 구분하기는 힘들 것이다. 정보에 의하면 녀석의 손목에 글자로 된 문신이 있다고 한다. 검문을 강화하고 오늘 밤 안으로 놈을 잡는다. 알았나?"

"명심하겠습니다!"

그리고 그는 한 병사를 지목했다.

"귀관은 속히 길림 부관을 데려오라. 지금 황궁에 있을 것이다."

"명 받듭니다!"

"좋다. 홍 장군께서는 어디에 계신가?"

"수도 제1출입소로 가셨습니다."

수도로 이어지는 성문 중 가장 큰 정문을 말하는 것이었다. 준영은 병사들과 함께 그곳으로 향했다.

한편 병사들의 호위를 받으며 홍씨 가문 저택에 도착한 윤조는 힘이 풀린 다리 때문에 말에서 내려 몇 걸음 옮기지 못하고 자리에 주저앉아 버렸다.

"괜찮으십니까?"

병사가 그녀를 부축하며 일으키는데, 마침 집 안에서 윤조를 기다리던 나래와 준영의 유모가 그 모습을 보고 달려 나왔다.

"어머머, 아기씨! 괜찮으세요? 세상에 이게 무슨 일이래요!"

"윤조야! 너 왜 이래? 밖에서 무슨 일이 있었습니까? 대장군님은요?"

나래는 유모의 부축을 받아 간신이 일어나는 윤조의 상태를 살피며 병사들에게 물었다.

"습격을 당하셨습니다. 다행히 대장군님께서 나서 위기는 넘겼지만, 충격을 많이 받으신 모양입니다."

"습격이요? 대체 누가 수도 한복판에서 그런 짓을!"

"저도 상황을 자세히 알진 못합니다만, 서국의 세작들이었습니다. 대장군님께서 호위를 맡기셨으니 저희는 저택 앞을 지키고 있겠습니다."

"알겠습니다."

나래는 병사들을 뒤로하고 준영의 유모와 함께 윤조를 부축해 방안으로 옮겼다. 몇 번이고 다리에 힘이 풀려 주저앉는 것을 일으켜 간신히 침대에 눕히고는 나래가 심각한 얼굴로 윤조의 안색을 살폈다.

"대체 무슨 일이 있던 거야? 서국의 세작이라니? 까마귀들이 너를 습격했단 말이야?"

윤조가 힘없이 고개를 끄덕였다. 나래는 그녀에게 이불을 덮어 주고 차가워진 윤조의 손을 잡아 신력을 흘려 보냈다.

"입술이 파랗게 질려서는. 괜찮아? 어디 다친 곳은 없어?"

"괜찮아. 머리채를 잡히는 바람에 두피가 좀 아프긴 하지만……."

"세작들이 너를 노린 이유는 알아?"

"내가 알아봤거든. 그들이 서국의 세작이라는 걸. 대장군님이 아니었다면 정말 죽었을 거야."

입막음하려다 실패한 것인가. 나래는 대강의 상황을 파악하고 안도했다. 서국의 세작들이라면 악명 높은 까마귀들이다. 준영과 함께 있지 않았더라면 윤조는 무사하지 못했을 것이다. 나래는 윤조가 살아 돌아왔다는 안도와 함께 걱정스러운 시선으로 윤조를 바라봤다.

"후, 너는 어떻게 하루도 조용할 날이 없냐……."

걱정 어린 나래의 핀잔에 윤조가 조용히 웃었다. 웃는 그녀의 모습에 나래는 지금 웃음이 나오냐며 핀잔했지만 윤조의 웃음은 멈추지 않았다.

"헤헤, 역시 살아 있다는 건 좋은 거야. 이렇게 나래 잔소리도 다시 들을 수 있고."

"그 잔소리 죽어서도 듣는 수가 있다. 천만다행이야. 지금껏 까마귀들 손에 걸린 사람 중에 살아남은 자는 없었다고."

"그것도 무려 세 명이나 말이지."

"하? 세 명? 까마귀가 세 명이나 됐단 말이야? 너 정말 미쳤어!!!"

윤조는 경악하는 나래를 진정시키며 상체를 일으켜 침대 머리에 놓인 커다란 베개에 기댔다.

"고의는 아니었어. 대장군님께 세작에 대한 이야기를 듣고 얼마 안 되어서 시장 골목에서 마주쳐 버렸거든. 그나마 발이 빨라서 도망이라도 쳤지, 정말 무서웠어."

"네 발이 좀 빠르긴 하지. 후, 여자애가 달리기 잘해서 어디에 쓰냐고 구박했던 거 취소다. 잘했어, 정말 잘했어."

"헤헤, 나래에게 인정받았다."

"장난 아니고, 무사해서 다행이야. 정말로. 너 잘못됐으면 난 정말……."

자신이 선물한 가체를 팔고 온다기에 조심히 다녀오라며 마중한 게 조금 전이었다. 그것이 자칫 마지막 인사가 될 수도 있었다는 생각에 나래의 가슴이 철렁했다.

"미안해, 걱정 끼쳐서."

"됐어, 무사하니 됐어. 몸은 좀 괜찮아?"

공포와 긴장이 컸던 탓인지 신력을 불어넣어도 좀처럼 체온을 회복하지 못하는 윤조의 차가운 손을 나래가 단단히 맞잡았다. 불안한 눈빛으로 자신의 손을 맞잡아 오는 나래를 향해 윤조는 애써 미소 지었다.

"괜찮아. 놀라서 그래. 좀 쉬면 괜찮아질 거야."

"유모님이 따뜻하게 마실 거 가져오신다고 했어. 누워서 좀 쉬고 있어. 나는 아버지께 연락해야겠다."

"그래, 걱정 말고 다녀와."

나래가 방을 나간 직후 다시 쓰러지듯 침대에 누운 윤조는 어느 순간 까무룩 잠이 들었다. 중간에 준영의 유모가 다녀갔는지 말소리가 들렸지만 반응할 수 없었다. 긴장이 풀린 탓에 온몸의 기운이 다 빠져나간 것처럼 흐느적거렸다. 마치 연체동물이라도 된 것 같은 기이한 감각은 감기몸살이 심하게 걸렸을 때와 비슷했다. 그런 그녀가 정신을 차리고 다시 눈을 떴을 때는 한밤중이었다.

자정이 가까운 시각, 사방은 어두웠고 고요했다. 그 고요함 속에서 따스한 손길이 자신의 이마를 쓰다듬고 있다는 것을 느낀 그녀가 천천히 눈을 떠 눈앞의 사람을 마주했다.

"대장군님?"

"내가 깨웠나 보구나."

"괜찮아요."

"몸은 좀 어떤가? 유모 말로는 끙끙 앓았다고 하던데."

"긴장이 풀려서 그런가 봐요. 대장군님은 잘 다녀오셨어요?"

"그래. 네가 문신에 대한 것을 알려 주어 검문이 활발히 진행 중이다. 윤조 네 공이 크다."

"제가 뭐 한 게 있나요. 사고만 쳤지……."

"네 탓이 아니다. 살아 있다는 게 중요한 거지."

"헤헤, 그건 맞네요. 승려로 변복했다던 다른 한 명도 잡을 수 있겠죠?"

"잡아야지……."

드물게 말끝을 흐리는 준영의 모습에 윤조가 자리에서 일어나 그와 마주 앉았다.

"무슨 일 있으셨어요?"

"개천이 있는 다리 아래에서 그자의 것처럼 보이는 승립과 승려복이 발견되었다. 인상착의를 모르니 비밀리에 색출이 쉽진 않을 것 같아."

"공식적으로 알리면 안 되는 거군요."

윤조의 말에 준영이 마음에 들지 않는다는 듯 고개를 끄덕였다.

"오랜 전쟁이 끝나고 가까스로 찾은 평화니까. 폐하께서도 조심스럽게 처리하라고 하셨다."

"대장군님은 공식적인 수사 요청을 드렸고요?"

"네가 죽을 뻔했다."

무슨 말이 더 필요할까. 이유는 그것으로 충분했다. 준영의 대답에 윤조가 가만히 손을 뻗어 그의 팔을 잡았다.

"감사해요, 대장군님. 하지만 백성들이 동요하면 오히려 놈을 잡기가 더 어려울 거예요. 폐하의 판단이 옳아요. 세작들은 제게·정체가 들통날 거라고는 예상하지 못했을 거예요. 경계도 강화했고, 검문도 하고 있으니 달아나려는 놈을 잡기만 하면 돼요."

"그래, 반드시 그럴 거다."

준영은 그렇게 말하면서도 남아 있을 세작을 색출하는 일이 생각보다 쉽지 않을 것을 알았다. 손목에 문신이라는 특징이 있다고 해도, 국경을 넘어 사흘 동안 누구의 눈에도 들키지 않고 수도에 침입한 놈이다. 그런 놈이라면 누군가 뒷배를 봐 주고 있을 가능성이 컸다. 비공식적인 색출 작업으로는 분명 한계가 있었다.

"이만 가 보마. 더 쉬어라."

"대장군님은 괜찮으세요?"

방을 나서려는 준영을 윤조가 급히 잡았다.

"저를 구하려고 무리하셨잖아요. 어깨, 아프시죠?"

다 알고 있다는 듯 자신의 어깨를 바라보는 윤조의 시선에 준영이 됐다며 고개를 저었다.

"오늘은 괜찮으니 쉬어라. 나보다 네가 먼저 쓰러질까 걱정이구나."

"아프시죠?"

물러날 생각이 없어 보이는 윤조의 물음에 준영이 하는 수 없이 긍정했다.

"그래. 검을 날릴 때 갑자기 힘을 주었더니 무리가 간 모양이다."

"좋아요. 앞으로도 이렇게 솔직하게 말씀해 주세요. 그래야 치료가 빨라요. 으차, 잠시 팔 좀 걷어 보시겠어요?"

윤조가 뻐근한 몸을 쭉쭉 늘이며 침대에서 일어났다. 준영은 일부러 요란하게 기지개를 켜며 일어나는 그녀를 걱정했다.

"신력을 써도 괜찮겠느냐?"

"저도 맡은 바 임무는 충실해야죠. 돈도 받고 일하는 건데! 그리고 대장군님이 얼른 회복해야 한시름 놓을 것 아니에요. 오늘도 시장에서 다들 걱정했다는 이야기 들으셨죠? 대장군님 어깨가 무겁다구요."

"창백한 얼굴을 하고 지금 누굴 다그치는 것이냐?"

"대장군님 담당 치료사 무녀는 저예요. 환자는 대장군님이시구요. 얼른 팔 주세요."

그녀의 요구에 준영은 하는 수 없이 팔을 내밀었다.

"고집스럽기는. 그럼 부탁하마. 단, 무리는 말아라."

윤조는 알았다고 대답하며 그의 어깨 위로 손바닥을 가져갔다. 정신을 집중하자, 그녀의 손끝에서 흘러나온 따스한 기운이 곧 준영의 어깨를 타고 팔 전체로 퍼져 나갔다. 준영은 윤조의 손끝에서 일렁이는 신력의 형태가 아지랑이처럼 피어났다 사라졌다 하는 것을 지켜봤다. 흰 연기 같기도, 은빛 별 무리 같기도 한 그 모습이 신비로웠다.

무녀 중에 간혹 강력한 신력을 타고나는 자들만이 신력의 형태가 눈으로 볼 수 있을 정도로 선명하다는 것을 들을 기억이 있다. 전장에서 많은 치료사 무녀들을 보았지만 윤조와 같은 무녀는 한 번도 보지 못했다. 준영은 어쩌면 자신은 물론, 그녀를 알고 있는 모두가 생각했던 것보다 더 큰 힘이 윤조의 안에 깃들어 있는 것은 아닐까, 생각했다.

그녀의 신력이 훑고 지나간 자리, 통증이 느껴졌던 부위가 진정되었다. 잘게 느껴지던 손끝의 떨림도 잦아들자 준영이 손을 쥐었다 펴며 고개를 끄덕였다.

"고맙다."

"별말씀을요."

걷었던 소매를 내리고 준영이 자리에서 일어났다. 가는구나. 윤조는 생각했다. 왠지 그의 부재가 점점 더 아쉽게 느껴지는 것 같아 큰일이다. 그녀는 그런 마음을 숨기며 작게 손을 흔들었다.

"안녕히 주무세요."

"잘 자거라."

짧은 인사와 함께 준영의 손이 윤조의 얼굴을 가볍게 당겼다가 떨어졌다. 이마에서 느껴지는 따뜻한 촉감에 윤조가 놀란 눈을 깜빡였다. 돌아서 방을 나서는 준영이 문을 닫고 사라졌을 때, 그녀는 비로소 참았던 숨을 몰아쉴 수 있었다.

"잘 못 잘 것 같다구요."

부끄러움과 투정이 섞인 그녀의 한마디가 방 안을 맴돌았다.

"휘유, 난감한데."

같은 시각, 한 상점의 지붕 위에서 아래를 내려다보는 눈이 있었다. 붉은 머리카락을 염모제로 검게 감춘 파이옌이었다. 내뱉는 말과는 달리 전혀 난감함이 느껴지지 않는 목소리. 그는 가벼운 어조로 휘파람을 불었다.

나들이를 마치고 양손 가득 각종 먹거리와 나투국의 특산품을 든 파이옌은 포목점에서 새로 맞춘 나투국의 옷을 차려입은 채였다. 침입자의 신분이지만 평소 튀는 것을 좋아하는 그답게 푸른색과 붉은색의 문양이 화려하게 수놓인 비단 도포가 반듯하게 각진 어깨에 아슬아슬하게 걸쳐져 있다.

입에 물고 있던 곰방대를 허리끈에 꽂아 넣은 그는 횃불을 든 채여기저기에서 통행자를 검문하는 병사들의 움직임을 살폈다.

"흠, 숫자가 꽤 많은데. 이래서야 무사히 문 비서랑 집에 도착할 수 있으려나?"

나들이를 너무 즐겼나 보다. 생각보다 길어진 외출이 이런 화를 부를 줄이야. 홍영철 장군을 만났을 때 접었어야 했는데 귀찮게 됐다. 입맛을 쩝, 하고 다신 그가 목뒤를 긁적였다. 뭐, 어차피 이렇게 된 거 어떻게든 되겠지.

그는 잠깐의 고민을 마치고 지붕에서 내려와 인적 없는 길가에 섰다. 그러고는 아무렇지 않게 다시 길을 걷기 시작했다. 바로 지척에 통행자를 검문하는 병사들이 있었지만 개의치 않았다. 유유히 병사들을 뒤로하고 모퉁이를 돌자 성벽 끝자락이 나왔다. 어디 보자, 이쪽이 맞던가? 빙 돌아 어느새 외진 구석까지 왔나 보다. 그는 알음알음 기억해 둔 길을 찾아 천천히 다리를 움직였다.

"이런 외진 곳은 까마귀들이 좋아하는데 말이야. 아 참, 그놈들 다 죽었지."

나들이를 즐기던 그는 몇 시간 전 시장에서 있었던 사건에 대해서 사람들이 쉬쉬하며 떠드는 것을 주워들었다. 백성들의 동요를 막고자 병사들이 입막음을 한 모양이었으나 완벽히 소문을 막진 못했다. 까마귀들이 즐겨 하는 말처럼, 소문에는 발이 없으니.

그가 사람들 너머로 주워들은 내용은 이랬다. 서국의 세작이 시장 한복판에서 나투국의 무녀를 습격했다. 그러다 대장군 손에 죽임을 당했다. 간결한 내용이었다. 파이옌은 까마귀들의 어처구니없는 실수에 헛웃음을 흘렸다. 멍청한 놈들. 하지만 단 한 가지 의문이 들었던 것은 '까마귀들이 왜 그 무녀를 습격했나?' 하는 것이었다.

"마음에 들진 않아도 이유 없이 행동할 놈들은 아니지."

하필 걸려도 대장군 홍준영에게 걸려 한 명은 머리가 날아가고 두 놈은 자결했다니. 무슨 삼류 연극도 아니고.

와삭.

주머니에 넣어 둔 사과를 한입 베어 먹은 그가 퉤, 씨를 뱉어 냈다. 나투국 사과는 맛은 좋은데 씨가 너무 많아. 귀찮게.

성벽 위로 휘영청 밝은 달이 떠올라 있었다. 마치 칼날같이 날카로운 초승달. 그는 손을 들어 달에 가까이 했다. 마치 그 예리함을 만지기라도 하듯이. 드러난 손목 위로 새겨진 문신이 달빛아래 선명했다.

"지겹다. 사람이 죽고 사는 일, 이곳에서는 날파리 목숨보다 못한 것을……."

돌연 하늘을 바라보던 그가 고개를 돌려 한곳을 쳐다봤다.

"그렇지? 병사님들?"

성벽에 드리운 그림자 사이로 장창을 든 병사들이 모습을 드러냈다. 뾰족한 창끝을 파이옌에게 겨눈 채 그를 포위한 한 무리의 병사들이 그에게 소리쳤다.

"네놈! 정체를 밝혀라!"

"흐음? 정체를 밝히라니요? 소인은 그저 지나가는 과객입니다요, 병사님들."

"그 손목의 문신! 네놈이 바로 죽은 세작들과 한패라는 증거다!!!"

순간 파이옌의 얼굴에서 표정이 사라졌다. 자신의 문신을 가리키는 병사들을 무표정한 얼굴로 빤히 바라보던 그가 히죽 입매를 당겨 웃었다.

"내 문신에 대한 거 어떻게 알았어?"

마치 야차와도 같은 미소에 무기를 든 병사들이 움찔, 동요했다. 사람의 얼굴이 아닌 것 같은 그의 딱딱한 가면 같은 미소에 진득한 살기가 묻어났다.

"병사님들, 사람이 물으면 대답을 해야지. 어떻게 알았어?"

"닥쳐라! 멋대로 국경을 침범한 죄를 물어 네놈을 엄벌에 처할……!"

쉬익─.

마치 뱀이 우는 것 같은 소리였다. 한 줄기 바람이 스친 자리, 소리치던 병사의 목이 바닥을 뒹굴었다. 베인 자리가 얼마나 예리했던지 머리가 떨어지고 나서 한참 뒤에야 잘린 목에서 핏물이 솟구

쳤다. 주변에 있던 병사들은 순식간에 동료의 머리가 떨어져 나간 것에 놀라 비명을 질러 댔다.

"아악! 으아아악-!!!"

"동요하지 마라! 적은 하나다! 반드시 잡아야 한다!"

전투 경험이 많은 병사가 겁에 질린 어린 병사의 어깨를 잡아 뒤로 물러나게 하려는 때였다.

쉬익-.

그 순간 다시금 뱀이 울었다. 비명을 지르던 어린 병사의 아래턱을 남겨 둔 채 위쪽 부분이 깔끔하게 잘려 나갔다. 찰나의 죽음을 인식하지 못한 몸뚱어리는 그사이에도 계속해서 비명을 지르고 있었다.

"내가 묻잖아. 내 문신 어떻게 알았냐고."

그 기괴한 풍경 사이로 파이엔이 미소 지었다. 처음과는 달리 무척 다정하게 느껴질 정도로 따스한 미소였다. 그의 뺨에 붉은 피가 튀어 있지 않았다면, 그의 손에 날 선 검이 들려 있지 않았다면 마주 보는 사람도 따라 웃을 정도로 기분 좋은 미소였다.

도륙은 잠깐 사이에 끝났다.

어깨에 걸친 비단이 붉게 물들었다. 마구 날뛰던 검을 회수해 소매로 닦아 내던 그가 한숨을 쉬었다.

"일냈네."

죽은 까마귀들을 멍청하다고 흉봤는데 자신이 더하다. 그는 자신이 저지른 참상을 돌아보다 곰방대를 물었다.

"그러게 어디서 내 문신에 대한 건 들어서는. 아, 미치겠네. 나이러다 우리 황제한테 죽는 거 아니야?"

그는 시체 사이에서 아직 죽이지 않고 살려 둔 한 병사의 앞에 쪼그리고 앉았다.

"병사님, 거 좀 대답이나 들어 봅시다. 내 손목에 문신이 있다고 누가 그럽디까?"

야차 같던 얼굴을 지운 채 그가 무척 자애로운 미소를 머금었다.

"아니, 나 원래 이렇게 막 죽이고 할 생각 없었는데. 응? 말하면 살려 드릴게. 말해 봐요."

공포감에 절레절레 고개를 흔들던 병사의 눈빛이 크게 흔들렸다. 소년의 인상이 남아 있는 젊은 병사였다.

"모, 몰라요. 제발 목숨만은……."

파이엔의 검이 빠르게 병사의 어깨 부근을 꿰뚫었다.

"허억-!"

단숨에 죽을 정도의 상처는 아니었으나 밀려드는 아픔에 병사가 숨을 헐떡였다.

"내가 듣고 싶은 대답은 그게 아니라고. 말해, 곱게 죽고 싶으면."

병사의 얼굴 위로 바투 다가온 그의 눈빛은 일말의 인정도 담고 있지 않았다. 두려움에 굳어 버린 병사의 반대편 어깨에 다시금 파이엔의 검이 박혀 들었다. 파이엔이 비명을 지르는 병사의 입을 손으로 틀어막은 채 다시금 검을 들어 올렸다.

"천천히 고통스럽게 죽는 게 취향이야?"

이번에는 정말 죽일 기세로 검을 들자 병사가 비명을 지르며 몸을 뒤틀었다. 토막 난 동료들의 시신을 바로 지척에 두고 홀로 숨이 붙어 있던 병사가 뻐끔거리며 입을 열었다. 파이엔의 미소가 짙어졌다. 그는 병사의 입을 막고 있던 손을 떼고 병사의 입가로 귀를 기울였다.

"ㅁ…… ㅕ……."

"뭐라고?"

공포에 질려 죽어 가던 병사의 입이 더듬더듬 움직였다.

"무녀……."

무녀라. 대답을 들은 파이옌은 '고마워.'라고 짧은 인사를 남긴 채 병사의 숨통을 끊었다. 피가 낭자한 주위를 돌아보던 그는 재미있다는 듯이 웃으며 자리에서 일어났다.

"무녀? 설마 까마귀들이 습격했다는 그 무녀? 하하, 골 때리네. 그년은 대체 누구기에 내 문신에 대한 걸 떠벌리고 다닌 거지?"

설마 까마귀들이 알려 줬나? 아냐, 설마. 그놈들이 좀 수다스러워도 그런 걸 말할 리가.

"엄청 궁금하네, 누군지. 대장군 홍준영을 살려 냈다는 무녀도 궁금했는데 마침 잘됐네. 이참에 두 년 다 찾아내지 뭐."

그는 조금 전 먹다 만 사과를 다시 베어 물었다.

와삭-.

사과에서는 붉은 맛이 났다.

"새벽에 순찰대가 발견했답니다."

다음 날 아침, 현장은 처참했다. 시신들의 몸은 머리, 팔 할 것 없이 조각나 바닥에 흩어져 있었다. 야간 수색조 열 명. 열 명의 조각난 시신이 붉은 고깃덩어리처럼 한데 뒤엉켜 있었다. 흡사 수라도를 연상케 하는 잔혹한 광경에 절로 눈살이 찌푸려졌다. 현장에 도착한 길림은 차마 눈 뜨고 보지 못할 정도로 처참한 광경에 고개를 돌려 버렸다.

"시신의 수습을 부탁하네."

그는 이를 악문 채 분을 삭이는 병사들의 어깨를 두드리고 자리를 나섰다.

"대체 어떤 미친놈이."

그는 욕지기가 나오는 것을 삼키며 심각한 얼굴을 했다. 일이 커졌다. 가능한 황제 폐하의 뜻대로 비밀리에 처리하고자 했는데…….

뒤통수가 얼얼했다. 정말 누군가에게 한 대 얻어맞은 기분이었다.

"대장군님과 홍 장군님을 모셔 오겠다."

말에 오른 길림이 고삐를 잡자 이를 지켜보던 한 병사가 망설이며 물었다.

"부관님, 죽은 병사들의 가족들에겐 무어라 알리면 좋겠습니까?"

"시신을 수습한 후에, 온전한 모습으로 갖춘 후에 그대로 알릴 것이다. 그편이 가족들에게도, 죽은 병사들에게도 좋지 않겠는가?"

"예, 알겠습니다."

"금방 다녀오겠네."

비통한 심정이었다. 길림은 곧장 말을 몰아 홍씨 가문의 저택에 도달했다.

"어? 길림 부관님이다."

하품하다 말고 준영의 처소 쪽을 가리키는 윤조의 말에 나래가 고개를 돌렸다. 단장을 마치고 막 방에서 나오던 두 사람은 어딘지 모르게 조급한 길림의 모습에 의아한 눈을 했다.

"무슨 일이지? 이렇게 이른 아침부터?"

"글쎄, 아마 어제 시장에서의 일 때문이 아닐까?"

나래의 말에 윤조가 기지개를 켜며 답했다. 닫힌 준영의 방이 열리고, 준영과 길림이 나왔다. 두 사람은 심각한 표정으로 대화를 나누고 있었다. 허리에 검을 차는 준영의 모습에 하품하던 윤조가 그대로 멈춰 섰다.

"검은 왜⋯⋯?"

그제야 무언가 큰일이 일어났음을 직감한 그녀가 나래와 함께 준영과 길림이 있는 곳을 향해 달려갔다. 간발의 차이로 두 사람을 놓친 그녀들은 말을 타고 저택을 나서는 두 사람을 지켜보며 말했다.

"대체 무슨 일일까?"

"모르겠어. 나도 어제 시장에서의 사건 외에는 아버지께 더 들은 것이 없어."

"나가 보자."

윤조의 말에 나래가 그녀를 붙잡았다.

"안 돼. 우리 멋대로 행동하면 곤란해지는 건 대장군님이야."

"어제도 무리해서 팔을 썼는데 또 그런 일이 생기면⋯⋯."

"걱정하지 말거라."

순간 등 뒤에서 들려오는 목소리에 두 사람이 놀라 몸을 돌렸다.

"홍 장군님!"

"그래, 둘 다 잠은 잘 잤느냐?"

"예. 그런데 무슨 일인지 대장군님께서 방금⋯⋯."

"안다. 나도 함께 있을 것이니 불상사는 없게 하마."

준영을 걱정하는 마음을 다 안다는 듯 홍 장군이 윤조의 머리를 쓰다듬었다. 나래는 갑주에 검까지 챙긴 홍 장군의 모습에 심각한 표정으로 물었다.

"무슨 일이 생긴 겁니까?"

"아녀자들이 듣기에는 참담한 일이구나."

"저는 괜찮습니다. 아버님께서 다른 일이 생기면 전해 달라고 하셨습니다."

"저도 괜찮아요!"

빤히 마주해 오는 두 쌍의 시선에 홍 장군이 잠시 생각하다 입을 열었다.

"간밤에 야간 수색대 1조가 전멸했다."

전멸.

그 단어의 의미를 깨달은 나래의 표정이 딱딱하게 굳어졌다.

"전멸이라고 하셨습니까? 1조 열 명의 병사들이 모두요?"

"그렇다."

"적의 기습입니까?"

"아니다. 길림의 말로는 단 한 명이 저지른 일같이 보인다더군."

"설마, 아직 잡히지 않았다는 세작 중의 한 명이……."

"그럴 가능성이 크겠지."

"아버님을, 승상님을 뵙고 오겠습니다. 홍 장군님, 잠시 자리를 비워도 되겠습니까?"

"그렇게 하려무나. 혹시 모르니 병사 둘을 데려가거라."

"감사합니다."

나래가 급히 병사들과 함께 저택을 나섰다. 홍 장군이 남아 있던 윤조에게 말했다.

"아가, 준영이 놈은 걱정하지 말아라. 나도 있고 길림도 있으니 별일 없을 거다. 아무래도 집을 종일 비워야 할 것 같구나. 이곳을 네게 맡기마."

홍씨 가문의 저택을 맡긴다는 것은 곧 윤조를 집안의 안주인으로 세운다는 뜻이었다. 윤조가 그 뜻을 알고 깜짝 놀라 손을 저었다.

"장군님, 저는 아직 그럴 자격이 없습니다! 명을 거두어 주십시오."

"아니다. 너는 이미 내정된 안주인이 아니냐? 자격은 홍씨 가문의 가주인 내가 준 것이니 염려 말아라. 이번 기회에 안주인으로서 해야 할 일을 배워 보는 것도 나쁘지 않지. 유모에게 말해 두었으니 잘 알려 줄 게다."

"하지만!"

"그럼, 다녀오마."

안주인 노릇이라니! 귀족가 자제도 아니고 평민인 그녀는 귀족 가문 안주인의 소양이나 예법을 배운 적도, 어깨너머로 볼 기회도 없었다. 아직 어제의 사건으로 인한 피로가 다 풀리지 않은 윤조는 멀어지는 홍 장군의 뒷모습을 바라보다 손으로 배를 감쌌다. 왠지 신경성 위염이 도질 것 같았다.

"작은 마님, 그럼 시작해 볼까요?"

"히익!!!"

불쑥 나타난 유모의 모습에 기겁한 윤조가 비명을 질렀다. 마치 웅크리고 있던 아기 토끼가 놀라 폴짝 뛰는 것 같은 모양이다. 준영의 유모는 그런 윤조가 귀엽다는 듯이 호호, 웃으며 안내를 시작했다.

"자, 그럼 본격적으로 세간 살림부터 확인해 보시죠. 따라오세요."

"네, 넵⋯⋯."

"목소리가 작습니다!"

"네!!!"

"아무렴요! 홍씨 가문 안주인이신데 첫째도 기백, 둘째도 기백입니다. 기 싸움에서는 절대 밀리시면 안 돼요."

"예? 저 혹시 지금 누구랑 싸우러 가나요?"

진땀을 흘리는 윤조의 물음에 유모가 재미있다는 듯 방긋 웃었다.

"내일, 혹은 오늘 당장 무슨 일이 닥칠지는 아무도 모르는 법. 본디 귀족가 여인네들의 기 싸움은 창칼이 오가는 것보다 무서울 때도 있답니다."

"하지만 싸우는 건 자신이 없는데⋯⋯."

유모가 빙글 돌아 윤조에게 말했다.

"그럼 지킨다고 생각하세요."

소중한 것들을 지켜 내는 것이라고.

　　　　　　　　　　　✧

"아버님, 그자를 계속 집 안에 두실 겁니까?"

"말조심하거라. 네가 함부로 말할 분이 아니다."

문 비서랑은 문밖에 있는 파이엔을 향해 손가락질하는 자신의 딸을 질책했다. 혜린은 그런 아버지의 태도가 어처구니없다는 듯이 비웃었다.

"하, 그렇죠. 하룻밤 사이 수도를 발칵 뒤집은 대단한 분이시니."

"혜린아!"

"제 말이 틀렸습니까? 아버님, 대업을 위해서라고 하나 저렇게 긴장감 없는 사내의 무엇을 믿고 따른단 말입니까? 수색대 열 명을 죽인 자입니다. 한두 명도 아니고 하루 만에 야간 수색대 1조를 모두 죽였단 말입니다! 세작들이 시장에서 공개적으로 대장군의 손에 죽었다는 사실만 해도 기가 찰 노릇인데 이런 경거망동이라니요!"

"괜찮을 거다. 폐하께서는 이번 문제를 비밀리에 해결하고 싶어 하시니까."

"더는 비밀이 아닙니다! 이제 폐하께서도 그리하지 못하실 겁니다. 사람을 시켜 황궁을 살피라 하였는데 최 승상과 홍 장군이 이미 사건을 공론화하려고 합니다. 아버님, 정신 차리세요! 폐하께서 이 사건을 공론화하면 수도 내의 모든 가택에 수색대가 들이닥칠 것이 뻔합니다. 홍 장군과 최 승상은 또 어떻구요? 그들이 이번 일을 허술하게 넘길 것 같습니까? 심지어 세작들이 시장에서 습격한 무녀는 대장군의 새로운 정혼자라는 아이였잖습니까!"

그때였다. 닫혀 있던 방문이 열리며 파이옌이 방 안으로 들어왔다.

"실례. 내 문제로 머리가 아픈 것 같아 미안하지만 지금 한 말 다시 한 번만 해 주겠어, 아가씨?"

손을 흔들며 들어온 그가 혜린을 향해 물었다.

"무슨……."

"아니, 방금 세작들한테 습격당했다는 무녀 이야기 말이야. 대장군 홍준영과 무슨 사이라고?"

"대장군의 새로운 정혼자, 라는 것 말인가요?"

"그래! 바로 그거!"

파이옌이 손뼉을 치며 아이처럼 천진한 미소를 지었다.

"내가 그 무녀를 좀 만나 보고 싶은데, 어떻게 안 될까?"

"지금 그게 무슨! 당신이 저지른 일을 생각이나 하고 말하는 겁니까? 지금 밖의 상황이 어떤지 몰라요? 상황 파악 안 됩니까!"

"와, 너 지금 우리 황제랑 똑같았어. 대박."

정색하는 혜린의 반응에 파이옌이 놀랐다는 듯 손뼉을 치며 문비서랑을 돌아봤다.

"그런데 문 비서랑. 나는 지금 부탁을 하는 게 아니거든."

말을 마친 그가 말릴 새도 없이 마주한 혜린의 목을 거칠게 움켜쥐었다.

"큭! 이, 이게 무슨 짓……!"

"아니, 말투가 돼먹지 못한 것까지는 그렇다 쳐. 고귀한 귀족 아씨 천성인데 쉽게 바뀌겠어? 그런데 너, 너무 태도가 불손하다. 응? 아가씨. 야, 너 내가 만만하니?"

"커, 커흑! 수, 숨이!"

"그래, 숨 못 쉬겠지. 못 쉬라고 잡고 있는데, 암."

"귀공! 딸아이를 부디 놓아주십시오! 다 제 잘못입니다!!!"

설마 파이옌이 혜린을 공격할 것이라곤 생각 못했던 문 비서랑은 기함하며 바닥에 머리를 조아렸다.

"아니, 왜 잘못은 따님이 했는데 아버지가 빌어? 이거 엄청 웃기는 광경 아니야? 그치? 아가씨, 너도 그렇게 생각하지?"

"커— 커흐윽. 잘, 잘못……."

"응? 다시 말해 봐."

"잘, 잘못했, 잘못했……!"

혜린이 허공에 들린 다리를 버둥거렸다. 파이옌은 금방이라도 숨이 넘어갈 것 같은 혜린의 얼굴을 들여다보다 그녀를 바닥으로 내동댕이쳤다.

"허억! 헉, 커헉……."

바닥에 엎어져 숨을 토하는 혜린의 얼굴이 엉망으로 일그러졌다. 파이옌은 그 앞에 쪼그리고 앉아 그녀를 내려다봤다. 섬뜩하게 새겨진 그의 미소에 혜린이 비명을 지르며 몸을 뒤로했다.

"야. 내가 널 못 죽일 거 같지? 응?"

"죄, 죄송합니다. 죄송합니다……."

"사과는 됐고."

"바, 방법을 찾아보겠습니다."

"그래, 역시 배운 사람이라 그런지 이해력이 빨라. 문 비서랑, 따님이 똑똑해서 좋겠어?"

"죄송합니다, 귀공! 다음부터 이런 일 없도록 철저히 교육하겠습니다! 부디 노여움을 거둬 주십시오."

"에이, 교육이라니. 번거롭게 그럴 필요 없어. 앞으로 또 이런 일이 생기면 그땐 살려 두지 않을 거니까."

씩, 이를 드러내며 웃는 그의 말에 문 비서랑이 사색이 되어 고개를 조아렸다.

"며, 명심하겠나이다."

"그럼 좋고. 아, 그리고 지난밤의 일은 정말 미안하게 됐어. 그건 내가 알아서 처리할게. 걱정하지 마."

"혼자서 괜찮으시겠습니까?"

문 비서랑의 말에 파이옌이 걱정하지 말라며 고개를 끄덕였다.

"마침 그럴싸한 잔꾀가 떠올라서 말이야. 걱정하지 말라고. 오늘 안에 모두 잠잠해질 테니."

⚜

쨍그랑─!

날아간 도자기가 벽에 부딪쳐 산산이 조각났다. 10분째 악을 지르며 닥치는 대로 방 안의 기물을 집어 던지던 혜린이 거친 숨을 몰아쉬며 비틀거렸다.

"서국의 애송이 주제에 감히 나를 겁박해!!!"

"아가씨, 이러다 듣겠습니다. 제발 진정하세요."

"후, 내 언젠가 반드시 그놈을 갈가리 찢어 놓을 것이야."

그녀는 성난 표정으로 시퍼런 멍이 난 자신의 목을 매만졌다.

"서국 황제의 미친개라더니 날뛰는 꼴이 정말 가관이구나."

"맞습니다. 어디 감히 아가씨 몸에 이런 흉측한 자국을……! 도저히 용서할 수 없는 자예요. 하지만 아가씨가 감당하기에는 너무도 위험한 자입니다."

혜린은 시녀의 부축을 받으며 의자에 앉았다.

"내 오늘의 일은 반드시 배로 갚아 줄 것이다."

"그자가 홍씨 가문의 무녀를 만나게 해 달라고 한 일은 어쩌실 건가요?"

"후, 도리가 없지. 방법이라면 있다. 이미 무녀장님께 정식으로 허가를 받았으니."

"설마, 그자와 함께 동행하시려는 겁니까? 너무 위험합니다! 그자가 홍씨 가문에서 일이라도 벌였다간 자칫 아가씨께서 위험해지세요!"

"지체했다간 그 성질 나쁜 자가 내 목을 먼저 노릴 거다."

"하지만 아가씨."

"됐다. 진정됐으니 다녀오마. 너는 사람을 시켜 내가 준비한 선물을 가마에 싣고 외출 준비를 하거라."

혜린은 모멸감으로 바르르 떨리는 입술을 깨물었다. 손안에 신력을 모아 멍든 목 부근을 쓸어내리는 그녀의 눈 안에 살기가 가득했다.

같은 시각, 윤조는 기진맥진해 벽을 짚고 주저앉았다.

"집이, 집이 넓어도 너무 넓어……!"

본채에 안채에 사랑채에 별채에 식솔들이 거주하는 행랑채까지, 돌아다닌 방만 해도 족히 50개는 넘었다. 집에서 길을 잃어도 이상하지 않을 정도야. 윤조는 제가 본 광경이 꿈이 아니라는 것에 두 번 놀라 어질했다. 두 번의 생을 통틀어 살아온 집을 다 합쳐도 본채 하나 크기도 안 나올 것 같다. 반지층 원룸이나 옥탑방, 방 한 칸이 전부인 초가집에서 살아온 그녀로서는 엄청난 문화 충격이 아닐 수 없었다.

처음 온 날부터 '집이 크다. 그래, 크군' 싶긴 했지만, 어차피 남의 집이고 자신과는 상관없는 곳이라고 생각했기 때문에 크게 신경 쓰지 않았다. 두 번째로 무녀가 되어 왔을 때는 '그래, 이제부터 머물 집이구나. 다시 봐도 크다. 하지만 내가 쓸 방은 하나지'라고 생각했기에 신경 쓰지 않았다. 준영이 정말 자신과 혼인하겠다고 마음먹을 줄은 꿈에도 몰랐기에.

그런데 이제는 이런 고래 같은 집의 안주인으로 살림을 책임져야 한다니! 난 못해. 하루 동안 온 집안 식구 입으로 들어갈 것만 생각해도 국경 살 때 몇 년 먹을 양식은 될 텐데, 나더러 그런 큰손이 되라니! 엄두가 나지 않는다.

"어머, 벌써 지치셨어요? 숟가락이랑 젓가락 개수도 다 외우셔야 하는데."

"숟가락이랑 젓가락도요?"

"그럼요. 어림잡아 여든 몇 벌이더라? 세어 봐야 알겠네."

"여, 여든이면 팔십……."

경기를 일으키는 윤조의 모습에 유모가 장난이라며 손사래를 쳤다.

"호호, 장난이에요, 장난. 작은 마님 반응이 귀여워서 그만."

"장난이요?"

"네, 장난."

"다행이다아……."

"어머, 그렇다고 울진 마시고요."

유모가 울먹이며 자신을 원망스럽게 바라보는 윤조의 어깨를 토닥였다.

"이렇게 작으신 분이 준영 도련님 짝이 될 줄은 저도 정말 몰랐답니다."

"큭, 유모님 사실 저 싫어하시죠?"

"네? 오, 아니요. 전혀요. 호호호, 작다는 말을 싫어하신다고는 들었답니다."

윤조가 입술을 삐죽 내밀었다.

"대장군님께서 알려 주셨어요?"

"네. 삼시 세끼 다 먹고 컸으면 쑥쑥 컸을 거라고 하셨다면서요?"

"그렇게까지 자세히 말씀하셨어요?"

"그럼요. 누군가에 대해 이야기를 하면서 그리 웃는 도련님은 처음 봤어요."

유모가 다정하게 미소 지었다.

"도련님이 커 가는 모습을 지켜보면서 항상 기도했거든요. 나중에 도련님 곁을 지켜 줄 분은 부디 도련님을 많이 웃게 하는 사람이었으면 좋겠다고. 웃음이 없던 삶은 한 번으로 족하니까요."

과거의 일을 더듬는 유모의 말에 윤조가 조심스럽게 물었다.

"어릴 적에 대장군님께 무슨 일이 있었나요?"

"있었죠. 굉장히 슬픈 일이었어요. 혹시 홍씨 가문의 '금기'에 대해 들은 적 있으세요?"

"네. 하지만 내용은 알지 못해요."

"그럴 거예요. 말 그대로 금기거든요, 그날의 일은. 잠깐 앉아서 이야기할까요? 그래도 안주인이시니 이제 아셔야겠죠."

근처에 있던 손님방에 들어가 자리에 앉은 유모가 잠시 숨을 골랐다가 말을 이었다.

"도련님께선 위로 형제가 세 명 더 있었어요. 아주 우애 좋은 형제였는데 그만 범 사냥을 나갔던 날 변을 당했죠."

유모의 말에 윤조는 얼마 전 홍 장군과의 대화를 떠올렸다. 분명 그때 대장군님의 형제들이 죽었다고 하셨었지. 설마 했는데 그런 사고가 있었던 줄은 미처 짐작도 하지 못했다.

"얼마 전에 홍 장군님께서 우는 저를 위로해 주시면서 스치듯이 말씀하신 게 있어요. 대장군님께서 형제들의 무덤가에 앉아 시간을 많이 보냈었다고…….”

유모가 고개를 끄덕였다.

“그랬군요. 맞아요. 준영 도련님은 형제 중 가장 막내였는데 사고가 있던 그날 형제들이 범에게 당하는 모습을 모두 봤던 모양이에요. 눈이 아주 많이 쌓였던 겨울이었는데, 황실에서 범 사냥을 나갔어요. 그런데 준영 도련님이 어린 마음에 호랑이를 잡고 싶은 욕심이 컸는지 홀로 이탈했고, 그러다 범을 맞닥뜨린 거죠. 그것도 어린 범이 아닌 성체의 굶주린 범을 말이에요. 그때 준영 도련님 나이가 열다섯이었어요. 키는 지금 작은 마님 정도였을 거예요. 그때만 해도 형제 중 가장 몸집이 작았거든요.”

유모가 가만히 손을 내밀어 마치 어린 날의 준영을 어르듯 윤조의 손을 매만졌다. 보드라울 것이라고 생각했는데 곳곳에 굳은살이 박인 윤조의 손은 과거 형제들의 죽음 이후 미친 듯이 검술에만 매달렸던 준영의 손과 꼭 닮아 있었다. 유모는 울컥, 눈물이 나오려는 것을 참으며 말을 이었다.

“어린 도련님이 마주했던 범은 상상 이상으로 거대했고, 강했죠. 간신히 범의 한쪽 눈에 상처를 입히고 도망치려던 중 도련님께서 절벽으로 떨어지셨어요. 다행히 그리 높지 않은 절벽이었고, 아래에 몸을 숨길 정도의 공간이 있어서 목숨을 구할 수 있었죠. 문제는 그다음이었어요. 도련님이 사라진 것을 알고 형제들이 도련님을 찾아서 온 거예요. 하필, 범이 있는 그 순간에.”

이후 어떤 일이 벌어졌을지는 더 듣지 않아도 알 수 있었다. 끔찍한 장면이 떠오른 윤조는 눈을 감아 버렸다. 유모가 자신의 손을 꽉 잡아 오는 게 느껴졌다.

"형제들은 준영 도련님을 구하려고 했어요. 용맹한 홍씨 가문의 자손답게 물러나지 않고 맞섰죠. 아우를 구하기 위해서. 하지만 다 자란 범의 상대는 되지 못했죠. 준영 도련님은 절벽 아래에서 형제들이 범에게 물려 죽어 가는 모습을 지켜봐야만 했어요. 홍 장군님과 황궁의 군사들이 그들을 발견했을 때는 이미······."

윤조는 유모의 뺨 위로 흐르는 눈물을 소매로 닦으며 그녀의 머리를 자신의 어깨에 기대게 했다.

"범은 이미 사라진 뒤였고, 준영 도련님이 벼랑에서 올라왔을 때 형제들은 이미 숨이 멎은 후였어요. 홍 장군님께서는 준영 도련님의 자만심이 형제들을 죽게 한 거라고 하셨죠. 돌아온 도련님 손을 봤는데 엉망이었어요. 형제들을 구하려고 맨손으로 절벽을 몇 번이고 오르다가 떨어져서 손톱이 다 빠지고 피투성이가 되었는데도 아픈 것도 모르고 넋을 놓고 계셨어요. 무덤을 세우고, 겨우내 무덤 위에 쌓였던 눈이 녹아 다시 풀이 자랄 때까지 살아도 산 게 아니었죠. 도련님을 다시 일으켰던 건 형제들과 함께 배웠던 검이었어요. 그때부터 오직 검술에만 매달렸고, 열아홉 살 성인식을 치른 후 겨울 산으로 들어가 며칠 만에 돌아오셨죠. 형제들을 죽인 범을 잡아서 말이에요."

"아······."

윤조는 문득 준영의 방 침대 아래에 깔려 있던 호랑이 가죽을 떠올렸다. 한쪽 눈 부분에 큰 흉터가 있던. 그저 귀족들이 으레 방을 치장하기 위해 사용하는 사치품으로 생각했는데 그것이 아니었나.

준영은 매일 자신의 침대 아래에 깔린 그 범의 가죽을 보며 무슨 생각을 했을까? 그는 그렇게 하루도 빠짐없이 형제들의 죽음과 자신의 자만을 탓하며 죄책감을 지닌 채 살아온 것일까? 자신을 위해 살아온 나날들이 아닐 거다. 그의 삶은 오직 형제들을 위해 바치는 삶이었으니. 검에 매달려 하루하루 살아가는 나날을 지옥도로 그리며 그는 그렇게 외로운 길을 버티고 또 버텼던 것이다.

그래서 팔을 다쳐 검을 들 수 없다는 말을 들었을 때, 그 팔을 잘라 내야 한다는 말을 들었을 때 그럴 바에는 차라리 죽음을 택하겠다고 말했던 거다. 어쩌면 그에게는 그것이 당연했던 거다. 그것을 위해 살아온 나날이 모두 사라져 버리고 나면 그에게 남는 것은 아무것도 없으니. 본인의 목숨조차 본인의 것이 아닌 나날이었으니.

서글픔에 눈물이 날 것 같았다. 그 사람을 위해 울어 주는 것조차 미안한 마음이 들어 눈물을 참아야 한다는 사실이 너무도 서글펐다.

애정이 많은 사람이다. 윤조는 그렇게 생각했다. 자신을 대하는 그의 따스하고 다정한 면모 하나하나를 볼 때마다 아, 이 사람 보기와는 달리 참 애정이 많은 사람이구나, 표현이 서툴러도 누군가에게 진솔한 애정을 줄 수 있는 사람이구나, 하는 것을 느꼈다. 그런 사람이 자신을 지우고 살았다. 주고받는 모든 애정 어린 감정들을 다 끊어 낸 채 홀로 지친 길을 걸어왔다.

윤조는 그가 그런 선택을 할 수밖에 없던 이유를 알고 있었다. 모든 것에 닳고 닳아 지쳐 버렸어도 애정을 나눈 사람을 하루아침에 잃는다는 슬픔은 닳지 않는다. 모든 것이 닳고 닳아 없어져도 그 슬픔과 괴로움만은 닳지 않는다.

이전 생에서 아버지를 사고로 떠나보냈을 때도, 아픈 어머니를 보냈을 때도 그랬다. 병중에 괴로워하는 어머니를 보면서도 그녀를 마지막의 마지막까지 생의 고리에 붙잡아 숨 쉬게 했던 건, 그녀를 살리고 싶은 마음보다도 그녀마저 자신의 곁을 떠나 버리면 닳아 없어질 자신의 모든 것이 두려워서였다. 홀로 남아 슬픔과 괴로움에 닳고 닳아 버릴 자신이 두려워서.

다른 것이 있다면 윤조는 닳고 닳아 버릴 자신이 두려워 어머니를 살리려 했고, 준영은 닳고 닳아 버릴 자신이 두려워 자신의 삶을 죽은 형제들을 위해 바쳤다는 점이었다.

방법은 달라도 두려운 마음은 같았다. 두 사람 모두 자신의 죽음보다도 자신의 곁에서 사라져 버릴 누군가의 부재를, 그로 인한 고통을 더욱 두려워했다. 소중한 것을 잃는다는 아픔을 뼈아프게 새기고 있음을, 그래서 자신에게 애정을 주는 모든 이가 그런 두려움의 대상이 될 수 있다는 것도…….

모두 같았다.

그럼에도 그 슬픔에 서서히 닳아 가고 있다는 것조차.

"애정이라는 게 참 무서운 거 같아요. 사람을 기쁘게도, 슬프게도 하니까요."

읊조리는 윤조의 말에 준영의 유모가 숙였던 고개를 들었다. 윤조는 깊은 눈을 한 채 유모의 손을 꼭 맞잡은 상태였다. 그런 손을 바라보는 윤조의 시선이 어딘지 모르게 처연했다. 유모는 그 눈빛이 오래전의 준영과 꼭 닮았다고 생각했다. 그녀가 눈물을 훔치며 윤조에게 속삭였다.

"작은 마님도 많이 힘드셨죠?"

그 한마디가 윤조의 가슴에 던져지듯 날아왔다.

"많이 힘드셨죠. 잘은 모르지만 그냥 알아요. 준영 도련님을 보며 살아왔더니 이제는 그냥 알 것 같아요. 괜찮아요. 괜찮을 거예요. 이렇게 씩씩하게 자라 주어서 감사해요. 도련님을 웃게 해 주셔서 정말 감사합니다."

자신이 살아온 삶이 누군가에게 감사한 일이 될 줄 그 누가 알 수 있을까.

힘겨웠던 지난 나날들이 누군가에게 감사히 여겨지는 일이 될 줄 그 누가 알 수 있을까.

하루하루를 감사한 마음으로 살아가야 한다고, 죽어간 자들이 부러워하는 오늘을 살아가는 우리는 항상 감사한 마음으로 살아가야 한다고 했다.

하지만 정작 내게 주어진 삶은 죽어 간 이를 부러워하는 삶이었다. 다 놓아 버리면 편해질까, 다른 건 몰라도 고통스러운 삶에서 벗어날 수는 있겠지. 삶이 곧 괴로움인데 계속 무엇에 매달려 감사하란 말일까…….

이해가 되지 않았다. 고통에 감사하며 살아가라는 사람들의 위로가, '너는 계속 고통 속에 살 거야'라는 말로밖에 들리지 않았기 때문에.

벗어나고자 했던 나의 삶에 감사를 전하는 사람을 만난다는 건 대체 어떤 종류의 기적인 걸까?

불현듯 목이 메었다. 가슴이 아팠다. 지켜 주지 못했던 나의 삶에 너무나 미안해서, 고마워할 생각조차 못했던 나의 삶이 너무나 가여워서, 이제 와 다른 생을 살아가면서 그 삶을 추억하며 그리워할 수밖에 없다는 사실이 가슴 아팠다.

사람들은 알까? 죽어 놓아 버리려 했던 괴로움을 다시 살아 그리 워하게 된다는 사실을. 다시 죽으면 알 수 있을까? 혹은 또다시 살 아 계속 기억하게 될까? 아직은 모르겠다. 하지만 적어도 한 가지 는 알 것 같았다. 어쩌면 이번 생은 내게 무언가를 지켜 낼 기회를 주기 위한 생이 아닐까, 하는.

"유모님. 지킨다는 건 뭘까요? 그건 어떤 의미인 걸까요?"

윤조의 물음에 유모가 미소 지었다.

"사랑이요. 그 단어로밖에는 설명할 수 없네요."

파이옌이 머무는 방문 앞. 분노를 가라앉힌 혜린이 방문을 두드 렸다.

"누구냐?"

"혜린입니다. 말씀하셨던 무녀를 만날 방법을 찾아왔습니다."

"들어와."

탁자를 사이에 두고 파이옌과 마주 앉은 혜린은 바로 본론을 꺼 냈다.

"며칠 전 무녀장님께 부탁해 정식으로 홍씨 가문을 방문할 수 있 도록 허락받았습니다. 방문 목적은 대장군이 건강을 회복한 것에 대한 축하와 그 반려가 될 무녀에 대한 감사입니다."

"겉으로 드러나는 목적은 그렇고, 궁극적인 목적은 대장군을 다 시 꿰어 차겠다는 건가?"

"예, 그리고 그의 새로운 반려라는 아이의 기도 꺾어 버릴 겸. 내쫓을 수 없다면 제 발로 도망치게 만들어야겠죠. 그것도 안 된다면……."

"죽여 없애거나? 너 이제 보니 나랑 되게 잘 맞을 거 같다. 복잡하지 않아서 좋네."

"귀공께서는 저를 따르는 시종 중 하나로 변장하시면 됩니다."

"시종? 흠, 방법이 그것뿐이라면 할 수 없지."

"말투도, 행동도, 제 하인같이 행동해야 합니다."

"알겠어."

"그리고 절대 그곳에서 누군가를 다치게 하거나 죽이는 것은 안 됩니다. 절대로요. 홍씨 가문의 사병들을 만만히 보시면 안 됩니다. 더군다나 귀공이 일으킨 사건으로 수도의 경비를 맡은 병사 일부가 저택을 호위하고 있답니다. 그러니 일체의 불상사도 일어나서는 안 됩니다. 이것만 약조해 주신다면 저도 귀공을 성심껏 돕겠습니다."

"유일하게 '만남'만을 성사시키겠다?"

"불가하다면 없던 일로 하겠습니다."

"거참, 빡빡하네. 절대 아무것도 손 안 댈게. 곤란한 짓 말고 얌전히 있으라는 거잖아?"

"좋습니다. 그럼 시녀를 시켜 입을 옷을 보낼 테니 준비하고 나오십시오."

파이옌은 말을 마치자마자 뒤돌아 문을 열고 가 버리는 혜린을 향해 물었다.

"야, 너 목은 괜찮냐? 내가 열받아서 힘 조절을 좀 못했는데."

복도를 가로지르던 혜린이 멈칫 자리에 선 채 고개를 돌려 그를 향했다.

"귀하신 분께서 걱정하실 필요는 없습니다."

차가운 말과 함께 복도 저편으로 사라지는 그녀를 보던 파이옌이 고개를 절레절레 흔들었다.

"저 싸가지는 글렀다. 맞는다고 나아질 싸가지가 아니야. 글러먹은 게 아주 우리 황제 판박이네, 판박이."

문득 떠오른 황제의 모습에 소름이 돋아난 팔을 문지르던 그가 아차, 하며 손뼉을 쳤다.

"가기 전에 내 문제도 해결을 해 놔야지."

그의 입가에 장난스러운 미소가 걸렸다.

같은 시각, 최씨 가문의 저택 승상의 집무실 안. 병사들과 함께 도착했던 나래의 보고에 승상의 미간이 깊게 파였다.

"엄청나게도 저질렀군. 한둘이 죽어나도 문제일 판에 열 명이라니."

"동료의 죽음에 대한 보복일까요?"

나래의 물음에 승상이 고개를 저었다.

"까마귀들의 방식이 아니다. 그들은 동료의 목숨에 무게를 두는 자들이 아니야."

"대체 어떤 자일까요? 일개 병사라고는 하나 수도를 지키는 정예군입니다. 어지간한 실력이 아니고는 불가능한 일이에요. 혹 아직도 남아 있는 세작이 여러 명 있는 것이라면……."

"그럴 수도. 하지만 길림 부관의 말로는 한 명의 소행으로 보인다더군."

"길림 부관을 믿을 수 없다는 건 아니지만, 모든 경우의 수를 생각해야 할 때입니다."

"그래, 네 말이 옳다."

최 승상은 그렇게 대답하면서도 계속해서 드는 불길함을 감출 수 없었다. 그는 자리에서 일어나 창가로 다가갔다.

"시신의 상태가 처참했다지?"

"네. 거의 모든 부분이 조각나 있었다고 합니다."

"갑자기 떠오르는 자가 하나 있구나."

"그게 누굽니까?"

"서국 황제의 미친개라 불리는 장수지."

"미친개요?"

한 나라의 장수에게 붙은 별호 치고는 명예롭지 못한 이름이었다. 보통 장수라면 황제가 하사하는 명예로운 이름을 받기 마련이었다. 그런데 미친개라니? 동네 한량에게나 붙을 법한 단어에 나래가 어처구니없다는 얼굴을 했다. 창밖을 바라보던 최 승상은 뒤돌아 그런 나래를 바라봤다.

"서국의 최정예 부대라 불리는 '괴혈단怪血團'에 대해 들어봤느냐?"

"예, 악명이 자자하다고 들었습니다. 지난 전투에서 선봉대를 거의 괴멸했었다고."

"그래. 그 부대는 서국의 황제가 직접 지휘하는 부대다. 전투와 방어 그리고 후방을 맡은 세 개의 부대로 구성되어 있지. 그중에서도 미친개라 불리는 그자, '파이옌'은 전투 부대를 이끄는 좌장군이다."

'괴혈단 좌장군 파이옌.'

최 승상이 그를 떠올리며 말을 이었다.

"기우이길 바라야겠지. 왜 갑자기 그자의 이름이 떠오르는 것인지."

그때였다. 복도에서 다급한 발소리와 함께 집무실의 문이 열렸다. 승상을 보좌하는 반인伴人이 뛰어 들어왔다.

"급한 사안이라 죄송합니다! 승상님, 조금 전에 도주하던 세작이 잡혔다고 합니다."

반인의 말에 나래가 자리를 박차고 벌떡 일어났다.

"그게 정말입니까? 그자가 붙잡힌 겁니까?"

"예, 아가씨. 도주하던 자를 병사들이 쫓아 한 대장간 안에서 붙잡았다는 전갈입니다."

"그자를 직접 봐야겠다."

최 승상은 자신의 불길한 생각을 떨쳐 버리고자 했다.

"안내하라. 그자의 얼굴을 내가 직접 확인할 것이다."

그가 반인과 함께 방을 나서려는데, 나래의 시녀가 복도를 달려 왔다.

"큰일 났습니다! 시장에서 큰불이 났습니다! 수색을 하던 병사들 모두 화재 진압에 투입되었다고 합니다. 가문의 사병들도 모두 화재 진압을 도우라는 폐하의 어명입니다!"

"갑자기 화재라니!"

나래가 급히 창가로 가 시장 쪽을 바라봤다. 시녀의 말이 거짓이 아님을 증명하기라도 하듯, 시장 한복판에서 번진 불길에 검은 기둥이 하늘로 치솟고 있었다.

"미안, 좀 늦었네."

잠시 해야 할 일이 있어 다녀온다고 하더니 어딜 갔다 온 것인지 한참을 기다려도 보이지 않았던 파이옌이 저편에서 손을 흔들며 달려왔다. 하인들과 함께 먼저 홍씨 가문의 저택 앞에 도착해 있던 혜린은 그런 그를 향해 쏘아붙였다.

"말투, 조심하십시오."

"아. 죄송합니다, 아가씨."

혜린은 그를 지나쳐 홍씨 가문의 대문 앞에 섰다.

"고하라."

그녀의 말에 곁에 있던 하인이 대문 안을 향해 소리쳤다.

"무녀장 묘길 님의 전갈이오! 홍씨 가문의 가주는 손님을 맞이하시오!"

✦

윤조는 부엌에서 유모와 함께 점심을 준비하고 있었다. 야무지게 칼을 쥔 그녀의 손이 일정한 박자로 도마 위를 움직였다. 너무도 익숙하게 채소를 다듬고 된장을 풀어 육수를 내는 그녀의 모습에 유모가 혀를 내둘렀다.

"어머, 작은 마님께서 저보다 부엌에 더 익숙하신 것 같아요."

"아, 늘 하던 거라서요."

대수롭지 않게 대답한 윤조가 된장국에 양파와 호박, 버섯 등을 넣었다. 국이 한번 끓고 나자 맛을 본 그녀는 이만하면 괜찮다는 생각에 생선을 다듬기 시작했다. 능숙하게 배를 갈라 내장을 제거한 그녀는 지느러미를 다듬고 생선의 비늘을 벗겨 냈다.

"생선은 제가 손질할게요. 손 다치세요! 이리 주세요."

"앗, 아니에요. 손에 굳은살이 많아서 안 아파요. 괜찮아요."

"그래도……."

"제가 하고 싶어서 그래요. 요리, 꽤 좋아하거든요."

칼을 든 윤조의 손이 생선 위에서 가볍게 움직일 때마다 신기하게도 뻣뻣한 비늘이 기름칠이라도 한 듯 부드럽게 벗겨진다. 비늘을 다 벗긴 윤조가 생선을 물로 깨끗이 닦아 소금을 뿌렸다.

"굽는 것만 좀 도와주시겠어요? 제가 생선 구울 때 불 조절이 좀 서툴러서요. 흠흠, 그럼 밥이랑 국은 됐고. 나물도 다 무쳤고. 다른 거 더 할 거 있을까요? 아, 홍 장군님 숭늉 좋아하세요? 누룽지가 마침 맛있게 됐던데."

넋을 놓고 그 모습을 지켜보고 있던 유모가 자신도 모르게 고개를 끄덕였다.

"숭늉. 숭늉 좋죠……."

"저어, 유모님?"

멍하니 고개를 끄덕이는 유모의 모습을 이상하게 여긴 윤조가 고개를 갸웃하자 유모가 퍼뜩 정신을 차리며 손사래를 쳤다.

"아, 아니! 숭늉은 제가 준비할게요! 이미 충분히 많이 하셨어요. 세상에, 작은 마님 칼 솜씨가 준영 도련님보다 좋은 것 같네요!"

"에이, 설마요. 저는 부엌칼이나 좀 잡아 봤지 검은 한 번도 다뤄 본 적이 없는걸요?"

"호호, 도련님께 말씀드려서 한번 배워 보시겠어요? 정말 잘하실 것 같은데."

"어? 그래도 돼요? 예전부터 배워 보고 싶긴 했는데……."

오래전 사극 드라마에서 봤던 장면 중에 인상 깊었던 장면이 있었다. 여인이 검을 들고 아름다운 춤을 추는 장면이었다. 예리하고 강해 보이는 검과 여인의 고운 춤 선이 얼마나 아름답게 보이던지, 나중에 기회가 되면 검무를 꼭 배워 보리라 다짐했던 적이 있었지.

관심을 보이는 윤조의 모습에 유모가 푸근한 미소를 지었다.

"그럼요! 홍씨 가문은 사내뿐 아니라 여인들도 검술을 배운답니다."

"우와, 그럼 유모님도 검을 배우셨어요?"

"당연하죠. 소질이 없어 오랜 시간 배웠어도 특출난 편은 아니지만, 웬만한 도둑놈쯤은 잡을 수 있답니다."

"와! 대단하세요!"

윤조가 존경의 눈빛으로 유모를 바라봤다. 검을 쓰는 여인이라니, 얼마나 멋진가!

"이따가 홍 장군님이랑 대장군님 돌아오시면 말씀드려 봐야겠어요. 제가 검을 쓸 줄 알았다면 시장에서도 세작들을 무찌를 수 있었을 텐데."

그녀의 말에 유모가 큰일 날 소리라며 손을 저었다.

"오, 마님. 그건 안 될 일이에요. 그들은 철저하게 전투를 위해 훈련받은 군사랍니다. 무서운 암살자들이에요."

"하지만 저는 그런 적들과 싸우는 대장군의 아내가 될 사람인걸요? 최소한 제 몸 하나 지킬 정도는 되어야 한다고 생각해요."

윤조는 세작에게 붙잡혔던 아찔했던 순간을 떠올렸다. 만약 준영이 구해 주지 않았더라면, 그 순간이 조금만 늦었더라면 분명 살해당했을 거다. 그런 식으로 생명을 위협받은 건 처음이었다. 아무것도 할 수 없었다. 죽고 싶지 않다고 생각하는 것 외에는 아무것도.

그것은 처음 느껴 보는 무력감이었다.

"다시는 그런 기분을 맛보고 싶지 않아요."

단호한 그녀의 눈빛이 준영을 닮아 있었다. 윤조에게 자꾸만 겹쳐 보이는 준영의 모습에 유모는 처음 윤조를 만났던 날 했던 생각을 고쳤다. 달라도 이렇게 다를 수 없다고 생각했는데…….

사람은 역시 겉보기와는 다른 법이다. 윤조의 뒤에 선 유모가 그녀를 흐뭇한 미소로 바라봤다.

그때 대문 밖에서 큰 목소리가 들려왔다.

"무녀장 묘길 님의 전갈이오! 홍씨 가문의 가주는 손님을 맞이하시오!"

손님을 맞이하라는 소리에 윤조와 유모가 하던 일을 멈추고 손을 닦았다.

"방문 예정이 있었나요?"

갑작스러운 상황에 윤조가 편하게 올려 묶었던 머리를 다시 정돈했다.

"아니요, 손님이 온다는 말은 듣지 못했습니다. 일단 나가시죠. 가주님이 안 계시니 이 집의 가장 큰 어르신은 작은 마님이십니다."

"으아, 갑자기 긴장돼요. 저 실수하면 어떡하죠?"

"후후, 다 그렇게 배우는 거지요."

매무새를 정리한 두 사람이 대문 앞에 섰다. 유모가 하인을 시켜 대문을 열자 문 뒤로 곱게 치장한 혜린의 모습과 커다란 가마, 그리고 그녀를 따라온 몇몇 시종들이 보였다.

문 안에 홍 장군과 준영이 서 있을 것이라 예상했던 혜린이 고운 미소를 지으며 고개를 들었다. 하지만 그녀의 예상과 달리 그녀를 맞이한 사람은 윤조였다.

"네가 왜……."

당황한 혜린이 말끝을 흐렸다. 당황한 건 윤조도 마찬가지였다. 혜린을 알아본 유모가 굳은 얼굴로 윤조의 곁을 지켰다.

"혜린 아가씨께서 여긴 어쩐 일이십니까?"

"홍 장군님과 대장군님을 만나러 왔네."

"두 분께서는 지금 안 계십니다. 다음에 연통을 넣고 다시 오시는 게 어떠신지요?"

유모의 완곡한 거절에 혜린의 눈썹이 꿈틀했다. 홍 장군과 준영이 자리에 없는 건 예상하지 못했던 일이나, 자신의 출입을 거부하는 것 같은 유모의 태도가 그녀의 심기를 거슬렀다. 하지만 무턱대고 불편함을 드러냈다가는 일을 그르친다. 그녀는 최대한 차분한 어조를 유지한 채 미소 띤 얼굴로 말했다.

"손님의 맞이하는 것도, 손님을 거절하는 것도 가문의 가주가 해야 할 일. 어찌 유모가 나서는가?"

"죄송합니다. 소인이 나설 자리가 아니었는데……. 너그러이 용서 바랍니다."

"이해하네. 가주께서 자리에 안 계시다니, 그럼 대리인은 있는가?"

혜린의 말에 유모가 고개를 돌려 윤조를 바라봤다. 혜린의 시선도, 그 자리에 있던 모든 사람들의 시선도 자연스럽게 윤조를 향했다. 순식간에 주목을 받게 된 윤조가 움찔하며 어깨를 들썩였다. 초점 잃은 불안한 시선으로 좌중을 바라보던 그녀가 습관처럼 한 손을 번쩍 들어 올렸다.

"네, 네! 대리인 여기 있습니다!"

"픕ㅡ!"

그 순간 혜린이 서 있던 자리와 멀지 많은 곳에서 누군가 웃음을 터뜨렸다. 혜린은 곁눈질로 웃음을 참고 있는 파이옌을 노려보다 다시 윤조를 향해 부드럽게 청했다.

"아, 대리인이, 있었군요. 정식으로 인사 올립니다. 문씨 가문의 장녀이자 무녀 혜린이라 합니다. 우리 구면이죠?"

어여쁜 혜린의 미소에 바짝 긴장했던 윤조가 조금 안도했다.

"홍씨 가문의 가주 대리인이자 무녀 윤조입니다. 혜린 무녀님을 이렇게 다시 뵐 줄은 몰랐어요."

"성인식 때는 불미스러운 일로 그대를 곤란하게 한 것 같아 미안했습니다. 가주님과 대장군님께서 안 계신다니 조금 아쉽지만, 사실 그대를 만나고자 할 목적이 더 컸답니다."

"저를요?"

"네, 꼭 감사 인사를 전하고 싶어서요. 괜찮다면 안으로 들어가서 이야기해도 될까요? 선물도 준비해 왔답니다."

윤조는 자신이 손님을 너무 오랫동안 밖에 세워 두었다는 사실을 깨닫고 허둥거리며 집 안을 가리켰다.

"들어오세요."

"그럼, 감사히."

혜린이 연두빛 치마를 살짝 잡아 올리며 윤조를 지나쳐 본채로 걸음을 옮겼다. 그녀의 뒤를 따라 하인 복장을 한 파이옌이 윤조를 지나쳤다. 호, 여기가 홍준영의 집이란 말이지? 그는 집 안을 살피며 한편으로는 혜린을 쫓아 종종걸음으로 따라오는 윤조를 쳐다봤다.

'꼭 병아리 같네.'

노란 머리색에 작고 보드랍게 보이는 것이 딱 솜털이 가득한 병아리 같았다. 저게 스무 살이라고? 그가 알기로 혜린이 올해 스물둘이라고 했다. 고작 두 살 터울인데 이렇게 차이가 나다니.

키가 크고 늘씬한 혜린은 성숙한 여인의 미를 풍기는 반면, 윤조라는 이름의 눈앞의 꼬꼬마 아가씨는 자신의 가슴팍 정도에나 겨우 닿을 법한 키에 여인이라기보다 소녀 같은 수수한 인상이 강했다. 거기다 순진해 보이는 큰 눈망울까지. 왠지 놀려 먹기 딱 좋을 것 같다. 얕잡히기 좋을 것 같은 윤조의 외모에 파이옌이 실망한 기색으로 콧방귀를 뀌었다.

"홍준영의 반려라고 해서 기대했는데 완전 햇병아리네. 이거 저 항도 제대로 못하고 문씨 가문 아가씨한테 당하는 거 아닌지 몰라?"

병아리와 살쾡이라니, 당연히 싸움이 안 되지.

파이옌이 작은 목소리로 투덜거리고 있을 때 불현듯 뒤쪽에 있던 윤조와 눈이 마주쳤다. 윤조도 그가 자신을 쳐다보고 있는 줄은 몰랐던지 동그랗게 커진 눈을 깜빡였다. 파이옌은 혹시 자신의 목소리가 들렸나 싶어 흠칫했지만 다행히 그건 아닌 것 같았다. 고개를 돌려 다시 정면을 향했던 그가 곁눈질로 윤조를 살폈다. 그는 긴 다리로 성큼성큼 걸어 나가는 혜린의 뒤를 오종종 쫓아가다 돌부리에 삐끗하는 윤조의 모습에 웃음을 참아야만 했다.

잠시 후, 집 안으로 자리를 옮긴 윤조가 혜린의 눈치를 보며 조심스럽게 첫마디를 꺼냈다.

"제가 가주 대리 자격으로 손님을 맞이하는 게 처음이라 서툴러요. 이해 부탁드릴게요."

"괜찮아요. 편하게 하세요. 앞으로 '자주' 보게 될 텐데요."

뼈가 있는 말이었지만, 긴장으로 바짝 굳어 있던 윤조는 아무것도 모른 채 지나쳐 버리고 말았다. 대화를 어떻게 이어 가야 하나, 손님맞이에는 뭘 해야 하나, 작은 머릿속이 정신없이 휘몰아치고 있었기 때문이다.

"윤조 무녀?"

"네!"

"제 말 듣고 있나요?"

"아, 네. 죄송해요. 정신이 없어서."

혜린의 부름에 퍼뜩 정신을 차린 윤조가 허허 웃으며 대화를 이었다.

"그런데 제게 감사 인사를 하러 오셨다고……?"

"아아, 맞아요. 그랬죠. 우리 따뜻한 차라도 마시면서 대화할까요? 유모, 여기 다과 좀 가져다주겠어요?"

마치 집안의 안주인이라도 된 것 같은 혜린의 모습에 유모의 표정이 안 좋게 굳어졌다. 하지만 자신 때문에 괜한 트집이 잡힌다면 곤란해지는 이는 윤조였다. 혜린도 이를 노릴 것이 분명했기에 유모는 알겠노라, 방을 나섰다. 혜린은 순순히 자신의 말을 따르는 유모의 모습이 흡족했는지 진한 미소를 지으며 윤조를 돌아봤다.

"이렇게 마주 보고 이야기할 수 있어 얼마나 기쁜지 몰라요. 무녀장님께 청을 넣어 대장군님께서 건강을 회복하신 기념으로 축하하고자 왔답니다."

"정말 다행인 일이죠. 대장군님을 생각해서 와 주시다니 정말 감사해요."

"뭘요, 당연히 축하받아 마땅한 일인걸요. 또 윤조 무녀도요."

"제가요?"

"대장군님의 '두 번째' 정혼자가 됐으니 축하할 일이죠."

두 번째, 라는 단어에 유독 힘을 준 혜린의 말에 하인으로 위장해 그들의 곁을 지키고 있던 파이옌이 흥미진진한 눈을 빛냈다. 슬슬 싸움을 걸려는 것 같은데, 과연 병아리 무녀는 어떻게 나오려나? 금방 울어 버리는 건 아니겠지? 그는 천천히 움직이는 윤조의 입술을 바라봤다.

"아, 감사해요! 첫 번째 정혼자는 혜린 무녀님이셨죠? 파혼을 하셨다고 들었어요."

"푸핫."

자신도 모르게 터져 나온 웃음에 파이옌이 급히 몸을 돌렸다. 혜린의 공격을 받아 친 것도 모자라 역공까지 날리다니. 심지어 혜린이 싸움을 거는 것조차 모르는 얼굴이다. 걸작도 이런 걸작이 없었다. 그는 자신에게 따라붙는 두 여자의 시선에 손을 저으며 기침을 하는 척했다.

"콜록, 콜록, 아이고 죄송합니다! 크흐흑, 자꾸 기침이 나와서!"

"물 좀 드릴까요? 괜찮으세요?"

진심으로 걱정하는 윤조의 목소리에 파이옌은 허벅지를 꼬집으며 웃음을 참았다.

"예, 괜찮습니다. 저는 신경 쓰지 마시고 두 분 말씀 나누세요."

혜린의 뾰족한 시선이 느껴졌지만 무시한 그가 다시 대화를 이어가는 두 사람의 모습에 집중했다.

"그런데 홍 장군님과 대장군님은 어디 가시고 그대가 가주 대리인이 되었나요?"

"처리할 일이 있어 아침 일찍 두 분 다 나가셨어요. 가주 대리인은 저도 갑자기 맡게 된 거라 당황스럽긴 한데 그래도 곧 대장군님의 반려가 될 사람이니 하나씩 배워 보려구요. 헤헤."

'대장군의 반려'라는 말을 꺼내며 수줍게 웃는 윤조의 모습에 혜린의 눈빛이 싸늘한 빛을 띠었다.

"아, 그래요? 보통 혼례는 가문에 들어오기 전에 올리는 게 정석인데 아직 계획이 없나 봅니다?"

'계획. 계획이라…….'

생각지 못한 물음에 윤조의 머리가 빠르게 돌아갔다. 물어보니 대답은 해야 할 것 같은데 계획이라 할 만한 건 딱히 없으니……. 확실한 건 준영이 자신에게 혼인을 하자고 말한 것이 다였으니까. 이렇게 보니 정말 계획이랄 게 아무것도 없네. 준영이 돌아오면 의논해서 차근차근 계획을 세워 봐야겠다고 다짐하는 윤조였다.

"계획이랄 건 아직 말씀드릴 게 없지만, 곧 할 것 같아요. 아마도."

명확하지 못하고 두루뭉술한 윤조의 대답에 혜린이 그럴 줄 알았다며 눈매를 휘었다.

"아, 어쩐지. 대장군님께서 주저하시는 건 아닐지 했는데 제 예상이 맞는 것 같네요. 지난 시간을 완전히 없던 일로 하실 수는 없었겠죠. 아무래도 저와 파혼한 지 얼마 안 됐으니까요."

짐짓 걱정스러워하는 말투였으나 그 속의 숨은 뜻은 달랐다. 마치 자신에게 미련이 남아 있어 준영이 결혼을 결정하지 못하는 것 아니냐는 혜린의 말뜻에 윤조가 잠시 고개를 갸웃하다 답했다.

"아, 그런 건 아니에요. 제가 대답이 서툴러서 오해가 있으신가 봐요. 대장군님께서 혼례를 조금 더 시간을 두고 준비한 다음에 진행하고 싶다고 하셨거든요. 급하게 하는 것보다는 서로 더 시간을 갖고 알아 간 다음에 식을 올리자고 하셨어요."

완곡한 부정도 아닌 완전한 부정에 혜린의 입가가 바르르 떨려 왔다.

"어머, 그래요? 대장군님께서 그러셨어요? 혼인하자고?"

"네."

뒤이은 완벽한 긍정. 고개를 크게 끄덕이는 윤조의 모습에 혜린이 믿을 수 없다는 듯 눈을 치떴다.

"정말인가요……?"

"네. 어제 시장에 같이 갔었는데 그때 이렇게 제 손을 꼭 잡으면서 말씀하셨어요. 자신과 혼인해 줄 수 있겠느냐고."

"정말, 정말로 대장군님께서 그런 말을 직접 하셨다고요?"

물어보니 그렇다고 대답해 준 것뿐인데 문제가 있는 모양이다. 윤조는 재차 대답을 했는데도 불구하고 계속해서 같은 질문을 반복하는 혜린을 이해할 수 없다는 듯 고개를 갸웃거렸다. 내 목소리가 잘 안 들렸나? 아, 혹시 귀가 안 좋은가? 간혹 젊은 나이에도 가는귀가 어두워 병원을 찾은 사람들을 종종 봐 왔던 윤조였다. 그녀는 혹시나 하는 마음으로 귀가 좋지 못할 혜린을 배려해 또박또박 큰 목소리로 다시 한번 답했다.

"네, 정말 대장군님께서 제게 혼인하자고 직접 말씀하셨어요."

그 순간 방 안에서 큰 웃음소리가 터졌다.

"푸하하하하! 푸흡, 콜록! 콜록! 아이고, 죄송합니다. 제가 기침이 자꾸, 푸에—하하하하! 잠시 실례하겠습니다! 콜록! 푸흡—! 콜록, 콜록!"

마치 옆집 언니에게 자랑하듯이 해맑은 얼굴로 대답하는 윤조의 모습에 파이엔은 한계에 다다랐다. 그것도 실수하지 않기 위해 신경 쓰며 어찌나 열심히 경청하고 대답을 성심성의껏 하는지, 두 귀를 바짝 세운 채 눈빛이 초롱초롱 빛난다.

그는 웃는 건지 우는 건지 모를 모양으로 크게 기침을 해 대며 요란하게 방을 나섰다. 방문을 닫기 전, 어리둥절하게 자신을 바라보는 윤조의 표정과 인내심의 한계를 느꼈는지 치맛단을 그러쥔 채 부들부들 떨고 있는 혜린의 모습이 대조되어 더욱 폭소했다.

"환장하겠네."

문을 닫자마자 벽을 짚고 쪼그려 앉은 그가 한숨처럼 중얼거렸다.

"이걸 나 혼자 보고 있으려니 입이 근질거려 미치겠네. 와, 강적이야, 강적. 삐약이 압승!"

방 안에 있던 혜린은 지금 자신에게 벌어진 일들을 도저히 받아들일 수 없다는 눈치였다. 그녀는 파이엔이 나간 방문을 걱정스럽게 바라보는 윤조의 옆얼굴을 표독스럽게 노려보다 숨을 골랐다. 그녀의 시선을 느꼈는지 돌아본 윤조가 혜린과 눈을 맞추며 미소 지었다.

"저분 많이 힘드셨나 봐요. 기침감기면 참기도 힘들 텐데. 꿀물이라도 내올까요?"

"괘념치 않아도 됩니다. 제 하인이니 제가 알아서 챙기겠습니다."

"와, 역시 혜린 무녀님! 직접 챙겨 주시다니 다정하세요."

윤조가 그렇게 말하며 헤실헤실 긴장이 풀린 얼굴을 했다.

"헤헤, 막연히 어려운 분일 거라고 생각했었는데 이렇게 이야기하다 보니 편안하기도 하고, 참 좋네요. 사실 걱정이 많았거든요.

저는 고귀한 신분도 아니고, 배운 것도 없고, 귀족가 여인들의 기싸움이 얼마나 무서운지 종종 들어서 두려움이 앞섰는데 이렇게 친절한 분을 만나서 정말 다행이에요."

"하……."

기가 막힐 노릇이었다. 지금 자기에게 몇 번이고 트집을 잡아 모욕을 주기로 작정한 사람을 두고 친절이라니! 이쯤 되니 혜린은 윤조가 고도의 화법으로 자신을 농락하는 것이 아닐까, 하는 생각이 들 정도였다.

"아, 그런데 아까 가져오셨다는 선물은 무엇인가요?"

특히나 미래 투자가치가 높은 선물을 좋아하는 윤조의 눈이 반짝였다. 인생 재테크를 위해서라도 귀족 가문에서 오가는 물품들의 가치를 파악해 둘 필요가 있지, 암암.

"선물, 그래요. 선물을 가져왔었죠."

순간 혜린의 입가에 지워졌던 미소가 되살아났다.

"잠시만 기다려 줄래요? 제 시종이 나가 버리는 바람에 직접 다녀와야 할 것 같아서요."

"아, 그런 거라면 제가."

"아니에요. 그래도 선물인데, 제가 다녀올게요. 잠시만 기다려 주세요."

혜린은 윤조를 뒤로한 채 방을 나섰다. 방문이 닫히기 무섭게 미소를 머금고 있던 그녀의 얼굴에서 표정이 지워졌다.

"가증스러운 년……."

친절이 뭐가 어쩌고 어째? 분노로 일그러졌던 혜린의 얼굴에서 일순 표정이 사라졌다. 무표정한 그녀가 무언가를 결심한 듯 복도를 가로질렀다. 잠시 뒤 그녀가 도착한 곳은 하인들이 기다리는 마당이 아닌, 윤조와 나래가 머무는 무녀들의 처소 앞이었다.

주위에 보는 사람이 없음을 확인한 그녀가 방문을 두드렸다. 방 안에 사람이 없다는 것을 안 그녀가 문을 열고 윤조의 방 안으로 들어갔다. 그러고는 소매에 감춰 두었던 호리병을 꺼내 뚜껑을 열었다. 비릿하게 미소 지은 그녀가 호리병을 흔들며 안에 있던 물체를 방 안에 풀었다.

쉬이익ー.

좁은 곳에 갇혀 성질이 났는지 사납게 우는 검은 독사가 침대 아래로 미끄러져 들어갔다.

"사고는 언제든지 일어나는 법이지."

조용히 문을 열고 방을 나서는데, 지척에서 파이옌의 목소리가 들렸다.

"왜 거기에서 나와?"

깜짝 놀란 혜린이 가슴을 쓸어내리며 파이옌을 쏘아봤다.

"그러는 귀공은 대체 뭘 하시는 겁니까?"

"미안, 미안. 하지만 웃긴 걸 어떡해."

"지금 제가 웃고 즐기자고 온 것으로 보이십니까?"

"너도 봐서 알잖아. 참을 수가 없다니까, 그건? 삐약이가 좀 골때려야지."

"삐약이요? 하, 곧 죽을 아이에게 정이라도 붙이실 작정이십니까?"

"왜? 독사라도 풀었나?"

어떻게 알았냐며 묻는 것 같은 혜린의 표정에 파이옌이 그럼 그렇지, 혀를 찼다.

"궁중 암투 한두 번 보냐? 서국에서도 후궁들끼리 비일비재했어. 독사니 전갈이니 지네 같은 거."

"효과는요?"

"제법 좋았지. 대부분 비명 지르다 물려서 저세상으로 갔으니."

그때였다. 밖에서 들려오는 소란함에 혜린과 파이옌이 자리를 피해 마당으로 향했다.

"웬 연기가……."

마당으로 나온 혜린이 검은 연기를 가리켰다.

"아, 불은 잘 붙었나 보네."

곁에 있던 파이옌의 말에 그녀의 눈이 믿을 수 없다는 듯이 커졌다.

"설마?"

"아, 저거? 내가 말했잖아. 병사들 오늘 안에 잠잠해지게 만든다고."

"무슨 짓을 벌이고 다니는 겁니까!"

흥분하는 혜린을 향해 파이옌이 빙그레 미소 지었다.

"범인을 잡게 해 줬지. 그거 몰라? 사건은 더 큰 사건으로 덮는 거라는 거."

한편, 방 안에서 혜린을 기다리던 윤조도 밖의 소란함을 눈치채고 복도로 나왔다. 마당으로 향하던 그녀가 급히 달려오던 유모를 발견했다. 유모는 거친 숨을 몰아쉬며 밖을 가리켰다.

"작은 마님! 불이! 시장 복판에 큰불이 났습니다! 모든 가문의 사병을 총동원하라는 폐하의 어명이십니다!"

급히 창문을 열고 밖을 확인한 윤조의 시야에 하늘 위로 검게 피어오르는 굵은 연기가 보였다. 화재라니. 소방 시설도 제대로 없는 이 세계에서 화재는 자연재해보다 무서운 재앙이었다. 시장 복판이라면 불이 번지는 건 시간문제다.

"홍 장군님도 대장군님도 모두 현장으로 가신 모양입니다."

유모의 말에 윤조가 고개를 끄덕였다.

"사병은 총 몇이나 되나요?"

"가문에 소속된 사병은 총 50명입니다."

"대문을 지키는 병사들까지 합하면 도합 60, 가솔들을 더하면 도합 80은 되겠군요. 유모님, 가서 가솔들에게 화재 진압을 도우라고 알리세요. 그리고 이곳을 부탁합니다. 저는 사병들과 병사들을 데리고 가겠습니다."

"알겠습니다!"

급히 마구간으로 간 윤조가 준영의 말, 산이를 찾았다.

"산아, 잠시 나를 좀 태워 줘."

그녀는 산이의 고삐를 잡고 마당으로 걸어 나왔다. 무리의 하인들과 함께 있던 혜린을 발견한 윤조가 말했다.

"혜린 무녀님, 사태가 급박하니 이만 자리를 파해야 할 것 같습니다. 시장 복판에 큰불이 나 모든 가문의 사병을 동원해 화재를 진압하라는 폐하의 어명입니다. 무녀님께서도 속히 가문으로 돌아가시는 편이 좋을 것 같습니다."

"밖이 어떤 상황인지도 알 수 없는데 어쩌려는 겁니까? 차라리 나와 함께 이곳에 남아 있는 게 낫지 않겠나요?"

"아니요. 저는 가야 합니다. 가서 홍 장군님과 대장군님을 도와야 합니다."

윤조가 사병들을 향해 크게 소리쳤다.

"황제 폐하의 어명입니다! 이곳의 모든 병사들은 지금 당장 화재 진압을 도우러 갑니다! 가서 사람들을 도와주세요!"

명령을 받은 군사들이 대열을 지켜 빠르게 대문을 나섰다. 윤조는 연기를 보고 놀랐는지 투레질하는 산이를 진정시켰다. 그런데 문제가 생겼다. 떠올려 보니 자신은 혼자 말에 오른 적이 없었다.

"아, 이런……."

아차 싶어 머뭇거리고 있자, 혜린이 의아한 표정을 지었다.

"무슨 문제라도 있나요?"

"못 타요."

"네?"

"제가 혼자 말을 못 타요. 하하하……."

황당한 윤조의 고백에 혜린이 어처구니가 없다는 듯이 말했다.

"혼자 말도 못 타면서 사병들을 이끌고 저곳에 가겠다는 건가요, 지금?"

"매번 대장군님과 함께 타서 미처 생각을 못 했어요. 아, 어떡하지."

자신에게 대답을 하다 말고 말에 어떻게 오를지 궁리하는 윤조의 모습에 혜린은 비명이라도 지르고 싶은 심정이었다. 게다가 준영과 함께 말을 탔었다니. 매번이라고 하는 걸 보면 꽤 자주 있는 일 같았다. 파이옌은 다시금 혜린을 부들부들 떨게 하는 윤조의 활약에 배꼽을 잡았다.

"푸하하! 아, 미치겠네. 진짜 대책 없이 웃겨."

한바탕 크게 웃고 난 그는 인심 썼다는 듯 고개를 숙여 윤조와 눈을 맞췄다.

"덕분에 많이 웃었으니 인심 좀 쓰죠."

그러고는 예고도 없이 그녀의 허리를 번쩍 들어 말안장에 올려 주었다. 깜짝 놀란 윤조의 손에 말고삐까지 쥐어 준 파이옌은 무슨 생각이 들었는지 씨익 웃으며 그녀의 뒤에 함께 올라탔다.

"혼자서 말을 타 본 적 없다면서요? 제가 도와드릴게요."

"예? 하지만 당신은 혜린 무녀님의……."

"저희 아가씨는 이해심이 넓은 분이라 괜찮아요. 그렇죠, 아가씨?"

"지금 대체 무엇을! 당장 내려오지-!"

"그럼 다녀오겠습니다. 이랴!"

혜린의 말이 끝나기도 전에 말을 출발시킨 파이옌이 한바탕 크게 폭소했다. 뒤돌아 확인하자 금방이라도 폭발할 것 같은 표정의 혜린이 자신을 향해 삿대질하고 있는 모습이 보였다.

"와, 돌아가면 난 죽었다."

웃음기 섞인 목소리로 중얼거리자 윤조가 다급히 그의 소매를 잡아당겼다.

"이러다 정말 큰일 나요! 문씨 가문에서 쫓겨나기라도 하면 어쩌려고……!"

파이옌은 자신이 혜린의 하인이라고 철석같이 믿고 있는 윤조의 걱정에 신경 쓰지 말라며 그녀의 머리를 가볍게 정면으로 돌렸다.

"괜찮으니 앞을 보세요, 앞을. 그러다 떨어져도 안 잡아 줄 겁니다?"

"후, 나중에 문제 생기면 찾아오세요. 그래도 저를 돕다가 그런 건데 모른 척할 수는 없죠."

"오, 정말요? 그 말 무르기 없기?"

"정말이요. 그러니 부탁드릴게요. 최대한 빨리 현장으로 가 주세요."

"분부대로 합죠. 이랴!"

파이옌은 빠르게 말을 몰며 자신의 앞에 앉아 있는 윤조를 살폈다. 상당히 재미있는 병아리란 말이야. 그런데 내 문신에 대한 건 어떻게 알았을까? 그는 알 수 없는 표정으로 그녀에게 넌지시 물었다.

"그런데 그건 어떻게 알았어요?"

"무엇을요?"

"세작이요. 세작의 손목에 문신이 있다는 거."

그의 물음에 윤조가 의아한 눈으로 파이옌을 돌아봤다. 파이옌은 정말 궁금해서 묻는다는 투로 어깨를 으쓱했다.

"아니, 마당 쓸고 있는데 경비대가 갑자기 들이닥쳐서 다짜고짜 손목에 문신이 있는 사람을 찾더라고요. 세작의 손목에 문신이 있다나 뭐라나. 시장에서 세작들의 습격을 받았던 무녀의 증언이라고 들었는데 알고 보니 그게 아가씨더라고요."

그의 말에 윤조는 혜린의 집안사람이면 정보를 빨리 들었을 수도 있겠다 싶어 고개를 끄덕였다.

"목격자가 있었어요. 수상한 사람의 손목에 문신이 있었다고."

"목격자요?"

"승려복을 입은 수상한 사내가 염모제를 사 갔다고 했어요. 그때 손목의 문신을 봤다고 들었고요."

"아아, 그랬구나."

정보의 출처를 알게 된 파이옌이 여우처럼 미소 지었다. 까마귀들이 입 턴 건 아니었던 모양이지.

"혹시 그럼 그 문신이 어떤 모양인지도 아세요?"

"아뇨, 그건 잘 모르겠다고 했어요. 글자 같아 보였는데 어떤 모양인지는 모르겠다고."

현장이 가까워지자 파이옌이 고삐를 당겨 속도를 줄였다. 빠른 속도에 바짝 말안장에 붙어 있던 윤조가 허리를 펴고 그를 돌아봤다. 마치 속내를 꿰뚫어 보는 것 같은 곧은 시선. 순간 파이옌의 어깨가 움찔 떨렸다.

"왜요? 혹시 손목에 문신 있어요?"

급작스러운 질문과 함께 윤조의 손이 빠르게 파이옌의 오른팔을 낚아챘다. 날랜 동작으로 파이옌의 오른 손목을 걷어 올린 그녀가 아무것도 없이 매끈한 그의 팔을 바라보며 어색하게 웃었다.

"아이고, 아니네. 죄송해요. 자꾸 묻길래 혹시나 했어요. 도둑이 제 발 저린다는 말도 있잖아요?"

"도착했습니다."

"앗, 그러네요! 감사해요!"

현장에 도착한 것을 확인한 그녀가 재빨리 말에서 뛰어내려 병사들이 모여 있는 곳으로 향했다. 파이옌은 미처 붙잡을 겨를도 없이 빠르게 달려가는 그녀의 뒷모습을 바라보며 참았던 숨을 몰아쉬었다.

"들키는 줄 알았네."

그는 윤조가 확인했던 오른손이 아닌, 자신의 왼쪽 소매를 걷어 올렸다.

畜짐승 축

손목에 글자로 새겨진 문신이 선명했다. 그는 자신의 손목을 내려다보며 싸늘히 읊조렸다.

"하마터면 죽여 버릴 뻔했잖아……."

예상치 못한 윤조의 행동에 하마터면 그녀의 목을 조를 뻔했다.

전투에서도 아니고 일상에서 이렇게 누군가에게 놀라 보긴 또 처음이다. 그는 어처구니없다는 듯 웃음을 흘리며 바람에 헝클어진 머리카락을 쓸어 넘겼다.

"아? 그런데 이 말 내 거 아닌데."

윤조가 두고 간 산이가 투루루, 울었다.

화재는 생각보다 심각했다. 불이 나기 시작했던 대장간을 중심으로 사방에 위치한 가게에 불이 번져 있었다. 이전 세상에도 그랬지만 특히 이쪽 세상에서 불이 나는 건 무척 위험했다. 현대식 소방 시설이 갖춰져 있는 것도 아니어서, 건기에는 자칫 작은 불씨가 마을 전체를 불바다로 만들어 버리기도 했기 때문이다.

윤조는 먼저 도착해 있던 홍씨 가문의 병사들에게 사람들을 도와 물을 긷고, 부상자를 불길이 없는 안전한 곳에 피신시키게 돕도록 했다. 화재 근처에 있던 병사들의 갑옷이 불길에 달궈지는 것을 확인한 윤조가 재빨리 포목점에 걸려 있던 비단과 옷감을 물에 적셨다.

"모두 이걸 몸에 두르세요!"

그것을 하나하나 병사들의 어깨에 둘러 준 그녀는 물에 적신 수건을 입마개처럼 쓰고 그들을 도와 물이 든 양동이를 옮기기 시작했다. 하지만 화재가 워낙 커 양동이로 물을 뿌리는 것만으로는 쉽게 해결될 것 같지 않았다.

"양동이 더 없어?"

"우물이 바닥났어!"

"어서 물을 가져와-!!!"

아비규환처럼 비명을 지르는 사람들 속에서 그녀는 차분히 큰물을 얻을 수 있는 장소를 찾기 시작했다. 비가 내리면 좋겠지만 그런 기적을 기대하기엔 시간이 없어. 이러다간 시장 전체가 불바다가 되고 말 거야. 어떡하지? 어떡하면 좋지? 낮은 돌담을 딛고 올라선 그녀가 커다란 수도 전경을 살피기 시작했다. 그러다 문득, 황궁의 서문이 시장과 멀지 않다는 것을 깨달았다.

"언덕! 시장보다 황궁이 더 높은 곳에 있어. 경사를 이용하면 황궁에서 물을 끌어올 수 있을지도-."

생각을 마친 그녀가 병사들을 향해 소리쳤다.

"여기, 대장군님이 어디 계신지 아시는 분 있습니까?"

하지만 아우성치는 무질서한 사람들 사이에서 준영을 찾기란 쉬운 일이 아니었다. 대장군님을 찾다간 시간이 지체돼. 나 혼자서라도 해야 해.

"모두 조금만 버텨 주세요! 물을 구해 올게요-!!!"

사람들을 헤치고 황궁의 서문으로 향하는데 근처에서 익숙한 말 울음소리가 들렸다. 산이었다.

"산아!"

반가운 마음에 한달음에 달려가자 산이가 자신을 놓고 갔던 윤조에게 불만스럽게 콧김을 뿜었다.

"미안, 미안해. 다시는 까먹지 않을게."

투루루-.

"미안해. 대신 사탕수수 줄게. 어때?"

투루루룽!

"그럼 사탕수수 세 개?"

투루, 투루룽.

"이것도 적어? 좋아 인심 썼다. 사탕수수 다섯 개!"

거래가 마음에 들었는지 산이가 윤조의 볼에 얼굴을 갖다 댔다. 말에서 내린 파이옌이 말과 대화하는 윤조의 어깨를 톡톡 두드렸다.

"……말이랑 대화도 할 줄이야."

"산이가 똑똑하거든요."

"산이? 설마 이 말 이름이 산이?"

윤조가 고개를 끄덕였다.

"산이를 데려와 줘서 고마워요. 그리고 한 번 더 말을 몰아 주실 수 있나요?"

혼란을 틈타 문 비서랑의 집으로 돌아가려 했던 파이옌이 곤란한 얼굴을 했다. 윤조는 그가 가 버릴세라 그의 손을 덥석 잡은 채 황궁의 서문을 가리켰다.

"저를 저기로 데려다주세요. 부탁합니다."

한편, 윤조가 있는 곳에서 멀지 않은 곳에 있던 준영은 현장에 투입된 병사들 중에서 자신의 가문 사병들을 발견했다.

"자네들이 어떻게 여길?"

"작은 마님과 함께 왔습니다."

"윤조와? 그녀는 지금 어디에 있나?"

"조금 전까지 대장군님을 찾으셨는데-."

"물을 구해 오겠다고 하셨습니다. 어, 저기!"

준영이 뒤돌아 병사가 가리키는 방향을 향했다. 그곳에 자신의 말을 탄 윤조가 누군가와 함께 황궁으로 향하는 모습이 보였다. 상황을 판단할 겨를도 없이 준영은 윤조를 따라가기 위해 길림의 말에 올랐다.

"길림! 곧 돌아오겠다. 이곳을 부탁한다!"

그는 길림에게 뒤를 맡기고 빠르게 말을 몰았다.

"오자고 해서 오긴 했는데, 대체 여긴 왜 온 겁니까?"

나투국 황궁의 서문 앞에 도착한 파이옌은 마치 지옥의 입구라도 보는 양 황궁을 가리켰다. 그도 그럴 것이 황궁 어딘가에는 자신의 정체를 알아볼 사람을 만날 확률이 더 높았기 때문이다. 예를 들면 최 승상이라거나, 최 승상이라거나, 최 승상이라거나. 홍 장군이나 준영과 전투를 벌일 때는 가면을 쓰고 있어 얼굴이 드러나지 않았지만, 이전에 휴전협정을 위해 서국을 찾았던 최 승상은 자신의 얼굴을 기억하고 있을 터였다.

"황궁에서 물을 끌어와야 해요."

"예? 황궁 안으로 들어가겠다고요? 지금?"

환장하겠네.

설상가상, 황궁의 물을 끌어다 쓸 거라는 윤조의 말에 지옥이 앞당겨진 느낌이었다. 아, 이러다 정말 위험한데. 보는 사람도 없는데 그냥 여기에서 처리하고 도망칠까? 그가 천천히 윤조의 뒤로 접근할 때였다. 거친 말발굽 소리가 점점 그들에게 가까워졌다. 파이옌은 말에서 내려 다가오는 이가 준영임을 확인하고 욕지기를 삼켰다. 젠장.

"대장군님!"

윤조 또한 준영을 발견했다. 거침없이 다가온 준영이 윤조를 먼저 살폈다.

"병사들과 함께 왔다고 들었다. 다친 곳은 없나?"

"전 괜찮아요."

"다행이군. 그런데 저자는 누구지?"

준영의 시선이 파이옌을 향했다. 위아래로 탐색하듯 움직이는 시선을 마주한 파이옌이 자신은 신경 쓰지 말라며 손을 저었다.

"아이고, 안녕하십니까! 대장군님. 저는 혜린 아가씨의 하인입니다. 잠시 말 모는 것을 도와드린 것뿐이니 신경 쓰지 마십시오."

"혜린? 문씨 가문의 장녀 혜린을 말하는 것인가?"

"예, 예, 그렇습니다."

어수룩하게 대답하던 파이옌은 아차, 혀를 빼 물었다. 준영이라면 당연히 전 정혼자였던 혜린의 이름에 기민하게 반응할 터. 그의 예상대로 혜린의 이름은 준영의 경계심을 더욱 부추겼다.

"그녀의 하인이 왜 윤조 너와 함께 있는 것이냐?"

"아, 혜린 무녀님께서 가문의 손님으로 오셨습니다."

"손님이라니……."

준영이 말을 줄이며 관자놀이를 짚었다. 알 만했다. 그녀가 홍씨 가문에 찾아올 이유는. 준영은 혜린이 혹 윤조를 곤란하게 하진 않았는지 걱정되었다.

"손님맞이는 처음이었을 텐데 별다른 일은 없었느냐?"

"음, 제가 실수한 것만 빼면 아무 일도 없었어요."

"큽-."

윤조의 대답에 곁에 있던 파이옌이 웃음을 참았다. 혜린이 불쌍하다 불쌍해. 그는 자신을 노려보는 준영의 시선에 아무 일도 아니라며 어깨를 으쓱했다.

"대장군님, 황궁에서 물을 끌어와야 해요."

윤조는 이럴 때가 아니라며 준영에게 자신의 계획을 설명했다.

"황군 서문에 가까운 연못이 두 개 있어요. 그곳에서 물을 끌어오면 화재를 잡을 수 있을 거예요."

일전에 나래와 함께 방문했던 묘길 처소의 연못은 일반 연못과 비교도 안 될 정도로 크고 수심 또한 깊어 보였다. 지형적으로나 위치적으로나 불이 난 위치에서 가장 빠르고 많은 물을 공급할 수 있는 장소는 그곳뿐이다.

"무녀장 묘길의 연못이군. 하지만 그 물을 무슨 수로 저 아래까지 끌어온다는 말이냐?"

"일종의 홍수를 낸다면 가능해요."

"홍수를 낸다?"

"황실에는 가뭄을 대비해 물을 저장하는 커다란 보洑[7]가 있다고 들었어요."

"그렇다."

"그럼 가뭄 시 수도 안에 용수를 공급하기 위해 연결된 수로가 있겠죠. 그 수로 중 서문의 연못에 해당하는 수로를 닫고 보에 저장된 물을 그 수로에만 집중적으로 푸는 거예요."

윤조의 말을 이해한 준영이 고개를 끄덕였다.

"그리고 단번에 수로를 개방해 버리면 보에서 흘러나온 물과 함께 연못의 물이 홍수처럼 불어나겠구나."

"네. 황궁의 경사가 시장보다 높고 길이 이어져 있으니 그 방법이라면 화재를 잡을 수 있을 거예요."

압력과 폭발력으로 인공적인 해일을 만들어 낸다면-. 해 볼 만하다. 이는 계곡이나 급류가 흐르는 지형을 막아 두었다가 적을 유인하고 둑을 터뜨려 몰살하는 전술과도 비슷했다.

"좋다. 해 보자."

준영은 곧 황궁 서문 앞에서 경비를 서고 있던 병사들 중 몇몇을 불러 명했다.

"자네와 자네는 지금 당장 병사들에게 일러 황궁 내의 모든 수로를 차단하라. 그리고 자네는 무녀장의 처소로 가 무녀장과 시녀들을 대피시켜라. 나는 황실의 보로 가 있겠다. 상황이 시급하니 화재가 더 커지기 전에 일을 마쳐야 한다."

"알겠습니다!"

"윤조, 너는 나를 따르고. 거기 자네."

준영이 파이옌을 지목했다.

"저, 저도 따라갑니까?"

"아니. 자네는 내 말을 타고 화재 현장으로 가 곧 홍수가 날 것이니 모두 대피하라 전하게."

"아하, 분부대로 합지요."

황궁 안까지 끌려가나 싶었는데 다행이다. 파이옌은 병사들과 함께 황궁 안으로 사라지는 준영과 윤조의 모습을 바라보며 읊조렸다.

"홍수를 일으킨다라……."

---

7) 보(洑): 하천에서 관개용수를 끌어들이기 위해 둑을 쌓아 물을 보관한 저수시설.

그런 일이 정말로 일어난다면? 그래서 정말 화재를 잡게 된다면? 재미있는 상황을 즐기기라도 하듯 그가 말에 올랐다. 일단 시키는 대로 한번 해 볼까.

"무녀장님! 무녀장님! 속히 이곳을 떠나 대피하라는 대장군님의 명령입니다!"

"무슨 일인가?"

다급히 달려온 시녀의 말에 무녀장이 자리에서 일어났다.

"이곳의 연못 물로 시장의 화재를 잡는다 합니다!"

"연못의 물로 화재를?"

무녀장 묘길은 의아해하면서도 호위 무녀들을 따라 처소를 벗어났다.

"연못의 물로 화재를 잡는다니, 그게 무슨 뜻인가?"

"병사들의 말로는 대장군님께서 황궁의 보를 이용해 수로로 물을 흘려 보낸다고 하셨답니다."

"황실의 보를? 그게 대체 무슨 말……."

그녀가 의문하는 때, 바닥이 흔들렸다. 동시에 땅 밑으로 거센 물줄기가 뻗어 나가는 소리가 들려왔다. 마치 지진이라도 일어난 것처럼 땅이 흔들리는 것이 느껴질 정도로 거친 물줄기였다.

쾅!

연못의 수문에서 물줄기가 세게 부딪치는 소리가 들림과 동시에 땅의 흔들림이 잦아들었다.

"대체 이게 무슨-."

다음 순간 멀리서 화약이 터지는 소리와 함께 잔잔했던 연못 물이 거대한 파도가 되어 솟아났다.

같은 시각, 연못의 수문을 닫고 물을 수로 가득 채운 준영이 병사들을 시켜 보를 터뜨리게 했다. 연못의 수문을 열 때를 지키고 있던 윤조는 멀리서 화약이 터지는 소리가 들리자 큰 소리로 외쳤다.

"수문을 개방하세요-!!!"

밀려드는 물을 간신히 막고 있던 수문이 활짝 열리고, 순식간에 불어난 연못 물이 홍수가 되어 황실 서문 밖으로 뻗어 나갔다.

"성공입니다!!!"

병사들이 환호하여 소리쳤다. 파도처럼 밀려 나간 거대한 물줄기는 깎아지는 경사면을 따라 굽이치더니 곧장 불이 난 곳을 덮쳤다. 순식간에 밀려온 물에 불길이 사그라들었다. 이 기적과도 같은 광경에 화마와 사투를 벌이던 사람들이 하나같이 검댕이 묻은 얼굴로 기뻐하며 서로를 얼싸안았다.

"와아아아아-!!!"

고막이 먹먹할 정도로 내질러지는 환호성에 그 소리가 황성 안까지 들릴 정도였다.

"다행이다……. 성공했어……."

불씨가 남김없이 사라진 모습을 확인한 윤조가 자리에 털썩 주저앉았다. 온종일 긴장의 연속에 이리저리 뛰어다녀서 그런지 온몸이 안 아픈 곳이 없었다. 그녀는 작은 주먹으로 욱신거리는 종아리를 통통 두드렸다.

"고생 많았다."

머리 위로 그림자가 졌다. 올려다보자 얼굴에 까만 그을음을 잔뜩 묻힌 준영이 보였다. 얼굴에 검댕이 묻어도 잘생겼네, 우리 대장군님. 윤조가 멍하니 입을 벌린 채 그를 바라봤다. 준영이 윤조의 앞으로 돌아와 한쪽 무릎을 굽혀 앉았다.

"볼이 까매졌구나."

그가 손들 들어 윤조의 뺨에 묻은 그을음을 문질렀다. 보드랍다. 손끝에 닿은 윤조의 뺨이 보드랍고 따뜻했다.

"대장군님 얼굴도 까매요. 헤헤."

윤조가 목에 묶어 두었던 물에 적신 손수건을 풀어 준영의 얼굴을 닦아 주었다.

"고생하셨어요."

"너야말로, 그 작은 발로 뛰어다니느라 고생 많았다."

"하하, 그러게요. 발바닥이 얼얼해요."

"많이 아픈가?"

"조금요. 오늘 유난히 무슨 일이 많네요."

"안 되겠다. 꽉 잡거라."

"네? 으힉!"

순식간에 다리와 허리 아래로 들어온 손이 윤조를 번쩍 안아 들었다. 괴상한 비명을 지른 윤조가 깜짝 놀라 준영의 어깨를 잡았다.

"안, 안 그러셔도 되는데! 저 정말 괜찮아요! 걸을 수 있어요!"

준영은 버둥거리는 윤조의 허리를 감싸 안정적으로 안아 들었다. 한 팔로 꽉 감아도 여유가 있다. 말랐군. 더 잘 먹여야겠어. 가벼워도 너무 가볍구나. 준영이 이런저런 생각을 하며 윤조를 바라봤다.

"내가 안 괜찮다. 왜? 싫으냐?"

"아니, 이게 굳이 싫은 것까지는 아니지만, 그래도 대장군님 체면이⋯⋯."

"체면이 뭐 중하다고. 내 안사람 고생시키는 것보단 낫지."

"안사람이요?"

"그래, 안사람."

"그, 그거, 우리는 아직 혼례를―! 아니 뭐, 틀린 말은 아니지만, 그래도⋯⋯ ."

순식간에 붉어지는 윤조의 얼굴이 잘 익은 복숭아 같았다. 준영의 품에 안겨 꼼지락, 맞잡은 손을 움직이던 윤조가 주변에 있는 병사들의 시선을 느끼고는 고개를 푹 숙였다.

"저 집까지 이렇게 가나요?"

웅얼거리는 그녀의 물음에 준영이 잔잔한 미소를 머금었다.

"그래."

"대장군님, 절 수치사시키려는 계획이죠?"

"수치사?"

"부끄러워 죽을 것 같다구요⋯⋯."

"아아, 걱정하지 말거라. 그런 일로 정말 죽진 않으니까."

이 남자 몸 쓰는 싸움만 잘하는 줄 알았더니 말싸움까지 잘한다. 빠져나갈 변명거리를 찾아 윤조가 고민하고 있는데, 준영의 걸음이 멈춰 섰다.

"대장군 홍준영, 제국의 태양이신 황제 폐하를 뵙습니다."

설마, 아니겠지. 설마, 아닐 거야? 두려운 마음에 천천히 고개를 든 윤조 앞에 정말로 온 황제가 있었다.

"무, 무녀 윤조! 황제 폐하를 뵙습니다!"

준영은 제 품에서 뛰어내릴 듯한 윤조를 간신히 붙잡아 고쳐 안았다.

"떨어뜨릴 뻔했지 않느냐."

"하지만 황제 폐하께서-."

"괜찮다. 두 사람 다 편하게 있거라."

황제의 허락에 준영이 묵례를 하고는 곧이어 상황을 보고했다.

"한시가 급한 상황이라 제 독단으로 처리했습니다. 멋대로 황실의 보를 터뜨리고 수로를 사용했습니다. 송구합니다."

"오, 아닐세. 짐은 대장군을 탓하지 않아. 자네가 나서 주지 않았다면 더 큰 재앙이 닥쳤을 걸세. 수고했네."

"황공합니다."

"황실의 보를 이용해 홍수를 일으키다니……. 긴급한 상황에서 묘수를 생각해 냈군. 대장군의 생각인가?"

"아닙니다."

준영의 대답에 황제가 놀란 눈을 했다.

"대장군이 아니라면 대체 누가 이 일을 생각했단 말인가?"

준영이 시선을 내려 윤조를 바라보며 천천히 답했다.

"제 품에 있는 이 여인이 생각해 낸 일입니다."

황제의 시선이 윤조에게 닿았다. 이쯤 되면 자신을 바닥에 내려

주겠지 싶었던 윤조가 준영을 힐끗 쳐다봤으나, 그럴 생각은 전혀 없어 보였다. 황제 폐하 앞에서 이게 무슨 망측한 모양새람! 그녀는 속으로 한탄하며 온 황제를 향해 최대한 예의 바르게 고개 숙였다.

"대장군님의 말씀이 맞습니다. 하지만 대장군님과 병사들의 도움이 없었다면 성공하지 못했을 겁니다. 그리고 이, 이런 모습으로 인사드리게 되어 송구합니다, 폐하……."

거의 울먹이는 윤조의 목소리에 온 황제가 그녀를 빤히 바라보다 너털웃음을 터뜨렸다.

"하하하! 이런 경사가 있나! 내 무녀장의 말을 듣길 잘했구나. 짐이 무려 대장군의 반려와 나라의 인재를 한꺼번에 얻지 않았느냐? 하하하하!"

"화, 황공하옵니다."

온 황제는 떨고 있는 윤조를 흐뭇하게 바라보며 말했다.

"그대와 함께 있으면 기분 좋은 일이 생기는 것 같구나. 이렇게 직접 대장군과 함께 있는 모습을 보니 짐의 눈과 마음이 흡족해. 여봐라! 이 경사를 나라 안팎으로 축하할 것이니, 화재로 집을 잃은 백성들을 구제한 뒤 성대한 축하연을 열겠노라 공표하라."

"명 받듭니다."

⁂

한편, 황궁 밖 화재 현장 근처에 있던 파이옌은 물기로 축축해진 바닥과 화마가 꺼진 건물들을 확인하고 조용히 감탄했다.

"그 병아리가 정말 해낼 줄이야……."

황실의 수로를 이용할 생각을 하다니.

"이거 어리숙한 병아리인 줄 알았더니 사실 똑똑한 병아리였잖아?"

그래도 병아리라는 점은 바뀌지 않지만.

"흐음, 이걸 어쩐다? 원래 내 문신에 관한 걸 아는 사람은 모두 없애자는 주의지만, 이번만은 좀 더 지켜보도록 할까…… ."

멀리 황궁 서문에서 병사들이 몰려나오는 것을 확인한 그가 빙글 몸을 돌렸다.

"그럼 오늘은 이만."

환호성을 지르는 사람들 사이로 파이옌이 모습을 감추고, 잠시 뒤 현장에 도착한 황궁 병사들이 수비군과 시장 상인들과 함께 현장 수습에 나섰다. 홍 장군과 함께 현장 가까이에서 상황을 지켜보던 최 승상의 미간에 주름이 졌다.

"이래서야 시체라도 남아 있겠나?"

"뭐라도 찾아야지."

확신이 없는 홍 장군의 대답에 최 승상이 한숨을 쉬었다.

"화재의 원인은 알아냈나?"

"병사들 말로는 세작을 발견해 생포했고, 난동을 피우지 못하게 대장간 안에 붙잡아 두었다고 하더군. 도중에 반항이 있던 모양이야. 불이 사방에 있는 대장간에서 소란이 있었다면 불이 날 만도 하지."

"혼자서 야간 수비대 열 명을 해치운 자가 그리 쉽게 잡혔단 말인가?"

"술에 취해 있었다고 하네."

"술에?"

"그래. 놀음판에서 술에 취해 난동을 부리는 것을 주민들의 신고로 발견했다더군. 손목에 문신이 있는 자였다고 했네."

"정말로 그자와 동일 인물이라고 생각하나?"

"우선은 확인해 봐야 알겠지."

그때 현장을 수습하던 병사 중 하나가 소리쳤다.

"찾았습니다!!!"

홍 장군과 최 승상의 시선이 병사가 가리키는 곳으로 향했다. 병사는 허리를 굽혀 잿더미 속을 뒤지더니 무언가를 꺼내 들었다. 까맣게 그을린 통나무처럼 보였던 그것은, 자세히 보니 타다 남은 사람의 오른팔이었다. 살펴보니 손목에 '黑(검을 흑)'이라고 새겨진 문신이 남아 있었다.

"손목의 문신을 보니 저희가 찾던 그 세작이 맞는 것 같습니다."

"시신의 다른 부분은 찾지 못했나?"

"뼛조각 일부를 찾았지만, 세작의 것이라 확신할 수 없습니다. 아무래도 세작을 잡아 뒀다는 병사 두 명과 함께 다 타 버린 것 같습니다."

병사의 말에 불탄 시신의 팔을 바라보던 홍 장군이 침음했다. 석연치 않은 구석이 한둘이 아니다. 하지만−. 주변을 돌아본 그는 화재로 인한 두려움과 적습이라는 긴장에 지칠 대로 지친 백성들의 눈빛을 바라보다 시선을 갈무리했다.

"……하는 수 없군. 남아 있는 시신을 최대한 수습하고 일을 마무리 짓는다."

"알겠습니다, 장군."

뒤돌아서는 홍 장군의 표정이 개운치 못했다. 그것은 상황을 지켜보던 최 승상도 마찬가지였다. 뒷맛이 꺼림칙했다. 그렇게 잡고자 했던, 손목에 문신이 그려진 자를 발견했지만 거대한 화마와 함께 그의 시신이 불타 버렸다. 하필 세작을 붙잡아 두었던 대장간에서부터 큰불이 시작된 것도 모두 꺼림칙했다.

"홍 장군님!"

그리 멀지 않은 곳에서 반가운 목소리가 들려왔다. 천천히 뒤돌던 홍 장군은 자신의 품에 와락 뛰어 안기는 노란 머리통을 발견하고는 함박웃음을 지었다.

"아니, 이게 누구야─! 우리 귀여운 며늘아기로구나."

"헤헤. 어디 다친 곳은 없으세요? 불길이 너무 뜨거워서 갑주가 달궈졌을 텐데, 화상 입으신 곳 있으면 제가 치료해 드릴게요."

"하하, 약간 데인 곳이 있는데 부탁하마. 그런데 여긴 어떻게 왔느냐?"

"홍 장군님과 대장군님이 여기 계신 걸 아는데 당연히 와야죠. 사병들과 식솔들과 함께 왔어요."

홍 장군이 친딸아이를 보듯 흐뭇하게 웃으며 윤조의 머리를 쓰다듬었다.

"고맙구나, 윤조야. 이거 시집오기 전부터 고생만 시키는 건 아닌지 모르겠다."

"헤헤, 말 타는 건 좀 고생이었어요."

"혼자 말도 못 타면서 불 끄겠다고 황궁에 쳐들어가는 여인입니다. 아버지 며느리가."

툭 치고 들어오는 준영의 말에 윤조가 난감한 듯 눈을 굴렸다.

"쳐들어간 건 아니죠! 대장군님이랑 같이 간 건데······."

"내가 없었어도 들어갔을 거 아니냐?"

"그건-! 그렇지만……. 하하하."

"황궁에 쳐들어가다니 그건 또 무슨 말이냐?"

두 사람의 대화를 듣고 있던 홍 장군이 영문을 모르겠다는 듯 물었다. 그러자 준영이 기특하다는 표정으로 윤조의 머리 위에 손을 올렸다. 장난스럽게 꾹꾹 눌러 대는 동작에 윤조가 입술을 삐죽 내밀었다.

"황실 연못에 홍수를 일으켰습니다. 아버지 며느리가."

"아이참, 머리 좀 그만 눌러요! 키 안 커요!"

"이게 다 자란 키 아니냐?"

"더 클 수 있거든요! 스물셋까지는 성장판이 열려 있을 확률이 높단 말이에요!"

"성장판?"

"뼈가 자랄 수 있는 길이 열려 있다구요!"

"또 알 수 없는 소릴 하는구나. 대체 국경에서 뭘 그리 주워들은 건지."

"이건 과학적 근거가 있는, 아휴! 아무튼, 그만 눌러요!"

"기특해서 그런다, 기특해서."

"대장군님은 힘이 너무 세단 말이에요! 토닥토닥 몰라요? 토닥토닥? 아기 다루듯이!"

"포대기에 싸서 어화둥둥 해 주랴?"

"아이차암-!"

아옹다옹하면서도 다정히 서로를 바라보는 둘의 모습에, 지켜보던 홍 장군의 눈이 가늘어졌다. 요것들 봐라. 이제는 아비가 앞에 있어도 신경도 안 쓴다 이거지? 약간의 질투가 어린 시선으로 둘을 바라보던 홍 장군은 윤조가 황실 연못에 홍수를 일으켰다는 말에 의문했다.

"황실 연못에 홍수를 일으키다니? 그럼 불을 끈 물줄기가-."

"예. 다 아버지 며느리 작품입니다."

준영이 머리에서 손을 떼자 윤조가 흐트러진 머리카락을 정돈했다. 그녀는 놀란 눈으로 자신을 바라보는 홍 장군의 시선에 몸 둘 바를 몰라 방황하다 잡고 있던 머리카락으로 얼굴을 가려 버렸다. 황실 기물 파손죄로 혼나는 건 아닐까, 윤조의 가슴이 두근두근했다.

"사고 쳐서 죄송합니다! 그래도 폐, 폐하께서는 괜찮다고 하셨는데……. 혹시 돈으로 물어내거나 해야 할까요?"

기어들어 가는 그녀의 목소리에 홍 장군이 가까스로 입을 열었다.

"놀랍구나."

"네?"

"정말 대단해! 와하하하하! 정말 장하다! 그걸 정말 윤조 네가 했단 말이냐?"

"제가 하긴 했는데-. 대장군님도 일조했어요!"

"푸핫, 일조했다니. 공범이라 이거냐?"

청량하게 터진 준영의 헛웃음에 윤조의 뺨이 발갛게 달아올랐다. 엇흠, 엇흠, 애꿎은 바닥만 발끝으로 차며 헛기침을 하는 그녀의 모습에 홍 장군도 웃음을 멈출 줄 몰랐다.

"하하하! 역시 홍씨 가문의 며느리라면 배포가 이 정도는 되어야지! 가문의 자랑거리가 늘었구나! 늘었어! 와하하하하!"

호탕한 홍 장군의 웃음에 긴장이 풀린 윤조가 조심스럽게 물었다.

"저 안 혼나요?"

"잉? 혼나긴! 잘했다! 잘했어! 폐하께서도 괜찮다고 하셨는데 내가 왜 혼내겠느냐! 와하하하!"

"휴, 다행이다."

손해배상이라도 해야 하면 어쩌나 걱정했다. 진심으로 안도하며 가슴을 쓸어내리는 그녀의 모습에 준영이 미소 지었다.

"배상 안 해도 된다니 이제 안심이 되느냐?"

"큭, 대장군님은 잘 모르겠지만 이런 건 무척 예민한 사안이라구요."

"생계가 걸려 있으니."

"맞아요. 생계가 걸려 있…… 어떻게 제가 할 말을 아셨어요?"

"그냥 안다. 이제는."

다정한 준영의 미소와 함께 그렇게 정신없는 하루가 지나가고 있었다.

그날 저녁, 홍씨 가문의 저택.

처소로 돌아온 윤조는 몸을 씻고 옷을 갈아입자마자 자신의 침대에 뻗어 버렸다. 홍 장군과 대장군은 이번 사건으로 처리해야 할 일이 많아 입궐 후 돌아오지 못한 상태였다. 일이 늘어난 건 최 승상도 마찬가지여서, 나래 역시 아버지인 최 승상을 배웅하고 윤조와 함께 돌아왔다.

"으어, 피곤해 죽을 거 같아."

"피곤할 만도 하지. 어떻게 황실 연못에 손을 댈 생각을 하냐?"

윤조의 이야기를 전해 들은 나래가 혀를 내둘렀다. 그동안에도 범상치 않다고 생각하긴 했지만 설마 황실 연못으로 불을 끌 생각을 할 줄이야.

"대장군의 단장판을 겁도 없이 노릴 때부터 알아봤지만. 윤조 너 말이야, 담이 크다 못해 부었다, 부었어."

"그땐 인생이 걸린 문제니 앞뒤 생각할 겨를이 없었지. 하하. 나도 황실의 연못을 두 곳이나 파손하고 거기다 황실의 보까지 터뜨려 버렸는데 칭찬받을 줄은 몰랐다."

"일이 잘 풀려서 다행이지. 낮에 혜린 무녀님도 왔었다며?"

"응. 들었어?"

"유모님께. 별일 없었어? 갑자기 찾아온 이유가 뭐래?"

"그냥, 대장군님 건강 축하 겸 나도 축하해 주러 왔다던데?"

축하라니 말도 안 된다. 혜린의 성격을 익히 알고 있던 나래는 윤조가 무언가 단단히 착각을 한 것이 분명하다고 결론했다. 애가 워낙 멍청미가 있어서 기 싸움이니 뭐니 눈치조차 못 챘겠지. 안 봐도 뻔하다. 그것도 나름 재능이라면 재능이겠지만. 나래가 홀로 긍정하며 고개를 끄덕이는 가운데 윤조가 손뼉을 치며 반색했다.

"맞다. 선물도 받았어! 아까 보니까 비단 옷감이랑 향유랑 엄청 많더라. 흐흐흐."

나래가 거울 앞에서 머리를 빗다 말고 신나 하는 윤조를 돌아봤다.

"그거 팔아서 용돈벌이 할 생각은 말아라."

"헉, 아무래도 좀 그런가?"

"그래. 소문나면 괜히 흠 잡혀. 그리고 이제 안 그래도 되잖아? 딱히 돈이 부족한 것도 아니고."

"생존 본능이랄까? 뭔가 돈을 저축해 놓지 않으면 마음이 안 놓여."

"엄청난 가난의 본능이다, 본능이야."

"생활 속 재테크라고!"

"재테크?"

"생활 속에서 수입을 창출하는-! 아무튼, 습관이지, 습관. 잘나가다가 한 방에 추락할 수도 있는 거니까."

"아하, 그래서 잘나간 적은 있고?"

정곡을 찌르는 나래의 말에 윤조가 윽, 하며 가슴을 움켜쥐었다.

"······나래 너, 가끔 얄밉다는 소리 듣지?"

"어."

"어쩜 그리 남의 가슴에 칼 꽂는 소리를 잘도-."

"으그! 말장난은 이쯤하고! 선물을 받았으니 너도 뭔가 답례를 해야 할 텐데 생각한 거 있어?"

"흐음, 고민은 하고 있는데 역시 잘 모르겠어."

윤조가 침대 위를 데구루루 굴러다니다 엎드렸다. 선물을 받았으면 주는 게 예의라고는 알고 있는데 뭘 해야 할지 모르겠다. 상대가 동기들이라면 모를까, 지체 높은 가문의 아가씨에게는 어떤 것을 선물해야 좋을까? 웬만한 건 다 갖고 있을 텐데. 윤조가 아무리 생각해도 잘 모르겠다고 하자 나래가 하나하나 손을 꼽으며 선물 목록을 읊었다.

"향유나 비단은 선물로 받았으니 제외하고, 홍옥으로 만든 노리개나 금으로 만든 머리 장신구도 좋고 아니면 비단 신발이나 담비 털로 만든 붓, 고급 향낭이나 도자기 혹은 향신료나 고급 주류도 좋지."

"저, 전부 엄청나게 비싼······."

"네 씀씀이 정도의 물건을 선물하려고 했다간 욕만 먹을 거다."

"너무해."

"얼른 받아 적기나 해."

나래의 말대로 목록을 받아 적고 있던 윤조가 마지막 항목인 주류에서 의외라는 듯이 되물었다.

"술?"

"왜 유명한 술 많잖아. 연꽃잎으로 담근 '연잎주'나 '인삼주'나 그런 거. 요즘에는 평민들이 먹는 막걸리도 꽤 많이 팔린다더라."

"귀족 영애들도 술을 즐겨?"

"응. 전쟁 중에 시작된 유행인데, 몸을 치장하는 종류의 소비도 늘었지만 의외로 주류 소비가 많이 늘었어. 독한 술을 비롯해서 과실주나 꽃으로 담근 순한 술도 선물용으로 많이 팔리고 있거든."

"오, 그렇구나. 그럼 그중 가장 비싼 술은 뭐야?"

"인삼이나 산삼으로 담근 술은 보통이고, 벌집으로 담근 술이나 뱀으로 담근 사주(蛇酒-뱀술)도 가장 비싸게 거래되지."

"의외네. 귀족 여인들이 뱀술이라니."

"미용에 특효약이라고 찾는 영애들이 꽤 많아. 피를 맑게 해서 노화를 늦춰 주는 효과가 있다더라고. 얼굴의 잡티도 없애 주고-."

"흐응? 어쩜 그렇게 잘 알아? 나래 너, 그거 마셔 봤지?"

윤조의 말에 나래가 뜨끔한 표정으로 입을 다물었다. 슬슬 시선을 피하는 나래의 모습에 윤조의 두 눈이 가늘어졌다.

"그치? 마셔 봤지? 나래 너 뱀술 마셔 봤구나!"

"쉿! 조용히 해! 어머니께서 주셔서 딱 한 잔 마셨어, 딱 한 잔!"

"아닌 것 같은데."

"두, 두 잔?"

"에에?"

"그래 한 병 마셔 봤다! 한 병!"

집요한 윤조의 추궁에 나래는 자포자기하며 사실을 실토했다.

"이야, 꽤 마셨네. 어쩐지 너무 잘 안다 싶더라니. 그거 맛있어? 효과 좋아?"

"맛은 그냥 술맛이고. 하루에 한 잔씩 보름 정도 마셔 봤는데 효과는 좀 있는 듯?"

"진짜?"

"크흠, 한 이틀 지나니까 피부가 맑아지더라고. 어머니는 검버섯이 사라지셨대. 그리고-."

귀 좀 대 보라는 나래의 손짓에 윤조가 나래의 입가에 귀를 바짝 붙였다.

"정력에 좋대. 아버지도 한 병 드셨어."

속삭이는 나래의 말에 윤조가 폭소했다.

"푸흡! 승상님께서? 신기하네. 뱀이라면 국경 살 때 온 천지에 널려 있었는데. 그거 잡아다 술 담가 팔걸!"

"독사가 효능이 더 좋다더라."

"독사도 많았는데. 쩝. 동생들한테 알려 줘야겠다. 이제부터 우리 집 가업은 땅꾼이라고. 흐흐흐."

농담 반 진담 반으로 이야기하는 윤조의 눈이 초롱초롱 빛났다. 이런 엄청난 사업 아이템을 모르고 있었다니! 미용에 도움이 된다고 하면 자다가도 벌떡 일어나는 게 여인들인데 말이야. 윤조는 노후에도 배곯아 죽을 일은 없겠다며 콧노래를 불렀다.

"너는 어차피 대장군님이랑 혼인할 건데 그런 생각을 왜 해?"

나래의 말에 윤조가 뭘 모른다며 검지를 흔들었다.

"누이 좋고 매부 좋고, 도랑 치고 가재 잡고, 님도 보고 뽕도 따고. 좋은 건 다다익선이랬어."

"돈 얘기만 나오면 사람이 달라지는구나."

"나중에 언니 대박 나면 그때 나래 너한테는 뱀술 공짜로 줄게."

"……거래 조건은?"

"귀족 가문에 술 댈 수 있게 물꼬 좀 터 줘. 콜?"

"콜?"

"거래에 응하겠다는 뜻이야."

"아하, 콜."

"콜!"

신이 나서 콜을 외치던 윤조의 눈이 가물가물했다. 어쩐지 평소보다 들떠 보이더라니, 졸음에 취해 있던 모양이다. 나래는 졸음 가득한 윤조의 이마를 가볍게 밀어 그녀를 침대에 눕게 했다.

"뛰어다니느라 고생했어. 얼른 자라."

"헤헤, 나래도 잘 자."

"다리, 아프다며. 베개에 올리고 자."

종아리 아래에 베개를 쓱 밀어 넣어 주는 나래의 모습에 윤조가 실없이 웃음을 흘렸다. 그것은 나래와 처음으로 기숙관에서 동방생이 되었던 날, 호된 신고식을 치르고 다리가 퉁퉁 부었던 날 밤 자신이 그녀에게 해 주었던 것이기 때문이었다.

"내가 이렇게 해 줬던 거 기억하는구나?"

"뭐, 효과는 좀 있는 거 같더라. 어서 자."

"우리 나래는 부끄럼쟁이~!"

"……입 다물고 자."

키득거리는 두 사람의 웃음소리가 잦아들고, 방 안의 등불이 남 김없이 꺼졌다.

홍 장군과 준영이 저택으로 돌아온 것은 두 사람이 잠들고 두 식 경 정도가 지나서였다.

"무녀들은?"

"잠들었습니다."

유모의 대답에 홍 장군이 그러냐, 했다. 이리저리 뛰어다녔으니 피곤할 만도 하겠지.

"늦었지만 두 분 다 저녁 식사 하시겠어요?"

"아니, 괜찮네."

"저도 괜찮습니다."

"어머, 정말요? 이를 어째. 작은 마님이 열심히 준비하신 건데……."

아깝지만 하인들에게 잔반 처리를 맡겨야겠다는 유모의 말에 홍 장군과 준영이 펄쩍 뛰며 그녀를 잡았다.

"며늘아기가 만든 거라면 먹어야지! 안 그러냐, 준영아?"

"식사하러 가죠, 아버지."

"그러자꾸나."

유모는 두 부자가 사이좋게 안채로 향하는 모습을 보며 작게 미 소 지었다.

"정말 이걸 다 며늘아기가 했단 말인가?"

"믿을 수가 없군……."

홍 장군과 준영은 상 위에 푸짐하게 차려진 된장국과 각종 나물, 생선구이를 보고 입을 벌렸다. 매번 육고기가 빠지지 않는 귀족 집 안의 식단과 비교하면 단출한 차림이었으나, 단정하게 그릇에 담아 놓은 모양이 예사 솜씨로 보이지 않았기 때문이다.

"호호, 저도 엄청 놀랐답니다. 작은 마님 칼 쓰는 솜씨가 도련님 보다 좋은 것 같아요."

"유모가 그리 칭찬할 정도면 며늘아기한테 검을 가르쳐야겠구 나! 하하하."

"위험합니다. 타고난 근력도 부족한 데다 몸무게도 가벼워서 검에 끌려다닐 겁니다. 그 작은 손으로 검을 제대로 쥘 수나 있겠습니까?"

"녀석, 안사람이라고 벌써 싸고도는 게냐?"

"크흠, 식사나 하시죠."

말을 돌리며 국을 떠 입에 가져간 준영이 깜짝 놀라 홍 장군과 유모를 쳐다봤다.

"맛이-."

그는 말을 하다 말고 다시 수저를 들었다. 믿기지 않을 정도로 음식 맛이 좋았기 때문이다. 홀린 듯이 수저와 젓가락을 움직이는 그의 모습에 홍 장군도 밥 한술을 떠 입에 가져갔다. 유모는 그 어느 때보다 맛있게 식사하는 두 부자의 모습에서 눈을 떼지 못했다.

"작은 마님이 정말 복덩이죠?"

유모의 물음에 홍씨 부자가 밥을 먹다 말고 고개를 끄덕였다.

"암, 누구 며느리인데."

"아버지 며느리이기 전에 제 아내 될 사람입니다."

"푸하하! 준영이 너 이제 숨기지도 않는다? 암만 생각해도 네놈 주기엔 윤조가 아깝다, 아까워."

"윤조가 물건입니까? 누굴 주고 말고 하게."

"헹, 차일까 봐 겁나서 피해 다닐 때는 언제고?"

"……국 식습니다. 어서 드세요."

"오냐, 이 녀석아."

◈

밤이 깊었다.

저택 안의 모든 등불이 꺼진 가운데 오로지 윤조와 나래의 처소 앞에 걸려 있는 등불만이 밝게 빛나고 있었다. 일찍 잠자리에 든 두 사람이 미처 소등을 하지 못했기 때문이었다. 화재 현장에서 고생하느라 집 안의 가솔들도 모두 지쳐 까무룩 잠든 날이었다.

사방이 고요했다. 적막이 흐르는 가운데 밝은 빛에 이끌리듯 침대 아래 구석에 똬리를 틀었던 검은 독사가 기어 나왔다. 바람에 문풍지가 흔들렸다. 독사는 문틈으로 들어오는 바람에 그곳 너머가 밖이란 것을 알았는지 몇 번이고 불빛을 좇아 방문을 기어오르려고 했다.

쉬이익-!

나가는 길이 막혀 있음을 확인한 독사가 잔뜩 성난 소리를 내며 움직였다. 구불구불 몸을 움직여 나래의 침대 머리맡에 다다른 독사가 침대 다리를 휘감아 올라가려는 때였다.

"으으음-."

꿈을 꾸는지 옆 침대에서 이리저리 몸을 뒤척이던 윤조가 번쩍 눈을 떴다.

"……목말라."

끙끙거리며 협탁 위에 있던 주전자를 집어 든 그녀는 주전자 안이 텅 비었음을 깨닫고 침대에서 일어났다.

"끙, 물이 없네……."

비몽사몽 졸린 눈을 비비며 문가로 걸어간 그녀가 닫혀 있던 문을 활짝 열었다. 그러자 나래의 침대 위로 올라가려던 독사가 다시 바닥으로 내려와 문가를 향해 기어가기 시작했다.

쉬이이익-.

빠른 속도로 윤조의 발꿈치 근처에 다다른 독사가 문을 나서려는 때였다. 탁, 하고 문을 닫고 나가 버린 윤조 탓에 애꿎은 콧등만 찧은 독사가 바닥을 뒹굴었다.

한편 자신의 발치에 독사가 있었다는 사실을 꿈에도 모르는 윤조는 차가운 밤공기에 정신을 차렸다. 힘껏 기지개를 켠 그녀가 물을 뜨러 부엌으로 향할 때였다.

"아차차, 내 정신. 주전자를 놓고 나왔네."

물을 뜨러 가면서 정작 주전자를 놓고 나왔다는 사실을 깨달은 그녀가 다시 방문을 활짝 열었다. 그곳에는 머리를 꼿꼿이 세운 채 잔뜩 약이 오른 독사가 똬리를 틀고 있었다.

"꺄아악!"

멀리서 들려온 비명에 번쩍 눈을 뜬 준영이 급히 검을 챙겨 달려 나갔다. 윤조의 목소리가 분명했다. 가까워지는 무녀들의 처소 문이 활짝 열린 채였다.

"꺄아아악-!!!"

다시금 비명이 들렸다. 이번엔 윤조가 아닌 나래의 목소리였다. 황급히 두 사람의 처소에 다다른 준영이 열린 문 안쪽을 살폈다.

"무슨 일이냐!!!"

다급한 그의 외침에 침대에서 막 일어나 몸을 반쯤 일으킨 나래가 사색이 된 얼굴로 한 곳을 가리켰다. 그곳에는 윤조가 준영에게 등을 보인 채 무릎을 꿇고 있었다.

"윤조야, 괜찮느냐?"

불길한 예감에 그녀에게 다가간 준영이 그녀의 어깨 위로 손을 올리려는 찰나였다.

"잡았다-!!!"

갑자기 자리에서 벌떡 일어난 그녀가 빙글 몸을 돌려 준영을 향했다. 순식간에 윤조와 마주 보게 된 준영이 놀랄 틈도 없이 그녀가 들고 있던 독사와 눈을 맞췄다. 날름거리는 독사의 혀가 준영의 콧잔등을 스쳐 지나갔다.

"악!"

순간 준영이 자신도 모르게 팔을 휘둘렀다. 그 바람에 윤조의 손이 미끄러지며 들고 있던 독사가 공중을 날아 나래의 침대 위에 떨어졌다.

쉬이익-!

검은 독사와 마주친 나래의 얼굴이 백지장처럼 하얗게 질렸다.

"꺄아악! 꺄아아악! 꺄아아아악-!!!"

찢어지는 나래의 비명에 온 저택의 불이 하나둘 켜졌다. 홍 장군과 유모를 비롯한 가솔들이 헐레벌떡 달려 나왔다.

"무슨 일이야!"

"작은 마님 방에서 나는 소리 아니여?"

"얼른 가세, 얼른!"

저마다 호미며 빨랫방망이, 빗자루 같은 것을 무기 삼아 손에 들고 윤조와 나래의 방 앞에 도착한 가솔들이 열린 방 안을 살피고 경악했다. 한눈에 보기에도 위험해 보이는 새까만 독사가 방 한가운데 침대 위에 떡하니 자리 잡고 있었기 때문이다.

"배, 뱀-!!!"

"척사蚇ㅌ! 세상에, 저거 척사 아니야?"

"독사! 독사다! 작은 마님 방에 독사가 나왔다!!!"

"웬 소란이냐! 독사라니!"

뒤늦게 도착한 홍 장군이 방 안을 확인했다. 그곳에는 침대 위 다가오는 독사를 마주한 채 비명을 지르고 있는 나래와, 그런 독사를 잡으려 살금살금 접근하는 윤조와, 또 그런 윤조를 말리는 준영의 목소리가 한데 뒤엉켜 야단법석이었다.

"윤조야! 위험하니 물러나거라!"

"쉿, 조용히 좀 해 봐요!"

준영의 만류에도 아랑곳하지 않고 윤조는 독사의 뒤로 살금살금 다가갔다. 겁에 질린 나래가 그런 윤조를 보며 마른침을 삼켰다. 이불 위를 기어 나래의 다리 위로 올라온 독사가 그녀를 향해 입을 벌리며 위협적인 소리를 냈다. 윤조는 나래에게 그대로 움직이지 말라고 입 모양으로 이야기하며 빠르게 손을 뻗었다.

"잡았다, 요놈!!!"

매가 먹이를 낚아채듯 정확히 독사의 머리를 낚아챈 윤조가 뱀을 진정시키기 위해 날뛰는 뱀의 몸속에 순간적으로 일정량의 신력을 불어 넣었다. 그러자 이전의 준영이 그러했듯이 윤조의 강한 신력에 기절해 버린 뱀이 축 늘어져 얌전해졌다.

"휴, 하마터면 큰일 날 뻔했네. 나래야, 괜찮아?"

윤조가 뱀을 든 채로 접근하자 나래가 비명을 지르며 침대에서 내려왔다.

"꺄아악! 너, 너, 거기 딱 멈춰. 그거 들고 다가오지 마!"

"괜찮아. 내 신력 때문에 기절했어."

윤조가 축 늘어진 뱀을 들어 확인해 주자 그제야 마음이 놓인 나래가 숨을 몰아쉬었다. 준영과 홍 장군이 놀라 윤조를 살피며 그녀가 들고 있는 뱀을 가리켰다.

"대체 이게 어떻게 된 일이냐! 물리진 않았느냐?"

"전 괜찮아요."

"방에서 독사가 나오다니. 무녀들 외에 이 방에 출입한 자가 또 누구인가!"

성난 준영의 외침에 가솔들이 저마다 눈치를 보며 손을 저었다.

"쇤네들은 시장에 난 불을 끄고 돌아와 곧장 잠들었습니다."

"오늘 아침 제가 청소를 할 때만 해도 아무 문제 없었습니다. 아, 그런데…….."

무언가 걸리는 게 있는지, 유모가 잠시 뜸을 들이다 고민하며 말을 이었다.

"화재로 정신이 없어 말씀을 못 드렸는데 오늘 낮에 손님이 다녀가시긴 했습니다."

그녀의 말에 손님의 방문에 대해 전해 들은 바가 없던 홍 장군이 의아해하며 되물었다.

"손님이 다녀갔다? 대체 누가 다녀갔다는 말인가?"

"혜린입니다."

준영의 입에서 나온 대답에 홍 장군의 표정에 노기가 서렸다.

"문씨 가문의 여식이 어째서 홍씨 가문의 저택에 발을 들여! 준영이 너는 알고 있었던 거냐!!!"

"저도 아까 윤조에게 들어서 알았습니다. 별일은 없었다고-."

"별일이 없어? 지금 이 상황에 그런 말이 나오느냐! 천하에 악독한 년! 감히 내 집 안에서 내 사람들을 해치려고 들다니!!!"

"아버지, 고정하십시오. 자네들, 누군가 이 방에서 나오는 사람을 본 사람은 없나?"

준영의 물음에 가솔들이 아무도 보지 못했다며 고개를 저었다.

"물을 필요도 없다! 혜린 그것이 저지른 일이 분명하다. 모르겠느냐!"

"심증은 있으나 물증이 없습니다. 화가 나는 마음은 이해하지만 물증도 없이 문씨 가문을 질책할 수는 없습니다!"

"저, 저기, 두 분 다 진정하세요!"

"윤조, 아가야, 정말 별일 없던 게 맞느냐? 혜린이 네게 무슨 해코지라도 한 건 아니고?"

"그런 일 없었어요! 정말 담소만 나누었는데-. 대장군님 정혼자가 된 걸 축하한다고 선물도 주셨는걸요!"

윤조의 말에 홍 장군이 기가 막힌다는 듯 목뒤를 잡았다.

"하! 혜린이 그러더냐? 윤조 너를 축하하기 위해 왔다고?"

"네, 정말 아무 일도 없었어요!"

"그년의 짓이 분명하구나. 내 당장 문 비서랑을 찾아가 요절을 내 버리고 말 것이다!"

윤조의 부정에도 홍 장군은 좀처럼 화를 가라앉히지 못했다. 뱀만 잡으면 일단락될 줄 알았던 상황이 오히려 심각해지자 윤조는 축 늘어진 뱀을 든 채 어쩔 줄 몰라 하며 홍 장군과 준영 사이를 왔다 갔다 했다. 홍 장군과 준영 사이에 목소리가 점점 커졌다. 참다 참다 이 모습을 지켜보던 윤조가 도저히 안 되겠는지 크게 소리쳤다.

"그만-! 두 분 다 그만하세요!!!"

작은 몸집에서 터져 나온 우렁찬 목소리에 홍 장군과 준영은 물론이고 나래와 다른 가솔들도 깜짝 놀라 윤조를 쳐다봤다.

"집안의 가장 큰 어른 두 분이 이렇게 다투시면 어떡합니까! 가솔들이 불안해하는 거 안 보이세요?"

씩씩하게 소리친 그녀가 손에 들고 있던 뱀을 들어 올렸다.

"우선 이거. 머리가 세모꼴인 걸 보니 독사는 맞는 것 같지만, 누가 일부러 방 안에 풀어 놓은 건지, 어쩌다 이 집으로 들어오게 된 건지 모릅니다. 맞죠?"

혜린에 대한 의심이 풀린 것은 아니었으나 윤조의 말도 틀리진 않았기에 지켜보는 모두가 고개를 끄덕였다. 윤조가 계속해서 말을 이었다.

"제때 발견하지 못했다면 큰 사고가 될 수도 있었겠지만, 다행히 제가 발견했고 아무도 다친 사람 없이 잡았습니다. 홍 장군님 말씀처럼 혜린 무녀가 악의를 갖고 제게 이런 짓을 했다면 그분께 잘못을 묻는 것도 마땅히 제가 해야 할 일입니다. 제 친구인 나래까지 위험에 빠뜨렸으니 두말할 것도 없죠. 그러니 이 뱀에 대한 일은 제가 처리하게 해 주십시오."

"어떻게 처리할 생각이냐?"

한층 누그러진 홍 장군의 물음에 윤조가 답했다.

"선물을 받았으면 마땅히 답례를 하는 게 예의라고 배웠습니다."

다음 날 아침.

파이옌의 방으로 전서구가 날아들었다.

"아아, 독촉장 왔네."

전서구의 다리에서 편지를 꺼내던 파이옌이 불만스러운 표정을 지었다. 보나 마나 편지의 내용이 마음에 들지 않을 것이기 때문이었다.

"사고 그만 치고 빨리 돌아오라는 거겠지."

심드렁하게 편지를 펼치자 아니나 다를까, 그가 예상한 내용이 빼곡히 적혀 있었다. 까마귀들이 죽은 것을 비롯해 나투국 수비대 열 명을 죽인 일, 시장 한복판에 화재를 일으킨 것까지 어떻게 이렇게 빨리 알고 잔소리를 써서 보냈는지 원. 그는 편지를 읽다 말고 바닥에 휙 집어 던졌다. 침대에 드러누운 그가 읊조렸다.

"나를 감시하는 까마귀가 또 있단 소리네."

감시받고 있다는 사실을 깨닫자 심기가 불편했다. 한창 재미있어지려는 때에 복귀 명령이라니.

원래라면 서국 황제의 부상을 이른 시일에 회복시키기 위해 나투국의 무녀 몇몇을 납치해 갈 계획이었는데, 일이 완전히 틀어져 버렸다. 지금 상황에서 무녀까지 실종되었다간 일이 걷잡을 수 없이 커질 것이다. 그렇게 되면 나중을 기약할 수도 없겠지. 그는 왼손을 들어 자신의 문신을 바라봤다.

"정보의 출처도 제거 못하는 판에……. 후, 일이 꼬였어."

그러던 그는 문득 윤조를 떠올렸다. 분명 그 병아리가 불구가 된 홍준영을 살렸다고 했지? 그 소식은 아직 황제에게 닿지 못한 건가? 사실을 안다면 서국의 황제는 분명 윤조를 원할 것이다. 하지만 편지에는 복귀하라는 명령만이 적혀 있었다.

"연줄이 손을 쓴 건지, 아니면 아직 소식을 듣지 못한 건지. 병아리에게는 잘된 일이지만-."

그는 던져 놓았던 편지를 주워 남은 내용을 읽어 내려갔다.

이틀 뒤 행상꾼 마차

"이틀 뒤라……."

생각보다 빠르네. 침대 위에서 몸을 뒤척이던 파이옌은 문득 손목에 문신이 있느냐며 자신의 소매를 들추던 윤조의 모습을 떠올렸다.

"여러 가지로 예상외의 병아리란 말이야? 그렇게 안 보이는데 생긴 거랑 달리 배포도 크고-."

화재를 진압하기 위해 황실 연못 두 곳과 황실의 보를 망가뜨렸다는 소식은 문 비서랑을 통해 자세히 전해 들었다. 이렇게 재미있는 일이 많은데 벌써 돌아오라니. 황제 놈이 몸이 아프더니 마음이 조급해진 모양이었다.

알겠다는 답신을 써 전서구 편에 날리던 그는 2층 창문 너머로 빠르게 달려오는 말 한 필을 발견했다. 말에 탄 기수가 달고 있는 깃발의 문양으로 보아 홍준영의 가문에서 보낸 사람이 분명했다.

"홍준영의 가문에서 무슨 일이지?"

호기심에 찬 눈으로 창밖을 바라보던 그가 1층으로 향했다.

시녀와 함께 1층에 있던 혜린은 홍씨 가문에서 온 병사가 내미는 물건을 바라봤다. 붉은색 비단 보자기에 싸여 있는 물건은 그녀의 몸통만 한 크기로 크기가 꽤 컸다.

"선물이라고요?"

"예. 홍씨 가문의 작은 마님께서 어제의 방문에 대한 답례라고 하셨습니다."

작은 마님이라니. 마음에 들지 않는 호칭이다. 그녀는 알겠노라 답하며 심부름 온 병사를 돌려보냈다. 윤조 그 가증스러운 것이 귀족가에 들어가더니 예절을 따라 한답시고 답례품을 보낸 모양이었다.

"꽤 묵직한데 무엇을 보낸 걸까요?"

시녀의 말에 혜린이 코웃음 쳤다.

"보나 마나 형편없는 것이겠지. 평민 계집애가 운이 좋아 대장군의 집에 들어가더니 귀족놀이를 하는가 보구나."

"치워 버릴까요?"

"그래- 아니, 아니다. 그래도 무엇을 보냈는지 확인은 해야지. 나중에 대화 주제로 삼았다가 낭패를 볼 수도 있으니까. 풀어 보아라."

"네, 아가씨."

시녀가 물건을 겹겹이 감싼 비단 보자기를 풀기 시작했다. 혜린의 옆에 선 파이옌이 흥미로운 눈을 했다.

"그 병아리가 보낸 선물이라고?"

"그렇답니다."

"흐응, 뭘 보냈으려나?"

"궁금하시면 귀공께서도 함께 보시죠. 보나 마나 별 볼 일 없는 물건이겠지만요."

시녀의 손에서 보자기가 한 겹, 두 겹 벗겨졌다. 천천히 모습을 드러내는 물건의 정체는 커다란 유리병이었다. 마지막으로 물건을 감싼 흰 종이를 걷어 내다 말고 시녀가 비명을 질렀다.

"갑자기 왜 그러느냐?"

"아, 아가씨. 유리병 안에! 유리병 안에-!"

갑자기 비명을 지르며 자리에 주저앉은 시녀의 모습에 혜린이 빠르게 다가와 유리병을 감싼 종이를 벗겨 냈다. 그곳에는 커다란 독사가 날카로운 이를 드러낸 채 입을 벌리고 죽어 있었다.

"아악-!"

시녀와 마찬가지로 놀라 뒷걸음질 치던 혜린이 치마에 걸려 바닥에 넘어졌다. 하얗게 질린 그녀가 유리병을 바라보며 말을 더듬었다.

"저, 저건……."

유리병 안의 독사는 분명 자신이 윤조의 방에 풀어놨던 독사가 틀림없었다.

온몸이 흑단처럼 새까만 비늘로 덮여 있는 독사는 한 방울의 독만으로도 성인 남자 수백 명을 죽일 수 있다고 알려진 척사䗍蛇였다. 척사의 독은 사람의 피부를 녹이고 뼈까지 까맣게 태워 끔찍하고 고통스러운 죽음을 맞게 하는 것으로 유명했다. 혜린은 시녀를 시켜 어렵게 구했던 독사가 유리병에 담겨 죽어 있는 것을 보고 기함했다.

충격에 헤어나지 못하는 시녀와 혜린을 바라보던 파이엔이 손을 뻗어 독사가 든 병을 집어 들었다. 묵직한 무게감과 함께 찰랑거리는 내용물이 느껴졌다. 이 냄새는-.

"푸하하하! 이거 뱀술이네!"

유리병 입구에서 알싸하게 느껴지는 독한 술 냄새에 그가 재미있다는 듯이 폭소했다.

"대박, 이거 그거 맞지? 네가 병아리 방에 풀어 놨던 독사."

낄낄거리는 파이옌의 웃음소리에 간신히 정신을 차린 혜린이 비틀거리며 일어났다.

"이럴 수가……."

뱀술이 되어 버린 독사를 바라보는 그녀의 손이 바르르 떨려 왔다.

"이야, 답례 제대로 받았네. 그 병아리 역시 보통 병아리가 아니야. 푸하하핫!"

세상에 어떤 여인이 자신을 죽이려 한 독사를 잡아 그 독사를 푼 자에게 선물한단 말인가. 답례가 이런 식의 답례일 줄이야.

"아가씨가 완전히 졌네. 그래도 뱀술을 건진 게 어디야? 이거 꽤 비싸다고?"

빙글거리며 조롱하는 파이옌의 말에 무어라 소리치려던 혜린이 입술을 깨물며 자리를 벗어났다. 분한 마음에 발을 쿵쿵 구르며 가 버리는 그녀의 뒤에서 파이옌이 장난스럽게 손을 흔들었다. 들고 있던 유리병을 탁자 위에 올려놓은 그가 키득거리며 읊조렸다.

"귀엽네, 병아리. 대체 이걸 어떻게 잡은 거야?"

다시 생각해도 골 때리는 상황이다. 아, 이럼 안 되는데. 한동안 그의 입가에서는 미소가 떠날 줄 몰랐다.

황제의 부름으로 입궐한 홍 장군의 얼굴에 싱글벙글 미소가 만연했다. 평소 위압감이 느껴지는 무표정한 얼굴로 다니는 그의 색다른 모습에, 온 황제는 물론이고 함께 자리에 있던 무녀장 묘길도 신기해하며 그를 바라봤다.

"오늘 홍 장군의 기분이 무척 좋아 보이는구나."

황제의 말에 홍 장군이 고개 숙여 답했다.

"황공하옵니다, 폐하. 소신 집안에 길조가 들어와 온종일 지저귀니 이보다 좋은 일이 어디 있겠습니까."

길조라 함은 윤조를 가리키는 것이었다. 그 뜻을 이해한 온 황제가 허허 웃음 지었다.

"그 길조를 자네의 집에 보내 준 사람이 짐이라는 것을 잊지 말게."

"여부가 있겠습니까. 성은이 망극하옵니다."

"그래, 대체 무슨 일이기에 그러나? 어디 길조 자랑 좀 해 보시게나."

온 황제의 말에 홍 장군이 너털웃음을 지으며 답했다.

"하하, 글쎄 그 작은 새가 뱀을 잡았지 뭡니까! 하하하. 그것도 엄청나게 큰 독사를요!"

"독사를 잡았다? 비유인가?"

"아닙니다. 말 그대로의 뜻입니다."

비유가 아닌 진짜 독사를 뜻한다는 그의 말에 황제와 묘길의 표정이 굳어졌다.

"독사라니? 그게 무슨 말인가?"

놀란 황제의 물음에 홍 장군이 웃음을 지우고 진중한 태도로 돌아왔다.

"간밤에 가문의 무녀 처소에서 독사가 나왔습니다."

가문의 무녀라 함은 윤조를 포함해 최 승상의 여식인 나래도 함께 이르는 말이었다. 황제 우편에 서 있던 최 승상의 미간에 옅은 주름이 갔다.

"폐하, 말씀 나누시는 중에 송구합니다. 홍 장군, 어찌 된 일인지 물어도 되겠습니까? 무녀들은 모두 무사한 겁니까?"

"간밤에 길 잃은 독사 한 마리가 무녀들의 방에 침입해 소동이 있었습니다. 무녀 윤조가 무녀 나래의 침상에 오르는 독사를 발견해 잡아서 모두 무사할 수 있었습니다."

"출처는 밝혀진 겁니까?"

노기가 느껴지는 최 승상의 목소리에 홍 장군이 잠시 말을 멈추었다가 답했다.

"길 잃은 독사인지, 누군가의 소행인지는 정확히 알 수 없습니다."

정확히 알 수는 없으나 짚이는 곳은 있다는 투였다. 심증은 있으나 물증이 없는 모양이군. 그 뜻을 파악한 최 승상이 알겠노라 고개를 끄덕이며 물러났다. 두 사람의 이야기를 가만히 듣고 있던 온 황제가 홍 장군을 바라봤다.

"독사는 어떻게 했나?"

판매처를 알아내면 구매자를 찾는 건 쉬운 일. 독사는 밀거래 품목이라 조사가 쉽진 않지만, 세상에 절대적인 비밀은 없는 법이었다. 더군다나 독이 있는 동물을 방에 풀어놓는 수법은 궁중 암투에서 후궁들 사이에 주로 쓰이는 수법이 아닌가. 이는 독사를 사용한 자가 여성일 확률이 높다는 뜻으로도 해석되었다.

황제의 물음에 무거운 표정이었던 홍 장군의 얼굴에 균열이 갔다. 피식, 새어 나오는 웃음을 참지 않으며 그가 말했다.

"하하하! 글쎄, 윤조 그 아이가 뱀술을 담가 버렸지 뭡니까!"

참지 못하고 크게 웃음을 터뜨린 홍 장군의 말에 온 황제는 물론이고 묘길과 최 승상 또한 황당한 눈을 했다.

"으하하하! 정말 대단하지 않습니까? 대장군인 준영이도 무서워 가까이 못하는 독사를 맨손으로 잡은 것도 모자라, 술을 담가 버립디다. 그게 요즘 수도에서 잘나가는 품목 중 하나라면서요? 보통이면 독사를 보고 비명을 질렀을 텐데 돈이 넝쿨째 굴러 들어왔다고 좋아하는 아이는 살다 살다 처음 보았습니다! 아하하하하!"

어전에 호탕하게 울리는 홍 장군의 웃음소리에 당황해서 입을 벌렸던 묘길도 그를 따라 웃어 버렸다.

"그 아이, 배포가 남다르긴 했습니다. 무려 대장군의 단장판을 손에 넣은 아이가 아닙니까?"

"하긴, 생각하니 그렇군. 제국의 가장 귀한 매를 손에 넣은 아이가 아닌가? 매를 사로잡은 아이가 매의 먹이가 되는 뱀을 두려워하는 게 오히려 이상한 일이지. 하하하! 홍 장군, 그대 며느리가 장군감일세."

묘길의 말에 온 황제도 동의하며 웃어 버렸다. 그들의 웃음소리에 좀 전의 무거운 분위기가 환기되는 것 같았으나 단 한 명, 최 승상만은 굳은 얼굴로 자리했다. 홍 장군은 생각에 잠긴 최 승상을 보며 눈짓했다. 따로 만나자는 신호였다.

어전의 웃음소리가 잦아들고, 온 황제가 미소 띤 얼굴로 홍 장군에게 말했다.

"하하, 안 그래도 그대를 부른 이유가 윤조 때문이었네. 그 아이가 수도에 난 화재를 해결하지 않았나. 해서 짐이 그 아이와 대장군의 회복을 축하하는 축하연을 열려고 한다네."

"성은이 망극하옵니다, 폐하. 두 아이도 무척 기뻐할 것입니다."

"축하연은 화재 수습과 백성들에게 돌아갈 보상이 치러진 후, 보름 뒤 정도로 생각하고 있는데 자네의 의견은 어떠한가?"

"백성을 위하는 폐하의 마음에 감복할 뿐입니다. 하나 한 가지 걸리는 점이 있습니다."

"무엇인가?"

"윤조는 평민으로 자라 아직 귀족 집안의 생활에 미흡한 점이 많습니다. 혹여 아이가 의도치 않은 실수로 폐하의 위신에 누가 되는 일을 하진 않을지 걱정이옵니다."

홍 장군은 남들이 보기 좋은 자리를 만들기 위해 윤조가 다른 귀족 가문의 사람들에게 상처받는 일은 없었으면 했다. 그런 홍 장군의 마음을 이해한 온 황제가 잠시 골몰하다 말했다.

"홍 장군의 염려가 무엇인지 알았네. 그럼 이런 건 어떤가? 짐이 윤조에게 가문의 인장을 수여하겠네."

황제가 가문의 인장을 수여한다는 것은 곧 윤조의 신분을 귀족으로 상승시키겠다는 것을 의미했다. 전통적으로는 전쟁에서 나라를 승리로 이끈 장수 중 평민인 자들을 선출해 국가를 위한 공로를 인정하며 명예 귀족의 자리를 수여하는 것이 일반적이었다.

"재앙이 될 수도 있었던 화마를 잡아 백성들의 터전을 지켜 나라를 위해 헌신했으니 황제의 이름으로 이만한 상은 내릴 수 있다고 생각하네만. 다른 이들의 생각은 어떠한가?"

"무녀장 묘길은 폐하의 의견을 따르겠나이다."

"하하, 무녀장이 웬일로 적극적이로군."

"그저 같은 무녀의 운명을 타고난 사람으로서 그 아이의 성장이 기대될 뿐입니다. 잘만 이끌어 준다면 후대에 길이 이름이 남을 무녀가 될 것이옵니다."

"그렇지. 흔치 않은 신력을 소유한 인재가 아닌가. 짐도 동감하는 바이네. 최 승상의 생각은 어떠한가?"

"소신의 생각은 조금 다르옵니다."

최 승상이 앞으로 나서서 황제의 앞에 고개를 숙였다.

"폐하의 성심과 배려를 이해합니다. 하오나 다른 귀족들의 반발이 만만치 않을 것입니다."

"흐음, 그도 그렇군. 하면 승상은 이 문제를 어찌해야 한다고 보는가?"

"보름 뒤 축하연에서 대장군과 무녀 윤조의 혼례를 주관하심이 어떠신지요?"

"오호라, 축하연에서 두 사람의 혼례를 주최한다라."

"예, 다른 사람도 아닌 황제 폐하께서 나라를 위한 공로를 인정해 두 사람을 위해 여는 축하연입니다. 그곳에서 두 사람이 폐하의 축복 아래 혼례를 올린다면, 그리고 혼례와 함께 무녀 윤조에게 가문의 인장을 수여한다면 감히 반대할 자가 없을 것이옵니다."

"좋은 생각이다! 홍 장군, 어떤가? 이번 축하연에서 짐이 대장군과 윤조의 혼례를 주관해도 되겠나?"

온 황제의 말에 홍 장군이 기쁜 마음으로 고개를 숙였다.

"성은이 망극하옵니다, 폐하. 소신의 집안에 광영이옵니다!"

"하하, 좋다. 축하연을 준비하면서 혼례는 비밀리에 준비토록 하겠네. 혹 필요한 것이 있다면 언제든지 이야기하시게."

"예. 소신 기쁜 마음으로 물러가 이 소식을 전하겠습니다."

"그리하게."

어전을 나와 발길을 돌리던 홍 장군의 곁으로 최 승상이 따라붙었다. 그는 소매에 넣어 두었던 부채를 펼쳐 입을 가렸다.

"누구의 짓인가."

독사를 푼 자를 추궁하는 말에 홍 장군이 조용히 답했다.

"혜린일세."

"확신하나?"

"적어도 나와 준영이는. 윤조는 길 잃은 독사가 들어온 것일 수도 있다고 했지만, 과연 고산지대에만 서식하는 척사가 아이들의 방에서 발견된 게 단순한 우연일까? 절대 그럴 리가."

"척사라. 확실히 후궁들의 암투에서나 사용될 법한 것이긴 하군."

"나래가 물릴 뻔했네."

최 승상의 걸음이 우뚝 멈췄다.

"윤조가 아니었으면 큰일을 당했을 걸세."

덧붙이는 홍 장군의 말에 최 승상이 굳은 눈으로 그를 바라봤다.

"이거, 빚을 졌군."

"감사는 윤조에게 하게. 그 아이 여간내기가 아니야. 폐하의 앞이라 숨겼지만 사실 그 독사로 담근 뱀술을 어찌했는지 아나?"

"어찌했는가?"

"문씨 가문에 답례품으로 보내 버렸다네. 선물을 받았으면 마땅히 보답을 하는 게 예의라면서 말이야. 정말 대단하지 않나?"

"여러 가지로 예상을 벗어나는군. 그런데 왜 말리지 않았나? 그게 선전포고가 될 수도 있다는 것을 알고 있었을 텐데?"

"이미 평민인 아이가 황제 폐하의 특채를 받았고, 대장군의 정혼자가 되었다는 것만으로도 그 아이는 수도 내의 모든 귀족 가문에 선전포고를 한 셈이네. 연약하게 굴다가는 언제라도 먹잇감이 될 수 있어."

홍 장군의 말에 최 승상이 고개를 끄덕였다.

"매로 키울 생각이군."

"홍씨 가문에 들어온 이상 병아리라도 매의 새끼여야 하네. 도태되어 죽든지 혹은 성체가 되어 훨훨 날게 되든지. 나는 그 아이의 날갯짓에 힘을 실어 주려 하네. 누군가 지켜 줘야만 살아갈 수 있는 여린 새는 살아남을 수 없어."

"여린 새라. 하긴, 누님은 그랬지……."

최 승상은 죽은 자신의 누이이자 홍 장군의 아내였던 여인을 떠올렸다.

"조금 더 강인한 사람이었다면 좋았을 것을."

한탄하는 그의 말에 홍 장군이 위로하듯 그의 어깨를 잡았다.

"그녀는 강한 사람이었네. 비록 몸은 약했지만, 마음만큼은 내가 두른 철갑 못지않았어. 나는 지금도 생각하네. 그녀가 어째서 사라졌던 건지, 다른 곳도 아닌 어화당의 우물에 몸을 던졌던 것인지 말이야. 죽음의 위기에 닥쳤던 그날, 그녀는 어린 자식들 앞에서 죽어 가는 모습을 보일 수 없었던 거야. 그래서 달아났던 걸세. 죽음을 피해서가 아니라 자신의 죽음을 슬퍼할 사람들을 위해서."

"그래, 내 누이는 나보다 더 생각이 깊고 총명한 사람이었으니 분명 이유가 있었겠지. 하지만 그것이 무엇이든 그녀는 결국 살아남지 못했네. 이것만은 분명한 사실이지."

"나보다 믿음직한 준영이가 있지 않나. 녀석이 잘 지켜낼 걸세."

"그래야지."

최 승상은 고개를 끄덕이면서도 불안한 기색으로 홍 장군을 바라봤다.

"조심하게. 무언가 계속 좋지 못한 예감이 들어."

"저를 찾는 사람이 있다구요?"

"예. 장사꾼인 줄 알고 쫓아 버리려고 했더니 자신에게 작은 마님이 진 빚이 있다며 생떼를 쓰는 통에−."

마당을 쓸다 말고 찾아온 가솔의 말에 나래가 윤조를 쳐다봤다.

"너 설마 빚보증 잘못 서서 고리대금업자한테 쫓긴다거나 그런 건 아니지?"

"절대 아니지! 당연하다는 듯이 말하기야?"

"가난에 쫓기다 잘못된 선택을 한 번쯤은 해 봤을 수도 있겠다 싶어서."

"하늘에 맹세코 나는 청렴결백하다고."

윤조의 말을 들은 나래의 표정이 차마 표현하기 힘들 정도로 일그러졌다.

"가슴에 손을 얹고. 청렴은 아니지. 탐욕이 없는 윤조라니, 지나가던 매가 웃겠다."

고개를 절레절레 흔드는 나래의 행동에 윤조가 무어라 변명하려다 말고 입을 다물었다. 틀린 말은 아니니 따질 수도 없고. 끙. 전날 무리해서 뛰어다닌 게 탈이 났는지 퉁퉁 부은 발바닥이 아파 고약을 붙인 채 방에 누워 있던 윤조가 끙끙거리며 자리에서 일어났다.

"끙, 몸살이라 신력도 잘 못 쓰겠고 힘들어 죽겠네……."

나래가 한 차례 신력으로 치료해 주었으나 전날 나래 역시 화재로 피해를 입은 부상자들을 치료하는 데 힘을 다 써 버린 탓에 제대로 된 치료를 할 수 없는 상태였다.

"제가 나가 볼게요."

"아서라, 아서. 발 아파 걷지도 못하는 애가 어딜 나가."

"지팡이 짚고 가면 괜찮지 않을까?"

"……할머니세요?"

"에이, 그럼 나래 네가 부축해 주든가!"

"어휴, 귀찮아, 정말. 잠깐 나갔다 바로 들어오기야?"

"응!"

나래는 벌떡 일어나려는 윤조를 붙잡아 자신의 팔을 잡게 했다. 천천히 걸어, 천천히. 나래의 부축을 받으며 엉금엉금 게걸음으로 대문에 도착한 윤조가 허리를 펴며 숨을 몰아쉬었다.

"휴, 너무 힘들었어."

"나는 두 배로 힘들다, 두 배로!"

윤조의 무게를 온몸으로 지탱했던 나래가 이마 위로 흐른 땀을 닦았다.

"몸집은 작은 게 되게 무겁네."

"헐. 나 가볍거든!"

무겁다는 말에 발끈한 윤조가 소리치자 나래가 두 눈을 가늘게 떠 윤조를 아래위로 훑었다.

"누가 그래? 너 가볍다고?"

"대장군님이?"

"너 내가 그거 꼭 물어본다. 맞는지 아닌지."

"호, 홍 장군님이!"

"홍 장군님이라고 하면 내가 못 물어볼 줄 알고?"

"으흥흥, 누가 나를 찾아왔을까나? 누굴까나? 반가운 손님일까나?"

"말 돌리기는—."

나래에게 꼬투리 잡힐세라 냉큼 대문을 연 윤조의 앞에 익숙한 사람이 보였다.

"어?"

윤조가 놀라 가리키자 문 앞에 서 있던 이가 씩 웃으며 손을 흔들었다.

"안녕하십니까. 또 뵙네요."

"당신은 분명 혜린 무녀님의…… ."

"기쁜데요? 기억해 주시다니 영광입니다."

파이옌이 과장된 몸짓으로 고개를 숙였다 올리며 윤조를 바라봤다. 생각지도 못한 이의 방문에 윤조가 깜짝 놀라 주변을 살폈다. 누군가 함께 왔나 싶어 주변을 살펴봐도 아무도 없다. 혜린 무녀님의 하인이 왜 나를? 그녀가 동그랗게 뜬 눈으로 파이옌을 올려다봤다.

"여긴 어쩐 일로?"

"보고 싶어서요."

"네?"

양손을 들며 화들짝 놀라는 윤조의 모습에 파이옌이 폭소했다.

"큭큭. 장난입니다, 장난."

"장난하지 마시구요! 절 찾은 게 그쪽이에요?"

"에헤이, 정 없게. 그쪽이라니."

"죄송해요. 이름을 몰라서ㅡ."

"아차, 제 소개가 늦었습니다. 저는, 그러니까…… 철수! 철수라고 불러 주세요."

"왠지 방금 지어 낸 느낌인데."

툭 끼어드는 나래의 말에 파이엔이 뜨끔하며 고개를 저었다.

"아하하. 사실 어릴 때부터 이놈아, 저놈아, 불려서 이름이 낯설어요. 하하하."

"흐응. 윤조야, 이 사람 누구야?"

"아, 어제 혜린 무녀님이랑 함께 왔었던 하인이야."

윤조의 대답에 나래가 더더욱 의심스럽다는 눈초리로 파이엔을 쏘아봤다. 안 그래도 독사 때문에 기분이 영 아니올시다인데 하필 혜린의 사람이 찾아오다니. 무섭게 쏘아지는 그녀의 눈빛에 파이엔이 어색한 미소를 지으며 윤조를 쳐다봤다.

"제가 뭐 잘못했나요? 아하하……."

"나래가 지금 좀 예민해서요. 그런데 철수 씨가 여긴 무슨 일로?"

"쫓겨나면 말하라고 하셨잖아요."

기다렸다는 듯이 나온 그의 대답에 윤조가 놀란 눈을 했다.

"쫓겨났어요? 정말로?"

"네, 일이 그렇게 됐네요."

"아, 어떡해. 미안해요. 괜히 저 도와주다가……. 우선 안으로 들어올래요? 제가 지금 다리가 좀 아파서……."

파이엔은 뒤늦게 윤조가 엉거주춤 벽을 짚고 서 있다는 사실을 깨달았다.

"다리가 왜요? 어디가요? 다쳤어요?"

빠른 그의 물음에 윤조가 별일 아니라며 손사래 쳤다.

"헤헤, 어제 좀 무리해서 뛰어다녔더니 발바닥이 좀 부었어요."

"말에서 냅다 뛰어내릴 때 알아봤어요."

"하하, 안 그래도 그거 때문에 대장군님께도 매번 혼나요. 들어오세요."

마당을 지나는데 기웃거리며 쳐다보는 가솔들의 시선이 느껴졌다. 전날 파이옌이 혜린을 따라왔던 하인이라는 것을 알아본 모양이었다.

"어머, 작은 마님 일어나셨어요? 더 누워 있어야 하는데."

유모는 나래의 부축을 받는 윤조를 걱정스럽게 바라보다 그녀의 뒤로 시선을 옮겼다. 유모 역시 전날 혜린을 따라왔던 하인을 알아보고 의아한 눈을 했다.

"저 사람은 어제 문씨 가문의 영애와 함께 왔던 하인이 아닌가요?"

"네 맞아요."

"저 사람이 왜 작은 마님을?"

유모의 물음에 파이옌이 오른손을 번쩍 들어 자진신고 했다.

"제가 어제 이 댁 작은 마님께 도움을 드렸는데 그 바람에 문씨 가문에서 쫓겨나고 말았답니다. 작은 마님께서 무슨 일이 생기면 책임질 테니 찾아오라고 하셨어요."

"예? 쫓겨났다고요?"

놀라는 유모의 반응에 윤조가 난처한 기색으로 목뒤를 긁적였다.

"일이 그렇게 돼서 잠시 철수 씨랑 이야기 좀 나눠야 할 것 같아요. 저희 처소로 가기는 좀 그렇고, 어제 손님맞이 했던 본채 방을 잠시 써도 괜찮을까요?"

"아무렴요. 집안일은 걱정 마시고 편히 말씀 나누세요."

"감사합니다, 유모님."

윤조가 유모를 향해 꾸벅 인사를 하고 다시 절뚝거리며 본채를 향해 걸어가기 시작했다. 느릿느릿 기어가다시피 하는 둘의 모습에 파이옌이 답답했던지 혀를 차며 윤조의 허리와 다리 아래를 받쳐 번쩍 들어 올렸다.

"가다가 늙어 죽겠습니다. 제가 고생할 테니 얌전히 계세요."

나래가 무슨 짓이냐며 말릴 틈도 없이 파이옌이 성큼성큼 걸음을 옮겼다. 그의 걸음이 어찌나 빠른지 순식간에 나래가 저만치 뒤처져 버렸다. 윤조는 멀어지는 나래를 바라보다 파이옌의 옷깃을 잡고 흔들었다.

"철수 씨, 이러시면 곤란해요!"

"왜요?"

"이곳은 제 시댁 될 집이고 철수 씨는 외간 남자잖아요! 자칫 오해할 수 있다고요."

다급한 윤조의 속삭임에도 파이옌은 무덤덤한 투로 대꾸했다.

"저는 단지 다리 아픈 마님이 안쓰러워 도움을 주는 하인일 뿐인데요?"

"아니 그건 그렇지만, 집안사람들 보기에 모양새가-."

"흐응? 신경 쓰시는 걸 보니 저를 사내로 느끼시나 봅니다?"

파이옌이 윤조를 고쳐 안으며 그녀의 얇은 허리를 바짝 당겼다. 순간적으로 윤조가 숨을 참는 게 느껴졌다. 얼굴에 난 점의 개수를 셀 수 있을 정도로 가까운 거리. 그는 가까이에서 본 윤조의 눈동자가 시선 둘 곳을 찾지 못해 이리저리 흔들리는 모양을 보며 웃음 지었다. 장난스러운 그의 말에 윤조는 입술을 벙긋거리다가 빽 소리쳤다.

"유, 유부녀한테 작업 걸면 못써요!"

"푸핫! 아직 혼례 전인 거 다 알거든요?"

황당하다 못해 귀여운 호통에 파이옌이 고개를 젖혀 웃음을 터뜨렸다.

"마주하면 이런 느낌이구나……. 큭큭."

"네? 무슨 뜻이에요?"

"마님 정말 재미있는 분인 거 아세요? 제가 이 집만 오면 배가 아파요, 배가."

파이옌은 무슨 소리냐며 올려다보는 윤조를 바닥에 조심스럽게 내려주었다.

"자, 다 왔습니다. 아직 혼례 전이신 마음만 유부녀인 마님."

"계속 장난칠 거예요? 생계가 걸린 이 중요한 때에!"

"생계요?"

"그래요, 생계! 문씨 가문에서 쫓겨났다니 앞으로는 어떻게 할 것이며, 무슨 일을 해서 벌어먹고 살 건지 구체적인 계획을 세워야죠! 요즘에는 노후 대비가 더 중요하다구요. 자, 거기 앉아 봐요."

근엄한 표정으로 방 안에 놓인 탁자를 탁탁 두드리는 윤조의 모습에 파이옌이 입술을 깨물었다. 나름 진지해 보이는데, 웃으면 안 되는데, 자꾸 웃겨 죽겠다. 노후 대비라니. 하, 웃음 참기가 너무 힘들어. 그가 간신히 웃음을 삼키고 자리에 앉아 윤조를 바라봤다.

"마님 말씀이 맞아요. 제 생계가 걸린 중요한 때죠. 저는 앞으로 어떡하면 좋을까요? 평생 마당쇠로 지내서 힘쓰고 청소하는 것 말고는 아무것도 할 줄 아는 게 없어요."

그의 말에 윤조가 심각한 표정으로 턱을 매만졌다.

"흐음, 청소라. 어제 보니 말도 꽤 잘 타는 것 같던데 누구한테 배웠어요?"

윤조는 익숙했던 그의 기마술을 떠올렸다. 분명 한두 번 말을 몰아 본 솜씨가 아니었지. 꽤 날카로운 그녀의 물음에 파이옌이 씨익, 미소 지었다. 역시 만만치 않은 병아리.

"전쟁에 기마병으로 참전했었거든요."

평온한 그의 대답에 윤조가 아, 하며 고개를 끄덕였다. 긴 전쟁이었으니, 특히 성인 남자들은 거의 강제 징집되어 전쟁터에 보내졌다고 해도 무방했다.

"사실 병사라기보다는 그냥 군마를 관리했었다고 보는 게 맞지만요. 전투는 너무 무서워서."

"흠, 그랬군요. 그럼 혹시 그 두 가지 외에 또 잘하는 게 있을까요? 사소한 거라도 좋아요."

"몸 쓰는 건 거의 다 하는 편인데. 아, 칼도 좀 씁니다."

"칼이요? 회 같은 것도 뜰 줄 알아요?"

"회라면 좀 뜨죠."

서국에서 손속이 잔인하기로 둘째가라면 서러울 인물이 바로 광견 파이옌이 아니던가. 회라면 좀 떠 봤지. 고개를 끄덕이는 그의 모습에 윤조가 잘됐다며 손뼉을 쳤다.

"오, 취직자리가 늘었어요."

칼을 쓸 줄 안다는 그의 말에 영락없이 부엌칼을 떠올린 윤조였다. 탁자 위에 놓인 붓에 먹물을 묻힌 그녀가 수첩을 꺼내 무언가를 적었다. 곁눈질로 내용을 훔쳐본 파이옌은 수첩 위에 떡하니 적힌 '횟집'이라는 말에 숨죽여 탁자 위에 엎드렸다.

꿱꿱거리며 이상한 소리를 내는 그가 걱정됐는지 윤조가 어디 아프냐며 묻는다. 그는 아무것도 아니라며 표정을 갈무리하고 의자에 반듯하게 앉았다. 횟집 외에도 마구간, 훈련소 등을 더 적어 넣은 윤조가 심각한 표정으로 고민하며 그에게 물었다.

"글은 쓸 줄 알아요?"

"글은……."

파이옌은 말끝을 흐리며 윤조의 눈치를 살폈다. 여기서 평생 마당쇠만 했다는 하인이 글을 쓸 줄 안다고 하면 엄청 수상해 보이지 않을까? 왠지 눈앞의 병아리라면 대단하다면서 그런 학습력이라면 교육기관에 들어가도 되겠다고 좋아할 것 같지만. 흐음, 아니야. 괜히 문제될 말을 할 필요는 없지. 파이옌은 고개를 저으며 울적한 표정을 연기했다.

"제가 까막눈이라 글은 쓰지도 읽지도 못해요. 앞으로 생계를 이어 가는 데 문제가 될까요?"

"경험한 바로는 몸만 쓰는 직업보다는 문서를 다루는 게 돈이 더 되긴 하는데……."

"마님! 저 좀 살려 주십시오! 책임지시겠다고 하지 않으셨습니까!"

파이옌이 돌연 윤조의 손을 덥석 잡으며 간절한 눈으로 그녀를 바라봤다. 그러자 화들짝 놀라 잡힌 손을 뿌리치려던 그녀가 그의 심정을 이해한다며 푹 한숨을 쉬었다.

"저도 그 맘 알아요. 여기저기 일자리 구하기 힘들죠. 그렇다고 돈이 많이 벌리는 것도 아니고. 혼자 먹고살기도 바쁜데 윗사람 눈치까지 봐야 하고ㅡ. 좋아요. 철수 씨! 오늘부터 특훈이에요. 제가 글을 가르쳐 줄게요!"

갑자기 손을 잡으면 반응이 어떨지 궁금해 장난 한번 쳐 본 건데 완전히 빼도 박도 못하게 생겼다.

"예?"

"이럴 게 아니라 당장 먹부터 갈아요. 화선지 준비해 올게요. 붓은 이거 쓰시고ㅡ."

파이옌은 윤조가 쥐여 주는 붓을 멍하니 바라보다 급히 밖으로 향하려는 그녀를 붙잡았다.

"아니, 꼭 이렇게까지 할 필요는ㅡ. 저는 그냥 마구간이나 지키고 청소나 좀 시켜 주시면 감사할 것 같은데……."

"어허, 모르는 소리! 글자를 배워 두면 나중에 서기로도 일할 수 있고 잘하면 귀족가에서 반인으로 일할 수도 있다구요! 삯 차이가 얼마나 나는지 알아요? 자그마치 열 배는 넘어요, 열 배!"

"아니, 그래도 갑자기 글을 어떻게ㅡ."

"어차피 쫓겨나서 갈 곳도 없잖아요. 마구간 일이든 청소든 하면서 저한테 글도 배우면 되겠네요."

"아니, 저는 이곳에 머물 수가ㅡ."

"딱 기다려요! 화선지 가져올게요!"

윤조가 나가 버린 문을 황망히 쳐다보던 파이옌이 멍하니 입을 벌리고 있다가 중얼거렸다.

"망했다."

떠나기 전에 잠시 더 장난이나 쳐 볼까 해서 놀러 온 것뿐인데 단단히 붙잡히게 생겼다. 안 되겠다, 도망쳐야겠어. 나투국에 와 처음으로 위기감을 느낀 그가 생각을 마치고 방문을 열었다.

"어디 가시려고?"

문을 열자마자 들려오는 목소리에 파이옌이 흠칫 놀라 걸음을 멈췄다. 고개를 돌리자 방문 옆쪽 벽에 등을 기대고 있던 나래가 수상하다는 듯 그를 바라보며 팔짱을 꼈다.

"윤조가 도망 못 가게 지켜보랍니다."

퉁명스러운 그녀의 말에 파이옌이 사람 좋은 미소를 지었다.

"하하, 도망이라니요! 제가 감히 어떻게 그런 짓을! 하하, 하하하."

멋쩍게 웃으며 슬그머니 복도를 지나치려 하자 나래가 그의 앞을 가로막았다.

"문씨 가문에서 정말로 쫓겨난 게 맞습니까?"

"그럼요! 쫓겨났으니 이 시간에 왔죠. 모두 일할 시간이 아닙니까? 하하."

"흐음, 윤조가 보낸 답례품은 잘 도착했나요?"

"뱀술 말씀이죠? 그럼요! 아주 잘 도착했습니다. 혜린 아가씨께서 아주 좋아하시던걸요?"

놀라 까무러칠 만큼 좋아했지.

"좋아했다구요? 혜린 무녀가?"

뒷말을 삼킨 파이옌이 그럴 리가 없다며 골몰하는 나래를 지나치려 할 때였다.

"화선지 가져왔어요!"

복도 저편에서 윤조가 화선지 한 묶음을 흔들며 절뚝절뚝 다가왔다.

"천천히 걸어! 그러다 넘어진다?"

"괜찮아, 나 이제 거의 다 나은 것 같-."

나래의 염려에 괜찮다며 손을 흔들던 윤조가 복도 가운데 튀어나온 나무에 발이 걸려 삐끗했다. 순간 그녀가 중심을 잃고 그대로 바닥에 넘어지려는 것을 파이옌이 빠르게 몸을 날려 받아 냈다. 쿵, 하고 바닥을 구르는 두 사람의 모습에 나래가 소리쳤다.

"윤조야! 괜찮아?"

"아야야…… 으응, 난 괜찮아."

"저는 안 괜찮습니다요."

파이옌은 윤조의 이마에 세게 부딪친 자신의 콧잔등을 매만졌다.

"헉! 미안해요!"

파이옌의 위에서 급히 내려온 윤조가 빨개진 그의 코를 살폈다.

"어떡해. 많이 아파요? 어떡하지? 우, 우선 수건에 찬물이라도 적셔 올까요?"

미안함에 어찌할 바를 모르는 그녀의 모습이 꼭 오줌 마려운 강아지 같았다. 낑낑거리며 이리 두리번, 저리 두리번 하는 모습이 귀여워 파이옌이 손을 저었다.

"괜찮습니다. 이 정도쯤 금방 괜찮아져요."

아무렇지 않은 척 그가 자리를 털고 일어났다. 그런 그를 바라보는 윤조와 나래의 두 눈이 휘둥그레졌다. 나래가 손을 들어 파이옌의 코를 가리켰다.

"피."

그 말에 손을 들어 자신의 코를 슥 문지른 파이옌이 붉게 묻어나는 피를 보고 경악했다.

"으악! 피!"

"코, 코피 나요! 코피!!!"

덩달아 소리친 윤조가 허둥지둥 들고 있던 화선지 중 한 장을 찢어 구긴 뒤 돌돌 말았다.

"이거 꽂고 있어요!"

파이옌의 코에 화선지를 쑥 밀어 넣은 윤조가 그의 고개를 아래로 숙이게 했다.

"목 뒤로 피 넘어가니까 고개 숙이고 있어요. 혹시 모르니까 의원님을 모셔 올게요!"

급히 의원을 부르러 가는 그녀의 손목을 파이옌이 잡아 세웠다.

"괜찮습니다."

"그래도 심하게 다친 걸지도 모르잖아요."

"아뇨, 전 괜찮습니다."

단호한 그의 음성에 윤조가 알겠다며 고개를 끄덕였다. 그녀가 의원을 부르러 가지 않는다는 것을 확인한 파이옌이 단단히 잡고 있던 그녀의 손목을 놓아주었다. 세게 잡혔던 손목이 시큰했다. 윤조가 붉어진 손목을 매만졌다. 자신도 모르게 힘이 들어갔다는 사실을 깨달은 파이옌이 분위기를 바꾸려 싱긋 미소 지었다.

"코피도 나는데 글공부는 다음에 할까요?"

"불타 버린 상점은 모두 철거했고, 목수들이 새로 뼈대를 만들고 있습니다. 오늘 내일 안으로 보상금도 지급될 겁니다."

"구휼미는?"

"병사들을 시켜 집집마다 배달하게 했습니다."

보고를 마친 길림이 급히 돌아갈 준비를 하는 준영을 보며 미소 지었다.

"어딜 그리 바삐 가시는지요?"

"놀리지 말게. 아이가 아프다니 어쩔 수 없잖나."

다리가 아파 끙끙 앓는 윤조를 떼어 놓고 아침 일찍 집을 나섰던 것이 걸리는 모양이었다. 처음 보는 준영의 모습에 길림이 작게 웃으며 그의 뒤를 따랐다.

"그렇게 좋으십니까?"

"부러우면 자네도 정혼자를 찾아."

"예전에 펄쩍 뛰실 때는 언제고. 정말 적응 안 되는 거 알죠?"

"나도다."

준영은 그렇게 말하며 피식 웃어 버렸다. 자신도 스스로가 이러는 게 적응되지 않는데 보는 이들은 오죽할까.

"그렇게 티가 나나?"

쑥스러운 마음에 묻자 길림이 크게 고개를 끄덕였다.

"그럼요. 온종일 해시계만 들여다보고 계셨잖습니까."

몰래 본다고 봤는데 티가 난 모양이었다. 괜한 헛기침을 하며 모른 척해 달라는 준영의 말에 길림이 기분 좋은 미소를 머금었다.

"보기 좋습니다. 전보다."

"놀리는 건가?"

"진심입니다. 훨씬 보기 좋아요. 대장군님께서 언제 이처럼 평온한 나날을 보내신 적이 있으셨습니까?"

"하긴, 그 말이 맞는군."

길림의 말마따나 과거 그 어느 순간도 이토록 평온한 나날을 보낸 적이 없었다. 그래서일까, 더욱 애가 타는 감정은.

"마치 참을성 없던 어린 시절로 돌아간 기분이야."

한숨 같은 준영의 말에 길림이 소리 내어 웃어 버렸다.

"사랑은 좋은 겁니다! 흐, 부러워. 봄님은 나에게 언제쯤 오시려나."

"실없는 소리 말고 마무리 잘 하게."

"여부가 있겠습니까. 마치고 저녁에 보고 올리러 가겠습니다."

준영이 손을 흔들며 말에 올랐다.

"누군가가 보고 싶어 마음이 조급했던 적은 없던 것 같은데―."

조용히 읊조리는 그의 음성이 퍽 다정했다.

잠시 뒤 저택에 도착한 그가 가장 먼저 찾은 건 당연하게도 윤조였다. 곧장 무녀들의 처소로 향하려는 그를 유모가 붙잡았다.

"작은 마님은 지금 처소에 안 계세요."

"아프다고 하지 않았나?"

"좀 괜찮아지신 모양이에요. 그것보다 아까 갑자기 작은 마님을 찾는 사람이 와서 지금 그자와 함께 있어요."

"윤조를 찾아왔다고?"

"예. 제가 봤는데 어제 혜린 아가씨와 함께 왔던 아가씨 하인이었어요. 작은 마님 도와드리다가 문씨 가문에서 쫓겨났다고 하더라구요."

준영은 문득 어제 윤조와 함께 말을 타고 있던 사내의 모습을 떠올렸다.

"지금 어디에 있나?"

"마구간에 계실 거예요."

유모는 말이 끝나기 무섭게 마구간으로 향하는 준영을 보며 안도했다.

"다들 무기 내려놔요. 도련님이 오셨으니 괜찮을 겁니다."

마당 곳곳에서 쌍심지를 켜고 상황을 주시하던 식솔들이 유모의 말에 뜨끔한 표정으로 휘파람을 불었다.

"어흠, 무기라니요? 호미질이야 늘 하던 건데―."

"마, 맞아요! 저도 이 빨랫방망이 늘 쓰는 건데요 뭐."

"저도 이 도끼는 장작 팰 때 늘 사용하는―!"

"다른 곳도 아닌 문씨 가문에 있던 자입니다. 섣불리 건드렸다가 피 보는 건 작은 마님이에요."

"유모님은 걱정도 안 되십니까? 그 하인 놈 행동거지가 아주 불손하다구요!"

"맞습니다. 아주 불손해요. 어디 귀한 우리 마님 몸에 함부로 손을 대고 말이야."

가솔들의 말에 유모가 웃는 낯으로 말을 이었다.

"호호호. 그래서 말인데 누가 숫돌 좀 준비해 줘요. 오랜만에 칼 좀 갈아야겠어."

<hr />

유모의 말을 듣자마자 마구간으로 향한 준영이 윤조를 찾았다. 혜린이 방문한 뒤로 독사가 나왔던 일도 신경 쓰이는데 혜린이 부리던 자와 함께라니. 불안함에 걸음이 빨라졌다.

한편, 마구간에서 파이옌에게 앞으로의 일거리를 알려 주던 윤조
는 산이의 털을 빗겨 주며 준비한 사탕수수를 꺼냈다.

"자, 어제는 태워 줘서 고마웠어."

사탕수수를 날름 받아먹은 산이가 기분이 좋은지 새까만 말총을
휙휙 움직이며 꼬리쳤다.

"헤헤, 그렇게 맛있어?"

와작와작 사탕수수를 씹으며 윤조의 얼굴이며 등에 뺨을 부비는
산이의 모습을 파이옌은 기가 막힌다는 듯이 쳐다봤다.

"말이야, 개야? 조심하십시오. 그놈 말가죽 뒤집어쓴 개일지도
모르니까."

마구간을 청소하던 그가 산이의 우리 앞에 있던 건초더미를 새것
으로 바꿔 주려 다가왔다. 그는 다디단 사탕수수 다섯 개를 한 번
에 입 안에 넣고 우물거리는 군마의 모습에 질린 듯했다.

"그 단걸 잘도 먹네. 이놈 사실 말 아니고 개 아닙니까? 야, 왈
왈, 해 봐. 왈왈."

개 짖는 소리를 흉내 내는 파이옌을 물끄러미 바라보던 산이가
사탕수수를 먹다 말고 이를 드러냈다. 히죽하고 웃는 것 같은 산이
의 모습에 불길한 예감이 들었던 것도 잠시, 말의 앞니 사이로 투
명한 액체가 발사됐다. 퉤! 하는 소리와 함께 날아간 진득한 액체
는 정확히 파이옌의 얼굴에 명중했다.

"으악! 이게 뭐야!"

철썩하고 이마에 달라붙어 흘러내리는 산이의 침에 파이옌이 비
명을 지르며 얼굴을 문질렀다.

히이이이잉!

기분이 좋은지 고개를 흔들며 우는 산이의 행동에 이를 보고 있던 윤조가 웃음을 터뜨렸다.

"산이가 철수 씨를 싫어하나 봐요. 하하하."

"우웩, 냄새! 이 멍청한 말이!"

"산이가 똑똑한 거죠. 그러게 누가 먼저 놀리래요?"

"하, 이런 치욕은 처음이야. 너 인마, 복수다."

소매로 얼굴을 박박 문질러 닦은 파이옌이 사탕수수와 홍당무가 들어 있던 산이의 간식 주머니를 휙 낚아챘다. 그 모습에 산이가 앞발을 굴렀으나 파이옌은 짓궂게 웃으며 혀를 내밀었다.

"야, 봐 봐. 약 오르지? 이거 내가 다 먹어 버릴 테다."

사탕수수를 집어 와작와작 씹어 먹는 그의 모습에 약이 오른 산이가 날뛰자 윤조가 파이옌을 말리며 그의 손에서 간식 주머니를 빼앗으려 했다.

"장난 그만 치고 이리 주세요. 산이가 싫어하잖아요."

"이렇게 잘생긴 얼굴에 침을 뱉다니, 말이 됩니까?"

"말이잖아요."

"아, 그렇네."

"풉! 뭐가 그렇네, 예요! 어서 돌려줘요. 이러다 산이 화나겠어요."

윤조가 실소하며 팔을 뻗자 파이옌이 들고 있던 간식 주머니를 머리 높이 들며 발돋움을 했다.

"에헤이, 산이만 편들어 주면 저는요!"

"말 못하는 짐승이잖아요. 철수 씨가 참아요!"

"그래도 도우미는 반칙이죠!"

윤조가 힘껏 발돋움해 간식 주머니를 잡으려 손을 뻗어 보지만 닿지 않는다. 파이옌은 낚시 놀이를 하는 것처럼 윤조의 앞으로 간식 주머니를 내렸다, 올렸다 하며 장난쳤다.

"아이참! 이리 주세요!"

"이게 안 닿아요? 이게? 이렇게도?"

"에이, 진짜!"

약이 잔뜩 오른 윤조가 눈에 힘을 주어 쏘아봤지만, 무섭기는커녕 귀엽기만 하다. 아, 이런 병아리 한번 키워 보고 싶네. 파이옌이 계속해서 간식 주머니를 줄 듯 말 듯 윤조를 놀리고 있을 때 그의 뒤에서 빠르게 간식 주머니를 낚아채는 손이 있었다.

"지금 뭘 하는 건가."

흠칫 놀란 파이옌이 빠르게 뒤돌아 한 걸음 물러났다. 장난치는 데 집중하다 보니 미처 기척을 느끼지 못했다. 등을 빼앗기다니. 그는 간식 주머니를 빼앗은 자가 대장군 홍준영임을 확인하고 난처한 얼굴로 미소 지었다.

"아이고, 대장군님 아니십니까! 하하, 여기서 또 뵙는군요."

일반적이라 여기기에는 무척이나 재빠르고 정돈된 파이옌의 몸짓에 준영이 미심쩍은 눈을 했다.

"자네가 왜 이곳에 있지? 분명 혜린의 사람이라 들었는데."

"하하, 그게 사정이 좀……."

"어제 저를 도와준 일로 그만 쫓겨났다고 해요."

윤조의 말에도 준영은 그를 향한 미심쩍은 시선을 거두지 않았다.

"그래서?"

"크흠, 그래서 염치 불구하고 도움을 구하고자 찾아왔습니다. 여기 계신 마님께서 무슨 일이 생기면 꼭 말하라고 하셔서요."

넉살 좋게 웃는 그를 바라보던 준영이 윤조를 돌아봤다.

"간밤의 일을 잊은 것이냐?"

독사가 나온 일을 말하는 것이었다. 아직 혜린에 대한 의심이 가시지 않은 상태다. 그런 때에 그녀가 부리는 사람을 집에 들이다니. 경솔함을 질책하는 말에 윤조가 풀이 죽은 얼굴로 사과했다.

"죄송해요…….."

"잘못을 알긴 아는구나."

"하지만 저 때문에 생계가 위험해졌다는데 모른 척할 수가 없었어요."

"일이 잘못될 것을 알고도 너를 도운 건 이자의 선택이지 너의 강요로 벌어진 일이 아니다. 오히려 그런 점을 악용해 책임을 지우려는 의도가 잘못된 것이지."

날 선 준영의 시선에 파이엔이 뜨끔한 표정으로 어깨를 으쓱했다.

"무식한 마당쇠가 뭘 알겠습니까요. 상황이 급박하니 달리 매달릴 곳이 없었습니다."

"혹, 혜린의 명령으로 염탐을 위해 이 아이에게 접근한 것이라면 돌아가는 게 좋을 것이다."

"절대 그런 일은 없으니 안심하시지요."

한차례 강렬한 시선이 오갔다. 준영은 자신의 시선을 피하지 않고 마주해 오는 파이엔의 두 눈을 가만히 들여다봤다. 흔들림 없이 또렷한 눈동자. 그의 말이 거짓이 아님을 알았으나 계속해서 윤조의 주변을 맴도는 사내가 거슬리는 것만큼은 사실이었다.

불쾌한 감정을 삭이며 시선을 돌린 준영이 윤조를 향했다. 그는 풀이 죽어 고개 숙인 정수리를 가만히 바라보다 손을 들어 가볍게 토닥였다.

"내가 화를 낸 건 네가 위험해질까 봐 걱정되어 그런 것이다."

"네…… 알아요. 잘못했어요."

"혼을 내러 왔던 게 아니었는데. 다리는 좀 괜찮느냐?"

안쓰러운 마음에 묻자 윤조가 고개를 끄덕였다.

"많이 좋아졌어요. 아직 좀 아프긴 하지만-."

"그래, 다행구나."

준영의 손이 윤조의 머리를 다정히 쓰다듬었다. 윤조는 머리를
쓰다듬어 주는 그의 커다란 손이 기분 좋았다. 혼이 날 때는 불쑥
서운한 마음이 들더니, 그가 걱정하며 자신을 봐 줄 때에는 이렇게
바보처럼 웃어 버리고 만다. 스스로도 바보 같다는 생각이 드는데
자신을 바라보는 준영도 그럴까? 이런저런 생각이 들었지만 그녀
는 어느새 웃고 있었다.

"헤헤."

풀이 죽을 땐 언제고 금세 방실거리며 웃는 그녀의 모습에 준영
도 옅은 미소를 지었다.

"얼씨구?"

화기애애한 두 사람의 모습에 혀를 찬 파이옌이 조용히 투덜거렸
다. 갑자기 낙동강 오리 알 신세가 된 이 더러운 기분은 뭘까. 그가 무
표정한 얼굴로 윤조의 머리카락을 쓰다듬는 준영의 손을 노려봤다.

"두 분 사이가 무척 돈독하시네요."

자신도 모르게 튀어 나간 말이었지만 무를 생각은 없었다. 그로
인해 윤조에게 향하던 준영의 시선이, 그녀의 머리를 쓰다듬던 손
이 사라졌다는 사실만으로도 만족했으니까.

"내 사람 때문에 곤란한 일을 당한 건 맞으니 이곳에서 일하는 건 말리지 않겠다. 하지만 내 사람을 곤란하게 하는 행동은 삼가하길 바란다."

자신의 것을 건들지 말라는 준영의 경고에 파이옌의 입매가 당겨졌다.

"노력해 보지요."

그때 마구간 밖에서 윤조를 찾는 홍 장군의 목소리가 들렸다. 밖으로 나가자 황궁에서 막 돌아온 홍 장군이 반가운 얼굴로 윤조를 향했다.

"아가! 시아비가 기쁜 소식을 가져왔다!"

긴장감이라고는 조금도 없이 풀어진 얼굴로 덩실덩실 어깨춤을 추는 홍 장군의 모습에 윤조와 준영을 뒤따라 나오던 파이옌의 얼굴이 무어라 표현할 수 없을 정도로 굳어졌다. 자기 몸보다 더 큰 언월도를 휘두르며 전장을 누볐던 그 무시무시한 자가 눈앞의 사람과 동일인이라니. 도저히 연결할 수 없는 극과 극의 괴리는 어찌 보면 공포스러울 정도였다.

그런 감상을 알 리 없는 홍 장군은 파이옌도 자신의 아들인 준영도 없는 사람처럼 투명인간 취급하며 윤조만을 찾았다.

"황제 폐하께서 보름 뒤 축하연을 연다고 하셨다. 윤조 너와 준영이를 위해서 말이다. 그리고 너희 두 사람의 혼례를 주최하신다는구나."

축하연에 대해서는 알고 있었으나 혼례에 관한 것은 처음 듣는 이야기였다. 더군다나 황제 폐하께서 직접 주최하신다니! 깜짝 놀란 윤조가 정말 폐하께서 혼례를 주관하시느냐고 묻자 홍 장군이 가문의 영광이라며 너털웃음을 터뜨렸다.

"하하, 안 그래도 준영이 놈이 날짜를 정하지 않아 고민이었는데 폐하께서 나서 주시니 얼마나 감사한 일이냐. 이번에는 준영이도 반대 못할 거다. 안 그러냐?"

홍 장군의 시선에 준영이 윤조를 바라봤다. 청혼에 대한 허락은 이미 구했다. 하지만 재차 눈을 맞춰 괜찮은지 묻는 그의 시선에 윤조가 웃으며 고개를 끄덕였다. 준영은 그녀의 미소를 답으로 고개를 끄덕였다.

"폐하의 명이시니-."

"핑계는. 사실 날짜 안 잡은 거 후회 중이었으면서."

"그런 거 아닙니다."

"거짓말이 느는구나."

홍 장군이 준영을 놀리다 말고 아차 하며 말했다.

"혼례식에 필요한 건 폐하께서 다 해 주신다니 걱정이 없지만, 사돈 가족들을 모시려면 속히 마차를 보내야겠구나. 내가 이러고 있을 때가 아니지! 여봐라! 당장 수도에서 가장 빠른 말과 마차를 구해야겠다!"

급하게 들어왔던 것처럼 급하게 멀어져 가는 홍 장군의 모습에 윤조와 준영이 서로 눈을 맞추고 웃음을 터뜨렸다.

"홍 장군님께서 많이 들뜨셨나 봐요."

"나도 아버지께서 저러시는 건 처음 본다."

준영과 함께 까르르 웃는 윤조의 모습을 지켜보던 파이옌이 불편한 심기를 감추며 혀를 찼다.

"쯧, 잔치 났군."

두 사람을 보고 있자니 계속해서 짜증이 솟구쳤다. 알 수 없는 짜증에 기분이 나빠진 그가 자리를 벗어났다. 멀어지는 기척에 준영은 그가 다시 마구간 안으로 향하는 것을 확인하고 알 수 없는 표정을 지었다.

"왜 그러세요?"

윤조의 부름에 상념에서 벗어난 그가 고개를 저었다.

"아무것도."

전쟁터도 아닌 이곳에서 장수로서의 본능적인 감각이 자꾸 고개를 드는 것은 왜일까. 준영은 불쾌한 육감을 애써 지워 냈다.

❧

"묘길."

어둠이 내리는 연못가에 서 있던 묘길이 고개를 돌려 뒤를 향했다.

"황제 폐하를 뵙습니다."

황제는 혼자였다. 그녀는 수행원 없이 자신을 찾아 온 황제가 익숙하다는 듯 시선을 연못으로 돌렸다.

"그 아이에게 유난히 신경을 쓰는 것 같더군."

어느새 그녀의 옆에 선 황제가 그녀와 같이 연못을 바라보며 말했다. 윤조를 가리키는 말에 묘길이 은근한 미소를 머금었다.

"왜요? 신경 쓰이십니까?"

"자네가 누군가에 그리 신경을 기울이는 건 처음이니까-."

"그런가요."

황제는 무심하게 답하는 그녀를 돌아봤다. 젊음을 간직한 어여쁜 얼굴. 연못에 비친 그녀의 모습은 40여 년 전 어린 자신이 처음 마주했던 모습과 조금도 달라짐이 없었다. 그리고 어딘지 모를 먼 곳을 향하는 시선도.

그녀의 시선은 늘 먼 곳을 향하고 있었다. 분명 그 눈동자 안에 담긴 것은 자신이 바라보는 것과 똑같은 연못의 풍경이었으나 그녀의 시선은 그보다 더 먼 어딘가를 향하고 있었다. 온 황제는 깊이를 알 수 없이 무감각한 그녀의 눈동자를 바라보다, 눈동자처럼 무표정한 그녀의 얼굴이며 모습을 하나하나 눈에 담았다.

"그립소?"

황제의 물음에 그녀가 무표정한 얼굴로 그를 돌아봤다.

"그리워한들 무슨 소용이 있겠습니까?"

그녀가 조용히 웃었다. 하얀 그 웃음이 마치 금방이라도 부서질 듯 연약했다. 처연하게 바닥을 바라보던 그녀가 눈을 들어 황제를 바라봤다.

"인간의 마음 중 가장 강인한 것이 무엇인지 아십니까? 바로 애정입니다. 누군가를 은애하고 사랑하는 마음은 인간이 가질 수 있는 가장 강인한 것이라 했지요."

그것은 물음이었으나, 답을 얻고자 하는 물음이 아니었다. 그것은 자신이 내린 답을 확인하고자 하는 물음이었다.

"믿었습니다. 순진하게도 애정의 강인함이 모든 것을 뛰어넘을 수 있노라고. 그리고 소망했습니다. 그런 아름다움을 영원히 간직할 수 있는 세상을. 하나 인간에게 허락된 영원은 없는 법. 그것은 애정조차 마찬가지죠."

묘길은 조용히 미소 지었다.

"하지만 시간을 거슬러 불멸을 살아간들 애정이 없다면 무슨 소용이겠습니까? 참 이상하지요. 사랑의 영원함을 믿지 않으면서도 가슴 깊이 담아 둔 그 애정에 기대어 살아갈 수밖에 없다는 사실이……."

말끝을 흐린 그녀가 천천히 걸음을 옮겼다. 온 황제도 그녀를 따라 연못 주변을 거닐었다.

"비익조라는 새를 아십니까?"

"전설 속의 새 말인가?"

"예, 전설 속의 새지요. 태어나면서 가진 눈도 하나, 날개도 하나. 그래서 짝이 되는 서로의 어깨를 마주 대고, 서로의 얼굴을 마주한 채 서로가 서로의 날개가 되고 눈이 되어 살아간다는 새. 그래서인지 사람들은 그 새를 연인과 사랑의 상징이라 하여 귀히 여겨 왔습니다."

앞서가던 묘길이 뒤돌아 온 황제를 바라봤다.

"제가 윤조라는 아이에게 관심이 가는 이유는 하나입니다. 비익조의 운명을 타고난 그 아이가 제가 믿지 않는 그 애정의 길을 어떻게 나아갈지, 그게 궁금할 뿐입니다."

어느새 처소 입구에 다다른 그녀가 황제에게 인사했다.

"그럼 이만."

황제에게서 등을 돌린 그녀가 멀어져 갔다. 그때 등 뒤로 온 황제의 목소리가 들려왔다. 마치 멀어지는 그녀의 옷소매를 잡아당기는 것 같은 그런 음성이었다.

"그 길이 실재하는 길이라면, 윤조 그 아이가 그 길을 증명한다면 자네도 그 길을 걸어 보겠나?"

간절한 애정이 묻어나는 그의 물음에 순간 묘길의 걸음이 멈칫

했다. 그러나 그녀는 황제의 물음을 듣지 못했다는 듯 이내 멀어져 처소 안으로 사라졌다.

✦

"소화가 안 되는 것 같단 말이야."

파이옌이 짜증스럽게 인상을 구겼다. 배 속이 거북한 것이, 조금 전에 먹은 저녁 식사가 얹힌 것 같은 기분이 들었다. 홍씨 가문의 가솔들과 함께 행랑채에서 식사를 했던 그는 하나같이 윤조와 준영의 혼례 이야기로 들뜬 사람들 사이에서 대충 식사를 마치고 밖으로 나왔다.

"괜히 놀러 왔다가 붙잡혀서 이게 뭐람."

계속해서 치미는 짜증은 대체 무엇 때문인지. 병사 몇 명쯤 더 썰어 버리면 풀리려나? 아니면 병아리를 좀 더 괴롭히면 풀리려나? 할 일 없이 어슬렁어슬렁 마당을 누비고 있는데, 대문 너머로 길림의 모습이 보였다. 한눈에 그의 모습을 알아본 파이옌이 순식간에 나무 그림자 뒤로 몸을 숨겼다.

"젠장, 나타나 버렸네. 최 승상 외에 내 얼굴을 아는 사람."

당혹감에 등 뒤로 식은땀이 흘렀다. 대장군 홍준영의 부관 길림. 그는 나투국뿐만 아니라 서국에서도 신궁으로 명성이 자자할 정도로 활에 능했다. 전쟁에서 활약할 당시 '매의 눈'이란 별명으로 불릴 정도였다. '위대한 매'라는 칭호를 얻은 대장군 홍준영의 눈이자 오른팔. 한때 소문으로만 접하던 그를 파이옌이 처음 만났던 곳은 마령협곡 전투에서였다.

당시 산세가 험한 그곳의 지형을 이용해 서국 황제가 움직임이 유동적인 괴혈단을 선봉에 배치, 좌장군 파이옌을 주축으로 나투국의 병력을 험한 산세에 흩어 놓았다. 본디 서국은 깎아지른 바위 산과 절벽이 많아 서국의 군사들에게는 익숙한 지형이었으나 낮은 평야지대가 익숙한 나투국 군사들에게는 속도를 내어 진군하는 것조차 버거운 지형이었다.

　서국 황제의 예상대로, 군대의 허리를 치고 들어온 급습에 협곡에 익숙하지 않은 나투국 병사들은 혼란에 빠졌고, 파이옌은 분열되어 방향을 잃고 헤매는 나투국 병사들을 벼랑으로 몰아가며 처리하고 있었다. 작전의 성공이 눈앞에 다다른 상황. 그대로라면 나투국 군사 3분의 1가량을 협곡 아래에 사장할 수도 있는 절호의 기회였다.

　그리고 일순 승리감에 도취한 그는 방심했다. 괴혈단의 상징인 기괴한 도깨비 가면을 쓰고 검이며 창을 가리지 않고 즐겁게 휘두르고 있는데, 어디선가 날아온 화살이 파이옌의 검에 명중한 것이다.

　처음은 우연이라 여겼다. 하지만 매의 눈이란 별칭이 너무 과대평가된 것 아니냐며 길림을 비웃던 그를 놀리기라도 하듯, 까마득한 협곡 저편에서 날아온 화살이 그의 가면을 부쉈다. 조금만 늦었더라면, 파이옌이 날아오는 화살을 알아채지 못하고 고개를 꺾지 않았더라면 그대로 관통당했을 것이다.

　눈썹 옆을 스친 화살에 피가 흘렀다. 그때 파이옌은 협곡 저편에서 자신을 바라보는 사내의 시선을 똑똑히 느꼈다. 범인이라면 서로의 얼굴을 알아볼 수 없을 정도로 먼 거리였으나 파이옌은 알 수 있었다. 그와 시선이 마주했음을, 그가 자신의 얼굴을 보았다는 것도.

'매의 눈, 신궁 길림.'

서국에 괴혈단이 있다면 나투국에는 길림이 이끄는 강력한 궁수 부대가 있었다. 사실상 이번 전쟁의 승패는 나투국의 궁수 부대 때문에 갈렸다고 해도 과언이 아니었다. 마령협곡에서 괴혈단이 승기를 거머쥘 뻔하였으나, 길림이 이끄는 궁수 부대의 등장으로 협곡 곳곳에서 나투국 군대를 흩어 놓던 병사들이 전멸해 버렸다. 협곡 반대편 절벽에서부터 비처럼 쏟아져 내리는 화살을 피해 숲속으로 회군했으나, 숲을 돌아 반대편에서 대기하고 있던 대장군 홍준영이 서국 군사들이 도망치는 길목을 노려 불을 놓았던 것이다.

뒤에서는 화살 비가, 앞에서는 불길이. 꼼짝없이 중간에 갇혀 버린 서국의 병사들은 혼란 속에 하나둘 죽어 갔다. 오로지 파이옌이 이끄는 괴혈단만이 그 불길을 정면 돌파, 이를 예상치 못했던 홍준영과 병사들이 놀란 틈을 타 간신히 빠져나올 수 있었다. 파이옌이 눈속임을 위해 시장 복판에 불을 놓았던 것도 어쩌면 이때의 생각이 떠오른 것이 컸다.

"홍준영을 찾아왔나. 아나, 미치겠네. 왜 하필 이쪽으로 와!"

그는 곧장 자신이 숨어 있는 방향으로 걸어오는 길림을 피해 도망치다 윤조의 처소 앞에 다다랐다. 높이 보이는 2층 창문은 일전에 전서구 문제로 길림과 대화했던 나래가 서 있던 곳이었다. 처소 안의 불은 꺼진 채였다. 윤조도 나래도 홍 장군과 함께 식사한다고 했으니 아직 돌아오지 않은 것 같았다.

진짜 미치겠네. 어둠 속에서 슬쩍 머리를 들어 창문의 높이를 재던 그가 하는 수 없이 뛰어올라 창틀에 매달렸다. 앞뒤로 몸을 흔들어 가볍게 창문 안으로 들어온 그는 창문 뒤에 몸을 숨긴 채 숨을 죽였다. 인기척을 느낀 길림이 고개를 돌렸으나 다행히도 들킨 것 같지는 않았다.

"휴, 놀라라."

길림이 멀어지는 것을 지켜보던 파이옌이 숨을 골랐다. 와, 내가 어쩌다 이런 마굴에 들어와서는. 아, 내가 기어들어 왔지 참. 자신이 저질러 놓고도 답 없는 상황에 기가 막힐 지경이었다. 떠나기 전에 병아리나 좀 더 골려 주고 가려 했더니 자신이 골로 가게 생겼다. 들어올 때 너무 쉽다 했더니 사실 들어올 땐 마음대로지만 나갈 때는 아니란다, 뭐 그런 거 아니야 여기?

그는 호미며 낫 따위를 든 채 자신의 일거수일투족을 빠짐없이 주시하던 홍씨 가문 가솔들의 살벌한 시선을 떠올리며 몸서리쳤다. 사병들은 또 어떤가. 하인이라면 명패가 지급되지 않는 신분이니 검열을 피할 수 있을 거라 여겼는데, 시간이 걸리더라도 신변 확인을 해야 한다며 족적과 초상화를 그려 가지 않았던가. 어차피 내일이면 탈출이니 별 탈은 없겠지만.

"휴, 병아리 오기 전에 빨리 여기서 나가야겠네."

한숨을 쉬며 복도로 난 처소의 문을 연 그가 황급히 열었던 문을 닫았다. 발자국 소리. 누군가 온다. 아나, 숨을 곳도 마땅치 않은데! 마음이 급해진 그는 가까이 있던 침대 아래로 몸을 숨겼다.

"후아, 배부르다! 나래 너도 꽤 먹던데?"

"그러게. 오늘 좀 과식했어."

"헤헤, 유모님 밥맛이 너무 좋아서."

윤조와 나래였다. 식사를 마치고 처소로 돌아온 두 사람의 모습에 파이옌이 입술을 깨물었다. 포만감에 만족스러운 얼굴로 돌아온 윤조는 기분이 좋아졌는지 콧노래를 불렀다. 파이옌은 고개를 옆으로 하고 침대 아래 누운 채였다. 윤조의 콧노래 소리와 함께 방 안을 돌아다니는 윤조와 나래의 발소리가 들렸다. 그때 멀어지는가 싶던 발소리가 그가 숨은 침대 쪽으로 가까워졌다. 잔뜩 긴장한 그의 눈앞으로 침대에 걸터앉은 누군가의 발이 보였다.

"에구, 돌아다녔더니 발바닥이 또 아프네."

다리 한쪽을 들고 두드리는지 통통통 소리가 났다. 윤조였다. 왼쪽, 오른쪽을 번갈아 가며 야무지게 발바닥을 두드리는 윤조의 모습에 평소라면 웃음이 나왔겠지만 이번만은 아니었다. 제발 아래는 보지 마라. 병아리, 제발 아래는 보지 마. 제발.

"윤조야, 혹시 내 필기 붓 못 봤어?"

나래의 물음에 윤조가 하던 일을 멈추고 그녀를 돌아봤다.

"필기 붓? 아, 그거! 은화 오백 냥짜리!"

"가격으로 외우는 거냐. 윤조 너답다."

"하하, 몸통이 상아로 된 거 말하는 거지?"

"응. 창가에 있는 탁자 위에 놔뒀는데 안 보이네."

불길한 예감. 바닥을 좇던 파이옌의 시선이 자신의 근처에 떨어져 있던 필기 붓을 발견하곤 소리 없는 비명을 질렀다. 아무래도 창문으로 넘어 들어왔을 때 자신이 바닥에 떨어뜨린 모양이었다.

"어디 떨어진 거 아니야?"

아니나 다를까, 들려오는 윤조의 목소리에 그의 손이 빠르게 움직였다. 윤조가 침대 반대편에 서 있는 것을 확인한 그가 필기 붓을 침대 밖으로 굴려 보냈다. 데구루루, 소리 없이 바깥을 향해 무사히 붓이 굴러간 것을 확인한 그가 한숨을 쉬었다. 방 안을 둘러

보며 필기 붓을 찾던 윤조가 붓을 발견했는지 소리쳤다.

"어, 찾았다! 여기 떨어져 있었네."

하지만 한 가지 파이옌이 간과한 것이 있었으니, 붓을 줍던 윤조의 손이 미끄러져 다시 바닥에 떨어진 붓이 원래 있던 침대 안쪽으로 굴러올 줄은 꿈에도 몰랐다는 것이었다.

'으아아아아악!!!'

그는 자신의 얼굴 앞으로 굴러온 붓을 확인하고 경악했다. 붓을 잡은 그가 재빨리 그것을 밖으로 던져 버리려 했으나 시간이 없었다.

"에고, 잠시만. 금방 찾아 줄게!"

윤조의 목소리가 들림과 동시에 파이옌의 눈이 질끈 감겼다. 침대 아래로 굴러간 붓을 찾기 위해 바닥에 엎드렸던 윤조는 침대 아래에 있는 파이옌과, 파이옌이 쥐고 있는 나래의 붓을 발견하고 눈을 크게 떴다.

잠깐의 정적이 흘렀다.

파이옌은 자신을 바라보는 윤조의 시선을 느끼며 눈을 떴다. 그녀는 알 수 없는 눈으로 그를 바라보다 그가 손안에 쥐고 있는 필기 붓을 조용히 빼 갔다. 파이옌이 굳어 있는 사이, 몸을 일으킨 윤조가 나래를 향해 붓을 들어 보였다.

"여기, 찾았어."

"고마워."

"별말씀을. 그런데 침대 아래에 먼지가 좀 많아서 씻어 내고 쓰는 게 좋을 것 같아."

"윽, 그렇겠다. 나가서 씻어 올게."

밖으로 나가는 나래의 발소리를 마지막으로 방 안이 조용해졌다.

숨 막히는 정적에 파이옌의 입 안이 바짝 마를 지경이었다.

"당장 나와요."

윤조의 호통에 침대 아래에서 나온 파이옌이 옷에 묻은 먼지를 털어 냈다. 윤조는 머쓱하게 자신의 시선을 피하는 그를 뚫어져라 바라봤다.

"왜 거기 숨어 있었어요?"

"……."

"왜 철수 씨가 내 침대 밑에 숨어 있던 걸까요?"

"……."

"대답, 안 하시나요?"

은신하다가 들킨 경우는 또 처음이라 어떻게 대처해야 할지 모르겠다. 대놓고 걸린 마당에 뭘 어쩌라는 거야. 딱 걸려 버렸는데! 파이옌이 차마 윤조의 얼굴을 바로 보지 못한 채 입을 벌렸다.

"아니, 그게……. 아이, 진짜 돌겠네. 그러게 좀 제대로 줍지! 내가 잘 굴려 줬는데 그걸 못 잡냐!"

그럴듯한 변명이나 핑계에 능숙치 못한 그가 답답한 마음에 버럭하다 아차 하며 윤조를 돌아봤다. 무표정으로 고개를 옆으로 꺾는 윤조의 모습이 제법 무서웠다.

"적반하장? 지금 뭘 잘했다고 큰소리예요?"

"……잘못했습니다."

높낮이 없이 삭막한 그녀의 음성에 파이옌이 혀를 깨물었다. 누가 그랬지, 착하고 잘 웃는 여자가 화나면 배로 무섭다고. 덮으려고 소란 피우다가는 일이 더 커질 수 있다.

급히 공손한 자세로 사과하는 파이옌을 바라보던 그녀가 폭 한숨을 쉬었다. 팔짱 낀 손을 까딱이던 윤조가 짧은 한숨과 함께 그의 어깨에 척, 하고 손을 올렸다. 긴장했는지 움찔 튀어 오르는 모양에 그녀가 괜찮다는 듯 토닥토닥 그의 어깨를 두드렸다.

"철수 씨."

"……"

"대답하세요. 철수 씨."

"넵!"

"아무리 먹고살기 힘들어도 도둑질은 나쁜 거예요."

"네…… 네?"

"도둑질하면 당장 돈이야 풍족하겠지만 마음이 편하겠어요? 평생 마음 졸이며 사는 게 더 고통이에요."

"도둑질이요?"

윤조는 어리둥절한 파이옌의 어깨를 두드리며 심각하게 이마를 짚었다.

"제가 가난 인생 선배로서 조언 하나 드리자면, 이런 부잣집에서는 도둑질보다 일꾼이 되어 품삯 받는 게 더 이득이에요. 그 붓! 그래요, 그 필기 붓. 그 작은 게 뭐 대수라고 할 수도 있겠지만 상아로 만들어진 붓인데! 무려 시가가 은화 오백 냥이나 하는데! 당연히 탐날 수 있어요. 저도 항상 눈독 들이고 있는 나래의 물건 중 하나랍니다. 그래도 도둑질은 안 돼요. 특히 나래 물건을 잘못 건드렸다가는 최 승상님께 손목이 잘릴지도 모르거든요."

아무래도 자신이 도둑질하려고 방에 숨어들었다고 넘겨짚은 모양이었다. 안도한 파이옌은 자기가 가난 선배라는 윤조의 충고에 맞장구치기로 했다. 그는 억지 울음소리를 내며 눈물을 쥐어짰다.

"죄송합니다! 제가 급전이 필요해 눈이 멀어 그만-. 어흑, 어흑."

"괜찮아요, 괜찮아. 충분히 이해해요. 원래 일하던 곳에서도 갑자기 쫓겨나고 마음도 싱숭생숭했을 텐데 오죽하면 그랬겠어요. 저도 다 겪어 봐서 알아요."

"어흑. 이해해 주셔서 감사합니다, 마님. 마님은 선녀세요!"

"에이, 선녀는 무슨. 다 같이 벌어 먹고사는 처지에. 사람 사는 인정이죠, 인정."

"어쩜! 마음씨도 곱고, 얼굴도 응- 하고, 매력도 응- 한 윤조 님!"

"방금 중요한 것만 생략하지 않았어요?"

"에이, 그런 사소한 것보다는 마음씨가 고운 게 제일이죠! 하하하!"

너스레를 떨며 웃는 파이엔의 모습에 윤조는 '그런가?'라며 고개를 갸웃했다.

"그럼요! 저는 그럼 다른 무녀님이 돌아오시기 전에 이만 실례-."

"잠깐."

윤조는 은근슬쩍 도망치려는 파이엔을 붙잡았다.

"무, 무슨, 더 하실 말씀이라도?"

"급전 필요하다면서요. 잠깐 기다려 봐요."

뭘 하려는 거지? 파이엔은 침대 머리맡으로 향하는 윤조를 가만히 쳐다봤다. 윤조는 자신이 베고 자는 베개를 뒤집었다. 그리고 베개를 감싼 천 사이로 손가락을 넣어 이리저리 휘저었다.

"자요, 여기."

"이게 뭡니까?"

손안에 무언가를 갖고 돌아온 윤조가 의아해하는 파이엔의 손을 잡아 그의 손안에 금화를 올려 주었다. 생각지도 못한 물건에 놀란 파이옌이 윤조를 쳐다보자 그녀가 뿌듯하다는 표정으로 에헴, 뒷짐을 졌다.

"제 첫 금화인데 특별히 빌려줄게요."

"첫 금화요?"

"헤헤, 그거 태어나서 제가 처음 가져 본 금화거든요. 엄청 소중한 거니까 꼭 가치 있는 곳에 써야 해요?"

진심이 담긴 자랑스러운 윤조의 말에, 그녀에게서 어떤 말이 나오건 장난으로 응수하려 했던 파이옌의 표정이 진중하게 굳어졌다.

"이렇게 큰돈을 모르는 사람에게 빌려줘도 괜찮은 겁니까?"

"철수 씨랑 저는 모르는 사이가 아니잖아요."

"완전히 신용할 수 있는 사이도 아니죠."

"철수 씨가 저를 도와줬어도요?"

"네. 사람은 언제 어떻게 변할지 모르는 법입니다."

"좋아요! 그럼 차용증 쓸까요? 안 그래도 먼저 말 꺼내기 좀 그랬는데."

심각하게 답하던 파이옌의 눈이 동그랗게 커졌다.

"예?"

"차용증이요! 돈 갚겠다고 각서 쓰는 거예요."

"아니, 그건 아는데—."

"자요! 여기에 지장 찍어요! 원래는 자필 사인도 해야 하지만 그건 생략할게요."

미리 만들어 둔 차용증을 서랍에서 꺼내 척하니 내미는 윤조의 모습에 파이옌은 기가 막힐 지경이었다. 세상에 어떤 무녀가 차용증을 미리 만들어 놓고 쓴단 말인가! 나 원 참, 기가 막힌 병아릴

세. 어처구니가 없어 웃음을 터뜨린 그가 윤조가 내민 차용증을 받아 들었다.

"지장을 찍으라니, 여기에 말입니까?"

"네. 인주는 여기! 이거 쓰세요."

"이거 여인들이 바르는 입술연지 아니에요?"

"입술에 바르면 입술연지고 지장 찍는 데 쓰면 인주고 그런 거죠 뭐. 자자, 이렇게 손에 묻혀서-!"

윤조가 재빨리 파이옌의 손가락에 연지를 발라 버렸다. 경황없던 파이옌의 손에는 어느새 빨간 연지가 묻은 뒤였다.

"자, 잠깐!"

"그리고 여기에 꾹, 찍으면! 완성!"

차용증에 손가락 지장이 선명히 찍힌 것을 확인한 윤조가 쉬지 않고 붓을 꺼내 들었다.

"자, 혹시라도 철수 씨가 제 돈을 갚지 못할 경우를 대비해 특약 조항을 써 둘게요."

후후후, 음흉하게 웃는 윤조의 모습에 얼이 빠진 파이옌이 붉게 물든 자신의 손가락을 한 번, 이미 지장이 찍힌 차용증을 한 번 바라보다 포기했다는 듯이 어깨를 으쓱했다.

"철저하기도 하셔라. 좋습니다. 받아들이죠."

"음, 뭐가 좋으려나……."

고민하던 윤조가 이내 손뼉을 치며 글씨를 적어 내려갔다. 그러고는 다 쓴 차용증을 파이옌에게 돌려주며 특약 부분을 소리 내어 읽었다.

"을 철수가 갑 윤조에게 금화 한 냥을 갚지 못할 경우, 남은 생을 윤조를 위해 열심히 일할 것!"

순간 파이옌의 심장이 쿵, 하고 요동쳤다. 심장이 내려앉는 것 같은 기이한 감각에 멍하니 윤조를 바라보던 그가 읊조렸다.

"남은 생을 바치라는 건가요? 당신을 위해서?"

"바친다고 하는 건 어감이 좀 그렇고……. 그냥 열심히 살아가 달라는 거죠."

살아가 달라.

심장에 와 박히는 짧은 언어가 아팠다. 죽지 않기 위해, 살아남기 위해 바닥에서부터 발버둥 쳤던 피비린내 나는 시간이 빠르게 그를 지나쳤다.

노예로 태어나 짐승으로 살아왔다. 왼쪽 손목, 맥박이 뛰는 자리. 평생 지워지지 않을 노예 인장은 살아 숨 쉬는 동안 '너는 인간이 아닌 짐승'이라고 확인시켜 주는 것과 같았다.

짐승인 그에게 인간의 삶은 없었다. 어려서는 귀족들의 노리갯감으로, 조금 더 자라서는 노역으로, 그 뒤로는 검투장의 인형으로, 먹을 것을 주면 먹고, 굶기면 굶고, 때리면 맞고, 그러다 견디지 못하는 자는 죽었다. 노역하다 실수를 해 맞아 죽을 뻔했던 친구를 구한 직후 그는 검투장으로 버려졌다. 그의 나이 고작 열다섯이었다.

살아남아야 했다. 자신의 죽음을 즐거움 삼아 환호하는 군중 속에서 그는 살아남아야 했다. 장난처럼 노예 상인이 넘긴 낡아 빠진 검 한 자루가 그의 전부였다.

어떤 날은 검투사로 팔린 노예들과 싸워야 했고, 어떤 날은 맹수와 싸워야 했다. 낡아 빠진 검이 부러지면 부러진 검의 파편으로 상대의 눈을 찔렀다. 그마저도 여의치 않으면 마치 들짐승처럼 상대의 목을 노려 물어뜯었다. 금방이라도 죽을 것 같던 어린 소년이 짐승처럼 살기등등하게 싸워 이기는 모습에 군중은 환호했다.

얼굴이며 손발 할 것 없이 피를 뒤집어쓰고 나면 살아남을 수 있는 시간이 다시 주어졌다. 그에게 삶이란 그런 것이었다. 죽지 않고 살아남아, 이후 죽음의 위협이 다가오기 전까지 살아남을 시간을 버는 것. 그렇게 고된 시간을 보내던 어느 날 서국의 황제가 나타났다. 그는 살아남을 수 있는 온갖 방법을 동원해 무참히 상대를 살해한 검투사 노예를 바라보며 미소 지었다.

—인간답게 살아 보지 않겠나?

서국의 황제가 말했다.

—네 목숨을 내가 사마. 그러니 나를 위해 죽어라.

다신 오지 않을 기회였다. 죽음을 바쳐 삶을 샀다. 인간답게 누릴 수 있는 환경을 받았다. 기름진 음식을 먹을 수 있었고, 비단으로 된 옷도 입을 수 있었다. 자신만을 위한 집도 생겼다. 최연소로 장군의 자리에 올라 병사들을 거느렸다. 지위가 높아질수록 그를 우러러보는 사람들도 생겼다. 그가 하는 일은 이전과 다를 바 없었으나 그의 모든 것이 풍족했다.

싸우라 명받았다. 그렇기에 싸웠다. 머리를 조아리라 명받았다. 그렇기에 고개 숙였다. 눈앞의 적을 단 한 명도 살려 두지 말라 명받았다. 그렇기에 죽였다. 인간으로 태어났으나 짐승의 인장을 받은 소년은 인간으로 살기 위해 짐승이 되었다. 살아남을 시간을 벌기 위해서가 아니라 살아가기 위해서. 또 그렇게 죽기 위해서.

돌연 웃음이 났다. 과거, 죽음을 바치라고 하던 서국의 황제와 눈앞의 병아리가 겹쳐 보이다니 세상 정말 오래 살고 볼 일이다.

"살아가 달라, 라."

누군가 자신에게 죽음이 아닌 삶이라는 선택지를 쥐여 준 건 처음이었다. 심장이 뛰었다. 위험으로 인한 긴박함이나 간절함 때문이 아닌, 살아 있기 때문에 뛰는 심장이었다.

"동의한다고 지장 찍으면 평생 책임져 주는 겁니까?"

"열심히 일만 해 준다면 못할 것도 없죠? 나중에 사업 파트너도 할 수 있고요."

"파트너?"

"아차차, 실수! 함께하는 동료란 뜻이에요. 자, 여기. 차용증 하나는 내가 갖고 하나는 철수 씨가 보관하는 거예요. 나중에 없어졌다고 딴소리해도 소용없어요?"

"잠깐-."

"나래 오는 거 같아요. 들키기 전에 얼른 나가세요."

윤조가 다급한 마음에 차용증을 돌돌 말아 자신의 주머니에 넣은 후 그를 방문 밖으로 떠밀었다. 잠시 뒤 나래가 돌아왔으나 별말이 없는 걸 보니 철수 씨와는 마주치지 않은 모양이었다.

"윤조야."

그녀는 자신을 부르는 나래의 목소리에 흠칫 놀라 고개를 들었다.

"어? 왜, 왜?"

"뭘 그리 당황해? 죄 지은 거 있어?"

"아, 아니? 내가 죄 지을 게 뭐가 있다고……. 하하하."

"수상한데. 설마 내가 잠깐 나갔다 온 사이에 몰래 과자 더 집어먹은 거 아냐? 너 그러다 배탈 난다?"

"내가 돼지냐…… ."

"아니면 말고. 얼른 준비하고 가야지. 대장군님 치료 시간이잖아."

"아, 그랬지. 다녀올게!"

"이는 닦고 가!"

"응!"

한편, 길림의 보고를 받은 준영은 화재로 인한 피해 보상과 구휼이 빠른 시간 안에 마무리될 것 같아 안심했다. 그러나 그가 근심하는 건 그 때문이 아니었다.

"죽은 병사들의 가족들에게 더 늦기 전에 알려야 하지 않겠나."

"예, 그래야죠. 날이 밝는 대로 알리겠습니다."

"시체 수습은?"

"열 명 전원 수습했습니다. 생전의 모습은 아니겠지만, 조각난 채로 가족들에게 돌려보낼 수는 없으니까요."

"세작의 신원은 알아냈나?"

"문신이 남아 있던 오른팔 외에 나머지 부분이 모두 타 버려서 뼈만 추렸습니다. 검시관 말로는 삼십 대 남성으로 추정된다고 합니다."

"삼십 대 남성이라. 남은 오른팔 외에는 건질 게 없다는 건가. 길림, 자네 생각은 어떤가?"

"사실 저도 미심쩍은 부분이 많지만, 목격자 진술과 손목의 문신도 맞아떨어지고 불이 난 이유도 병사들과 충돌 뒤의 일이라고 하니 사고라고 생각할 수밖에요."

길림의 말에 고개를 끄덕이면서도 준영은 무언가 초조한 사람처럼 탁자를 손가락으로 두드렸다.

"하룻밤 사이 다른 사람의 눈을 피해 야간 경비대원 열 명을 몰살한 놈이 이렇게 쉽게 잡히다니 뭔가 이상하지 않나?"

"저도 의심 가는 점은 있지만 병사들이 잡았을 때는 술에 취한 상태였다고 하니 방심하다 잡혔다고 보는 게 맞겠죠. 대범하게 움직이던 놈이니 쉽게 걸리지 않을 거라고 생각했을지도 모릅니다."

"다른 세작이 더 남아 있을 가능성은?"

"침입한 흔적은 셋이라고 했습니다. 하지만 까마귀들이라면 일부러 흔적을 남기거나 없애는 경우도 있으니 경계는 강화한 상태로 지켜보겠습니다."

"알겠다. 그밖에 다른 보고 사항은 없나?"

"세작의 시신 검안 때 승상님께서 다녀가셨습니다."

"최 승상님이?"

"예. 의심 가는 인물이 있어 확인차 오셨다고 했습니다."

"의심 가는 인물이라니? 그게 누군가?"

"괴혈단의 좌장군 파이옌입니다."

괴혈단. 다시는 들을 일 없는 이름이길 바랐건만. 준영은 지난 마령협곡에서의 전투를 떠올렸다.

지형을 이용해 급습할 서국 황제의 작전을 예상했던 준영이 길림의 궁수 부대를 후방으로 돌려 협곡 반대편 절벽에 배치, 남은 병력이 도주로를 차단하고 불을 놓음으로써 서국의 군대를 협곡 안에 가두는 작전을 썼다. 그런데 괴혈단의 기세가 생각보다 대단한 나머지, 까딱하면 절벽까지 몰린 아군의 상당수가 그대로 사장될 뻔한 위험한 상황에 처하기도 했다. 궁수 부대가 조금만 늦게 대응했더라도 전세가 뒤집어졌을 것이다. 더군다나 좌장군 파이옌이라면 준영도 전투 중에 몇 번 붙은 적이 있었다.

"그자라면 꽤 예리한 쾌검을 쓰는 호승심 강한 사내였지. 길림 자네도 마령협곡 전투에서 마주쳤다고 했던가?"

"예, 협곡을 사이에 두고 마주했었죠. 정확히 미간을 노리고 화살을 날렸는데 알아채고 피하더군요. 보통 좋은 감이 아니었습니다."

"광견이라는 별칭이 있다지. 떠올리니 마상술도 남달랐어. 말 위에서 검을 들고 그런 유연한 움직임을 할 수 있는 자는 드물지."

"서국의 황제가 직접 데려온 인물이라고 하더군요. 출생도 신분도 무엇 하나 제대로 알려진 게 없습니다. 처음 전장에 나타났던 때는 전쟁이 끝나기 2년 전이었습니다."

"괴혈단이 조직된 것도 그즈음이었지. 그런데 최 승상님께서 세작으로 의심 가는 인물로 그자를 지목했다는 건가?"

"예. 승상님께서는 서국에 다녀오신 적이 있어 그자의 얼굴을 가까이에서 보신 적이 있다고 하셨습니다. 하지만 시신의 훼손이 너무 심각해 신원을 확인할 수는 없었습니다."

"확실히 그자의 얼굴을 아는 사람은 거의 없다. 나조차도 그자의 가면 속 얼굴을 본 기억이 없으니까. 마령협곡에서 그자의 가면을 부쉈던 자네라면 그자의 얼굴을 봤을 수도 있겠군?"

"예, 마주했습니다."

파이옌이 느꼈던 것처럼 길림 역시 당시 그와 시선이 마주했던 것을 또렷하게 기억하고 있었다. 자신이 쏜 화살을 피하고, 찢어진 눈썹에서 흐르는 피를 닦으면서도 웃고 있던 그 표정을. 핏빛 홍염 같은 머리카락을 휘날리며 조각난 가면을 벗어 던지던 그의 강렬한 눈빛을.

"그자의 얼굴을 기억할 수 있겠나?"

길림은 고개를 끄덕였다.

"절대 잊을 수 없죠."

그때 밖에서 방문을 두드리는 소리가 들렸다.

"누구인가?"

"대장군님, 윤조입니다. 치료 시간입니다."

"벌써 시간이 그렇게 됐나? 들어와도 된다."

방 안으로 들어온 윤조가 길림을 발견하고 인사했다. 그러자 마찬가지로 반갑게 그녀에게 인사하던 길림이 혼례식 소식을 들었다며 운을 뗐다.

"두 분 혼례 준비하시느라 요즘 폐하께서 정신이 없으시답니다."

"알고 계셨어요?"

"당연하죠. 대장군님과 저는 비밀이 없는 사이랍니다."

장난스럽게 눈을 찡긋거리는 길림을 향해 준영이 핀잔했다.

"부관, 이상한 소리 말고 이만 나가 보도록."

"예예, 파이옌 건 관련해서는 제가 알아보도록 하겠습니다. 그럼 이만 두 분 즐거운 시간 보내시길!"

방 밖으로 나가는 그를 바라보던 윤조가 고개를 돌려 준영을 바라봤다.

"파이옌 건이 뭐예요?"

"들렸나 보군. 벌써 지아비 내조하려고?"

"그, 그냥 궁금해서 여쭌 겁니다!"

"파이옌은 사람 이름이다. 서국 괴혈단의 좌장군이지."

그 말에 윤조의 눈이 동그랗게 커졌다.

"괴혈단이라면 도깨비 가면 유행시킨 그 부대요?"

"그런 게 유행하고 있었나?"

"예, 전쟁 끝나고 이런저런 영웅담이랑 이야기가 돌면서 괴혈단에 관한 이야기도 많이 들었어요. 이야기 장수들이 인형극으로 만들어서 마을에서 공연도 하던걸요? 도깨비 같은 얼굴을 한 무시무시한 사람들이라고."

양손을 들어 올려 겁을 주는 것 같은 윤조의 모습에 준영이 피식 웃으며 고개를 저었다.

"아마도 그들이 도깨비 가면을 쓰고 다녀 그런 소문이 도는 모양이다."

"정말 얼굴이 무시무시하게 생긴 건 아니구요?"

"글쎄. 나도 가면 아래 얼굴을 본 적이 없어 모르겠구나."

"대장군님도 못 보셨어요?"

"좌장군 파이옌과는 전장에서 몇 번 맞붙은 적이 있지만, 그의 얼굴을 본 기억은 없다. 길림은 그자의 얼굴을 봤다고 하더구나."

"와, 대장군님도 못 본 걸 길림 부관님이 보신 거예요? 길림 부관님 엄청 세구나! 대장군님보다 더 세다거나?"

웃음 섞인 윤조의 물음에 준영이 불퉁한 표정을 지었다.

"크흠, 검술은 내가 위다. 길림이 활을 특출하게 잘 다뤄서 그렇지."

"전에 나래가 그러던데 신궁이라면서요? 아무리 먼 거리에서도 백발백중이라고."

"나도 뒤지지 않는다."

"에이, 대장군님도 못 본 가면 속 얼굴을 길림 부관님은 봤다면서요. 화살로 좍! 맞혀서 본 거 아니에요?"

"어떻게 알았느냐?"

"백발백중이라면서요. 화살로 가면을 부쉈으니 얼굴을 본 게 아닐까 했어요. 헉, 그럼 좌장군 파이옌이라는 사람은 죽은 사람이에요?"

화살이 가면을 부쉈다면 머리를 관통당했다는 의미이기도 했다. 거기까지 생각이 미친 윤조가 괜한 것을 떠올렸다며 눈살을 찌푸렸다. 준영은 끔찍한 상상에 몸서리치는 윤조에게 아니라며 고개를 저었다.

"그는 살아 있다. 길림의 화살을 피했으니."

"화살을 피했다?"

"그래, 화살을 피했다고 하더구나."

윤조의 머릿속에서는 화살이나 총알이나 같은 맥락이었다. 그녀가 알고 있는 현실에서 화살이나 총알 따위를 피할 수 있는 사람은 드라마나 영화 속에 존재하는 허구의 인물이었다. 설령 존재한다 해도 슈퍼 히어로나 초인적인 속도를 내야 가능한 일이 아닌가. 그런데 얼굴 앞까지 당도해 가면을 부순 화살을 피했다고? 놀란 그녀의 입이 다물릴 줄 몰랐다.

"대단해! 엄청나다. 화살을 피하는 사람이라니! 정말 엄청 대단한 사람이잖아요!"

경악과 동시에 진심으로 감탄하는 윤조의 모습에 준영의 눈이 가늘어졌다. 불만이 있는지 주름 잡힌 미간으로 자신을 바라보는 그의 모습에 윤조가 손뼉을 치다 말고 고개를 갸우뚱했다.

"대장군님 기분 안 좋으세요?"

"매우."

"갑자기 왜요? 혹시 팔이 아프다거나—."

준영이 윤조의 말을 잘랐다.

"대단해, 엄청나다, 정말 엄청 대단한 사람! 이라니. 감탄이 대체 몇 번이나 들어가는 건가?"

"하지만 정말 대단하잖아요. 화살을 피하는 사람이라니."

"그 화살을 피하는 사람을 이기고 전쟁을 승리로 이끈 사람이 바로 나다!"

욱해서 소리치는 그의 모습에 깜짝 놀라 눈을 깜빡이던 윤조가 웃음을 터뜨렸다.

"푸하핫. 대장군님 혹시 지금 질투하세요? 하하하!"

"……아니다."

"에이, 아니기는! 확실히 질투 맞는 것 같은데."

"아니라면 아닌 거다. 내가 그런 졸렬한 짓을 할 사람으로 보이나?"

"그럼 방금 그건 뭔데요?"

적당히 둘러댈 말을 찾던 준영이 끙, 신음했다.

"소박한 불만 표시."

"흐하하! 소박한 불만 표시라니! 지금 그 말 홍 장군님께서 들었으면 난리 났을걸요? 하하하!"

귀여운 준영의 질투에 한참을 웃던 윤조가 부루퉁한 그의 얼굴을 보고 웃음을 멈췄다. 그러고는 준영을 향해 척 하고 엄지를 들어 보였다.

"우리 대장군님이 당연히 더 최고죠!"

"뒤늦게 아부하기는."

"에이~ 진짠데! 진짜 우리 대장군님이 훨씬 멋지고 대단하고 최고인데!"

"흥. 괜히 비위 맞춰 주려는 거 다 안다."

"그럼 쌍따봉! 저 엄지 두 개나 올렸어요! 대장군님 완전 최고! 최고! 멋있어요 홍준영! 사랑해요 홍준영! 우유 빛깔 홍준영!"

"……."

"우유 빛깔 홍- 헉."

아차, 웃다가 흥분한 나머지 아이돌 그룹 응원법을 외치고 말았다. 세상에 대장군님 앞에서 무슨 망측한 말을 한 거람. 쌍따봉까지는 좋았는데 우유 빛깔 홍준영은 가도 너무 가 버렸다.

"죄, 죄송해요! 제가 또 헛소리를 했어요."

조용히 자신을 바라보는 준영의 눈빛에 윤조가 허겁지겁 말을 줄이며 자세를 바로 했다.

"그, 저기, 치, 치료할까요? 저 이제 몸살도 나아서 신력 팍팍 쓸 수 있을 것 같은데!"

당황하는 윤조를 바라보는 준영의 입매가 호선을 그렸다.

"우유 빛깔 홍준영?"

"으아악! 그거 아니에요! 으아악!"

"멋있어요 홍준영은 그렇다 치고, 우유 빛깔이라니. 너무 외설적이구나."

"못들은 척해 주시면 안 될까요?"

"어찌 이미 들은 것을 못 들은 척한단 말이냐? 무려 우유 빛깔이라는데. 내 속살은 언제 그리 유심히 본 것이냐? 아, 지난번인가? 소등할 때 말이다."

지난 소등 시간, 목욕을 하고 나오던 준영과 마주쳤던 장면을 떠올린 윤조의 얼굴이 빨갛게 달아올랐다. 아니, 물론 그때 어둠 속에서도 스캔을 하긴 했지만-. 절레절레 고개를 흔든 그녀가 기도 하듯 두 손을 모았다.

"제, 제발 못 들은 걸로!"

"흠, 어찌할까?"

간절한 윤조의 눈빛에 장난기를 지우지 못한 준영이 척 하니 팔짱을 끼며 말했다.

"멋있어요 홍준영 다음 거 한 번 더 해 주면 못 들은 척해 주마."

"멋있어요 홍준영 다음이면, 사랑해요 홍준영?"

자신이 한 말을 되짚고 나서야 '우유 빛깔 홍준영'보다 더 남사스러운 짓을 저질렀음을 깨달은 윤조의 얼굴이 돌처럼 굳어졌다. 흔들리는 눈동자가 준영을 향했다. 고장 난 것처럼 버벅거리며 입만 뻐끔거리는 윤조의 모습에 준영의 미소가 더욱 짙어졌다.

"그래, 그거. 제대로 다시 하면 못 들은 척해 주마."

스윽 가까워지는 준영의 얼굴에 윤조가 황급히 몸을 뒤로 빼며 고개를 흔들었다. 제발 그것만은 다시 시키지 말아 달라는 간절한 눈빛에도 준영은 단호하게 고개를 까딱였다.

"어서."

"끄으으…… 사, 사랑은 요구하는 게 아니랬어요!"

앓는 소리를 내던 윤조가 간신히 변명했으나 준영의 강렬한 시선을 피할 수는 없었다.

"내가 듣고 싶다. 한 번 더."

"대, 대장군님, 이렇게 강압적인 남자였어요?"

"강압적? 진짜 강압적인 모습을 아직 못 본 게로구나?"

"아니 뭘 어쩌시려고……."

"팔다리를 묶어 주랴?"

"예? 팔다리를 왜요? 팔다리를 갑자기 왜 묶는데요!"

"음? 강압적이라기에─."

"그건 에스엠 플레이잖아요!!! 변태!!!"

에스엠 플레이가 무엇인지는 몰라도 변태라는 단어가 따라오는 것을 보아 야한 행위라는 것은 알겠다. 윤조가 화들짝 놀라며 소리치는 모습을 재미있다는 듯이 바라보던 그가 손을 뻗었다.

"대체 무슨 상상을 한 것이냐? 못 말리는 방울새 같으니."

윤조는 자신의 머리를 슥슥 쓰다듬는 손길에 머쓱하게 헛기침을 했다.

"조그마한 머릿속으로 무슨 음험한 생각을 하는 건지."

"크흠, 오해할 만한 발언을 먼저 하셨잖아요오."

"꼬박꼬박 말대답은 또 어찌나 잘하는지."

"조용히 있을까요?"

준영은 우물쭈물 눈치를 보는 그녀의 볼을 가볍게 꼬집었다.

"조용히 있으면 윤조가 아니지."

"아흐여─."

"감히 대장군을 놀린 벌이다."

준영이 손을 놓으며 꼬집었던 그녀의 볼을 살살 문질렀다. 조심스러운 손길에 윤조의 입가에 미소가 번졌다.

"또 놀리면 볼 두 번 꼬집히나요?"

"음?"

"반대쪽 볼도 꼬집어도 되는데. 헤헤."

고개를 돌려 볼을 내미는 윤조의 행동에 준영이 작게 웃으며 핀잔했다.

"으이그, 어서 치료나 하거라. 이러다 밤새우겠다."

"잉."

준영의 오른팔을 살피는 윤조의 얼굴에 아쉬움이 가득했다. 처음 봤을 때는 무서워서 대답도 잘 못하더니. 이제는 편해졌는지 이런 저런 농담도 하고 표정도 많이 좋아졌다. 준영은 순간순간 변하는 그녀의 얼굴을 찬찬히 눈에 담았다.

"윤조야."

"네."

"윤조야."

"네."

"윤조야."

집중해서 신력을 불어 넣던 윤조는 계속되는 준영의 간지러운 음성에 참지 못하고 고개를 들었다.

"아이, 왜요!"

"하하, 이제는 대장군 앞에서 성질내는 것이냐?"

"자, 자꾸 그렇게 간질간질하게 부르시니까 그렇죠……."

"윤조야."

"아이참, 왜요!"

"행복하게 해 주마."

소리치던 모양 그대로 윤조가 멈췄다. 그녀를 빤히 바라보던 준영이 창가로 눈길을 돌리며 말했다.

"재미없는 남자라고 도망치지만 말아다오."

창가에 시선을 고정한 채 그리 말하는 준영의 귓가가 붉었다. 열린 창문으로 조용히 불어오는 바람에 그의 검은 머리카락이 나부겼다.

윤조는 무어라 말하려다 말고 입을 다물었다. 쿵쿵 가슴이 뛰었다. 심장의 고동이 귓속에서부터 들려오는 것처럼 선명했다. 신발 안에 숨긴 발가락이 간지러웠다.

먼 곳을 보는 척 시선을 돌렸던 준영이 조용한 그녀를 슬그머니 돌아봤다. 대답이 돌아오지 않아 긴장했는지 초조한 눈빛이었다. 바라본 자리, 꽃이 피어나듯 환하게 웃음 짓는 윤조의 뺨이 붉었다. 언어는 중요하지 않았다. 헤헤, 아이처럼 작게 들려오는 웃음이 맑았다.

준영은 그 소리가 좋았다. 장난 결에 들은 사랑해란 말이 듣기 좋았다. 곁에서 조잘거리는 숨결이 좋았다. 함께 거니는 시간이 좋았다. 그녀의 이야기를 듣는 시간이 좋았다. 그녀와 함께하는 시간이 좋았다.

멀어지면 자꾸만 떠올랐다. 가볍게 뛰어다니는 몸짓이, 자신을 부르는 목소리가, 하루에도 몇 번씩 불쑥 찾아왔다가 사라졌다. 낯간지러움에 홀로 웃기도 했다. 이것이 무슨 감정인지 명확히 정의할 수 없었다. 그저 좋았다. 즐거웠다. 행복이라면 이것도 행복이다 싶었다.

감정을 명확히 나눠 정의할 수 없음에, 시간과 비례하지 않음에, 이것이 사랑인지 혹은 사랑이 되어 가는 중인지 혹은 사랑이라 말하기에는 성급한 감정인지조차 구분할 수 없었다. 하지만 가능하다면 이런 감정에 오래도록 머물고 싶다는 생각이 들었다. 준영은 자신을 향해 거리낌 없이 진실한 미소를 보이는 눈앞의 여인이 사랑스러웠다.

"너를 많이 사랑하게 될 것 같구나."

준영다운 솔직한 감상이었다. 순간 솔직한 사내의 고백에 윤조의 볼이 화끈해졌다. 꼼질거리며 손가락을 움직이던 그녀가 치맛단을 움켜쥐고 용기 내어 소리쳤다.

"저도요!"

"푸하핫, 씩씩해서 좋구나."

대답이 만족스러웠는지 준영의 눈매가 부드럽게 풀렸다. 윤조는 매섭기만 하던 대장군의 얼굴에서 한 여인 앞의 사내로 미소 짓게 된 눈앞의 남자가 사랑스러워 견딜 수 없었다. 그녀가 손으로 자신의 심장 부근을 움켜쥐며 툴툴거렸다.

"으, 대장군님 요즘 심장 폭행 심각해요. 완전 폭력적이야─."

그러면서 활짝 웃자 윤조의 대화법에 익숙해진 준영이 그런가, 하며 받아 준다.

"폭력적인 사내는 취향이 아닌가?"

"이런 폭력은 환영합니다."

"하하, 취향이 독특하구나."

"대장군님도요. 대장군님은 제 어디가 그렇게 좋으세요?"

"글쎄, 잘 찾아보면 하나쯤 나오려나?"

"에이, 장난치지 말구요."

윤조가 준영의 등 뒤로 가 그의 어깨 위에 손을 올렸다. 따뜻하게 흘러들어 오는 그녀의 신력을 느끼며 준영이 말했다.

"모르겠다, 나도."

"제 어디가 좋은지도 모르는데 같이 살자고요?"

"같이 살아 보면 알겠지."

"……이 결혼, 괜찮은 겁니까?"

"그러는 너는?"

"네?"

준영이 윤조의 손을 잡으며 돌아앉아 그녀와 마주했다.

"윤조 너는 내 어디가 좋길래 곁에 있으려는 것이냐?"

"그, 그건 그냥-."

"그냥?"

"그냥 좋아서요……."

"너도 대답이 시원찮구나."

"하지만 그냥 좋은데. 그냥 다 좋아요. 대장군님이랑 같이 있으면 좋고, 말 타는 것도 좋고, 얘기하는 것도 좋고, 장난치는 것도 좋고……. 이런 기분 느껴 본 적은 처음이라 뭐라고 정확히 설명은 못하겠지만, 정말 그냥 다 좋단 말이에요."

같은 마음이구나. 준영이 생각했다. 그는 새어 나오는 웃음을 참으며 윤조의 머리카락을 헝클었다.

"나도 그렇구나. 그래도 나중에 그중에서 특별히 좋아지는 게 있으면 말하거라."

"왜요?"

"좋아하는 건 특별히 더 많이 해 줄 테니까."

"오, 그럼 저는 대장군님께서 용돈 주는 게 특별히 더 많이 좋은 것 같아요!"

번쩍 손을 들며 외치는 소리에 준영의 입에서 기어코 웃음이 터졌다.

"하하! 이 녀석아, 하지도 않은 일을 좋다고 하기냐?"

"앞으로 하실 거 같으니까요!"

"푸핫. 알겠다, 알겠어. 네 용돈은 특별히 잘 챙겨 주마."

"후후, 커다란 저금통을 사야겠어요."

잔뜩 들뜬 얼굴로 콧노래를 부르던 윤조가 준영을 돌아봤다.

"대장군님도 알려 주세요."

"무엇을?"

"대장군님께서 좋아하시는 건 저도 특별히 더 많이 해 드릴게요."

"그러마."

준영의 대답에 만족한 윤조가 남은 치료를 계속했다. 밤이 깊었
지만 지나는 시간이 아쉬워 천천히 시간을 끌었다. 치료를 더디게
하는 그녀를 알면서도 준영은 아무 말도 하지 않았다. 그의 손가락
이 바람결에 살랑이는 윤조의 머리카락을 매만졌다. 오래도록 닫
힌 준영의 방문은 열릴 줄 몰랐다.

준영의 방이 보이는 뒤뜰에서 파이옌은 윤조가 준 금화를 손안에
넣고 굴렸다.

"빚을 만들어 버렸네."

조용히 읊조리던 그가 윤조가 들어간 준영의 방을 바라보다 힘껏
금화를 쥐었다.

"원하는 건 다 가졌다고 생각했는데 말이야……."

서로가 서로의 마음을, 혹은 누군가가 누군가를 탐하는 밤이 그
렇게 지나갔다.

"없다?"

"예, 아가씨. 어제부터 보이지 않습니다. 하인들 말로는 어딜 간다는 말도 없이 나갔다고 합니다."

아버지인 문 비서랑의 부탁으로 파이옌을 찾아갔던 혜린은 집 안 어디에도 보이지 않는 그의 모습에 의문을 가졌다.

"이상하군. 방 안에 서신 같은 것도 없더냐?"

"아, 탁자 아래 이런 것이 떨어져 있기는 했습니다."

시녀가 혜린에게 내민 것은 파이옌이 서국으로부터 받았던 전갈이었다. 혜린은 서신에서 파이옌에 관한 복귀 명령을 발견했다.

"서국에서 돌아오라는군."

"말없이 떠난 걸까요?"

"아직 수도 안에 있을 거다."

혜린은 서신에서 '이틀 뒤 행상꾼 마차'라는 문구를 가리켰다.

"그럼 대체 어딜 간 걸까요?"

"알 게 무어냐, 그런 놈."

"어후, 또 사고 치는 건 아닐지 심장이 떨려서요."

시녀의 걱정을 이해한 혜린이 짜증스럽게 보고 있던 서신을 던졌다.

"쯧, 무슨 짓을 하고 다니던 내 알 바는 아니지만 가문에 누가 갈까 걱정이구나."

"예, 제 말이 바로 그겁니다. 자숙해도 모자랄 때에 외출이라니. 병사들의 경계도 풀리지 않았는데 말이에요."

"참으로 귀찮은 자다. 찾아보라는 아버님의 명이 있었으니 모른 척할 수도 없고."

"아가씨는 걱정하지 말고 쉬고 계세요. 제가 하인 몇을 데리고 나가 알아보겠습니다."

"부탁하마."

"예."

혜린은 고개 숙여 인사한 뒤 밖으로 향하는 시녀를 바라보다 머리를 짚었다.

"곤란한 짓만 하지 않으면 좋으련만."

"하암-."

"입 찢어진다."

"헤헤, 미안. 잠을 늦게 잤더니 자꾸 하품이 나네."

나래의 핀잔에 윤조가 입을 다물고 기지개를 켰다.

"으으, 졸려."

"언제 들어왔어? 나 잘 때까지 안 오던데."

"치, 치료가 좀 길어지는 바람에……."

은근슬쩍 시선을 피하는 윤조의 행동에 나래가 콧방귀를 뀌었다.

"거짓말은. 하하호호 떠드느라 시간 가는 줄 몰랐겠지. 하아암."

"응? 나래 너도 하품 나와?"

"너, 너한테 옮았나 보지."

하품을 하고서는 당황해서 말을 돌리는 나래의 모습에 윤조가 씨익 입매를 당겼다.

"일찍 잤다며?"

"그럼! 나는 너 오기 전에 이미 자고 있었지."

"흐응? 왠지 아닌 것 같은데? 내가 대장군님이랑 하하호호 떠들

동안 나래는 누구랑 하하호호 떠들었으려나아?"

"그런 거 아니거든!"

"호오, 어제 길림 부관님이 다녀가셨지 참?"

"……."

나래가 조용히 입을 다물고 윤조의 시선을 피했다.

"우리 나래가 길림 부관님이랑 하하호호 떠들었구나!"

"누가 하하호호 떠들었다고!"

"윤조는 슬퍼. 나래 자기가 3년 만에 외간 남자에게 눈을 돌리다니. 이래서 여자의 마음은 갈대라는 건가."

"이상한 소리 하지 마."

"으흑, 어떻게 나를 버리고! 우리 한때 뜨겁게 사랑했잖소!"

윤조가 비참하게 버려진 연기를 하며 울먹이자 나래가 인상을 쓰며 윤조의 입술을 잡아당겼다.

"자꾸 징그러운 소리 하면 입술 확 비틀어 버린다."

냉정한 나래의 협박에 윤조가 빠르게 고개를 끄덕였다. 마음이 약해진 나래가 윤조의 입술을 놓아주자 윤조가 물었다.

"길림 부관님이랑 무슨 얘기 했어?"

"그냥 이런저런 얘기."

"어떤 이런저런 얘기?"

"그건ㅡ."

나래는 지난밤 '우연히' 길림을 만났던 일을 떠올렸다.

—안녕하십니까, 영애.

지난밤 환기를 위해 처소 창문을 열던 나래는 그 아래에서 마치 누군가를 기다리는 것처럼 서 있던 길림을 발견했다. 사람이 있을 거라고는 생각 못한 나래가 깜짝 놀라 무엇을 하냐고 묻자 길림이 멋쩍게 웃었다.

─기다립니다.

─무엇을요?

─창문이 열리기를요. 그런데 마침 열렸네요.

─네?

─이렇게 우연히 영애를 뵙다니, 운이 좋은 밤이군요.

거기까지 기억을 떠올린 나래는 그다음 순간 길림이 했던 말을 생각하고 작게 실소했다. 갑자기 웃는 그녀의 모습에 윤조가 의아해하며 고개를 기울였다.

"왜 그래? 무슨 얘길 했는데? 재미있는 이야기였어? 응?"

"세상에는 우연을 가장한 필연만이 있다, 라고 하던데."

"응? 갑자기 무슨 소리야?"

─크흠, 그런데 그거 아십니까? 세상에는 우연을 가장한 필연만이 존재한다는 사실을요.

지극히 고전적이고 전형적인 작업 대사였다. 나래는 다른 사람도 아니고 길림의 입에서 그런 말이 나왔다는 사실이 놀랍기도, 우습기도 했다. 더군다나 그 대상이 자신이라는 것에 더더욱. 생각을 거듭할수록 웃음이 나는 상황에 나래가 말을 줄였다.

알 수 없는 소리에 영문을 몰라 하던 윤조는 미소가 머무른 나래의 입가를 확인하고 조용히 모른 척했다. 무슨 대화를 했는지는 잘 모르겠지만, 분위기가 나쁜 것 같지는 않았다.

"여, 마님. 안녕하십니까요."

아침 일찍부터 유모에게 호되게 부려지던 파이옌이 까칠해진 몰

골로 휘적휘적 윤조에게 손을 흔들었다. 그 거리낌 없는 모습에 나래가 눈살을 찌푸렸다.

"혜린 무녀님은 대체 아랫사람 관리를 어떻게 한 거야? 예의도 없고, 상식도 없고. 저 사람 볼수록 이상해."

"에이, 너무 퍽퍽하게 굴지 마. 일하던 곳 떠나서 아는 사람도 없는데 얼마나 외롭겠어. 유모님께 들으니 군사들이 신변 확인차 족적이랑 초상화도 그려 갔다더라. 저택 곳곳에서 감시 중이니 별 탈은 없을 거랬어."

"저게 감시받는 사람 태도냐고. 저 봐라, 사람 다 보는 앞에서 입 쩍쩍 벌려 하품하고. 저택 안주인 될 사람한테 서슴없이 손 흔들고. 긴장감이라고는 하나도 없는 하인이라니."

"천성이 그런 거 같긴 해. 너무 뭐라 하지 마. 나쁜 사람은 아닌 거 같아."

스스럼없는 것을 떠나 예의가 없는 파이옌의 행동에 나래가 눈살을 찌푸렸지만, 윤조는 괜찮다며 그를 향해 마주 손을 흔들어 주었다.

"철수 씨, 잘 잤어요?"

"아니요. 여기 사람들은 무슨 일을 꼭두새벽부터 시킨답니까? 특히 유모님! 해도 안 떴는데 깨워. 아, 다른 무녀님도 안녕하세요."

파이옌이 투덜거리다가 뒤늦게 나래를 발견하고 급히 고개를 숙였다. 윤조에게 편히 인사할 때와는 사뭇 다른 깍듯이 예의를 차린 인사였다. 그에게 핀잔을 주려다 인사를 받게 된 나래는 자신의 앞에 고개 숙인 그의 머리를 가만히 바라보다가 새침하게 고개를 돌리고 멀어져 갔다. 자세를 바로 한 파이옌이 그런 나래를 가만히 바라보다 윤조를 향해 장난스럽게 미소 지었다.

"다른 무녀님도 잠을 설치셨나? 전부터 표정이 영 사나워서 정이 안 가요, 정이."

"푸핫, 나래 표정이 사나워요?"

"마주칠 때마다 눈을 이렇게, 이렇게 뜨지 않습니까? 가자미도 아니고."

파이옌이 나래를 흉내 내며 눈을 새침하게 뜨고 노려보는 시늉을 했다. 제법 비슷한 흉내에 웃음이 터진 윤조가 깔깔거리며 배꼽을 잡았다.

"아하하, 나래가 낯을 많이 가려서 그래요. 처음에 저한테도 그랬어요. 그래도 좋은 친구예요."

"뭐, 마님이 그렇다면 그런 거겠죠. 으하암, 아무튼 졸려 죽겠습니다."

"에고, 잠자리도 익숙하지 않아 불편했을 텐데. 미안해요. 식사할 때 보니 혼자던데 괜찮아요? 다른 분들도 철수 씨가 낯설어서 그런가 봐요."

그거야 뭐, 신용이 안 가는 놈이 쳐들어와서 귀한 마님께 빌붙으니 좋게 볼 리가 없겠지. 딱히 사과 받으려 한 말은 아니었는데. 미안한 얼굴을 하는 윤조의 모습에 그가 됐다며 손을 흔들었다.

"마님께서 사과하실 건 아니죠. 돈 벌려면 일해야죠. 별수 있나요? 빚도 졌는데."

"그래요. 일 열심히 하면 세찬歲饌[8] 같은 것도 나올 거예요. 받을 수 있는 건 다 받아야죠."

"오, 여기는 그런 것도 챙겨 줍니까? 문씨 가문은 영 삯이 짜던데."

"어머, 그래요? 차이가 많이 나나요?"

돈 굴러가는 정보에 귀를 쫑긋 세우는 윤조를 보며 파이옌이 피식 웃음을 흘렸다.

"그렇다니까요. 거기 문지기 말로는 세찬 같은 건 없고 한 달에 쌀 석 되에 동화 열다섯 냥 정도라고 했어요."

파이옌이 오며 가며 친해졌던 문지기와의 대화를 떠올려 들려주자 윤조의 눈이 동그랗게 커졌다.

"에? 그렇게나요?"

"엄청 짜죠?"

"정말 거의 두 배나 차이 나네요. 삯 문제로 불만은 없나요? 문씨 가문이 그리 녹록한 가문은 아닐 텐데."

"불만이라면 많겠죠. 표현을 못할 뿐이지. 여기 유모님처럼 거기에도 하인들 관리하는 자가 따로 있는데 그놈 성질이 어찌나 고약한지. 일하다 쫓겨나면 다른 곳에서 못 받아 주게 협박하고 다닌다더라고요. 그러니 숨죽이고 일할 수밖에요. 삯의 일부도 그놈이 떼먹는답니다."

"공갈 협박에 공금 횡령까지? 이거 신고 감인데."

혀를 끌끌 차며 자신의 일인 양 고민하는 윤조의 모습에 파이옌이 의문했다.

"그런데 대체 왜 이런 데에 신경 쓰십니까? 마님이 알아도 딱히 도움되는 것도 아닐 텐데."

그러자 윤조가 뭘 모른다며 검지를 올려 좌우로 흔들었다.

"철수 씨가 뭘 몰라도 한참 모르시네. 이런 정보를 하나둘 모아

---

8) 세찬(歲饌): 연말에 특별히 선사하는 물건으로, 일종의 상여금 같은 의미.

놓으면 나중에 큰돈 굴릴 때 다 도움이 된다구요."

"무슨 뜻입니까?"

"에헤이, 제가 어제 사업 얘기 잠깐 했었죠? 사업을 시작하려면 첫째로 밑천이 있어야 하고 둘째로 노동력이 필요해요. 부적절한 시세와 적절한 시세를 알아야 일꾼 구하기도 쉽고, 그렇게 문제나 불만 있는 곳을 알아 놓으면 나중에 인력을 끌어오기도 편하다구요."

"일꾼이야 새로 모집하면 그만 아닙니까?"

"어허이, 잘 생각해 봐요. 일꾼도 경험자가 좋고, 이왕이면 온갖 나라 안의 정보가 왔다 갔다 하는 곳에서 일한 사람을 쓰는 게 더 유용한 법이에요."

"그 말인 즉, 정보력이 힘이다?"

"그렇죠! 열 명의 새로운 노동력보다는 한 명의 경험 있는 정보력이 더 막강할 때도 있는 법이거든요."

"대체 그런 건 어디에서 배운 겁니까? 무녀 수업에서 그런 것도 배워요?"

"아뇨. 이건 제 아버지께……."

"아버지? 아버지가 사업 같은 거 하셨어요?"

"네, 그랬죠."

대한민국에서 신채영으로 살던 시절의 아버지를 떠올린 윤조의 표정이 어두워졌다. 그녀의 표정 변화에 무언가를 더 물으려던 파이옌은 입을 다물었다. 대답이 과거형인 걸 보니 뭔가 사연이 있는 것 같았다. 아침부터 우울한 병아리는 좀 그렇지. 그가 어깨를 으쓱이며 말을 돌렸다.

"마님 지금 바쁘세요?"

"아뇨. 딱히 할 건 없어요."

"잘됐네요. 갑시다."

파이옌이 손짓하며 대문을 향해 성큼성큼 걷기 시작했다. 윤조가 어딜 가는지 묻자 그가 고개를 돌려 씨익, 이를 드러내고 웃었다.

"유모님께서 심부름을 시키셨는데 혼자서는 심심해서요."

"무슨 심부름인데요?"

대문까지 걸어간 윤조가 그래도 허락을 구하고 나가야 한다며 돌아가려 했지만 파이옌의 손이 더 빨랐다. 병사들 교대 시간을 알아놓길 잘했지. 그가 음흉한 미소를 지으며 윤조의 손목을 당겼다.

❖

"윤조가 누구랑 같이 나갔다고?"

"새로 들어온 하인이요. 왜 문씨 가문에서 쫓겨났다는 그 마당쇠요."

나래의 말을 전해 들은 준영의 심기가 불편해졌다.

"어디로 간다는 말은 있었나?"

"목격한 하인 말로는 그놈이 다짜고짜 윤조 손목 붙잡고 나갔다고 합니다. 유모님께 심부름 받은 게 있다고 들었답니다."

일부러 '손목을 붙잡고 나갔다'는 말을 강조한 나래가 준영만큼이나 그 하인이 거슬린다는 듯 눈살을 찌푸렸다.

"마침 기가 막히게도 병사들의 교대 시간이었다고 하더군요. 거슬리는 행동이 한둘이 아닙니다. 독사 사건 직후 문씨 가문에서 쫓겨났다는 사람이 곧장 윤조를 찾아온 것도 그렇고. 그 하인 뭔가 좀 이상해요."

단순히 사람이 마음에 들지 않는다고 허튼소리를 할 나래가 아니
었다.

"부탁하셨던 거 살펴봤는데 유독 윤조에게만 살갑게 굴더군요.
저나 다른 상전들 앞에서는 예의를 차리다가도 윤조 앞에서는 격
없이 행동합니다. 표면상으로는 도움을 요청하러 왔다지만, 계속
해서 윤조에게 너무 가깝게 접근하려는 점이 걸려요."

"바로 가 보겠다. 어디로 향했는지는 알고 있나?"

"공방으로 주문 넣은 말안장을 찾으러 갔다고 합니다."

"마님."

"……."

"에이, 마님 화나셨어요?"

"다짜고짜 이렇게 끌고 나오면 어떡해요. 지금이라도 돌아가는
게 좋겠어요."

파이옌의 손에 끌려오는 동안 공방에 주문 넣은 말안장을 찾아야
한다는 심부름을 전해 들은 윤조가 그의 손을 뿌리치며 불만스럽
게 볼을 부풀렸다.

"에이, 멀리도 아니고 시장에 있는 공방 잠시 다녀오는 건데요, 뭐."

뒤늦게 윤조의 마음이 상했다는 것을 안 파이옌이 사람 좋게 웃
으며 그녀를 달랬지만 한껏 빵빵하게 부푼 윤조의 볼은 들어갈 줄
몰랐다.

"계속 볼 뚱뚱이로 다닐 거예요?"

"어디의 누구 씨 때문에요. 왜 이렇게 막무가내예요? 전에도 분명 조심해 달라고 말했잖아요."

"알겠어요, 알겠어. 그럼 다시 돌아가죠. 가서 이야기하고 다시 나오면 문제없는 거죠?"

"늦었어요. 그럴 거면 나오기 전에 했어야죠."

"화나셨습니까?"

"이런 식의 행동, 좀 불쾌하네요."

솔직한 윤조의 감상에 그가 어쩔 줄 몰라 목뒤를 긁적였다.

서국에서 대부분의 여인들은 자신에게 먼저 다가와 안기거나, 예뻐해 달라고 아양을 부리거나, 돈으로 밤을 사는 존재들이 전부였다. 또 그가 여인을 가까이하는 색욕 많은 사내도 아닌지라 탐욕으로 얼룩진 여인들이 자신에게 몸을 열며 달려드는 모양새를 썩 좋아하지도 않았다.

여인들보다는 뼈 굵은 사내들과 검투장을 누비는 것이 더 익숙했고, 누군가를 배려하기보다는 누군가와 겨뤄 이기고, 누군가를 강제로 자신의 아래에 두거나 자신의 것으로 만드는 것이 일상인 삶이었다. 그런 그에게 있어 섬세함이란 검을 다룰 때나 중요시되는 덕목이었다.

"아니, 그 집에 갇혀 있는 것도 아니고 외출 하나 마음대로 못 합니까?"

그리고 지극히 직관적이게도, 인간관계에 있어 섬세함이라고는 눈곱만큼도 찾아볼 수 없는 그가 윤조의 불쾌감에 대응한 방식은 짜증이었다. 윤조는 오히려 자신에게 버럭 성을 내는 그를 가만히 쳐다보다 깨달은 바가 있는지 아하, 하며 손뼉을 쳤다.

"저 철수 씨에게 부족한 게 뭔지 알았어요."

"제게 부족한 거요? 갑자기 그게 무슨?"

"네. 가만 생각하니 무려 세 가지나 되네요."

갑작스러운 윤조의 말에 궁금해진 그가 물었다.

"그게 뭡니까?"

"배려심, 참을성, 신중함이요."

하나하나 손가락까지 꼽아 가며 또박또박 힘주어 하는 말에 파이엔의 표정이 굳어졌다.

—파이엔. 버러지가 왜 끝까지 버러지인 줄 아느냐? 사리분별을 못하기 때문이다.

귓가에 왕왕히 메아리치는 음성은 서국 황제의 것이었다. 하루가 멀다 하고 귀에 못이 박히도록 들었지. 신중해라. 본능에만 따르는 건 인간이 아니라 짐승이라고. 다시금 서국 황제와 겹쳐지는 윤조의 모습에 그가 질색하며 뒷걸음질 쳤다.

"마님, 혹시 성질 더럽고 돈 많은 배다른 오빠가 있다거나?"

꼴깍, 마른침을 삼킨 그의 물음에 윤조가 웬 엉뚱한 소리냐며 고개를 갸우뚱 기울였다.

"음? 돈이 많아요? 집 나간 오빠는 있는데 돈 많은 오빠는 없어요. 성질 더러워도 좋으니 돈 많은 오빠 있었으면 좋겠네요."

"잘 생각해 보세요. 진짜 없어요? 성질 고약한 머리털 붉은 오빠 하나 있지 않아요?"

"저처럼 머리털 노란 오빠도 없는데 무슨 소리예요? 이상한 소리 말고 새겨들어요. 다 철수 씨 위해서 하는 말이니까. 배려심, 참을성, 신중함은 사람들이랑 살아가는 데 필수 요소라고요."

"으아아아! 그 얘기는 질리도록 들었어! 기억하기 싫은 얼굴 떠오르니까 그만하시죠."

"누군지 몰라도 옳은 말씀 하신 거 같은데요?"

"옳은 말에 반드시 옳은 행동이 따라오는 법은 아니거든요."

정색하는 태도에 윤조가 의문하며 고개를 갸웃했다.

'뭐지, 방금? 뭔가 묘하게 분위기가 변했던 것 같은데?'

잠시 말이 없던 파이옌은 이내 궁싯거리며 윤조를 노려봤다.

"에이, 짜증. 그래! 제가 잘못했습니다. 참을성도 신중함도 배려심도 없는 막 나가는 놈이 바로 저죠. 됐습니까?"

"철수 씨, 삐졌어요?"

"남자한테 삐지는 게 뭡니까!"

"그럼 화났어요?"

"화 안 났습니다! 빨리 말안장이나 찾고 마님이 그렇게나 좋아하는 집으로 갑시다!"

쿵쾅쿵쾅 발을 구르며 저만치 앞서가 버리는 파이옌의 모습에 윤조가 못 말린다며 어깨를 으쓱했다.

"정말 제멋대로인 사람이야. 혜린 무녀님은 다루기 어려운 사람 길들이기를 좋아하셨던 걸까?"

제멋대로인 파이옌만큼이나 제멋대로인 윤조의 오해도 깊어져 갔다.

시장 안을 가로질러 반대편 입구로 나가면 개천 건너 큰 사거리가 만나는 곳에 공방이 자리했다. 그곳은 수도에서 가장 큰 12공방으로, 전쟁 시기에는 군수 물품을 만들어 내는 주요한 장소였다.

공방 가까운 시장 안쪽에는 공방에서 제작된 부채나 삿갓, 소쿠

리나 곰방대 따위의 생필품이나 자개로 세공한 보석함같이 고가의 상품도 판매했는데, 보통 황실에 들어가는 진상품의 품질 기준에 못 미치는 상품들이 거리로 나왔다. 하지만 황실 진상품 기준에 미치지 못했다고 해도 일반 서민들 기준에서는 제법 값이 나가는 고가의 제품들이었다. 윤조는 공방으로 향하는 길목, 시장 안쪽에서 판매하는 상품들을 살피느라 쉴 새 없이 눈동자를 굴려야 했다.

"우와, 저 부채! 한 땀 한 땀 금실로 수놓은 고가품이잖아! 중고로 팔아도 족히 금화 두 냥은 받겠다. 오오오! 저 자개함! 저 빛깔 좋은 아름다운 자태! 저건 특등품 전복 껍질로 만든 일등급 제품이다! 반사되는 영롱한 무지개 빛깔! 저 기품 있게 조각된 두 마리 매! 엄청나!"

"저기요, 마님?"

"우와와와와! 저것 봐요, 저거! 개인 매를 관리하는 새장! 청동으로 만들어진 저 아름다운 몸체! 대박. 심지어 장식 문양이 보석이잖아!"

"마님, 진정하시고—."

"쓰읍! 지금 상황에서 진정이 되겠어요? 무려 돈더미에 둘러싸여 있는데!"

말도 안 하고 끌고 나왔다고 불편해할 때는 언제고 쉼 없이 감탄사를 자아내며 눈을 반짝이는 그녀의 모습이 가히 공격적이었다. 기분이 좋아졌는지 한껏 올라간 목소리가 제법 컸다. 우렁차기까지 한 핀잔에 파이옌이 움찔 몸을 떨었다. 설마 이 병아리한테 기세에서 밀릴 줄이야. 그는 기가 막힌 표정으로 한숨을 쉬며 머리카락을 쓸어 넘겼다.

"그렇게 갖고 싶으면 사면 되잖습니까?"

툭 던지는 파이옌의 말에 윤조가 눈을 반짝이는 모습 그대로 고개를 휙 돌렸다.

"사 줄 거예요?"

"아니, 그걸 왜 제가 삽니까?"

"그럼 조용히 하세요."

"아, 넵."

본전도 못 찾았다. 역시 엄청난 병아리. 왠지 졌다는 기분에 충격받은 파이옌의 마음을 아는지 모르는지, 윤조는 다시금 그의 옷소매를 잡아당겼다.

"저거 예쁘죠?"

"어떤 거요?"

"저기, 저거요."

그녀가 손으로 가리키는 곳을 바라보자 가게 안쪽에 걸려 있는 혼례복이 보였다. 작고 노란 꽃이 수놓인 새하얀 혼례복은 목 부분과 가슴, 소매 부분이 무색의 반짝이는 보석으로 아름답게 장식되어 있었다. 제법 많은 자잘한 보석이 달려 있음에도 청아한 아름다움을 자아내는 혼례복이었다.

"예쁘네요."

세공이나 꾸밈과는 거리가 먼 파이옌이 보아도 퍽 아름다운 옷이었다. 옆을 돌아보자 홀린 듯이 혼례복을 쳐다보는 윤조의 옆모습이 보였다. 입을 작게 벌린 채 멍하니 서 있는 것을 보니 단단히 넋이 나간 모양이었다.

"어울릴 것 같은데 입어 보지 그래요?"

그 말에 정신을 차린 윤조가 고개를 흔들었다.

"어, 음, 그래도 살 것도 아닌데……."

"입어 보고 마음에 들면 점찍었다가 홍 장군님께 말씀드리면 되죠. 보아하니 황궁이라도 털어 줄 기세던데."

그래도 우물쭈물하는 윤조의 모습에 하는 수 없이 파이옌이 먼저 그녀의 등을 가게 안으로 떠밀며 크게 외쳤다.

"여기, 주인장! 여기 손님이 저기 걸린 옷을 입어 보고 싶답니다."

그는 당황하는 윤조를 힘으로 가게 안으로 밀어 넣고 주인장이 건네는 옷을 받아 윤조의 손에 쥐여 주었다.

"어서 갈아입고 나와요. 어울리는지 어떤지 봐 줄 테니까."

"아, 아니, 이거 척 봐도 엄청 비싼!"

"비싼 거 아니까 어서 입고 나와 봐요."

계속해서 머뭇거리는 윤조를 천막이 쳐진 탈의실로 밀어 넣은 파이옌이 혀를 찼다.

"비싸 봐야 천 조각인데 뭘 그리 벌벌 떠는지 원."

그렇게 말하면서도 그는 윤조의 망설임이 무엇인지 알았다. 태어나면서부터 돈에 끌려다니는 삶이 무엇인지 그도 공감하는 바가 컸기에.

"가진 것 없는 사람들이 고통스러운 건 거기나 여기나 똑같군."

그가 중얼거리고 있을 때 탈의실의 천막이 걷어졌다.

"입어 봤는데 어때요?"

"척 봐도 대충 어울릴 것 같……."

무심결에 고개를 돌리던 파이옌이 그대로 멈췄다. 그는 윤조를 처음 봤을 때 머리색이 특이한 것도 그렇지만 일반적인 나투국 사람들에 비해 유달리 흰 피부를 지녔다고 생각했다. 그래서 그녀가 가리키는 하얀색 혼례복을 봤을 때도 대충 어울리겠거니 여겼는데, 착각이었다.

순결함을 상징하는 새하얀 혼례복을 입은 윤조의 낯빛이 이전보다 화사했다. 옷에 수놓인 작은 노란색 꽃이 그녀의 황금색 머리카락과 눈동자에 꼭 맞춘 것처럼 어울렸다.

"헤헤, 예쁘다. 그런데 제가 입기에는 옷소매가 좀 긴 것 같아요."

작은 체구 탓에 손바닥 아래로 헐렁하게 남는 옷소매가 펄럭였다. 작은 새가 날갯짓하는 것처럼 팔을 위아래로 흔들어 보이던 윤조는 아무런 말도 없이 뚫어져라 자신을 바라보는 파이옌을 향해 어색한 미소를 지었다.

"많이 이상해요?"

"아니, 이상한 건 아닌데……."

"별로 안 어울리는구나? 얼른 벗어야겠다."

"아니!"

"네?"

갑작스러운 외침에 깜짝 놀란 윤조가 탈의실로 들어가려다 말고 그를 쳐다봤다.

"아니, 괜, 괜찮네요. 나쁘지 않은데."

괜히 헛기침을 하며 윤조의 모습을 눈에 담던 파이옌이 그녀와 눈이 마주치자 슬쩍 시선을 비꼈다. 나쁘지 않다는 그의 말에 기분이 좋아진 윤조가 활짝 웃었다.

"정말요? 정말 괜찮아요?"

"예, 뭐. 괜찮네요."

"다행이다. 저 이 옷 너무 마음에 들었거든요."

"크흠, 잘됐네요. 그럼 여기 주인한테 말해서 팔지 말아 달라고 하고 홍 장군님께 말씀드리면 되겠네요."

"에이, 그건 장사 방해하는 거죠."

"마음에 든다면서요? 그러다 누가 먼저 사 가면? 그때 가서 후회해도 팔린 옷은 안 돌아옵니다."

"그건 그렇지만……."

금세 시무룩해져서 고민하는 그녀의 모습에 파이옌이 가게 주인을 불렀다.

"주인장. 여기 이분이 보름 뒤에 대장군님이랑 혼례 올릴 분인데 이 옷이 마음에 들었다고 하니 팔지 말고 기다려 주시오."

"아이고, 이분이 그분이구나! 며칠 전에 염모제 파는 김 씨한테 들었어요. 꼭 기다리고 있을 테니 천천히 오셔도 됩니다."

염모제 파는 김 씨라는 말에 파이옌의 눈썹이 미세하게 씰룩였다. 잊고 있었네, 정보의 출처. 그는 애써 표정을 지우며 윤조를 돌아봤다.

"자, 이럼 해결된 거죠?"

"어휴, 이러다 온 수도를 이 잡듯이 돌아다니겠네. 대체 어디로 간 거람?"

한편, 말도 없이 사라진 파이옌을 찾아 수도 곳곳을 돌아다니던 혜린의 시녀는 함께 나온 하인들과 함께 시장에 다다랐다.

"너, 저쪽으로. 너랑 너는 반대편으로. 나는 이쪽으로 갈 테니 조금 이따가 이곳에서 다시 만나지."

시녀는 함께 온 하인 셋을 각각 시장의 다른 방향으로 가게 하고 자신 역시 파이옌을 찾아 시장 큰 길목을 걷기 시작했다.

"이렇게 사람이 많아서야."

아침부터 나온 사람들이 어찌나 많은지 붐벼 대는 통에 정신이 하나도 없다. 그녀는 짜증스럽게 치마를 들어 올리고 종종걸음으로 시장을 누비기 시작했다. 그러다 어느덧 시장의 반대편 입구인 공방 근처에 다다랐을 때 한 가게 안에서 나오는 파이옌을 발견하고는 반색했다.

"귀공! 귀공 여기-! 어라? 뭐야, 저건? 저 여자는 대장군님 새로운 정혼자라던 그 무녀 아니야?"

시녀는 홍씨 가문에 방문했을 때 봤던 윤조의 얼굴을 기억해 냈다. 놀란 눈으로 함께 있는 두 사람을 번갈아 보던 시녀가 급히 얼굴을 가렸다.

'대체 왜 귀공께서 저 무녀랑 함께 있는 거지?'

왠지 모르게 다정해 보이는 두 사람의 모습에 당황하던 시녀는 가게에서 나와 공방을 향해 가는 두 사람을 미행하기로 했다.

"헤헤헤."

"그렇게 좋아할 거 진작 입어 보지 말입니다."

윤조의 얼굴에서 웃음이 떠나지 않자 파이옌이 참 알기 쉬운 여자라며 피식 따라 웃었다.

"헤헤, 그러게요. 철수 씨 덕분에 예쁜 혼례복도 찜했고."

"찜? 그런 말 여기서도 씁니까?"

예기치 못한 질문에 아차 하던 윤조는 '여기서도'라는 그의 말에 의아하게 되물었다.

"이런 말을 또 쓰는 곳이 있어요?"

"예, 뭐. 제가 아는 곳이 있긴 하죠."

"거기가 어딘데요?"

"아마 설명해도 모를 겁니다. 바다 건너 먼 나라 이야기라."

"그렇구나. 이런 말을 쓰는 곳이 이쪽에도 있었구나. 신기하네."

"이쪽이라니요?"

파이옌은 그런 윤조를 이상하다는 듯 쳐다봤다.

"마님 국경 쪽에서 살았다고 들었는데 아닙니까?"

"아아, 그전에 살던 곳이 있어서요."

"그전에요?"

"네, 뭐. 그렇죠."

대한민국을 설명할 수는 없으니 국경에 살기 전에 살았던 곳이라 둘러대자 파이옌이 그러냐며 고개를 끄덕였다. 이 세계에 다시 태어나 살아가는 방식엔 적응했지만, 이전의 기억이 너무도 또렷이 남은 탓에 원래 갖고 있던 말버릇이나 습관을 고치는 데 애를 먹는 윤조였다. 나래와 준영과 함께 있을 때도 무의식중에 툭툭 튀어나와 곤란한데 이제는 철수 씨 앞에서까지.

아무래도 인간관계가 가까워지면 긴장감이 사라지고 편안하게 이야기를 하다 보니 실수가 잦았다. 혹 자신이 대한민국에서 사용하던 언어를 쓴다고 해도 철수 씨가 알아듣지는 못하겠지만. 바다 건너에 비슷한 말을 쓰는 나라가 있다고 해도 완전히 똑같은 언어를 사용하지는 않을 테니 말이다.

'찜이라는 말은 어디에나 하나쯤 있을 법하니까.'

윤조는 자신의 이런 생각을 알 리 없는 파이옌을 바라보며 씨익 웃었다.

"아, 다 왔네요. 공방."

그녀는 눈앞에 보이는 가죽 공방을 가리켰다.

"말안장 찾아야 한다고 했죠?"

"예. 산이가 새로 쓸 거라고 하던데요."

"오, 산이 신상이구나! 어서 가 봐요!"

마음에 드는 혼례복도 찜했겠다, 윤조는 서둘러 심부름을 마치고 집으로 돌아가고 싶어 발바닥이 근질거렸다. 대장군님도 마음에 들어 할까? 여자가 보는 눈이랑 남자 보는 눈이랑은 다르다고들 하던데. 철수 씨가 괜찮다고 했으니 괜찮겠지? 그녀는 흥얼흥얼 콧노래를 부르며 공방 안으로 앞장서서 들어갔다.

윤조와 함께 파이옌이 공방 안으로 들어간 후, 멀지 않은 곳에서 그들을 지켜보던 혜린의 시녀가 갑갑한 마음에 입술을 깨물었다.

"대체 저 두 사람이 왜 같이 있는 건지 모르겠네. 아가씨께 전해야 하는데 전서구도 없고. 그렇다고 가서 직접 물어볼 수도 없고."

발을 동동 구르던 시녀는 공방 가까이 접근해 두 사람이 무엇을 하는지 지켜봤다.

"말안장? 말안장을 찾으러 온 건가?"

멀리 파이옌이 공방의 장인에게서 말안장을 받는 모습을 지켜보던 시녀가 의아한 눈을 했다.

　"대체 귀공께서 왜 저 무녀의 하인처럼 굴고 있는 거지?"

　계속 살펴보니 윤조는 아무것도 하지 않고 한 걸음 떨어져 있는 것에 반해 파이옌은 적극적으로 장인에게 무언가를 이야기하며 준비된 말안장을 챙기는 것이 아닌가. 그 모습이 마치 그가 윤조의 하인이라도 된 것 같은 모습이라 시녀의 머릿속이 더욱 혼란스러웠다.

　말도 없이 나가더니 윤조라는 무녀와 함께 있다? 윤조가 파이옌을 경계하지 않는 까닭은 혜린이 방문했을 때 안면이 있어 그렇다 치더라도, 문제는 왜 저 성질 더러운 서국의 첩자가 홍씨 가문의 무녀에게 하인 노릇을 하는지에 관한 것이었다.

　"사고 치지 않길 바랐는데 이건 그냥 사고도 아니고 대형 사고네. 저러다가 정체가 들통나기라도 하면 혜린 아가씨는 물론이고 문씨 가문 전체가 뒤집어쓸 텐데!"

　외줄타기를 하는 것처럼 조마조마한 마음에 시녀의 심장이 쿵쾅거렸다. 이러고 있을 때가 아니다. 우선은 아가씨에게 알리는 게 먼저다. 말안장을 찾아 가게 밖으로 나오는 두 사람을 피해 시녀가 걸음을 빨리했다.

　"철수 씨?"

　"예."

　"안장 많이 무거워요? 제가 들까요? 저 힘센데."

　"아니요. 괜찮습니다."

　말안장을 찾아 공방을 나온 직후부터 파이옌의 상태가 이상했다.

중요한 주제는 아니었으나 소소하게 대화가 끊이지 않던 이전과 달리 그가 한마디도 하지 않은 채 앞만 보고 걷고 있었기 때문이었다.

윤조는 자신이 무언가 언짢은 행동을 했나 싶어 그의 눈치를 봤다. 친근하게 불러도 봤지만 그는 필요한 대답만을 하고 다시 입을 다물었다. 말안장이 꽤 무거워 보이는데 혼자만 들게 해서 그런가? 아니면 어디가 아픈가? 걱정이 된 윤조가 자신이 들겠다며 손을 뻗었지만 파이엔은 괜찮다며 팔을 피했다.

"잠도 잘 못 잤다면서요. 피곤해 보이는데 제가 들게요. 이리 주세요."

윤조가 지지 않고 그가 들고 있던 안장을 붙잡았다. 슬쩍 힘주어 들어 봐도 꽤 무거운 무게다. 그녀는 안 되겠다 싶어 그의 손에 있던 말안장을 번쩍 들어 품에 안았다.

"으차, 생각보다 무겁네요. 공평하게 번갈아 가며 들죠."

"괜찮습니다."

"시장 앞까지만 제가 들게요. 그다음부터는 철수 씨가 들어요. 어서 가죠. 유모님께 혼나겠어요."

정말 어디가 아픈 건가? 안색도 안 좋아 보이는데. 혹시 그가 미안해할까, 윤조는 괜히 너스레를 떨며 앞장섰다.

그렇게 몇 걸음 앞서던 그녀는 한참이 지나도 자신을 따라오지 않는 파이엔을 돌아봤다. 조금 전 그 자리에 우두커니 멈춰 선 그는 움직일 생각이 없어 보였다. 영문을 모르는 그녀가 갔던 길을 되돌아 파이엔의 앞에 섰다.

"철수 씨, 왜 그래요?"

파이엔은 물끄러미 자신을 올려다보는 윤조를 알 수 없는 눈으로 바라봤다. 보이는 시야로 주변을 살피자, 지나치는 사람들의 모습이 보였다.

"제가 뭘 좀 새롭게 알게 된 사실이 있어서 말입니다."

"새롭게 알게 된 사실이요?"

"예. 마님에 대해서요."

알 수 없는 말이었다. 그는 북적이는 시장 복판, 자신들에게 신경 쓰는 이가 없다는 것을 확인하고 고개를 숙여 윤조의 얼굴에 가까이 했다. 갑자기 가까워지는 그의 얼굴에 움찔, 놀란 윤조가 고개를 돌려 피하자 파이옌이 그녀가 도망칠 수 없도록 윤조가 들고 있던 말안장을 붙잡았다.

"또 무슨―!"

그가 또다시 짓궂은 장난을 치려나 지레 짐작한 윤조의 미간에 힘이 들어갔다. 힘주어 들고 있던 말안장을 당겨 봤으나 파이옌의 손은 꿈쩍하지 않았다. 그때 윤조를 향해 고개 숙인 파이옌이 속삭였다.

"대한민국."

"……."

"아십니까?"

그의 입에서 나온 단어에 윤조의 얼굴이 삽시간에 굳어졌다. 내가 지금 무슨 말을 들은 거지? 대한민국? 방금, 분명 대한민국이라고…….

다른 사람의 입에서는, 이쪽 세상의 사람에게는 다시 들을 일 없을 거라 생각했던 단어였다. 당황하다 못해 경악으로 물든 그녀의 얼굴에 파이옌은 확신했다.

"하, 설마가 사람 잡는다더니."

그는 짧게 한숨을 쉬며 잡고 있던 말안장을 힘주어 당겼다. 그러자 윤조의 몸이 자연스럽게 그 힘을 따라 비스듬히 기울어졌다.

"너, 누구야."

강압적인 그의 태도에 두려움을 느낀 윤조가 그의 손을 밀쳐 내며 한 걸음 멀어졌다. 파이옌이 무표정한 얼굴로 윤조를 바라봤다.

"너, 누구냐고."

"지금 무슨……."

드문드문 잘려 불완전한 물음이 된 언어가 윤조의 입술을 따라 흘렀다. 말안장을 들고 있던 윤조의 손이 눈에 띌 정도로 덜덜 떨려 왔다.

"뭔가 이상하다고 생각했지. 이 타이밍이 아닌데, 갑자기 왜 내가 모르는 일들이 벌어지는 건지."

이제야 퍼즐이 맞춰지는 기분이다. 그럼 그렇지. 수면으로 드러난 진실에 윤조를 바라보는 그의 시선이 단단해졌다.

"너, 원래 이름 있을 거 아니야. 윤조라는 이름 말고 다른 이름."

파이옌은 혼란으로 얼룩진 그녀의 눈동자를 바라보며 자조했다.

"하, 뭐 이런 경우가 다 있지? 맞지? 너도 원래 이 세계 사람이 아닌 거. 철수라는 이름에서 느끼는 거 없었어? 영희와 철수. 대한민국 교과서에 흔하잖아."

망치로 뒤통수를 맞은 것같이 멍한 감각에 윤조가 더듬더듬 말을 이었다.

"그럼 설마, 철수 씨도?"

"우지훈."

파이옌이 손가락으로 자신을 가리키며 말했다.

"철수라는 촌스런 이름 아니고, 원래 내 이름."

"우지훈……."

"그래, 그거."

"……."

같은 기억을 가진 사람을 만난 반가움보다 갑작스럽게 진실을 알게 된 충격이 더 컸다. 우지훈이라는 이름을 되뇌며 파이옌을 바라보는 윤조의 손에서 떨림이 멈추지 않았다.

같은 세상에서 온 사람? 나와 같은 대한민국에서 살았던 사람이라고? 전생의 기억을 간직한 사람이 나 말고 또 있었던 거야! 나와 같은, 나와 같은 세상의! 경악스러운 상황에 힘겹게 들고 있던 말 안장이 바닥으로 떨어졌다.

"많이 놀랐나 보네. 나도 좀 충격이긴 하다. 사업 파트너라는 단어 들었을 때부터 뒤가 싸하더라니."

"그때 안 거예요?"

"뭐, 대충은. 그래도 좀 더 지켜봐야겠다고 생각했는데. 너 친해지면 긴장감 확 풀리는 타입이더라? 특히 기분 좋아지면 더 그렇고. 찜이니 신상이니 이 세계에서 그런 말 쓰는 사람이 어디 있어?"

"그럼 바다 건너 먼 나라 이야기는……."

"당연히 거짓말이지. '이쪽'에 온 뒤로 바다 근처에도 못 가 봤는데."

"그, 그럼 당신도 나와 같은 환생자인가요?"

"환생자?"

"신채영."

어느덧 떨림이 잦아들었다. 또박또박 자신의 다른 이름을 이야기하는 윤조의 눈빛이 강렬했다.

"내 이름이에요. 이제 다시는 쓸 일 없겠지만."

"신채영. 신채영? 이름이 왠지 익숙한데. 너 원래 나이는?"

"우지훈 씨."

누군가의 입을 통해서는 실로 오랜만에 불리는 이름이었다. 순간 멈칫한 파이옌을 바라보며 윤조가 다시 말을 이었다.

"방금 제가 한 말을 이해하지 못한 것 같아서 말씀드려요. 제가 그 이름을 쓸 일은 없을 거예요. 당신의 다른 이름을 부를 일도 없겠죠. 어차피 이곳은 다른 세계니까요."

"흠, 그렇긴 하지?"

"같은 기억을 가진 사람을 만나다니 반가워요. 아니, 솔직히 말하면 당황스러워요. 너무, 너무 놀랐어요. 정말 생각지도 못했거든요. 저와 같은 사람이 존재할 줄은 정말로……. 하지만 이 일을 계기로 지금의 관계가 달라질 거라고 생각하진 않아요. 구태여 서로의 비밀을 들춰 위태로운 상황을 만들기도 싫구요."

말했다시피 이곳은 대한민국이 아니다. 신채영은 죽었다. 이곳, 이 땅에 서 있는 이는 오롯이 '윤조'여야 했다. 적어도 그녀에겐 그랬다. 비록 잊히지 않았지만, 기억 속에 또렷이 박혀 잊을 수도 없겠지만, 그래도 과거 신채영으로 겪었던 불행에 얽매여 살아가진 않겠다고 다짐했다. 그래서 악착같이 버텼다. 살아왔다. 살아남았다. 누구도 알아주지 않았던 가여운 나의 삶에 다시금 후회를 남기고 싶지 않아서.

"그 말은, 서로 모른 척 지금처럼 지내자?"

"그편이 서로에게 좋을 거라고 생각해요. 당신도 이 세계에서의 삶을 지켜야 하잖아요."

애매한 관계에서 얽히는 둘만의 비밀이 좋게 이어질 리 없다. 그런 관계라면 애초에 깊어지지 않는 편이 답이다. 이런 비밀은 서로에게 결코 좋은 영향을 주지 못한다. 그리고 주변 사람들에게도.

윤조의 말에 파이옌의 입이 한일자로 다물렸다. 그는 잠시 그녀를 바라보다 천천히 입을 열었다.

"너는 이전의 삶에 미련 따위는 없다는 거야?"

미련.

한 단어가 윤조의 가슴에 와 박혔다. 미련이 있다면 있고 없다면 없는 삶이었다. 이미 그곳에는 그녀를 반길 누구도, 무엇도, 아무것도 남아 있지 않았다. 걸리는 것이라면, 어머니와 아버지의 묘 앞에 제대로 인사도 드리지 못한 채 영영 떠나 왔다는 것일까.

그 생이 끝나면 먼저 간 이들을 만날 수 있을 것이라고 생각했다. 하지만 생이란 건, 찾아오기 전에도 선택할 수 있는 죽음과는 또 다른 거대한 흐름이었다. 다른 세계인 이곳에서 태어나 다시 한 번 생을 살아오며 깨달은 사실은, 자신이 그토록 원했던 한 번의 기회를 다시금 준 신께 감사하며 새로운 세계에서 다시 태어난 자신의 삶에 최선을 다해야 한다는 것이었다.

"이미 지난 삶이니까요. 돌아가고 싶다고 원해도 죽음을 되돌릴 수는 없잖아요."

당신도 그렇지 않냐는 물음이 윤조의 눈빛에 담겼다. 파이옌은 깊은 한숨을 내쉬었다.

"너 대체 어떻게 이곳에 오게 된 거야?"

"사고가 있었어요."

"사고?"

"네. 사고."

떠올리기 싫은 기억이었다. 전생의 기억이 선명한 탓일까? 신채영이던 마지막 기억도 무척 선명했다. 그것은 곧 그녀가 겪었던 고통도 선명함을 의미했다.

그날은 자신의 생일이자 어머니의 기일이었다. 납골당에 들렀다가 나오는 사이, 비가 내리기 시작했다. 여름의 지독한 장맛비였다. 하늘에 구멍이라도 뚫린 듯 갑자기 쏟아져 내리는 굵은 빗줄기를 피해 그녀의 걸음이 빨라졌다.

횡단보도도 없는 작은 도로였다. 바로 건너편에 버스 정류장이 보였다. 좌우를 확인해도 달리는 차는 없었다. 이마를 적신 빗물이 자꾸만 눈으로 흘러들었다. 눈물과 뒤섞인 빗물에 앞이 흐렸다.

그렇게 세 걸음 정도 앞으로 나아갔을까? 밝은 불빛이 시야를 가렸다. 가까이 달려오는 오토바이의 형체와 함께 몸이 날았다가 떨어졌다. 쿵, 머리가 울렸다. 붉은색으로 시야가 가려졌다. 그것이 신채영의 마지막이었다.

바로 어제처럼 느껴지는 생생함에 윤조의 두 눈이 저절로 질끈 감겼다.

"왜 그래? 어디 아파?"

어깨를 붙잡아 오는 손에 그녀가 괜찮다며 고개를 저었다. 눈을 뜨자 현기증이 났다. 비틀, 몸이 한쪽으로 기우는 것을 억지로 버티자 윤조의 어깨를 잡고 있던 파이옌의 손에 힘이 들어갔다.

"정말 괜찮은 거 맞아? 너 지금 얼굴 하얗게 질렸어."

"전 괜찮아요. 아, 안장이……."

그녀가 파이옌의 손을 밀어내며 몸을 낮췄다. 바닥에 떨어뜨린 말안장을 주워 흙먼지를 털고 있자 눈앞으로 내민 손바닥이 보였다.

"괜찮다니까요."

"못 믿어. 잡아."

"후, 그럼 말안장만 대신 들어 줄래요?"

"그건 당연한 거고. 이리 줘."

오른손으로 말안장을 빼앗듯이 잡아 든 파이옌이 왼손을 내밀었다.

"팔 떨어진다. 얼른 잡아. 남들 시선이니 뭐니 네가 왜 원래 이름을 비밀 삼고 모른 척 넘어가 달라고 하는지 다 알겠는데, 오해하지 마. 이건 그냥 우리 세상에서도 흔했던 인정이야. 사람 사는 정 몰라? 너는 어떨지 몰라도 나는 반가워. 네 덕에 우지훈이라는 이름이 부정당하지 않은 것 같아서 반갑다고."

'파이옌'과는 사뭇 다른 모습이었다. 가면처럼 쓰던 장난스러운 웃음을 지운. 아니, 어쩌면 이게 진짜 모습인가. 진솔한 그의 감상에 주춤거리던 윤조가 하는 수 없이 손을 내밀어 그의 손을 잡았다. 끌어당겨지는 힘이 강했다. 기운 없는 몸이 끌려가듯 앞으로 당겨졌다. 발이 꼬여 너른 가슴팍에 그대로 얼굴을 들이받은 윤조가 아픈 소리를 냈다.

"아으으, 아파요! 그렇게 세게 당기면 어떡해요!"

"너는 뭘 애가 이렇게 가볍냐? 괜찮아?"

아픈 코를 문지르며 고개를 끄덕이던 그녀가 자신의 어깨를 감싼 파이옌의 손을 가만히 밀어냈다. 그렇게 시선이 향한 자리, 그의 손목.

멈칫, 윤조의 동작이 멈췄다.

畜(짐승 축)

시선의 끝, 그의 왼손 손목 안쪽에 글자로 된 문신이 선명했다.

"당신, 이 글자……."

'까마귀.'

'서국의 세작.'

눈앞의 사내는 일전에 자신을 습격했던 세작과 같은 무리가 분명했다. 깨달음과 동시에 모골이 송연했다. 척추를 타고 흐르는 한기를 느끼며 윤조가 천천히 고개를 들어 파이옌을 향했다. 그의 머리는 검은색. 그렇다면 염모제 가게 주인이 말했던 수상한 승려복 차림의 남자가? 윤조의 눈동자에 경악이 어렸다. 천천히 커다랗게 확장되는 그녀의 밝은 눈동자를 바라보며 파이옌이 난처한 얼굴을 했다.

"봤구나."

일순 티끌의 감정조차 찾아볼 수 없이 무표정하게 변한 그의 얼굴에 소름이 돋았다. 이자다. 화재로 불타 죽었다는 세작은 가짜다. 야간 경비대 열 명을 몰살했다는 진짜 세작은 눈앞의 사내가 분명했다.

"당신이 왜……?"

여러 감정이 뒤섞여 짧게 튀어나간 물음에 파이옌이 어깨를 으쓱했다.

"네가 이 세계의 삶을 선택할 수 없었듯이 나도 마찬가지야."

"염모제를 사 갔다는 수상한 승려가……."

"나 맞아. 검은색 머리카락, 간만에 정겹더라고. 옛날 생각이 나서."

우지훈일 때 내 머리카락도 검었는데 말이야.

덧붙이는 그의 말에 윤조가 숨을 삼켰다. 여상한 그의 목소리는 일말의 죄책감도 담고 있지 않았다.

소름이 돋았다. 이상했다. 그냥 이 모든 대화가 현실감 없이 멀었다. 이 사람은 무언가 어긋났다. 도망쳐야 해. 그녀의 머릿속을 지배하는 명령은 하나였다. 이곳에서, 이 사람에게서 도망쳐야 한다. 세작들에게 습격당했던 날의 공포가 되살아났다. 눈에 보일 정도로 떨려 오는 그녀의 몸에 파이옌이 혀를 찼다.

"뭘 그리 떨어. 가뜩이나 얼굴도 백지장인 애가 안쓰럽게."

"정말 당신이 그랬어요?"

"응?"

"그 사람들, 죽였어요? 당신이?"

겁에 질린 눈동자. 파이옌이 마주한 윤조의 눈동자가 공포로 얼룩져 있었다. 전투에 투입되고 많은 전장을 거치며 질리도록 봐 왔던 감정이었다. 인간 본연의, 가장 토대가 되는 본능적인 감정이라고 해도 좋을 만한 공포심.

처음부터는 아니었을 거다. 하지만 어느 순간부터 그는 자신의 손에 죽어 가는 사람들의 공포에 질린 낯짝을 우습게 여길 수 있는 지경이 되었다. 그것은 일반적으로 사람들이 무언가를 우습다고 생각하는 것과는 조금 달랐다. 그는 자신을 공포스럽게 바라보는 이들을 연민했다. 사람을 쉼 없이 죽인 자에게 그런 감정이 무슨 소용이냐 손가락질해도 그것은 분명 연민이었다.

허무했다. 자신도 그들도 권력자들의 다툼에 앞세워진 하나의 도구에 지나지 않았다. 세계에 의해 강압적으로 흘러가는 흐름에 지나지 않았으니까. 그 흐름이 다른 세계에서 온 그에게는 너무도 극명하고 이질적으로 선명했다. 그만큼 허무도 빨랐다.

연민했다. 하지만 살생을 멈출 수는 없었다. 지독히도 철저히 결정권이 주어지지 않은 이 세계에서의 삶. 죽이지 않으면 죽는다. 살아야 했다. 그래서 죽였다. 어느 순간 그 사실이, 자신이 겪는 이 현실이 우스웠다. 그래서 웃었다. 그것은 지독한 자조와 연민이 뒤섞인 허무였다.

그런데 넌 아니었나.

"그렇게 보지 마."

순간 참지 못한 파이옌의 한마디가 튀어나갔다. 너는 아니었나. 나만 그러했나. 아아, 너는 아니었나 보다. 웃음이 났다. 나만, 그러했다. 그렇다면 더더욱 너는 아니어야 한다. 더더욱 그런 시선으로 나를 바라봐선 안 된다. 겁에 질린 그녀의 눈빛이 거북했다. 마음에 들지 않았다. 그는 뒷걸음치는 윤조의 어깨를 거칠게 잡아 흔들었다.

"그렇게 보지 말라고."

"이거 놔요!"

윤조가 그의 손을 뿌리치며 달아나려 했다.

'알려야 해. 대장군님께 이 사실을 알려야 해.'

하지만 다급한 그녀의 행동에도 파이옌은 여유롭게 그녀의 몸을 돌려세웠다.

"왜? 달려가서 홍준영 그놈에게 알리려고?"

"여기 누가……!"

"네 비밀도 다 알려질 거다. 네가 나와 같은 세상의 사람이라는 것도, '신채영'이라는 이름도 전부. 홍준영, 그 무녀 친구, 네 가족

할 것 없이 모두 다."

사람들에게 도움을 청하려던 윤조가 입을 다물었다. 바라본 파이옌의 눈빛은 짙은 살의를 품은 채였다.

"혼란에 빠진 그들을 향해 난 말하겠지. 세작인 나를 홍씨 가문에 끌어들인 것도 너다. 굳이 위험 요소가 있는 문씨 가문의 하인이었던 자를 네가 그리도 감쌌던 이유는 뭘까? 원래 알던 사이여서는 아닐까?"

"당신……."

"죽을 거면 같이 죽자고. 응?"

"내가 그런다고 말 못할 것 같아?"

"협조해야 할 텐데. 안 그럼 홍준영이 죽을 테니까."

그의 말에 윤조의 눈동자가 크게 흔들렸다. 떨리는 그녀의 눈을 바라보며 파이옌이 속삭였다.

"열이나 되는 수비대를 들키지 않고 혼자 해치웠던 나야. 홍준영 그놈의 목은 못 벨 것 같아? 응? 몸 상태가 정상도 아닌 것 같던데 말이야."

"무슨 말을 하는 거야. 대장군님의 상태는 지극히 정상……."

"그런데 밤마다 치료를 받나? 황궁에 있어야 할 치료사 무녀를 무려 두 명이나 사택에 두고 말이야. 연무장에서 검을 드는 것도 한 번도 못 봤는데."

파이옌이 떨고 있는 윤조의 어깨를 한 손으로 감싸며 미소 지었다.

"내가 그깟 팔 병신 한 놈을 못 죽일 거 같아?"

그때였다. 거칠게 흔들리는 윤조의 몸을 등 뒤에서 단단하게 껴안는 팔이 있었다. 다음 순간 윤조가 그 팔의 주인을 확인할 틈도 없이 뼈와 살이 부딪치는 둔탁한 소리와 함께 파이옌이 저만치 나가떨어졌다.

"감히, 누구의 몸에 손을 대는 것이냐."

성대를 긁듯이 튀어나온 준영의 노성이 묵직했다. 그 묵직한 분노만큼이나 내지른 주먹의 위력도 남달랐다. 살기를 느낀 파이옌이 순간적으로 몸을 뒤로 빼지 않았다면 목이 부러졌을 수도 있을 정도의 힘이었다. 그는 자신의 품 안에서 바들바들 떨고 있는 윤조를 더욱 힘주어 안으며 파이옌을 노려봤다.

"아이고! 아이고! 사람 죽네! 아이고!"

파이옌이 얼굴을 감싸 쥐며 바닥을 뒹굴었다. 한껏 억울한 표정을 지은 그가 준영을 향해 외쳤다.

"대장군님! 갑자기 왜 이러십니까! 소인이 무슨 잘못을 했다고 이리 험하게 대하십니까! 아이고ー!"

"수작 부리지 말고 고하라. 혜린이 시킨 짓이냐? 이 아이를 해치라고?"

"예? 그게 무슨 말씀이십니까? 소인은 그저 심부름을 하고 있었을 뿐인데……."

"정체를 밝혀라! 누구의 사주를 받고 온 것인가!"

"무슨 말씀을 하시는 건지 쇤네는 모르겠습니다요! 아이고! 동네 사람들! 대장군님이 사람 잡네! 사람 잡아! 마님ー! 오해라고 얘기 좀 해 주십시오! 아이고, 아파 죽겠네! 아이고! 아이고!"

엄살을 피우며 사람들의 시선을 끈 파이옌이 바닥을 기어 윤조를 향해 다가갔다.

"마님ー! 마님께서는 다 아시지 않습니까! 제발 오해라고 말씀해 주세요!"

'홍준영을 죽일 거다.'

그의 눈이 그렇게 말하고 있었다. 순간 쿵, 하고 심장이 내려앉았다. 파이옌의 눈동자와 눈이 마주친 윤조의 손이 덜덜 떨려 오기 시작했다. 이자는 진심이다. 진심으로 준영을 죽일 셈이다.

준영은 이자가 서국의 세작이란 사실을 모르고 있다. 수비대 열 명을 죽였던 실력이라면 방심한 틈을 타 준영에게 치명상을 입히는 것도 어렵지 않을 것이다. 현재 준영의 팔은 그의 말처럼 정상이 아니니까. 자칫하면 정말로 준영이 목숨을 잃을 수도 있다.

'나 때문에, 다른 사람도 아닌 내가 끌어들인 이자 때문에 대장군님이……'

"허튼수작 부리지 마라. 무슨 짓을 하려 했던 것이냐!"

"아이고! 아이고! 동네 사람들! 대장군님이 엄한 사람 잡네! 아이고–!"

다시금 준영이 파이옌의 멱살을 붙잡았다. 난리 통에 사람들의 이목이 집중되었다. 웅성거리는 주변의 목소리에 윤조의 머릿속에서 수만 가지 생각이 동시에 휘몰아쳤다.

입을 잘못 열었다간 준영이 죽을 수도 있다. 기습당하면 대장군님이 위험해. 준영의 팔은 온전치 않다. 더군다나 자신이라는 약점이 곁에 있는 이상 상황이 불리하다. 두 눈을 질끈 감았다가 뜬 윤조가 준영의 팔을 잡았다.

"오해예요. 오해세요. 대장군님, 철수 씨 말이 맞아요. 대장군님께서 오해하신 거예요."

"오해? 저자가 너를 강제로 붙잡고 있었다. 오해의 여지가 있느냐?"

"그건! 그건 제가 현기증이 나서 쓰러진 걸 부축하려다가 그런 거예요."

준영이 미심쩍은 눈으로 윤조를 바라보다 파이옌을 향했다. 그러자 파이옌이 윤조의 말이 옳다며 말을 덧붙였다.

"마님 말씀이 맞습니다요! 쇤네는 마님께서 정신을 잃으려고 하시기에 당황해서 깨우려고 그랬지요."

"뭐라?"

두 사람의 팽팽한 시선이 오갔다. 윤조는 혹시라도 준영이 다시금 주먹을 날릴까, 그의 허리에 매달린 채 도리질 쳤다. 이상했다. 무언가 숨기려는 의도가 다분한 윤조의 행동에 그는 잠시 입을 다물었다. 무언가 말하지 못할 약점이라도 잡힌 건 아닐까. 날카로운 준영의 시선이 파이옌을 향했다. 그것이 무엇이든 네놈이 원하는 대로 되진 않을 것이다.

"윤조야."

나지막한 준영의 부름에 윤조는 두 눈을 꼭 감은 채 더욱 간절히 그의 허리에 매달렸다. 잠시 그녀의 노란 정수리를 내려다보던 준영이 노기를 거두고 그녀의 머리를 쓰다듬었다.

"몸이 많이 안 좋은 것이냐?"

다정한 그의 물음에 눈물이 울컥 솟아났다. 윤조는 알 수 있었다. 그가 모른 척해 준 것이다. 자신을 위해서, 자신의 말 한마디로. 그토록 자신을 아껴 주는 이에게 거짓말을 했다는 죄책감에 윤조의 손이 바르르 떨려 왔다.

"집에, 집에 가고 싶어요. 죄송해요."

그렁그렁한 눈물을 닦아 내며 속삭이는 윤조의 말에 준영이 알겠노라 고개를 끄덕였다. 그는 숨소리가 불안정한 윤조의 등을 토닥이면서도 한편으로는 살기를 감추지 않고 파이옌을 바라봤다.

"이름이 철수라고 했나?"

"예, 예."

"내가 오해를 해서 미안하군. 그대에게 주먹을 쓴 것, 사과하지. 검의 길을 걷는 자가 검이 아닌 주먹으로 실수를 저지르다니 말이야."

준영의 사과에 파이옌의 눈썹이 꿈틀했다. 흘려들으면 사과로 들릴지 몰라도 준영의 사과는 사과가 아닌 위협이었다.

"아이고, 죄 없는 사람 얼굴을 묵사발로 만들어 놓으시고 말로만 사과하십니까? 정말 너무하십니다!"

"여비는 넉넉히 챙겨 줄 테니 이만 가문에서 나가라."

"예? 지금 저를 쫓아내시는 겁니까?"

"기회는 지금뿐이다."

도망칠 기회는 이번뿐이라는 건가. 파이옌은 비틀려 올라가는 입술을 억지로 참으며 미소 지었다.

"예, 알겠습니다. 하던 심부름만 마저 끝내겠습니다."

그 대답을 마지막으로 준영이 윤조의 어깨를 감쌌다. 불안한 윤조의 시선이 파이옌을 향했다. 파이옌은 그 시선의 의미를 알았다. 진실을 밝히지 않았으니 이대로 소리 없이 사라져 주길 바라는 것이겠지. 파이옌은 멀어지는 두 사람의 모습을 바라보다 뻐근한 목뒤를 주물렀다.

"홍준영 저 새끼, 무슨 힘이. 하마터면 골로 갈 뻔했네."

발끝에 떨어진 말안장이 차였다. 툭툭, 심드렁하게 말안장을 건드리던 그는 아픈 볼을 매만지며 욕지기를 내뱉었다.

"씨발, 뭣 같네, 진짜. 꼬여도 더럽게 꼬였어."

내가 내 무덤을 팠지, 내가 내 무덤을 팠어. 그는 자신과 함께 바닥에 뒹굴어 흙먼지가 잔뜩 낀 말안장을 털며 툴툴거렸다.

그때 멀지 않은 곳에서 그의 귀에만 들리는 아주 높고 작은 피리 소리가 울렸다. 괴혈단을 소집할 때 사용하는 피리 소리였다. 두리번거리며 주변을 살피던 그의 눈에 이국의 상인같이 화려한 차림을 한 남자와 그의 부인으로 보이는 빼어난 미모의 여인이 들어왔다.

"차암 빨리도 왔다."

비꼬는 말투로 짜증을 내던 그는 벌떡 일어나 그들을 향해 다가갔다. 성큼성큼 위협적으로 다가서는 그의 행동에 이국의 상인 차림을 한 남자가 두 손을 합장한 채 그를 향해 고개 숙였다. 단단해 보이는 체구를 가진 남자는 괴혈단의 최고 연장자로, 파이옌의 부관을 맡고 있는 가료였다. 공격 대형으로 적진을 무너뜨리는 게 파이옌의 주된 임무라면 반대로 가료는 서국 진영의 방어를 맡고 있는 괴혈단 방어 부대의 주축이었다.

"오랜만에 뵙습니다, 대장. 부관 가료, 인사 올립니다."

"가료, 차림이 대단한데? 부유한 행상인 코스프레야?"

"코스프레요?"

"아, 그냥 그 사람인 척 그럴싸하게 꾸몄다는 말이야."

붉은색 실로 수놓은 초록색 비단옷이라니. 튀어도 너무 튀잖아. 신기하게 가료가 입고 있던 옷을 이리저리 들춰 보던 그의 시선이 가료 옆에 서 있던 여인에게서 멈춰 섰다.

"푸하하! 하셴! 언제 졸부한테 시집갔어? 이야, 이렇게 보니 돈 많은 누님 같고 좋다."

폭소하던 그가 성난 눈으로 노려보는 하셴의 모습에 어색한 웃음을 지으며 손을 흔들었다.

"오랜만이네. 하하."

"하하? 하하—아? 지금 웃음이 나오십니까!"

고막이 쩌렁쩌렁할 정도로 우렁찬 목소리였다. 파이엔이 이크,
몸을 피하며 귀를 틀어막았다.

"하센 너는 후방 지원 부대보다 선봉이 어울려. 이 우렁찬 목소
리 하며. 선봉대로 바꿔 줄까? 딱인데."

"시끄럽습니다! 누가 미친개 아니랄까 봐! 방금 그거 뭡니까?"

"뭐가?"

"방금 그 상황 뭐냐 말입니다—!"

하센이 목소리를 줄이며 소리 없는 호통을 이어 갔다. 그녀의 잔
소리를 듣던 파이엔은 귀찮다며 손을 내저었다.

"몰라, 몰라. 어쩌다 부딪쳤어."

"어쩌다 부딪쳐요? 대장군 홍준영이랑? 어쩌다가요! 어쩌려고
이러세요!"

"서운하다. 아무리 그래도 그렇지. 걱정하는 말이 먼저 아니냐?"

"지금 이 상황에서 무슨 걱정을……!"

"가료, 하센이 나한테 막말해. 파이엔 무서웡."

"하센."

가료의 부름에 하센이 말을 멈추고 한숨을 내쉬었다.

"사고 치지 말고 모시러 올 때까지 조용히 계시라고 신신당부하
지 않았습니까. 폐하께 시름을 더 늘려 드릴 작정이십니까?"

"젠장, 그놈 아직 안 죽었어? 목숨 질기네."

"지금 그게 무슨—!"

"하센, 대장님께 예우를 갖춰라."

"죄송합니다, 부관님. 너무 흥분한 나머지 그만⋯⋯."

파이옌은 가료에게 꾸중받는 하센을 향해 혀를 내밀었다. 미워도 상관이라 애들처럼 볼기짝을 때려 버릴 수도 없고, 저걸 콱! 하센이 간신히 혀끝에 매달린 말을 삼키며 진정했다.

"저는 말입니다, 대장 별명이 광견이든 정말 미친 짓을 하고 돌아다니든 신경 안 씁니다. 그래도 오랜만에 보는 부하 앞에서 적국 장수한테 얻어터지는 모습은 좀 아니잖아요?"

"그건 그렇지."

"남 얘기 아닙니다."

자세히 들어 보면 걱정이 섞여 있는 그녀의 충고에 파이옌이 씩 미소 지었다.

"걱정하지 마. 배로 갚아 줄 거니까."

천진하면서도 섬뜩한 그의 미소에 하센이 움찔 몸을 떨었다. 그래, 이게 우리 대장이지. 일순 홍준영의 주먹에 맞아 나가떨어지는 파이옌의 모습에 가슴이 철렁했던 그녀는 간신히 마음을 진정했다. 한숨을 내쉰 그녀는 그제야 파이옌이 들고 있던 말안장을 발견하고 의문했다.

"손에 그건 뭡니까?"

"아, 이거."

파이옌의 미소가 짙어졌다.

"홍준영 말안장."

"홍준영의 말안장이요?"

놀라는 하센의 말에 그가 고개를 끄덕였다. 장난이나 좀 쳐 놓을까

싶어 말안장을 이리저리 살피던 그가 가료를 향해 손을 내밀었다.

"단검. 아무거나."

가료는 품 안에 숨겨 두었던 손바닥만 한 단검을 그에게 넘기며 말했다.

"폐하께서 내리신 새로운 명령이 있습니다."

말안장의 고정대를 단검으로 긁어내리던 파이옌의 움직임이 멈췄다.

"새로운 명령? 복귀하라는 게 전부 아니었어?"

그래서 기다리지 않고 직접 마중 나온 것이었나. 새로운 명령이 있어서? 불길한 예감이 그의 목뒤를 스쳤다. 일순 윤조의 얼굴이 떠올랐다. 가료가 그런 파이옌을 바라보며 말을 이었다.

"폐하께서 홍준영을 치료한 무녀를 데려오라고 하십니다."

"그게 정말이냐? 그자가 윤조와 함께 있었다고?"

"예, 제 두 눈으로 똑똑히 보았습니다! 두 사람이 무척 친해 보이는 것이 분위기가 요상했어요."

파이옌의 행방을 전하기 위해 급히 혜린을 찾았던 시녀는 조심스럽게 말을 이으며 혜린의 눈치를 살폈다. 시녀의 보고를 빠짐없이 들은 혜린은 주먹 쥔 손으로 탁자를 내리쳤다.

"그 멍청한 자가!"

그녀의 미간에 주름이 갔다. 자칫 윤조에게 파이옌의 정체가 들통나기라도 한다면? 그보다 먼저 준영이 그자의 정체를 알아채기라도 한다면? 일이 복잡해졌다. 홍씨 가문과 관련된 누구에게라도 파이옌의 정체가 드러나서는 안 됐다. 의심의 여지도 주어선 안 됐다. 애초에 그가 문씨 가문과 엮여 있다는 사실이 드러나선 안 됐다.

급박한 상황에 혜린의 숨이 거칠게 변했다. 어떡하지. 이 일을 어쩌면 좋지. 눈에 띄는 행동은 이미 많이 저질렀다. 대장군이나 홍씨 가문이 신변 조사를 마치는 날에는! 그자의 정체가 발각되더라도 우리 가문에, 아버지께, 내게 피해는 절대적으로 없어야 한다. 어떻게 해야–.

다급한 생각을 이어 가던 혜린이 순간 고개를 들어 시녀를 쳐다봤다. 그녀의 날 선 시선에 겁을 집어먹은 시녀가 쭈뼛거리며 물었다.

"어, 어찌하는 게 좋을까요? 아가씨, 우선 비서랑님께 알리는 편이 좋지 않을까요?"

"아니, 안 된다. 아버님이 아시게 해선 안 된다."

"그럼 어찌하면 좋을까요? 이대로는 가문 전체가 위험합니다!"

"처리해야지."

"예?"

"독사 사건 직후 윤조 그 어리석은 것이 우리 가문의 하인을 끌어들였다는 사실을 이미 홍씨 가문에서는 못마땅하게 생각할 것이다. 의심이 아직 풀리지 않았을 테니 혹 그자가 문씨 가문의 사주를 받고 윤조에게 접근했다고 생각하고 있겠지."

"하지만 이건 그자가 멋대로! 그렇게 되면 애꿎은 문씨 가문만 피해를 보게 될 게 아닙니까."

"그래. 파이옌이라는 자, 그자가 정말 그걸 몰랐을까? 저돌적이긴 해도 머리는 돌아가는 자다. 알고 움직였을 가능성이 높아. 생각해 보아라. 나투국의 중심이 되는 가문은 대승상이 있는 최씨 가문과 대장군의 홍씨 가문 그리고 폐하의 최측근에서 나라의 모든 문서를 도맡는 우리 문씨 가문 이렇게 세 가문이다. 서국의 황제가 전쟁을 포기한 게 아니라면 가장 먼저 무너뜨려야 할 것은 나투국의 중심이 되는 세 가문이지."

혜린의 말에 눈치 빠른 그녀의 시녀가 무언가 깨달은 듯 기함했다.

"그렇다면 아가씨 말씀은 그 서국 놈이 애초에 문씨 가문을 멸문할 작정이었다는—! 맙소사!"

"범의 새끼도 범이랬지. 애초에 서국의 황제가 은밀한 염탐을 위해 세작을 보냈다면 파이옌이란 자를 보냈을 리가 없다. 서국에서도 사건 사고를 일으키는 광견으로 일컫는 판에 염탐꾼 노릇이라니. 서국의 황제가 그 사실을 몰랐을 리가 없어. 그자가 필시 사고를 칠 것을 알고 그리한 것이 분명하다."

"그렇게 되면 그자와 관련된 문씨 가문이 화를 입을 게 분명하니까요! 아가씨, 어쩌죠? 그자, 오늘 서국으로 돌아간다고 하지 않았습니까? 의심이 가는 어떤 빌미라도 제공해서 꼬리가 잡힌다면 그때는 정말 돌이킬 수 없습니다!"

"그러니 우리 쪽에서 먼저 친다."

문제가 된 세작을 잡아 황제 폐하께 바쳐야 한다. 그것만이 자신의 가문이 명예롭게 살아남을 수 있는 방법이었다. 잘하면 독사 사건의 범인으로 자신을 의심하고 있을 홍씨 가문의 신뢰도 회복할 수 있다. 그렇게 되면 세작을 잡은 공로를 치하받는 것은 물론이고 공식 석상에서 준영과 함께할 수 있는 시간도 벌 수 있을 것이다. 생각을 마친 혜린이 급히 자리에서 일어나 시녀에게 명했다.

"사병을 모아라. 그중 몸이 날랜 열 명을 골라 군복을 벗기고 평상복을 입혀라. 그리고 홍씨 가문의 저택 주변을 포위해 놈이 달아날 수 없게 감시해라."

"놈이 다시 돌아올까요? 귀국 명령을 받고 나갔다면 이미 달아났을 수도 있습니다."

시녀의 걱정에 혜린이 미소 지었다.

"아니, 그자는 반드시 돌아온다. 서국의 황제가 가장 원하는 것이 홍씨 가문에 있으니 그자는 돌아올 수밖에."

"황제가 누굴 데려오라고 했다고?"

"대장군 홍준영을 치료한 무녀를 데려오라고 하셨습니다."

변함없는 가료의 대답에 파이옌의 눈에 난색이 스쳤다. 젠장, 내가 이럴 줄 알았어. 그의 주먹에 힘이 들어갔다.

"여우 같으니라고. 홍준영이 그렇게 감싸고도는데 어떻게 데려오라는 거야? 너희도 아까 봤지? 접근했다가 얻어터지는 거."

"설마 아까 홍준영이 감싸던 그 작은 여자아이가?"

"그 설마다."

"단순한 치료사 무녀가 아닌 겁니까?"

하센의 물음에 파이옌이 머리카락을 거칠게 쓸어 넘기며 긍정했다.

"그 둘 곧 결혼할 거야. 혼례가 보름 뒤라고 했어."

"그런……."

윤조가 단순히 나투국의 치료사 무녀 중 하나일 것이라 생각했던 하센과 가료의 표정이 굳어졌다. 가료가 심각한 얼굴로 턱을 쓰다듬었다.

"홍준영의 정혼자라면 만만히 볼 문제가 아니군요."

단순히 치료사 무녀 한 명을 납치하는 것으로 마무리할 수 있다면 좋겠지만, 다른 사람도 아닌 대장군 홍준영의 정혼자라니. 낭패도 이런 낭패가 없었다. 심각하게 입을 다문 가료의 모습에 하센도 입을 다물었다. 파이엔이 한숨을 쉬며 고개를 저었다.

"지켜보는 눈이 한둘이 아니야. 걔 지금 홍씨 부자한테 예쁨받으면서 홍씨 가문 안채에서 지내. 거기 최 승상 딸도 있어. 거기 완전 마굴이라고. 내가 그 집 놀러 갔다가 붙잡혀서 다시 나오는 데만 하루가 걸렸는데 거길 또 들어가라고? 납치하려면 밑 작업이 제대로 되어 있어야 는데 아까 봐, 이미 쫑났어. 나 지금 다시 갔다간 홍준영이랑 칼부림 난다?"

"잠깐. 어딜 놀러 가셨다고요?"

"아차."

나지막한 하센의 목소리에 파이엔이 아차 하며 입을 가렸다. 하센이 잡아먹을 것 같은 눈으로 그를 노려보다 포기한 듯 이마를 짚었다.

"하여간 대장님 알다가도 모르겠습니다. 대체 무슨 정신으로 거길 놀러 가요, 놀러 가길! 후, 정말. 최 승상의 딸이라면 영민하기로 최 승상 다음이라고 들었습니다. 경계심도 많고요. 대장, 이미 찍힌 거 아닙니까?"

"아마도. 이렇게 가자미눈 뜨고 내가 뭘 하는지 노려보고 있다니까? 그 통에 거기에서 허튼짓도 못하고 정말 하인처럼 일만 했어.

또 하인들 감시하는 유모는 어떻고? 그 유모 검도 잘 써. 너희 검으로 장작 패는 사람 봤어? 그 집 정말 괴물들만 모아 놨다고."

"진짜 괴물이 할 소리는 아닌 것 같은데요."

"아, 몰라. 하여튼 나는 그 집에서 빠져나오는 것만 해도 애먹었어! 납치할 거면 아까 했어야지! 나 맞는 거 구경이나 하고 말이야. 늦었어, 늦었어. 난 못해."

짜증 섞인 파이옌의 투정을 가만히 지켜보고 있던 가료가 조용히 입을 열었다.

"꼭 하기 싫으신 것처럼 들리는군요."

정곡을 찌르는 그의 말에 파이옌의 표정이 일순 굳어졌다가 풀어졌다.

"모 아니면 도야? 가료는 너무 딱딱해."

"흠, 그렇습니까?"

"응, 그래."

"그래도 폐하의 명령을 거스를 수는 없습니다."

"거 봐, 딱딱하다니까! 너 그러다 나중에 똑 부러진다? 사람이 좀 무른 면도 있고 해야지! 안 그래, 하셴?"

"가료 부관님 말이 맞습니다. 황명을 어길 수는 없습니다."

"꼴통들. 어휴, 그럼 시도해 보고 안 되면 바로 간다?"

"하지만―."

"황명이든 뭐든 현장 결정권자는 나야."

파이옌이 하셴의 말을 끊으며 그들을 돌아봤다. 어느새 그의 얼굴에서는 웃음기가 지워져 있었다.

"잠깐 떨어져 있었다고 그새 잊은 건 아니지?"

움찔, 자세를 바로 한 하센이 짧게 고개를 끄덕였다.

"으차, 그럼 말안장 배달하러 가 볼까?"

가료에게 단검을 돌려준 파이옌이 기지개를 켜며 일어났다.

"계획은 있으신 겁니까?"

"글쎄."

휘파람을 불며 앞서가는 그의 뒷모습을 보며 가료와 하센이 시선을 주고받았다.

"가료 님. 저 인간, 아니 대장님은 지금 아무런 생각도 없는 게 분명합니다."

"흠."

"실패하면 버리고 가죠."

"흠."

"야야, 너네 다 들린다."

파이옌의 말에 하센이 웃으며 쐐기를 박았다.

"들으라고 한 말입니다."

✦

"윤조야! 세상에, 얼굴 창백한 것 봐. 무슨 일 있었습니까?"

윤조가 준영의 부축을 받으며 대문을 넘자, 나래가 놀라 윤조를 살폈다. 핏기 없이 하얗게 질린 안색이 금방이라도 쓰러질 것 같았다.

"몸이 안 좋은 것 같다. 의원을 부르마."

"아니에요."

윤조가 의원을 부르려는 준영의 손을 잡았다.

"잠깐 현기증이 나서 그래요. 조금 쉬면 괜찮을 거예요."

몸이 힘든 것보다도 머리가 복잡했다. 정신적인 충격이 너무 큰 탓인지 자꾸만 시야가 흔들렸다. 정신력이 그리 나약한 편은 아니라고 생각했는데…….

공포로 덜덜 떨려오는 몸에 그녀는 정신을 다잡으며 깊게 숨을 몰아쉬었다.

"정말 괜찮겠느냐?"

"대장군님이야말로."

윤조가 잡았던 준영의 손을 들어 얼굴에 가까이 했다. 부상당한 오른팔이었다. 예상한 대로 잔떨림이 느껴졌다.

"아픈 팔을 그렇게 쓰시면 어떡해요……."

"됐다. 별것도 아니니."

그녀는 자꾸만 손을 빼려는 준영의 팔을 잡아 신력을 불어 넣었다. 봄바람이 부는 것 같은 따스함이 준영의 전신을 스침과 동시에 오른팔의 통증이 잦아들었다.

"나보다 네 몸을 더 챙기거라."

"아프지 마세요."

"인석아. 내가 할 말이다."

"이제 괜찮아요. 아무래도 햇볕을 너무 많이 쐬었나 봐요. 하하하…….

억지로 웃는 입매가 바르르 떨렸다. 그런 윤조를 쳐다보는 준영과 나래의 눈에서 힘이 풀릴 줄 몰랐다.

"아하하. 왜, 왜들 그렇게 보세요. 나의 미모에 다들 넋이 나가셨나? 하하하!"

"몰라서 물어?"

뾰족한 나래의 핀잔에 윤조가 모른 척 시선을 피했다.

"너 밖에서 무슨 일 있었지? 그 철수라는 사람은 어딜 가고 너랑 대장군님 둘이서 들어와?"

"작은 오해가 있어서."

"작지 않다."

윤조는 자신의 말을 단칼에 자르는 준영을 말에 울상이 되었다.

"크흠, 그럼 조금 큰 오해로 할까요?"

불안한 시선으로 동의를 구하는 그녀의 물음에 준영이 짧게 한숨을 쉬며 그녀의 작은 머리통을 한 손으로 꾹 눌러 버렸다.

"으와앗! 아파요! 아파!"

"정말 한시도 눈을 뗄 수가 없구나, 너란 아이."

"죄송합니다……."

"뭘 숨기고 있는 거냐."

준영이 그녀의 머리에서 손을 떼며 서운한 얼굴을 했다. 대체 무엇이 너를 그리 힘들게 한 것인지, 왜 자신에게 말하지 않는 것인지, 무엇이 너를 그리 두려움에 떨게 한 것인지.

준영이 걱정하고 있는데, 그의 등 뒤로 대문이 열리는 소리가 들렸다. 돌아보자 그곳에는 말안장을 들고 있는 파이옌이 있었다.

"심부름 마치고 돌아온 철수 보고합니다."

그의 등장에 준영의 눈썹이 꿈틀했다. 그 모습에 파이옌이 능청스럽게 고개를 꾸벅 숙였다.

"심부름만 마저 하려고 왔습니다. 대장군님 말씀도 있으니 여비는 챙겨 가야 하지 않겠습니까?"

"참으로 방자한 입이로군."

팽팽한 두 남자의 신경전에 나래가 의아한 표정을 지었다. 준영이 대놓고 불편한 심기를 드러내는 것도 그렇지만 바라본 철수의 상태가 말이 아니었기 때문이다. 피멍이 들어 부은 볼에 피가 튄 상의, 흙먼지에 뒹굴었는지 말안장은 물론이고 그의 전신이 흙투성이다.

놀란 눈으로 그의 상태를 확인한 나래가 역시 놀란 눈으로 준영을 향했다. 정황상 누가 보아도 알 만한 상황이었다. 준영이, 대장군이, 군인이 아닌 일반인에게 주먹을 휘둘렀다는 사실에 기함한 나래가 입을 벌렸다.

"이게 대체 무슨. 두 사람 저잣거리 왈패들처럼 치고받은 겁니까?"

"아니요! 제가 일방적으로 받혔습니다. 요기 보이십니까? 아이고 고고!"

호들갑을 떨며 아픈 볼을 감싸는 파이엔의 모습에 나래가 어처구니없는 눈으로 준영을 쳐다봤다. 그녀의 시선을 정면으로 받은 준영은 슬쩍 시선을 피하며 모르는 척 딴청을 피웠다. 무인이 주먹으로 사람을 때리는 행위가 얼마나 질 떨어지는 행동인지는 준영도 잘 알고 있었다.

"저 인간 거슬리니 떨어뜨려 놓으라고 했다고 시장 한복판에서 주먹질을 하신 겁니까?"

"뭐야, 그 주먹 사주받은 거였습니까?"

"크흠."

나래와 파이엔의 물음에 준영이 헛기침을 했다. 이제 보니 사주받은 건 내가 아니라 대장군 홍준영이었네! 엄한 사람 개 패듯이 패더니! 바락바락 성을 내며 부당 대우를 주장하는 철수를 보며 나래가 머리를 짚었다.

"둘 다 철 좀 드십시오. 어휴 정말. 주먹질이 뭐예요, 주먹질이!"

한 소리 듣는다 해도 반박할 수 없는 상황이었다. 어쨌든 준영은 한 나라의 대장군이었고, 철수는 하인의 신분이다. 백성들이 오가는 길목에서 정당한 방법의 제지도 아닌 주먹싸움이라니. 차라리 병사들을 시켜 군부로 압송을 하는 게 낫지. 준영도 그 사실을 알았기에 모르쇠로 일관했다. 파이옌의 모습이 가까워질수록 그의 얼굴 상태가 영 말이 아닌지라, 그를 경계하던 나래도 측은지심이 들 정도였다.

"어떡해. 볼이 엄청 부었는데. 눈가에 피멍도 들었고⋯⋯."

"잘생긴 제 얼굴이 아주 떡판이 되었습니다."

"됐고, 이리 대 봐요. 치료해 줄 테니."

"오! 정말 감사합니다! 무녀님!"

"하, 됐고. 얼굴이나 대 봐요. 다 큰 어른들끼리 아주 잘하는 짓입니다."

나래는 바짝 볼을 들이미는 철수의 상처 부위에 손을 얹고 신력을 흘려 보냈다. 상태를 보아 하니 볼과 눈 부위가 많이 부어 있긴 했지만 뼈가 상한 것은 아니어서 적은 양의 신력으로도 충분히 치료할 정도는 되었다.

그녀는 치료 도중 문득, 아무런 말없이 멀찍이 떨어져 이 상황을 방관하고 있는 윤조의 모습에 의아해했다. 윤조가 철수를 바라보는 눈빛에 날 선 경계심이 어려 있었다. 밖에서 정말 무슨 일이 있었던 걸까?

하지만 반대로 생각하면 이자가 윤조를 해치려 허튼수작을 부렸다면, 그래서 준영과 마찰이 있었던 것이라면 제 발로 홍씨 가문에 돌아올 리가 없다. 제 손으로 제 무덤을 파지 않고서야 그런 어리석은 짓을 할 이유가 없으니.

"윤조에게 무슨 짓 했습니까?"

"무슨 짓을 말씀하시는지?"

거의 속삭이다시피 한 나래의 물음에 파이옌이 여상한 미소를 지었다. 가면 같은 미소. 나래는 그 미소 뒤에 감춘 그의 얼굴이 궁금했지만 구태여 들춰내진 않았다. 혜린이 보낸 첩자라면 쥐 잡듯이 잡아 문씨 가문까지 탈탈 털어 버려야지.

"치료 끝났습니다."

짧은 한마디를 남기고 그에게서 멀어진 나래가 윤조에게 다가왔다.

"정말 무슨 일이야?"

속삭이는 나래의 물음에 윤조가 움찔했다. 그녀는 말끔하게 치료가 된 볼을 매만지며 신기해하는 파이옌에 시선을 고정한 채 말했다.

"저 사람을 처음부터 집 안에 들여서는 안 됐어. 내 잘못이야."

"헛수작 부리다 대장군님께 걸린 거지? 혜린 무녀가 너한테 무슨 짓 하라고 보낸 거 맞지? 내 저놈을 그냥……!"

윤조가 나래의 옷소매를 꼭 붙잡았다.

"그러지 마, 나래야."

"왜 말리는 건데!"

"조용히 처리하고 싶어. 정말 그래서 그래."

윤조의 손이 바르르 떨렸다. 나래가 떨리는 그녀의 손을 맞잡으며 고개를 끄덕였다.

"후, 알겠어. 걱정하지 마. 저기 말안장 보여?"

"응."

"홍씨 가문 유모님 깐깐하기로 유명해. 고심고심해서 공방에 맡긴 대장군님 말안장인데 흙 범벅이 되었잖아. 이미 쫓겨남 확정이야. 어차피 대장군님도 쫓아낼 생각인 거 같고."

내보내는 즉시 군부로 압송해서 탈탈 털어 버리면 되겠네. 씩 미소 짓는 나래의 말에 윤조가 안심한 듯 고개를 끄덕였다. 아니나 다를까, 잠시 뒤 심부름한 안장을 확인한 유모의 입에서 노성이 질러졌다.

"대체 이게 어떻게 된 일이야–!!!"

"이크."

"말안장 상태가 왜 이런가? 공방에서 받아 오기만 하면 되는 물건을 이 지경으로 만들어 놔!"

"아니, 그건 제 잘못이 아니라–!"

"심부름 맡긴 건 네놈인데 네놈 잘못이 아니면! 공방 사람들이 이따위로 작업을 했다는 거야!!! 이리 안 와–!"

"아니, 이건 정말 억울하다니까요! 그건 대장군이!"

"대장군이? 대장군이이? 대장군님이 네놈 친구냐, 이놈아!!!"

돌연 검을 꺼내 드는 유모의 모습에 파이옌의 안색이 하얗게 질렸다.

"그깟 말안장 좀 더럽혔다고 사람을 죽이려는 겁니까! 이거 문씨 가문 횡포보다 더하잖아!"

"닥쳐라, 이놈! 당장 이리 안 와!!!"

검을 빼 들고 달려들 것 같던 유모는 다행히도 검은 바닥에 던져

둔 채 검집을 몽둥이 삼아 이리저리 휘둘렀다. 그 살벌한 광경에 윤조가 쩍 입을 벌렸다.

"보, 보통 저런 거야?"

보통의 귀족 가문의 유모님들이 저런 반응이냐는 그녀의 물음에 나래가 고개를 저었다.

"당연히 보통이 아니겠지. 무려 대장군님의 유모님이신데."

다정한 줄만 알았던 유모의 반전된 모습에 겁을 집어먹은 두 사람을 보며 준영이 웃음 지었다.

"유모가 좀 과격하긴 하지."

"좀이 아닌데요? 대장군님께도 저러셨습니까?"

"어렸을 때는."

윤조는 준영과 나래의 만담 같은 대화에도 웃지 못했다. 그녀는 유모에게서 도망쳐 다니는 파이옌을 불안한 시선으로 바라보며 아랫입술을 깨물었다.

'대체 왜 다시 돌아온 걸까?'

자신에게 세작이란 사실을 들켜 놓고 왜 도망치지 않고 다시 돌아온 것일까? 시장에서 그 난리까지 있었으면 그곳에서 그냥 달아나 버리면 그만이었다.

그녀의 불안은 점점 커졌다. 대체 왜? 그가 위험을 무릅쓰고 이곳에 다시 발을 들인 이유가 무얼까. 목적이 무엇이지? 무엇을 원해서 다시 돌아온 거야? 이번에는 맨 처음 자신을 찾아왔을 때와는 상황이 다르다. 그때는 자신이 그의 정체를 몰랐다고 하나 지금은 아니다. 그런데 어째서?

한편, 저택 근처 나무 위에 몸을 숨긴 채 파이옌의 신호를 기다리고 있던 가료와 하센이 수상한 움직임을 포착했다.

"일곱, 아니 열 명쯤 되는 것 같습니다."

하센은 조금 전부터 홍씨 가문 저택 주변을 서성이는 정체 모를 자들을 발견하고 눈을 가늘게 떴다.

"모두 무장하고 있습니다."

그들의 가슴이며 등, 허리에 무기가 숨겨져 있다는 사실을 깨달은 그녀가 조급히 가료를 쳐다봤다.

"뭔가 이상합니다. 저쪽에서 대장님의 정체를 눈치챈 건 아닐까요? 어서 알려야 합니다."

가료는 급히 파이옌에게 사실을 알리려는 하센을 붙잡았다.

"기다려라. 상황을 파악하기 전까지 함부로 움직여선 안 된다. 대장께서도 신호를 기다리라고 하지 않았느냐."

"저기, 누군가 옵니다."

두 사람이 급히 몸을 낮추고 전방을 주시했다.

사병을 이끌고 작전대로 선두에서 그들을 이끌던 혜린이 홍씨 가문의 저택 근처에 다다라 말을 멈췄다. 그녀의 뒤로 열을 맞춰 줄을 선 병사들이 창칼을 든 채 멈춰 섰다. 그러자 미리 저택을 감시하고 있던 사람 중 한 명이 그녀에게 다가와 보고했다.

"바로 대문 너머 마당에 있습니다. 흙투성이 옷을 입고 있어 쉽게 눈에 띌 것입니다."

"병사들에게 전달해라. 반드시 놈을 잡아야 한다."

"예, 아가씨."

상황을 지켜보던 가료는 병사들이 입고 있는 갑옷에서 문씨 가문의 인장을 발견했다.

"문씨 가문의 사병들이다."

"문씨 가문이라면 저희 쪽에 협조하기로 한 가문이 아닙니까? 그런데 어째서."

가료의 눈이 가늘어졌다. 병사들을 지휘하는 여인을 살피던 그는 그녀가 문 비서랑의 딸 혜린이라는 것을 알았다. 주변을 살펴도 다른 지휘관은 보이지 않았다.

독단적인 판단인가? 아니면 문씨 가문의 배신인가? 오늘만 해도 자신들이 나투국 수도로 입성하는 데 도움을 주었던 문 비서랑이었다. 불과 몇 시간 전의 호의를 이렇게 손바닥 뒤집듯이 뒤집을 수 있는 자였단 말인가? 아니, 가료가 보건대 문 비서랑은 이중 첩자 노릇을 할 만큼 대범하거나 영악하지 못했다.

전해 듣기로 혜린이 자신의 가문과 서국이 손을 잡은 것을 안 건 최근이라고 했다. 서국과 가문이 손을 잡았다는 사실을 못마땅하게 여겨 대장님과도 마찰이 있었다는 보고도 있었다. 자신의 아비인 문 비서랑보다 영민하고 눈치가 빠르다고 하였으니, 어쩌면 그녀가 먼저 서국 황제의 속내를 꿰뚫어 본 것일지도 몰랐다.

애초에 문씨 가문은 서국 세작들을 나투국에 침입시키기 위한 장기 말이 아니었던가. 파이옌을 세작으로 침투시킨 것 또한 최종적으로는 일부러 사건을 일으켜 문씨 가문을 와해하려는 의도였다. 그것을 눈치챘단 말인가? 생각을 마친 가료는 이러한 상황을 전혀 모르는 하센을 바라보며 말했다.

"대장님께서 홍씨 가문에 가깝게 접근한 것을 알고 위기를 느낀 모양이다. 대장님의 정체가 드러나면 그에 협조한 문씨 가문은 화를 면치 못할 테니."

"우리의 뒤통수를 치려 한다는 겁니까? 자국을 배신한 가문답군요. 어떻게 할까요?"

"하는 수 없군. 대장님께 알린다."

하센이 어깨에 메고 있던 활과 화살을 꺼냈다. 아래를 보니 곧 병사들이 저택으로 들이닥치려는 순간이었다. 활시위에 화살을 건 그녀가 홍씨 가문의 저택 안, 마당 중앙의 나무를 겨냥하고 화살을 날렸다. 화살이 날아감과 동시에 마치 새가 높이 우는 것 같은 요란한 소리를 냈다. 평범한 화살이 아닌 효시嚆矢였다.

일대를 울리는 요란한 울음소리에 혜린이 이끌던 군사들은 물론이고 저택 안에 있던 준영과 파이옌도 촉각을 곤두세웠다. 효시는 전쟁의 시작을 알리거나 전쟁터에서 장군들이 작전을 지휘할 때 쓰는 화살로, 화살 끝단에 동물의 뿔이나 청동으로 만든 동그란 모양의 촉이 달려 있었다. 구멍이 뚫려 있는 촉은 화살을 쏘게 되면 공기의 저항을 받아 우는 것 같은 소리를 낸다 하여 '우는 화살'로도 불렸다.

"효시? 대체 누가!"

우는 화살의 소리에 즉각적으로 반응한 준영이 검을 빼어 들었다. 빠르게 반응한 건 파이옌도 마찬가지였다. 그는 유모에게서 도망 다니던 것을 멈추고 들고 있던 안장을 유모에게 떠밀었다.

"이거 아무래도 문제가 생긴 모양인데."

효시의 소리는 꽤 넓은 영역까지 퍼졌다. 아마 곧 소리를 들은 수도군이 몰려올 것이다. 시간이 얼마 없었다. 파이옌이 혀를 차며 주변을 파악했다. 이미 검을 꺼내 들고 전투태세를 갖춘 준영을 확인한 그는 준영의 뒤쪽에 선 윤조와 나래를 확인하고 대문 밖을 주시했다.

"대체 누가 화살을 날린 것이냐!"

당황한 혜린이 소리쳤다. 젠장, 이러다 놈을 놓치면 낭패다. 그녀가 서둘러 병사들에게 소리쳤다.

"뒷일은 내가 감당한다! 놈을 잡아라!!!"

그녀의 명령이 떨어짐과 동시에 다수의 군사들이 일사분란하게 움직였다.

홍씨 가문의 정문에서 소란이 일었다. 갑자기 열린 대문 안으로 문씨 가문의 사병이 밀려들었다. 파이옌은 까맣게 밀려드는 병사를 바라보며 혀를 깨물었다. 병사들의 뒤로 말을 탄 혜린이 보였다. 병사들에게 명령하던 혜린의 시선이 그와 마주했다. 혜린은 정확히 파이옌을 가리키며 소리쳤다.

"저자다! 저자가 황실의 주요 문건을 훔쳐 달아났다! 당장 잡아들여라!!!"

그녀의 명령에 병사들이 대문을 가로막고 진을 치기 시작했다.

"아, 그렇게 나오기로 작정하셨다?"

상황을 파악한 파이옌이 몰려드는 병사를 바라보며 조금씩 뒷걸음질 쳤다.

"혜린! 대체 이게 무슨 짓인가!!!"

병사들의 소속이 문씨 가문의 사병임을 파악한 준영이 혜린을 향해 소리쳤다. 저택 내부를 경비하던 홍씨 가문의 사병들이 달려와 문씨 가문의 병사들을 향해 창검을 들이댔다. 일촉즉발의 상황이었다. 혜린이 대치한 문씨 가문의 병사들을 뒤로 물리며 앞으로 나섰다. 그녀는 말에서 내려 땅에 발이 닿자마자 준영을 향해 다급히 머리를 조아렸다.

"죄송합니다, 대장군! 상황이 급박해 설명할 시간이 없었습니다. 저기 저자! 저자가 문씨 가문에서 보관하고 있던 황실의 주요 문건을 훔쳐 달아났습니다!"

혜린이 병사들의 위협을 받고 있는 파이옌을 가리켰다. 준영의 시선이 그를 향했다.

"저자는 최근에 문씨 가문의 하인으로 들어온 자입니다. 한데 며칠 전 갑자기 사라졌더군요. 행적을 쫓던 중 엄청난 사실을 알아냈습니다. 저자가 바로 며칠 전 수도를 어지럽혔던 세작의 잔당이라는 것을요!"

"그 말이 사실인가?"

"사실입니다. 저자의 손목에 글자로 된 문신이 새겨진 것을 보았다는 증언을 확보했습니다."

혜린이 자신의 뒤에 있던 시녀를 앞으로 내세웠다. 시녀는 혜린의 말이 옳다며 파이옌을 가리켰다.

"예! 저자가 맞습니다! 저자의 왼쪽 손목에 글자로 된 문신이 새겨진 것을 제 두 눈으로 똑똑히 보았습니다!"

"놈을 잡아 손목을 확인해 보면 될 일. 대장군, 명을 내려 주십시오! 저의 문씨 가문은 대장군의 결정을 따를 것입니다."

증인도 증좌도 있다. 황실 문건이 도난당했다는 사실은 거짓이지만 뒤집어씌우면 그만이다. 혜린이 의기양양하게 쏘아보는 모양을 바라보던 파이옌의 입가가 비릿한 호선을 그렸다.

"어디 잡을 수 있으면 잡아 보시든가."

곁눈으로 거리를 잰 그가 재빨리 몸을 굴려 바닥에 떨어져 있던 유모의 검을 잡았다. 동시에 문씨 가문 병사들의 창이 그를 내리누르듯 덮쳤다. 하지만 공중으로 튀어 오르며 빠르게 휘둘러진 검에 튕겨 나가 버리고 말았다.

"이런! 놓쳐선 안 된다! 반드시 잡아라!!!"

당혹감에 혜린이 비명처럼 외쳤다. 무수한 창과 검이 쏟아져 내리는 가운데에도 파이옌의 검은 신속하고 정확했다. 챙, 챙, 챙-. 쇠붙이가 맞붙는 소리가 크게 울렸다. 머리, 가슴, 배 부위로 찌르고 들어오는 창검을 받아치며 그가 춤을 추듯 몸을 놀렸다.

"아, 이거 쓰던 검이 아니라 어색하네."

그는 손안에 쥔 검을 빙글 돌려 고쳐 잡았다. 무장한 것을 홍준영이 눈치챌까 쓰던 검을 가료에게 맡기고 온 것이 화근이었다.

나투국의 장검은 서국에서 사용하는 검과는 길이도, 모양도 많이 달랐다. 나투국이 단순한 직선 형태의 장검과 대도를 선호하는 반면 서국에서는 비교적 날이 짧고 곡선 형태로 이루어진 곡도를 선호했다. 장단점이 있었으나 가장 큰 차이는 나투국의 검이 찌르기에 능한 검이라면 서국의 검은 베는 것에 능한 검이라는 것이었다.

파이옌은 고쳐 쥔 검을 평소 쓰던 대로 베기 위해 휘둘렀다. 곡도 형태인 자신의 검에 비해 속도가 나오지 않았다. 손안에 느껴지는 느낌 또한 벤다는 감각보다는 때린다는 감각이 더 컸다.

"쯧, 이거 완전 몽둥이잖아."

유모의 검날이 그리 예리한 편이 아니어서인지 마치 묵직한 몽둥이를 휘두르는 것 같은 느낌이었다. 검으로 장작 팰 때 알아봤다. 검날이 무뎌지지 않으면 그게 이상하지. 상한 날로 잘도 그 두꺼운 장작을 팼다는 생각에 오싹한 그였다. 그 유모, 단순히 힘만으로

통나무를 조각냈다는 건가? 쏟아지는 공격 속에서도 여유로운 몸
짓으로 잡생각을 하던 그는 얼굴 앞으로 지나치는 병사들의 검을
피하며 허리를 뒤로 꺾었다.

"으차, 간만에 몸 좀 풀어 볼까."

뒤로 꺾은 몸을 순식간에 앞으로 하며 검을 내지른 그가 엄청난
속도의 쾌검으로 몰아치기 시작했다. 앞, 뒤, 옆 할 것 없이 그의
동작이 나선을 그리며 전진했다. 그 기세에 파이옌을 에워싸고 있
던 병사들의 포위에 구멍이 뚫렸다.

'좋아, 이 길로 탈출이다.'

정면 돌파로 도주로를 확보한 그가 기뻐한 것도 잠시, 병사들을
빠져나오는 그의 머리 위로 대검이 내리쳤다.

캉―!

묵직한 쇳소리가 뒷덜미에서 멈춰 섰다. 간발의 차이로 대검 사
이에 검을 밀어 넣은 파이옌이 어금니를 깨물었다.

"목 떨어질 뻔했잖아."

그가 고개를 들어 대검의 주인인 준영을 노려봤다. 자신의 검을
받아 낼 것이라 생각하지 못했던 준영은 점점 대검을 밀어내며 허
리를 펴는 그를 강하게 내리눌렀다. 다시금 대검에 내리눌린 파이
옌이 짧게 신음했다.

"전에도 느꼈지만 무식하게 힘만 세군."

"나와 검을 맞댄 적이 있나?"

준영의 물음에 파이옌이 여우 같은 웃음을 지었다.

"마령협곡 전투 기억 안 나? 잘하면 그 불길을 방패 삼아 네놈의
목을 썰어 버릴 수도 있었는데 말이야."

준영은 마령협곡 전투의 막바지를 떠올렸다. 서국 군대를 궁지로 몰아 퇴로에 불을 질렀을 때, 불길을 정면으로 뚫고 등장한 사람이 있었다. 철갑을 두른 군마. 괴혈단의 좌장군 파이옌이었다.

너무도 순식간에 일어난 일이라 그의 얼굴은 보지 못했지만, 자신을 노리고 내질러졌던 그의 검을 순간적으로 쳐냈었다. 적장은 뒤따르는 이들과 함께 그대로 빠르게 말을 몰아 자리를 벗어났었다. 기억을 떠올린 준영의 낯빛이 차갑게 굳어졌다.

"괴혈단의 좌장군 파이옌!"

"오, 기억났나 보네? 들키면 어쩌나 조마조마했다고."

준영에게 생긴 틈을 놓치지 않고 대검에서 벗어난 그가 빠르게 간격을 벌렸다.

"너 아까 제대로 때리더라? 까칠한 무녀님 아니었으면 며칠 못난이 될 뻔했어."

왜 서국에는 치료술을 사용할 줄 아는 무녀가 없는 건지 원. 그는 나래가 치료해 준 볼을 톡톡 두드렸다. 한쪽 눈을 찡긋거리는 그의 행동에 준영의 뒤쪽에 서 있던 나래가 분한 마음을 참지 못하고 치마를 그러쥐었다.

옆으로 시선을 옮기자 나래의 옆에 서 있는 윤조의 모습이 보였다. 일순 마주친 두 눈에 시선이 오갔다. 충격을 받은 것인지 무엇인지 알 수 없는 표정으로 자신을 바라보는 윤조의 눈빛에 기분이 이상해진 그가 고개를 돌려 버렸다.

"일이 이렇게 되어 버려서 길 좀 비켜 줘야겠다, 홍준영."

"보내 줄 것 같은가."

준영의 대검이 내질러졌다. 횡으로 긋는 것이 아닌, 곧장 찌르고 들어오는 검이었다.

"이크."

몸을 빙글 돌려 검을 피한 파이옌이 다시 앞으로 발을 내디디려는데, 준비 동작도 없이 횡으로 꺾인 검이 그의 등을 노리고 달려들었다.

캉!

다시금 묵직한 쇳소리가 났다. 손목을 찡하게 울리는 진동에 검의 면으로 준영의 대검을 막아 낸 파이옌의 이마에서 식은땀이 흘렀다.

'잇는 동작도 없이 바로 궤도를 꺾어? 무섭게 힘만 좋은 놈 같으니.'

움직임이 크고 무거운 대검은 찌르고 베는 동작으로 전환할 때 가볍고 공기의 저항이 적은 서국의 곡도에 비해 잇는 동작에 시간이 걸리는 편이었다. 그런데 그런 것을 깡그리 무시한 채 준영은 찌르는 동작에서 바로 베는 동작을 단순히 힘으로 궤도를 꺾어 완성했다. 실로 무서운 근력이다. 실전용이라기에는 무식하게 큰 검을 쓴다고 생각했는데 이런 움직임이 가능하다면 확실히.

"훔쳐 간 황실의 문서가 무엇인가. 대체 무엇을 노리고 수도에 침입한 것이냐!"

"하, 내가 그깟 종이 쪼가리 훔치려고 이 개고생을 하고 있겠냐?"

대검에 밀리는 것 같던 파이옌이 힘의 방향 그대로 대검을 흘리며 준영의 몸통을 파고들었다.

"대장군님!!!"

그대로 복부를 관통당하는 것 같은 준영의 모습에 윤조가 비명을 질렀다. 다행히도 파이옌 못지않게 빠르게 몸을 피한 준영이 옆구리를 향해 뻗어 온 그의 손을 검과 함께 잡아 버렸다. 준영의 단단한 팔과 옆구리 사이에 팔이 붙잡힌 파이옌이 쯧, 혀를 차며 그대로 다리를 올려 준영의 턱을 발로 차 버렸다.

"윽!"

비틀거리며 멀어진 준영의 모습에 파이옌이 속 시원하다는 웃음을 지으며 이를 드러냈다.

"잘생긴 내 얼굴 때린 값이다."

전형적인 검술의 동작이 아니다. 준영이 파이옌을 노려보며 턱을 매만졌다.

파이옌의 움직임은 정석으로 검을 배운 검사의 몸놀림과는 확연히 달랐다. 무기인 검을 주로 사용하는 검사와 달리 그는 전신을 무기로 사용하듯 짐승처럼 유연한 움직임과 재빠른 속도로 치고 들어왔다. 무인武人 대 무인으로 맞붙는 검투에서 주먹이나 발을 쓰는 것은 상대방을 존중하지 않는 저잣거리 왈패들이나 저지를 법한 저질적인 행위였다. 주변에 있던 병사들이 창을 들고 파이옌을 향해 내지르려 했으나 준영이 손짓으로 막아 세웠다.

"무인의 긍지 따윈 없는가."

준영의 말에 파이옌이 비웃음을 흘렸다.

"푸핫, 뭐? 무슨 긍지? 긍지가 밥 먹여 주냐?"

그는 재미있는 농담을 들었다는 듯 배를 잡고 폭소했다. 자신과 준영의 눈치를 보며 뒤에 선 병사들을 훑어보던 그가 순식간에 표정을 지웠다.

"살아남기 위한 간절함의 무게도 모르는 애송이가."

이전보다 거세게 몰아치는 파이옌의 쾌검에 준영의 몸이 뒤로 밀리기 시작했다. 눈으로는 검의 궤도를 다 알아차릴 수 없을 정도로 빠른 움직임이었다. 이를 지켜보던 병사 하나가 준영에게 도움을 주려 파이옌의 옆을 노리고 검을 뻗었으나 순식간에 팔이 동강 나 버리고 말았다.

"아아악-!"

"모두 물러나라!!!"

준영의 외침에 병사들이 거리를 벌렸다. 거칠고 과격한 쾌검이 계속해서 준영을 노리고 덤벼들었다. 빠르다. 자신에 비해 공격의 무게는 가볍지만, 보다 빠르고 거칠다. 과격하기 그지없는 검술을 막아 내던 준영이 입술을 깨물었다. 그 순간 아릿한 통증이 오른쪽 팔꿈치를 타고 어깨로 올라갔다.

챙-!

순간적으로 검을 놓칠 뻔했다. 파이옌도 이상함을 느꼈는지 의문 어린 눈으로 그를 바라봤다. 창백한 준영의 낯을 본 그가 씨익 입매를 당겼다. 의도치 않은 실수였다라? 무신 홍준영이? 이거, 알 만하군.

"역시. 홍준영 너, 몸이 완전히 낫지 않았구나?"

"네놈 정도는 지금도 충분하다."

"하하. 그렇게 말하는 것치고는 안색이 창백하십니다? 대장군 나으리!"

파이옌이 말을 마침과 동시에 다시 검을 내질렀다. 준영의 미간이 좁혀졌다. 오른팔에서 점점 힘이 빠져나갔다. 억지로 검을 그러쥔 손이 바르르 떨려 왔다. 이대로 가다간 당한다. 멀리서 이 모습을 지켜보던 윤조도 준영의 상태가 이상한 것을 눈치채고 경악했다.

"설마 팔이……!"

조금 전 시장에서부터 무리가 갔을 팔이다. 준영이 당했던 부상의 심각성을 아는 사람은 이곳에서 윤조뿐이었다. 그를 도와야 한다. 이대로 가다간 대장군님이─! 급히 주변을 살핀 윤조가 돌담 아래에 있던 조약돌을 발견했다.

챙─!

파이옌의 검을 막아 낸 준영의 손에서 대검이 떨어져 내렸다. 완전히 힘이 풀린 손이 마음처럼 움직여 주지 않았다. 기회는 이때다. 준영을 향해 그대로 검을 휘두르던 파이옌의 이마에 아기 주먹만 한 조약돌이 명중했다.

"악!!!"

예상치 못한 공격에 피하지도 못하고 그대로 안면을 가격당한 그가 비명을 지르며 이마를 감쌌다. 그는 바닥에 떨어져 데구루루 굴러가는 조약돌을 발견하고 화난 눈으로 고개를 들었다.

"이씨, 누구야─!"

"그만해!!!"

들려오는 외침에 시선을 들자 윤조가 보였다. 그녀가 치마폭에 담은 조약돌을 주워 다시금 파이옌을 향해 던졌다. 제법 힘차게 날아온 돌이 '훙─!' 하는 바람 소리를 내며 그의 귀를 스쳤다. 동시에 파이옌의 두 눈이 경악으로 물들었다.

"야야야! 너 이거 잘못 맞으면 사람 죽어!!!"

조약돌이 스친 귀가 얼얼했다. 손을 들어 슥, 만지자 피가 묻어나왔다.

"야─! 병아리!!! 피 나잖아!!!"

"당장 대장군님한테서 떨어져-!!!"

계속해서 날아오는 조약돌에 파이옌이 피하다, 얻어맞다를 반복
했다.

"야 진짜 너 그만 안 할래-!!!"

"대장군님 털끝 하나 건드려 봐! 내가 이래 봬도 국경에서 날아
가는 까치도 맞혀서 떨어뜨렸던 짱돌 윤조였어!!!"

눈물이 글썽글썽한 윤조의 악성에 파이옌이 어처구니없다는 듯
비명을 지르며 몸부림 쳤다.

"으아악! 이거 엄청 억울하네! 야, 병아리! 내가 지금 악당인 건
맞는데! 이건 다 저기 저 족제비 같은 여자가 꾸민 일이야! 누가 지
금 싸우고 싶어서 싸우냐!"

"몰라!!! 대장군님 건들지 마! 원하는 게 있으면 그것만 가져가면
되잖아!"

"원하는 거?"

지금 그걸 말이라고. 파이옌이 윤조를 바라보며 혀를 찼다. 원하
는 거야 눈앞에 있지만. 그는 곁눈으로 전투 불능상태인 준영을 확
인하고 읊조렸다.

"너, 그러다 빼앗긴다."

툭 던지는 파이옌의 의미심장한 말에 준영의 시선이 매섭게 변했다.

"무엇을 말하는 거냐?"

파이옌은 대답 없이 고개를 돌려 윤조를 쳐다봤다. 그의 시선을
따라 윤조를 향한 준영의 눈동자가 크게 흔들렸다. 그는 경련하는
오른팔 대신 왼손으로 바닥에 떨어진 검을 주워 들었다.

"저 아이만큼은 절대 안 된다."

"지킬 힘도 없는 주제에 입만 살아서는. 검 내려. 안 그럼 벤다."

다시금 준영을 향해 검을 겨누는 파이옌을 향해 윤조의 조약돌이 날아들었다. 얼굴을 향해 곧장 날아오는 조약돌을 검으로 쳐 낸 파이옌이 고래고래 소리쳤다.

"병아리 너!!! 계속 얼굴만 노리고 던지기냐!!!"

"대장군님 해치기만 해 봐! 우주 끝까지 쫓아가서 짱돌로 얼굴을 다 뭉개 버릴 거야!!!"

살기등등한 윤조의 고함에 파이옌이 할 수 없다는 듯 어깨를 으쓱했다.

"어후, 무서워. 홍준영, 들었냐? 너 건들면 조약돌로 내 얼굴을 다 뭉개 버린단다."

"그녀를 노리는 이유가 무엇이냐."

"황제의 명이다. 내가 할 말은 이게 다야."

그때 맞은편 담벼락 너머에서 날아온 화살이 정확히 파이옌의 가랑이 사이를 지나 바닥에 꽂혔다.

"대장! 이쪽입니다! 수도군이 몰려옵니다!"

담벼락 위로 손을 흔드는 하센의 모습에 파이옌이 부들부들 몸을 떨었다.

"누구 고자 만들 일 있어-!!!"

"아, 죄송."

"아오씨, 이놈이나 저놈이나 다 마음에 안 들어!"

그가 검을 고쳐 쥐고 그대로 하센이 있는 담벼락을 향해 달려갔다. 떨어져 있던 병사들이 그를 향해 달려들었다. 병사들의 창검이 파이옌을 향함과 동시에 하센이 날린 화살이 그들의 가슴을 꿰뚫었다.

"누님, 나이스 샷!"

"이상한 말 쓰지 말고 어서 달리기나 하십시오!"

엄호를 받으며 달려 나간 파이옌이 윤조의 곁을 지나려는 때였다. 그의 뒤를 따라붙는 병사들을 처리하기 위해 하센이 화살을 걸었다. 조준을 하는데, 눈앞으로 창이 날아들었다. 몸을 피함과 동시에 하센의 손에서 미끄러진 화살이 활시위를 벗어났다.

"안 돼-!"

병사들을 향해 날아가야 할 화살이 윤조를 향해 날아갔다. 화살을 발견한 파이옌이 급히 몸을 틀어 윤조를 감쌌다. 남은 팔로 윤조를 감싼 채 바닥을 구른 그의 얼굴에서 땀이 흘러내렸다. 윤조가 이유를 모르겠다는 눈으로 그를 올려다봤다.

"왜 나를?"

"오해마라. 이건 그냥 쿨럭……!"

기침하는 그의 입가에 피가 흘렀다. 화살에 찔린 그의 옆구리에서 피가 배어났다.

"대장!!!"

하센의 다급한 외침이 귓가에 메아리 쳤다. 급소는 피한 모양이지만 이대로 가다간 죽을지도. 박힌 화살을 짧게 잘라 낸 그가 몸을 일으켰다. 하센은 활대에 화살을 세 개씩 걸어 계속해서 병사들을 맞혀 나갔다.

파이옌이 고개를 흔들었다. 충격 탓인지 정신이 몽롱했다. 그의 아래에 깔려 있던 윤조가 손으로 그를 밀어낼 때였다. 일순 몸 안을 흐르던 신력이 순식간에 그녀의 팔을 타고 몸 밖으로 빠져나가는 느낌이 들었다. 동시에 파이옌의 의식이 또렷해졌다.

"이게 왜……."

윤조가 혼란스러운 얼굴로 자신의 손을 바라봤다. 그녀의 의지와는 상관없이 팔을 타고 빠져나간 신력이 파이옌을 치료했다. 다른 사람들은 눈치채지 못했을 정도로 짧은 순간에 일어난 일이었다.

그런 윤조를 바라보던 파이옌이 검을 휘두르며 그대로 그녀를 지나쳤다. 별안간 활발해진 그의 움직임에 병사들이 주춤하는 사이, 그가 담벼락을 향해 뛰어올랐다. 하센이 팔을 뻗어 황급히 그를 담 위로 끌어 올렸다.

"뭣들 하느냐! 놈을 잡아라—!"

다급해진 혜린이 소리쳤으나 이미 담 위의 두 사람은 모습을 감춘 뒤였다.

"놈들을 쫓아라! 멀리 가지 못했을 것이다! 어서!!!"

말에 오른 혜린이 급히 병사들을 이끌고 대문을 빠져나갔다. 하지만 홍 장군, 길림과 함께 저택에 당도한 수도군에게 가로막혀 발이 묶였다.

"제길!!!"

다 잡은 놈을 놓치다니! 분한 마음에 말안장을 때린 그녀가 파이옌이 사라진 방향을 표독스럽게 노려봤다.

한편, 담에서 뛰어내렸던 파이옌과 하센은 담 아래에서 기다리고 있던 마차에 그대로 몸을 싣고 수도를 빠져나가는 중이었다. 덜컹거리며 흔들리는 마차에서 파이옌의 상처를 확인한 하센이 마차를 몰고 있던 가료를 향해 소리쳤다.

"부관님! 대장님의 상처가 깊습니다!"

"대장님이?"

숱한 전장에서도 큰 부상 한 번 입지 않았던 파이옌이다. 놀란 가료가 마차 뒤를 확인했다. 파이옌이 거친 숨을 몰아쉬며 화살에 찔린 옆구리를 손으로 꽉 붙잡았다. 옷 위로 스미는 흥건한 피에 가료가 마차를 멈추려 하자 파이옌이 고개를 저었다.

"그대로 계속 달린다. 수도군의 이목이 다른 곳에 집중된 틈에 빠져나가야 해."

"괜찮겠습니까?"

"괜찮아."

파이옌이 겉옷을 들어 올려 상처를 확인했다.

"웬만큼 지혈은 된 것 같으니까."

혼란으로 가득했던 윤조의 얼굴을 떠올린 그가 어설프게 미소 지었다.

◈

어느덧 해가 저물고 어둠이 깔렸다. 수도군과 함께 저택에 당도했던 홍 장군과 길림은 문씨 가문의 사병들이 마당 안팎을 점거하고 있는 것을 확인하고 신속히 대처했다.

혜린은 의외로 순순히 홍 장군의 오라를 받았다. 귀족 가문의 사병들이 다른 귀족 가문의 사유지를, 그것도 홍씨 가문의 사유지를 점거한 것은 따질 것도 없이 재판에 넘겨질 중죄였다. 혜린의 체포를 막은 건 준영이었다. 그는 현장에서 벌어진 일을 설명하고 신속히 수도군의 경계를 강화할 것과 수도 밖으로 나 있는 모든 길목을 폐쇄할 것을 명했다.

괴혈단의 좌장군 파이옌이 그동안 수도를 어지럽혔던 세작들의 수괴였다는 사실이 알려지면서 긴급 회의가 소집되었다. 윤조에게 팔을 치료받은 준영이 홍 장군과 함께 황궁으로 입궁하고, 길림이 수도군을 지휘해 나라 안팎을 뒤지고 있었다. 긴박했던 하루가 그렇게 지나가고 있었다.

처소 창문을 열어 밖을 확인한 윤조는 저택 안팎으로 보초를 서는 군사들을 발견하고 먼 하늘로 시선을 돌렸다. 그러다 다시 시선을 돌려 가까이 창틀을 잡고 있는 자신의 손을 가만히 들여다보았다.

"무슨 생각 해?"

그때 나래의 목소리가 들렸다. 윤조는 아무것도 아니라며 천천히 고개를 저었다.

"머리가 좀 복잡해서"

"정신없는 하루이긴 했지."

나래가 침대 위에 쓰러지듯 드러누웠다.

"윤조 너도 좀 쉬어. 많이 놀랐을 텐데."

"어, 그래야지."

나래를 따라 침대에 누운 윤조가 자신의 손을 바라보다 나래를 향해 물었다.

"신력이 무녀의 의지를 벗어날 때도 있어?"

"그게 무슨 소리야?"

나래가 영문 모를 눈으로 윤조를 돌아봤다.

"무녀가 의도한 게 아닌데 사용되어질 때도 있나 싶어서."

"그럴 일은 없을 텐데? 신력은 무녀의 의지가 아니면 밖으로 발현되는 게 아니니까."

"그렇지?"

"갑자기 그건 왜?"

"그냥 갑자기 궁금해져서."

"신력이 무녀의 의지와는 상관없이 발현된다면 신력 자체에 의지가 깃들어 있다는 소리잖아? 그렇게 되면 신력을 사용하는 무녀들이 자신의 의지가 아니라 신력의 의지대로 휘둘릴 수도 있다는 건데, 그건 말이 안 되지. 주체가 되는 건 무녀라고. 무녀 시험에서 떨어지는 사람이 생기는 이유도 그 때문이잖아. 무녀의 자격을 얻은 후보생이 자신 안에 내재된 능력을 발현하지 못했기 때문에. 만약 신력이 무녀의 의지와는 달리 발현되는 힘이라면 무녀가 실력을 갈고닦을 필요도 없이 신력이 무녀의 몸을 차지했겠지."

"하지만 만약에, 만약에라도 신력이 무녀를 벗어나 누군가를 치료했다면?"

"치료?"

"응."

"신력 자체가 치유하는 힘이니까 무의식적으로 반응한 거 아닐까? 신력이 자유의지를 가졌다기보다는 상처를 치유하고자 하는 무녀의 무의식이 발현된 거지."

"무녀의 무의식이 발현된 거다?"

"치료사 무녀라면 상처 입은 자를 치료하는 게 첫 번째 원칙이잖아. 매일같이 듣는 수학관의 가르침도 그렇고. 하루 이틀도 아니고 몇 년을 수행한 가르침이니 무의식에 강하게 새겨지지 않았을까? 부상을 당했거나 치료가 필요한 사람 앞에서 주저하지 않고 거부감을 없애기 위해 반복적으로 학습한 거니까."

"그런 걸까……."

그렇다면 그 순간 파이엔에게 발동되었던 신력은 무의식이 발현한 힘이었던 걸까? 그를 치료했던 것도 나의 무의식이 그를 치료하길 바라서였을까?

'그런 거라면 내가 그를 살리고 싶었던 걸까?'

누군가 죽었으면 좋겠다고 바란 적은 없었다. 반대라면 모를까, 적어도 사람이 죽었으면 좋겠다고 바란 적은…….

그렇게 생각하던 그녀가 '아' 하고 과거의 한 순간을 떠올렸다. 사람이 죽었으면 좋겠다고 바랐던 적이 한 번 있었다. 그 사람은 바로 그녀 자신이었다. 오랜 시간이 지났지만 윤조는 그 순간을 지금도 후회했다. 어쩌면 그 후회가 자신의 무의식에 강하게 남아 신력을 사용한 것인지도 모르겠다고 그녀는 생각했다.

"환부는 깨끗이 꿰맸으니 삼사일 안정을 취하면 괜찮아질 겁니다. 지혈이 잘 되어 살았습니다."

"고마워, 의원."

"별말씀을요. 그럼 쉬십시오."

치료를 마치고 나가는 의원을 바라보던 파이엔이 곁에 있던 하센을 향해 손을 내밀었다.

"닦을 것 좀."

"여기."

하셴이 내미는 물에 적신 수건을 받아 든 그는 얼굴이며 목에 흐른 식은땀을 닦아 냈다.

"후, 마취 없이 꿰매려니 아파서 혼났네. 새로 입을 옷도 좀 부탁할게. 가료는?"

"준비하겠습니다. 가료 부관은 바꿔 탈 마차를 구하러 갔습니다. 곧 돌아올 겁니다."

"그래. 나투국 추격대 따돌리려면 마차를 바꿔야겠지. 내가 다치는 바람에 번거롭게 됐어."

"그런 말씀 마십시오. 이 정도로 끝나서 다행입니다. 자칫 목숨을 잃을 수도 있었습니다."

"살았으니 됐지. 으차."

누워 있던 침대에서 일어나 의자에 걸터앉은 그가 땀에 전 머리카락을 매만졌다.

"찝찝해."

"땀이 났으니까요."

"감겨 줘."

파이옌이 초롱초롱하게 눈을 뜨고 하셴을 바라봤다. 그러자 하셴이 차갑게 표정을 굳히고 손바닥을 보였다.

"싫습니다. 제가 시중드는 시녀도 아니고."

"하셴은 너무 깐깐해."

"물 깃는 것 정도는 도와드리죠."

"됐네, 됐어. 혼자 하고 말지."

하셴은 툴툴거리며 꿰맨 상처를 확인하는 파이옌을 바라보다 조용히 입을 열었다

"죄송합니다."

"뭘?"

"제가 화살을 잘못 날리는 바람에 이렇게……."

"됐어. 어쩔 수 없는 상황이었잖아."

"죄송합니다."

"됐다니까. 무녀도 무사하니 일은 다음에 다시 계획하면 돼."

"그 무녀를 구하신 건 무모했습니다. 자칫 죽을 수도 있었습니다."

"우리 황제가 원하는 게 그 무녀라며. 치료술 이용하려고 하는 것 같은데 죽으면 곤란할 거 아니야."

"정말 그 때문이십니까?"

파이옌이 멈칫하며 하센을 바라봤다.

"그게 아니라면 뭐 때문인데?"

"아닙니다. 폐하께서 이 자리에 계셨다면 깊이 감동하셨을 겁니다."

황제를 위한 충성 때문이다? 그 파이옌이? 어림 반 푼어치도 없는 소리. 그는 누구보다도, 무엇보다 자신의 생존을 위해서 살아가는 사내였다. 황제의 장기 말이 된 것도 다 그런 이유가 아니던가. 파이옌은 심중을 꿰뚫는 눈으로 자신을 바라보는 하센을 마주하다 귀찮다는 듯이 침대 위에 드러누워 버렸다.

"에이 몰라, 몰라, 몰라."

"대장님답지 않은 행동이라고 생각했습니다. 거북하셨다면 죄송합니다."

"나다운 행동? 원래대로라면 어떻게 했을 거 같은데?"

"아닙니다. 제가 실언을……."

"아니, 말해 봐. 어떻게 했을 거 같은데?"

"무녀를 죽게 두셨을 겁니다."

"황명이라도?"

"황명이라 해도. 그리고 다른 무녀를 찾아보셨을 거라고 생각합니다."

"그랬을지도."

파이옌이 하센에게 등을 돌리며 읊조렸다.

"나도 잘 모르겠어. 내가 왜 그랬는지."

똑똑.

문밖에서 들려오는 소리에 하센과 파이옌의 시선이 동시에 향했다. 문을 열고 들어온 것은 가료였다.

"마차가 준비되었습니다. 여기, 입을 옷도 구해 왔습니다."

"오! 역시 가료가 최고야! 바로 출발한다."

파이옌이 기쁜 마음으로 새 옷을 받아 팔과 머리를 꿰어 넣었다.

"괜찮으시겠습니까? 대장님, 오늘은 이곳에서 묵으셔도……."

"괜찮아, 피는 멎었으니. 의원이 솜씨 좋게 꿰매서 걱정 없어."

"부상이 심각하지 않아 다행입니다."

"병아리 덕분이지."

"병아리요?"

"응, 쬐끄만 병아리 있어. 준비 끝! 둘 다 어서 출발하자고."

파이옌은 가료의 어깨를 툭툭 두드리곤 밖으로 향했다. 무슨 이유인지 평소보다 억지스럽게 밝은 그의 모습에 가료가 의아한 눈빛을 담아 하센을 쳐다봤다. 하센은 고개를 절레절레 흔들며 어깨를 으쓱 해 보일 뿐이었다.

마차가 어두운 산길을 달렸다. 사람들이 다니는 길이 아닌 짐승의 길로 들어선 마차가 유난히도 덜컹거렸다. 사냥을 나왔던 산짐 승들이 빠르게 굴러가는 마차 바퀴에 놀라 달아났다.

며칠간 끈질기게 따라붙던 추격대는 따돌렸다. 마차는 곧 서국의 땅을 밟을 것이다. 하센이 안도하며 창밖의 지형을 확인하던 때 파이옌은 괴로움에 몸부림치며 창가에 매달려 있었다. 조금 전부터 창문을 열어 둔 채 마차 밖의 검고 흐릿한 풍경을 눈에 담던 파이옌은 속이 울렁거려 죽을 지경이었다.

"가료-! 운전 좀 천천히! 우읍, 천천히!"

"달리는 말 위에서 재주도 부리는 분이 마차에 멀미를 하십니까?"

하센의 면박에 대응할 힘도 없는지 그는 축 늘어진 몸을 창문에 걸친 채 웅얼거렸다.

"예전부터 그랬어. 특히 관광버스. 흔들리는 게 어찌나 심한지. 그거랑 마차랑 비슷한 거 같아."

"관광버스요? 그게 뭡니까?"

"마차 비슷한 건데, 마차보다 몇 배는 크고 사람도 많이 탈 수 있는 거 있어."

"굉장히 커다란 수레인가 보군요."

"뭐, 비슷하지. 우읍! 가료! 뒤에 아무도 안 쫓아와! 제발 속도 좀 줄여!"

울렁울렁 먹은 것도 없는데 위액이 넘어올 것만 같았다. 마차가 덜컹거렸다. 동시에 배 속에서 올라온 무언가가 목구멍을 타고 폭발할 것 같았다. 파이옌이 입을 틀어막은 채 창밖으로 머리를 내밀었다. 극적으로 마차가 멈춘 것은 바로 그때였다. 예고도 없이 갑자기 멈춰 선 마차가 크게 흔들렸다. 창틀에 머리를 찧은 파이옌이 앓는 소리를 내며 마차 바닥을 굴러다녔다.

"으윽, 도로 삼켰어. 갑자기 뭐야?"

"쉿, 뭔가 이상합니다."

파이옌이 오만상을 쓰며 입을 틀어막았다. 그때 바깥에서 낯선 인기척을 감지한 하셴이 입가에 손을 올리며 검을 꺼내 들었다.

"대장님은 안에 계십시오. 제가 나가 보겠습니다."

기진맥진해 쓰러진 파이옌을 뒤로하고 마차 밖으로 조심스럽게 나온 하셴이 주변을 탐색하던 때였다. 그녀의 앞으로 새파랗게 날이 선 검이 내밀어졌다.

"누구냐!"

하셴의 눈매가 매섭게 굳어졌다. 가료 님은 어디에 계시지? 그녀는 곁눈으로 가료의 생존을 확인했다. 그때 그녀에게 검을 겨누고 있던 사내의 뒤로 익숙한 인영이 모습을 드러냈다.

"좌장군은 어디에 있지?"

성숙한 사내의 것이라기에는 앳된 남자아이의 목소리가 어둠 속을 울렸다. 말을 타고 모습을 드러낸 인영이 누구인지 알아챈 하셴이 급히 바닥에 무릎을 꿇고 머리를 조아렸다.

"황자마마! 괴혈단 하셴, 황자마마를 뵙습니다!"

까랑까랑한 목소리로 파이옌을 찾는 황자는 앳된 모습이었다. 서국 황제의 유일한 핏줄이자 황위 계승권자인 그의 이름은 스안. 올해 열두 살의 어린 나이였지만 황족의 후손답게 나이답지 않은 패기가 있었다. 어머니인 황후를 닮아 짙은 갈색 머리카락에 검은색 눈동자를 가진 아이는 작은 손으로 투레질하는 말의 고삐를 잡아당겼다.

"좌장군은, 파이옌은 어디에 있느냐?"

"누가 나를 불러?"

"파이옌!!!"

마차 밖으로 고개를 내민 파이옌은 별안간 자신의 목덜미를 덥석 껴안고 파고드는 무게에 경기를 일으켰다.

"황자? 황자가 왜 여기에 있어!"

"스안이라고 부르라 명하지 않았느냐!"

"그럼 네놈 아비한테 내 목이 달아나요."

파이옌의 말에 스안이 울상을 지으며 그의 얼굴을 덥석 잡아 가까이 했다.

"왜 이렇게 오래 걸린 것이냐! 분명 금방 돌아온다고 하지 않았느냐!"

"그건 사정이, 일단 이것 좀 놓고—."

"황궁에 갈 것이지? 그렇지? 내가 친히 마중 나왔느니라!"

"그래그래, 아주 고오맙다. 고오마워. 이제, 이제 좀 떨어져라."

"싫다! 놓으면 또 도망칠 것이 아니냐!"

"그러고 싶어도 몸 상태가……. 윽, 이러다 상처 터지겠다!"

"상처?"

스안이 깜짝 놀라 파이옌에게서 떨어졌다.

"상처라니? 설마 다친 것이냐!"

놀란 황자가 파이옌의 옷자락을 이리저리 들치었다. 그러다 그의 옆구리에 둘둘 감긴 피 묻은 붕대를 발견하고 일렁일렁한 눈을 들어 파이옌을 바라봤다.

"어, 어쩌다가, 어쩌다가 이런 것이냐? 많이 아픈 것이냐?"

"너만 조용하면 괜찮을 것 같다."

파이옌은 거의 울 것 같은 스안의 머리를 토닥이며 한숨을 내쉬었다. 그는 고개를 돌려 스안과 함께 있던 호위 무사를 향했다.

"국경 근처로 황자를 데려오면 어쩌자는 거야? 죽고 싶어?"

"죄송합니다. 하지만 황자 전하의 뜻이 너무도 완강하시어……."

"하여간 지 아비 닮아서 더럽게 고집만 세지."

파이옌은 황자의 머리를 꾹 내리눌렀다. 호위 무사가 제지하려 했으나 스안이 나서서 호위 무사를 물러나게 했다.

"머리를 누르면 키가 안 자란다고 했다!"

스안의 말에 파이옌이 어처구니없는 표정을 지었다.

"너는 원래 작은 거야."

"아니다! 나도 아바마마처럼 커질 것이다! 두고 보아라!"

"콩알. 너 그렇게 징그럽게 자라면 다신 안 봐."

"저, 정말 안 볼 것이냐?"

"나는 네놈 아비가 너무너무 징글맞은 사람이야. 그새 죽거나 하지 않았어? 아직도 살아 있어?"

"응. 파이옌을 기다린다고 하셨다."

"젠장. 하센, 가료, 먼저 황궁으로 가라. 난 황자 데리고 갈게."

콩알 같은 놈이지만 방패막이 정도는 되겠지.

파이옌의 중얼거림에 하센과 가료가 못 말린다는 듯이 그를 쳐다보다 다시 마차에 올랐다. 하센은 어찌 할 바를 몰라 우왕좌왕하는 스안의 호위 무사에게도 마차 안에 탈 것을 권유했다.

"걱정하지 마십시오. 황자 전하와 파이옌 님 사이좋은 건 다 아는 사실 아닙니까."

호위 무사는 불안한 시선으로 스안과 파이옌을 번갈아 보다 파이옌의 날 선 시선에 헛기침을 하며 마차에 올랐다. 예전에는 절대 호위를 물릴 수 없다고 버틴 적도 있었지만 '광견' 파이옌의 모습을 한 번 목격한 뒤로는 질색하며 물러나 주고 있다. 그러한 사실을 아는 하센은, 투덜거리면서도 스안을 친동생처럼 대하는 파이옌을 바라보다 마차의 문을 닫았다.

⟡

"대체 이게 어찌 된 일이란 말이오! 세작의 수괴가 괴혈단의 좌장군 파이옌이었다니! 군의 경계를 어찌 세웠기에 그들이 수도 내에 들어올 수 있었단 말인가!"

같은 시각 나투국 수도, 황궁. 어좌를 내리치며 분개하는 황제의 노성에 소집된 신료들 모두 고개를 숙였다. 홍 장군이 앞으로 나아가 황제에게 아뢰었다.

"송구합니다, 폐하. 수도의 경비를 제대로 살피지 못한 소신의 잘못이옵니다."

"폐하, 최 승상 아뢰옵니다. 괴혈단의 무리는 좌장군 파이옌을 포함, 가면을 쓰고 전투에 참여한 자들이기에 얼굴과 신상 정보가 명확히 알려진 바가 없습니다."

최 승상이 홍 장군의 옆에 서며 황제를 바라봤다.

"군의 경비가 뚫린 것은 분명 잘못이나 먼저 세작을 도와 수도로 끌어들인 자들을 처단하시는 것이 먼저라고 사료되옵니다."

최 승상의 발언에 온 황제는 물론이고 모여 있던 신료들이 일제히 술렁이기 시작했다.

"승상. 그 말은 누군가 세작을 도운 배후가 있다는 뜻인가?"

"예. 내부의 도움 없이 국경의 경계를 넘어 수도까지 당도하는 것은 거의 불가능합니다."

"최 승상. 세작의 일로 나라가 시끄러운 때에 내부의 분란까지 조장해서 되겠소?"

문씨 가문파에 속하는 한 신료의 말에 최 승상의 낯빛이 차갑게 굳어졌다. 그는 냉철한 시선으로 자신의 말을 가로막은 신료를 바라보며 또박또박 말을 이었다.

"귀공은 국경에 가 본 적이 있는가? 전쟁이 끝났다고는 하나 국경의 긴장감은 풀리지 않았소. 여전히 패전한 서국군의 잔당이 국경 수비대와 충돌하고 있고 거기다 서국 황제의 생사가 확실하게 명명된 시점이오. 전쟁이 끝났을 뿐 서국은 아직 건재하지. 이 시점에 다른 사람도 아닌 서국 황제가 직접 선출했다는 괴혈단의 좌장군 파이옌이 세작의 수괴로 수도에 침투했다? 국경에서는 침투의 흔적이 발견되었으나 수도는 아니었소. 그들이 무력으로 수도군을 뚫었다면 몰랐을 리가 없을 터. 누군가 그들에게 문을 열어 주었다는 뜻이겠지."

"그, 그것은! 수도군의 기강이 해이해진 틈을 타 성벽을 넘었을 수도 있지 않소! 전쟁도 끝났겠다, 사실상 이름뿐인 군인 아닙니까?"

"멍청한 소리!"

신료의 말에 홍 장군이 진노하여 소리쳤다.

"네놈이 풍족한 저택에서 배에 기름칠하며 놀고먹을 때 7년이라는 삶을 전쟁에 바친 영웅들이다! 감히 그따위 말을 지껄이다니!!!"

"홍 장군! 지금 날 위협하는 것이오?"

그때, 회의장 문이 열리며 파발이 당도했다.

"송구하옵니다, 폐하! 추격대가 파이옌을 쫓아 국경 부근까지 갔으나 사로잡지 못하였다고 합니다."

"놓쳤단 말인가!"

소식을 들은 온 황제가 낙심한 표정으로 이마를 짚었다. 파이옌을 놓쳤다는 소식을 접한 준영의 주먹에 절로 힘이 들어갔다. 팔이 멀쩡했더라면! 그는 파이옌의 검을 버티는 것만으로도 버거웠던 자신의 오른팔을 바라보며 어금니를 깨물었다. 회의장이 다시금 소란하게 술렁였다.

"다들 조용히 하라!"

온 황제가 자리에서 일어나 소리쳤다. 그는 한숨과 함께 최 승상을 돌아봤다.

"승상. 승상의 말에 근거는 있는가?"

"예. 본국에 신고하지 않은 행상 마차가 수도를 오간 흔적을 발견했습니다."

"그렇군."

온 황제가 심각한 표정으로 고개를 끄덕였다.

"이번 조사에 대한 권한을 최 승상에게 일임하겠소. 더불어 홍 장군과 대장군 또한 승상을 도와 이번 사건의 주모자를 찾아내는 데 힘써 주길 바라오. 또 국경으로 조사단을 파견해 서국의 동향을 낱낱이 보고하라 이르게."

"성심을 다 하겠나이다!"

"축하연까지 앞으로 보름도 채 남지 않았소. 백성들이 불안해하지 않도록 모두 각자의 위치에서 맡은 바 힘써 주길 바라는 바이오."

회의가 파하고, 준영에게 다가온 최 승상이 가장 먼저 확인한 것은 혜린의 거취였다.

"어떻게 됐나?"

"순순히 취조에 응했다고 합니다. 그녀의 말로는 파이옌이 하인으로 위장하여 문씨 가문에 숨어들었고, 황실 문서를 보관하는 서고에서 문서를 훔쳐 자취를 감췄다고 합니다. 시녀의 말도 같습니다. 도망치는 파이옌의 손목에서 문신을 발견하고 바로 혜린에게 알렸다고 하더군요."

"그 사실을 왜 바로 수도군에 알리지 않았지?"

"가문이 해를 입을까 두려웠다고 합니다. 황실 문건을 도난당한 것도, 세작이 가문에 숨어들었던 것도 자신이 해결하지 않으면 후에 문제가 커질 것이라고 생각한 모양입니다."

"그녀는 지금 어디에 있나?"

"금부 조사실에 있습니다. 직접 만나 보시겠습니까?"

"그러지."

준영과 함께 금부의 조사실로 향한 최 승상은 조사실 안쪽에 차분히 앉아 있던 혜린을 발견했다. 그녀 역시 문을 열고 들어오는 두 사람을 확인하고 자리에서 일어나 고개 숙였다.

"승상님과 대장군님을 뵙습니다."

"자리에 앉지."

그녀와 마주 앉은 최 승상은 예상보다 차분한 그녀의 모습에 눈을 가늘게 떴다. 평소라면 길길이 날뛰며 자신은 억울하다고 악을 쓰고 있어야 할 계집이 어찌 이리 조용한 것일까? 그는 의문하며 운을 뗐다.

"조사관에게 한 말은 들었네."

"예. 조금의 거짓도 없이 이야기했습니다."

"그렇군. 몇 가지 직접 대답을 듣고 싶은 게 있어 왔네. 괜찮겠나?"

"괜찮습니다. 필요하시다면 대장군님께서도 함께 계셔도 좋습니다."

일부러 자리를 피하려고 했던 준영을 붙잡는 그녀의 눈에 생기가 돌았다. 하는 수 없이 최 승상의 곁에 선 준영은 애틋한 감정을 담아 자신을 바라보는 혜린의 시선을 모른 척했다. 최 승상은 준영을 향하는 혜린의 시선에 입매를 당겼다. 아직도 포기를 못했군.

"하인으로 위장한 파이옌이 처음 문씨 가문에 들어왔을 때를 기억하나?"

최 승상의 질문에 혜린이 고개를 저었다.

"잘 모르겠습니다. 하인들 관리는 제 소관이 아닌지라. 관리를 맡긴 자가 있으니 그자에게 물어보면 명확히 알 수 있을 겁니다."

"하인을 뽑는 것도 그자의 소관인가?"

"네, 그렇습니다. 그러나 그자 역시 하인 출신이라 멋모르고 일꾼을 충당하기 위해 사람을 뽑았을 것이라 생각됩니다."

"그렇군. 파이옌이 문씨 가문에서 가져갔다는 황실 문서는 무엇에 관한 것인가?"

"그것은-."

혜린은 평온한 표정을 유지하며 최 승상을 바라봤다. 최 승상이 알고 있는 황실 문건을 입에 올렸다간 거짓이 금세 탄로 나고 말 것이다. 판단을 마친 그녀가 조심스럽게 준영과 최 승상의 눈치를 보며 입을 열었다.

"초대 황제에 관한 기록입니다."

그녀의 말에 최 승상의 미간이 좁혀졌다. 그것은 은밀한 황실 문건 중에서도 최 승상조차 접근이 불가능한, 황실 직계손만이 열람이 가능한 문서 중 하나였기 때문이다.

"괴혈단의 좌장군 파이옌이 나투국 초대 황제에 관한 기록을 훔쳐 달아났다?"

"네."

"어떤 내용이 담긴 문서인지는 밝힐 수 없겠군?"

"그렇습니다."

"그가 왜 그 문서를 노렸는지 짐작 가는 바는 있나?"

"글쎄요. 저도 그 이유를 잘 모르겠습니다. 하지만 분명한 것은 나투국 초대 황제에 관한 기록 대부분은 황실 직계손을 빼고는 열람 불가능한 극비라는 사실이지요. 저도 그 문건의 내용을 확인한 바가 없습니다. 황실의 허가로 조부님께서 문건을 열람한 이후 기록이 없으니, 아버님께서도 그 문서의 내용을 알지 못하실 겁니다."

'잔꾀를 부리는군.'

혜린의 말을 들은 최 승상의 입가가 한일자로 다물렸다. 황실을 빼고는 아무도, 자신도, 문 비서랑조차 열람하지 못한 문서를 대다니. 파이옌이 훔친 문서를 사실상 없는 셈 쳐야 하는 상황으로 만들겠다는 속셈이로군.

"그가 세작이라는 사실은 언제 처음 알게 되었나? 듣자 하니, 일전에 홍씨 가문을 방문했을 때 그자와 함께 동행했다고 하던데?"

"예, 맞습니다. 그자가 세작이라는 사실을 알게 된 건 군사를 움직이기 직전이었습니다. 황실 문서와 함께 모습을 감춘 그자의 행방을 비밀리에 찾고 있던 때 시장으로 심부름을 보냈던 제 시녀가 그자를 발견했고, 그자의 손목에 문신이 새겨진 것을 봤다고 했습니다. 아마 그때-."

혜린이 고개를 들어 준영을 향했다.

"그자와 대장군님의 정혼자인 윤조 무녀가 함께 있었다지요?"

그녀의 말에 최 승상이 고개를 돌려 준영을 바라봤다.

"사실인가?"

"예, 사실입니다. 문씨 가문에서 쫓겨났다고 거짓을 고하고 저희 가문에 일자리를 찾으러 온 그자를 윤조가 받아 주었더군요."

혜린의 시녀도 그 자리에 있었던 것인가? 하지만 시녀를 조사할 때 준영 자신도 함께 봤다는 증언은 듣지 못했다. 그렇다면 내가 도착하기 전에 시녀가 두 사람을 보고 혜린에게 알린 것이겠군. 준영이 생각을 정리하며 최 승상을 바라봤다. 최 승상이 다시금 그에게 질문했다.

"그 두 사람이 함께 있었다는 말은 무엇인가?"

"그날 아침 유모가 그자에게 공방에 맡긴 말안장을 가져오라는 심부름을 시켰다고 합니다. 윤조와 함께 있던 이유는 그자가 나래와 함께 있던 윤조를 억지로 끌고 함께 심부름을 나갔다고 하더군요. 이는 나래를 통해 들은 것이니 확인하면 될 겁니다."

상황을 이해한 승상은 고개를 끄덕이면서도 의아한 부분을 짚어 냈다.

"왜 그자가 굳이 윤조를 끌고 밖으로 향했을까. 그 부분에 대해 짚이는 건 없나?"

준영은 파이엔이 도주 직전 자신에게 했던 말을 떠올렸다.

"서국 황제의 명령이라는 말과 함께 그가 윤조를 원하고 있다는 이야기를 했습니다."

"서국의 황제가 윤조를?"

"예. 내용은 그것뿐이었습니다."

서국의 황제가 윤조를 노리고 있다. 준영의 말에 최 승상은 물론이고 함께 이야기를 듣고 있던 혜린의 눈동자에 이채가 어렸다.

'역시, 내 예상이 맞았군. 서국의 황제 역시 이전의 대장군처럼 몸이 온전치 못한 상태인 게 틀림없다. 서국에는 치료술을 쓰는 무녀가 없으니, 윤조가 대장군을 치료했다는 소식을 듣고 납치하려 했던 것이라면 파이옌 그자가 윤조에게 가깝게 접근했던 이유도 설명이 되는군.'

그녀는 최 승상과 대화하는 준영을 바라보며 티 나지 않게 입술을 깨물었다.

'차라리 납치당했으면 좋았을 것을. 파이옌 그자, 끝까지 도움이 안 되는군.'

그녀는 애써 표정을 갈무리하며 최 승상과 대장군을 향해 물었다.

"더 물으실 말씀이 있으신지요?"

"오늘은 이쯤 해 두지."

"부르시면 언제든지 가겠습니다."

"알겠네."

혜린은 구속된 것이 아니기에 곧 가문으로 돌아갈 것이다. 차라리 구속된 것이라면 사건을 조작하지 못하게 손발이라도 묶어 둘 수 있겠지만. 예리한 시선으로 혜린의 속내를 훑던 최 승상은 하는 수 없이 발길을 돌려야만 했다.

"대장군!"

헤린이 최 승상과 함께 조사실을 나서려는 준영을 불렀다. 준영이 뒤돌아 그녀를 바라보자 그녀가 고운 미소를 지으며 인사했다.

"완쾌하셔서 다행입니다. 제가 언제나 마음으로 기도하고 있다는 것을 알아주세요."

"……고맙네."

"그럼 또 뵙겠습니다."

그녀의 말을 마지막으로 준영이 등을 돌려 조사실을 나섰다. 문이 닫히고, 촛불만이 켜진 어두운 방 안. 혼자 남게 된 혜린의 눈빛이 형형히 빛났다.

"서국의 황제가 윤조를 노린다라……."

조용히 읊조리는 그녀의 붉은 입술이 짙은 호선을 그렸다.

"왔나."

붉은색 얇은 베일에 가려진 서국 황제의 침상 너머에서 메말라 갈라진 음성이 들렸다. 파이옌은 한쪽 옆구리에 짐짝처럼 들고 있던 황자 스안을 바닥에 내려놓으며 고개를 까딱였다.

"그래, 왔다. 옆구리에 구멍이 나긴 했지만."

"다친 건가? 네놈이? 의외로군. 꽤 곤란한 일이 있었다고 들었다."

먼저 도착해 황제의 앞에 부복하고 있던 가료와 하센을 슥 돌아본 파이옌이 스안의 머리를 쓰다듬으며 답했다.

"응, 그렇게 됐다. 문 비서랑 딸 알지? 혜린이라는 무녀. 그녀이 뒤통수를 치더라고?"

"그랬나."

"뭐야, 그 무덤덤한 말투는? 너, 설마 이렇게 될 거 알고 있었어?"

"조금은."

감정의 동요라고는 손톱만큼도 느껴지지 않는 황제의 음성에 화가 난 파이옌이 소리쳤다.

"너 이 자식! 까딱하다 죽을 뻔했는데, 뭐 조금은? 그걸 말이라고 하냐!"

"입을 놀리는 걸 보니 건강한 모양이다만?"

"날 이용했지. 너, 일부러 날 이용해서 사고 치게 만든 거잖아! 아니야?"

"오, 그걸 눈치챘다니 놀랍군. 네놈도 배우는 건 있는 모양이구나."

정말로 놀랐다는 투로 감탄하는 어조에 주먹을 쥔 파이옌의 손이 부들부들 떨려 왔다. 베일 너머 그런 파이옌의 모습이 눈앞에 그려지는 듯해 침상 위에 누워 있던 서국 황제, 키얀은 갈라진 음성으로 낮은 웃음소리를 냈다.

"살아 돌아올 것을 알고 그리한 것이다."

"아, 그러셔?"

"결론적으로 살아 돌아왔지 않나?"

"죽다 살았지. 결코 네놈 덕분에 산 건 아니지만."

"파이옌, 너는 죽을 수 없다. 멋대로 죽어서도 안 된다. 내가 네놈의 죽음을 샀다는 것을 잊지 말아라."

"그러시겠지. 하지만 똑똑히 알아 둬. 네놈이 내 죽음을 샀을지 몰라도 내가 살아가는 이유는 네놈 때문이 아니라는 것을."

날카로운 말이 오가며 긴장감이 고조되는 순간, 베일 너머에서 기침 소리가 크게 들렸다. 그에 파이옌의 곁에 있던 스안이 걱정스러운 얼굴로 침상으로 달려가 황제의 상태를 확인했다.

"아바마마, 괜찮으십니까?"

"목이 마르구나."

"소자가 금방 물을 떠오겠습니다!"

빈 물병을 들고 침실 밖으로 달려 나가는 스안을 바라보던 키얀이 한 손으로 베일을 걷고 파이옌을 향해 손짓했다.

"가까이 오라."

"뭘 또, 그냥 말하면 될 것을."

투덜거리면서도 침상에 가까이 다가간 파이옌이 베일을 걷어 냈다. 마주한 서국 황제, 키얀은 이전보다 더 말라 있었다. 벗은 상체의 대부분은 붕대가 차지했다. 전쟁의 막바지, 길림의 화살에 맞은 자리였다.

구릿빛 피부에 선명한 적갈색 눈동자를 지닌 그는 얼핏 불빛에 비추면 선홍색으로도 보이는 눈동자 때문에 타국에서는 '선홍의 황제'라는 이명으로 불리기도 했다. 하지만 철혈의 강인한 황제일 것만 같은 이명과는 달리, 그의 인상은 선하고 정결한 성직자를 연상케 했다. 병색 때문인지 단정하다고 생각했던 인상이 더욱 유순하게 느껴졌다.

붉은 머리카락을 어깨 아래로 늘어뜨린 그는 심통 난 어린아이 같은 표정으로 자신을 내려다보는 파이옌을 향해 미소 지었다.

"네놈은 여전하구나. 그 버릇없는 말투나 시선하며, 불만 어린 표정까지도."

"내가 뭐."

"처음 만났을 때도 그랬지."

"웬 청승이야? 너랑 추억 팔이 하면서 노닥거리고 싶지 않거든?"

"하하, 정말 까탈스러운 멍멍이라니까."

"누가 멍멍이라는 거야! 이 인간이 아프더니 노망이 났나!"

"하하. 잘도 짖는구나."

"아오, 이걸 그냥 확 쥐어 패 버릴 수도 없고."

주먹 쥔 손을 내리는 파이엔의 모습을 바라보던 키얀이 조용히 물었다.

"무녀는 데려오지 못한 것 같구나."

"말했잖아. 방해가 있었다고."

"아쉽군. 나투국의 치료술을 눈앞에서 보고 싶었는데 말이야."

"구경거리로 부른 거였어?"

"하하, 그럴 리가. 치명상을 입은 홍준영을 치료했다는 소식을 들으니 나도 살고 싶어서 말이야."

키얀이 심장과 가까운 자신의 상처를 가리켰다.

"선단으로 악화되는 건 막고 있지만 언제까지 버틸 수 있을지는 모르지. 나도 아직 죽긴 싫거든. 우리 아들 장가가서 손주까진 봐야 할 거 아니야?"

"무녀는 반드시 필요하다는 거군."

"그렇지."

파이엔의 눈동자가 흔들렸다. 이대로라면 키얀은 반드시 죽는다. 그날이 한 달 뒤가 될지 두 달 뒤가 될지만 정해지지 않았을 뿐이다.

한국과 달리 이곳은 체계적인 의술이 발달하지 않았다. 수술이라는 개념이 있긴 하지만 마취제로 쓸 약초는 귀하디귀했고, 그 외에 필요한 영양제나 소독약도 구비되지 않은 세계였다. 그런 대륙에서 유일하게 치료술이 발달한 나라는 나투국뿐. 그마저도 의술이 아닌, 무녀가 가진 신력을 이용한 것이었지만.

"내가 그 무녀를 데려오면 어쩔 셈이야?"

파이엔의 물음에 키얀이 당연한 것을 묻냐며 손가락을 꼽았다.

"우선 황후를 치료하게 해야지. 원래 목적도 그것이었으니. 그리고 나를 치료하게 할 거다."

"그리고?"

"그리고 다시 전쟁을 시작해야지."

따스한 음색과 달리 참으로 서늘한 한마디였다. 파이엔이 마른침을 삼키며 물었다.

"그 생각은 바뀌지 않는 거냐?"

"절대로."

단호한 선언이었다. 키얀은 그렇게 말하며 파이엔을 향해 손을 뻗었다. 그의 손끝이 파이엔의 머리카락을 스치고 지나갔다.

"살려 낼 거야. 황후를, 내 백성들을."

그래서 피할 수 없어, 이 전쟁.

덧붙이는 말과 함께 파이엔의 머리카락을 붙잡은 그의 손에 힘이 들어갔다. 당겨지는 힘에 파이엔이 인상을 찌푸렸다. 키얀은 그의 눈을 똑바로 마주 보며 읊조렸다.

"그러니 네놈이 좀 더 날뛰어 줘야겠다."

"오셨어요?"

"계속 기다리고 있었나?"

준영은 자신의 방문 앞에 웅크리고 앉아 있다가 벌떡 일어나는 윤조를 보며 옅은 미소를 지었다. 밤이 깊은 늦은 시각, 피로감 어린 그의 얼굴에 윤조가 가만히 준영의 손을 잡고 방 안으로 이끌었다.

"자자, 날이면 날마다 오는 게 아닙니다! 오늘은 윤조 피로 회복 마사지 풀코스로 체험 가능하십니다! 이리로 어서 누워 보시지요."

방 안에는 이미 많은 것들이 준비되어 있었다. 준영이 오기 전 윤조가 미리 준비한 것이었다. 뜨겁게 데운 물과 폭신한 재질의 수건, 헝겊에 팥을 채워 넣어 꿰맨 팥 주머니와 마사지를 위한 향유, 심신의 안정을 가져다준다는 은은한 향이 나는 향초까지. 모든 것이 준비 오케이였다.

윤조는 긴 옷소매를 거의 어깨까지 접어 올리며 한껏 기합을 넣었다. 침상을 팡팡 두드리는 그녀의 모습에 준영이 못 말린다는 듯 웃어 버렸다.

"준비하느라 고생 좀 했겠구나."

기뻐 보이는 그의 미소에 윤조가 헤헤, 실없이 따라 웃었다.

"그냥 좀 왔다 갔다 한 것 정도요. 어서 이리 엎드려 보세요. 아참, 윗옷은 벗으시고!"

옷을 입은 채로 자리에 엎드리려던 준영이 덧붙이는 윤조의 말에 동그랗게 눈을 떴다.

"옷을 벗으란 말이냐?"

"네. 마사지 받으려면 벗으셔야죠."

"마사지?"

"안마랑 같은 말이에요."

"아니, 그럼 맨살을 주무르겠다는 뜻이냐?"

"네, 맨살이요."

"그, 그래. 알겠다."

너무도 당연하다는 그녀의 말에 벙찐 표정을 짓던 준영이 쭈뼛거리며 윗옷을 벗었다.

"크흠."

"옷 주세요."

윤조가 준영의 옷을 받아 의자에 걸쳤다. 벗은 그의 상체, 촘촘한 근육으로 짜인 몸 곳곳에 오래되거나 생긴 지 얼마 되지 않은 흉터가 수없이 보였다.

"아프지 않으셨어요?"

그의 흉터를 살피던 윤조가 중얼거렸다.

"아팠지. 그때는 아픈 줄도 몰랐다만."

준영이 침상 위에 엎드리자 윤조가 그의 자세를 바로 잡아 주며 따뜻하게 데워 두었던 팥 주머니를 그의 등에 올렸다.

"온도 괜찮으세요?"

"딱 좋구나."

준영의 척추를 따라 팥 주머니를 길게 올려놓은 윤조는 마주 댄 손을 탁탁 털었다.

"근육이 많이 긴장되어 있어요. 우선 간단한 마사지랑 찜질로 이

완시킬게요."

맨살에 닿아 오는 그녀의 손에 처음에는 움찔거리며 긴장했던 준영은 따끈한 팥 주머니의 온도와 근육을 풀어 주는 부드러운 손길에 편안함을 되찾았다.

"어떠세요?"

"시원하구나."

"혹시 아프면 말씀하세요."

윤조는 야무지게 어깨며 죽지뼈 부근의 뭉친 근육을 찾아내 힘주어 문질렀다. 목, 어깨, 등, 팔, 허리까지 전체적으로 뭉친 근육을 만지던 윤조가 이마 위로 흐른 땀을 닦았다.

"후, 이제 향유 쓸게요."

"힘들면 그만해도 된다."

"괜찮아요. 오랜만에 했더니 좀 덥긴 하네요. 헤헤."

손부채질을 하며 열을 식힌 그녀가 향유 병을 들었다.

"처음에는 조금 차가워요."

손을 기울여 병의 좁은 주둥이를 아래로 향하자 준영의 등 위로 향유가 조금씩 쏟아져 내렸다. 주르륵, 흘러내리는 향유를 타고 진한 꽃향기가 퍼졌다.

"읏!"

순간 준영의 몸이 크게 떨렸다. 깜짝 놀란 윤조가 급히 병을 치우고 준영의 상태를 확인했다.

"많이 차가우세요?"

"아니다. 괜, 찮다."

준영은 한 손으로 자신의 입을 틀어막은 채였다. 신음이 입 밖으로 새어 나갔다는 것이 창피했던지 대답하는 그의 귓가가 붉게 달아올라 있었다. 그 모습에 윤조의 두 눈에 장난기가 떠올랐다. 준영 몰래 숨죽여 웃던 그녀가 예고 없이 향유를 준영의 등으로 쪼르륵 흘려 보냈다.

"으웃-!!!"

깜짝 놀란 준영이 몸부림을 치다 그녀를 돌아봤다.

"푸흐, 푸하하하!"

"윤조, 너……!"

"푸하핫, 죄송해요. 대장군님 반응이 너무 귀여워서 그만."

"누가 누굴 귀여워하는 것이냐?"

어처구니없음에 준영의 눈썹이 위아래로 씰룩거렸다. 생각보다 많이 당황한 모양이었다. 마치 살아 있는 것 같은 눈썹의 움직임에 윤조가 웃음을 삼키며 자신과 준영을 번갈아 가리켰다.

"제가 대장군님을요?"

"못 말리는군."

준영은 자신의 등을 가볍게 두드리며 다시 엎드리게 하는 윤조를 바라보다 짧게 한숨을 내쉬었다.

"많이 놀라진 않았느냐?"

오늘 있었던 일을 말함이었다. 걱정이 묻어나는 말투에 윤조는 향유 묻은 그의 등을 손바닥으로 문지르며 고개를 저었다.

"저 때문에 대장군님만 곤란해지셨죠. 저는 괜찮아요."

"그자가 유독 네게 친근하게 굴었다고 하던데."

윤조의 손이 우뚝 멈춰 섰다.

"그랬던가요?"

"대화 중에 이상한 점 같은 건 없었나?"

시장에서 자신의 정체가 윤조와 같음을 밝히던 파이옌의 모습을 떠올리던 그녀는 이내 생각을 지워 냈다. 어차피 그자를 다시 볼 일은 없다.

"별다른 점은 못 느꼈어요. 말이 많긴 했지만 대부분이 장난이었거든요."

마구간에서 윤조와 산이에게 장난을 치던 파이옌의 목소리를 들었던 준영이 고개를 끄덕였다.

"그렇군."

"대장군님은 괜찮으세요?"

많은 물음을 담고 있는 그녀의 목소리에 준영이 천천히 고개를 저었다.

"아니. 괜찮지 않더구나."

무엇 하나.

괜찮은 것이 없었다. 우선은 온전치 못한 자신의 팔이 그러했고, 그로 인해 맛본 무력감이 그러했다. 또한 서국의 황제가 윤조를 노린다는 것에 대한 불안감이 그러했다. 무엇 하나 괜찮은 것이 없었다. 지금 이 순간 그녀가 자신의 곁에 함께 있다는 것을 제외하고는.

"내 오른팔은 완치가 불가능한가?"

무거운 물음이었다. 준영이 그렇게 물어 오리라고는 생각지 못했다. 잠시 생각을 정리하던 윤조가 조심스럽게 답했다.

"대장군님도 느끼셨겠지만 당장 이전 같은 활동을 하기는 힘들어요. 하지만 가능성은 있어요. 원래 뼈와 근육이라는 게 한 번 다쳤다가 붙으면 더욱 단단해지는 법이라고 했거든요. 그러니 절대 포기하진 마세요. 저도 절대 포기 안 할 테니까."

준영은 안도했다. 그녀가 말한 가능성 때문이 아니라 절대 포기하지 않겠다는 그녀의 각오에. 그 굳은 진심에.

"고맙다."

준영의 대답에 윤조가 만족스러운 미소를 머금었다.

"마사지하면서 동시에 신력을 조금씩 흘려 보낼게요. 몸 안의 어혈을 풀어 주는 데 도움이 될 거예요."

치료는 가능하다. 윤조는 계속해서 마음속으로 되뇌었다. 준영의 팔은 반드시 나을 것이다. 문제는 시간과 의지였다. 그녀는 잔떨림이 느껴지는 그의 팔을, 손을, 힘주어 잡았다. 누구도 포기하지 않을 것이다. 그러니 나을 것이다. 반드시.

자세를 바꿔 옆으로 돌아누운 준영은 진지한 표정으로 자신의 팔을 어루만지는 그녀를 바라보다 손을 뻗었다. 땀에 젖은 그녀의 이마를 쓸어 주던 그의 시선과 윤조의 시선이 마주쳤다.

"작은 네가 애쓰는 걸 보니 더 힘내야겠다는 생각이 든다."

"당연하죠. 그리고 제가 작은 건-."

"못 먹어서 그렇다? 삼시 세끼 먹었으면 쑥쑥 컸을 거다?"

"예. 그러니 그 작다는 말 좀 피해 주셨으면 좋겠습니다."

입술을 삐죽 내밀며 툴툴거리는 윤조의 모습에 그녀의 이마에 머물렀던 준영의 손이 조금 더 아래로 내려왔다. 그녀의 볼을 감싸고, 목뒤로 향한 손이 부드럽게 그녀를 당겼다.

순식간에 맞닿은 입술에 윤조가 동그란 눈을 하고 준영을 바라봤다. 준영은 웃고 있었다. 닿은 자리가 뜨거웠다. 준영의 입술이 과일을 베어 물 듯 윤조의 작은 입술을 머금었다. 입술 사이로 느껴지는 그의 숨결에 깜짝 놀란 윤조가 그에게서 떨어지며 두 손으로 입술을 가렸다.

"방금 뭐, 뭐, 뭘!"

"입맞춤 말인가?"

"아, 아니, 그걸 묻는 게 아니라! 왜 갑자기!"

더듬거리며 온전한 문장을 만들지 못하는 그녀의 말에 준영이 엎드려 있던 상체를 일으켰다.

"안 되나?"

"안 되고 말고의 문제가 아니라!"

당황하는 윤조의 모습에 이번에는 준영의 입가가 얇게 말려 올라갔다.

"그렇지. 안 되고 말고의 문제가 아니지. 곧 혼인할 사이인데 무엇이 문제일까."

"대, 대, 대장군님 갑자기 이러시면-."

"이러시면?"

이러시면 오예, 아니! 이게 아니지! 정신 차려, 내 무의식!!! 윤조는 스윽 앞으로 다가온 준영의 모습에 시선을 어디에 두어야 할지 몰라 눈을 굴렸다. 향유에 젖은 넓은 가슴팍을 바라보자니 남사스럽고, 그렇다고 굴곡진 허리며 배를 바라보자니 꼴깍 침이 넘어가고, 고개를 들어 얼굴을 바라보자니 얼굴이 펑 하고 터져 버릴 것만 같았다.

다가오는 준영을 피해 주춤주춤 뒷걸음질 치던 윤조는 어느새 등에 닿는 벽을 느끼고 두 눈을 꼭 감아 버렸다.

"대장군님, 이렇게 엄한 캐릭터 아니셨잖아요!"

"캐릭터? 엄하다니? 흐응, 이상한 말을 하는구나. 나는 그저 네게 다가가는 것뿐인데 말이다."

실눈을 뜬 윤조가 준영의 요염한 미소에 히익, 기겁하며 다시 눈을 감아 버렸다.

"위, 위, 위험하니 다가오지 마세요!"

"누가 말이냐?"

"대장군님이요! 제가 한 마리 짐승이 될지도 모르거든요! 그러니 다가오지 마세요!!! 진짜예요! 저 지금 진짜 위험해요!"

가만히 그 모습을 지켜보던 준영은 입 밖으로 새어 나오는 웃음소리를 간신히 삼켰다. 위험하다니, 정말 못 말리겠군. 간질거리는 마음에 준영이 손을 뻗어 그녀의 머리를 쓰다듬었다.

"아무 남자한테나 옷 벗으라고 하면 안 된다."

슬쩍 눈을 뜬 윤조는 장난기 어린 시선으로 자신을 바라보는 준영의 모습에 황당한 표정으로 소리쳤다.

"이건 치료 때문에 그런 거죠!"

"그래도."

"대장군님이 아무나는 아니죠, 뭐."

"아무나가 아닌 걸 아니까 더 위험한 거다, 위험한 방울새야."

준영이 애칭과 함께 손가락 끝으로 윤조의 코끝을 톡, 건드렸다. 바로 앞에서 자신을 바라보는 준영의 다정한 눈빛에 윤조의 뺨이 발갛게 달아올랐다.

"크흠흠! 대, 대체 무슨 상상을 하신 겁니까! 이 건전하고 성스러운 치료 시간에!"

눈도 제대로 마주치지 못하고 우왕좌왕하는 윤조를 바라보던 준영이 향유가 묻어 촉촉한 그녀의 손을 잡아 올렸다.

"목적은 건전한데 네 손길이 건전하지 못해서 말이다."

손등에 가만히 닿아 오는 그의 입술에 다시금 조금 전의 감촉이 되살아났다. 윤조의 얼굴이 화끈 달아올랐다.

"저는 결단코, 이상한 상상은 조금도 하지 않았습니다!"

"오호라, 조금도? 한 마리 짐승이 될지도 모른다면서?"

"아, 아니! 그건, 그러니까……."

준영이 그녀의 귓가에 속삭였다. 간지러운 숨결이 느껴졌다. 코앞에 보이는 탄탄한 복근에 마른침을 삼킨 윤조가 무언가에 홀린 듯 오른손을 번쩍 들어 올리며 말했다.

"그, 근육이 예쁘게 자리 잡혔다는 생각은 아주 조금 했습니다."

"오호, 근육만?"

"척, 척추가 참 반듯하고 예쁘다는 생각도 조금 했습니다."

"오호, 척추도?"

"그, 그리고."

"그리고?"

"살결이 참 좋구나, 라는 생각도 조금."

"엄하구나. 이래도 발뺌하는 것이냐?"

"아니, 그래도 그런 걸 어떻게 다 얘기합니까! 이렇게 말하는 것도 부끄러워 죽을 것 같은데……."

말끝을 흐린 그녀가 어찌 할 바를 몰라 맞잡은 손을 꼼질거렸다. 입이 주책이다, 주책! 그걸 또 물어본다고 다 얘기하다니! 준영은 한숨을 쉬며 자신과 눈도 제대로 못 마주치는 그녀를 물끄러미 바라봤다.

"그럼 표현하면 될 것 아니냐. 나처럼."

빠르게 다가온 준영의 입술이 윤조의 입술에 내려앉았다. 따스하게 맞물린 틈새로 작은 숨이 터졌다. 훑듯이 그녀의 입술을 물었다가 놓아준 그가 윤조의 눈을 마주하며 말했다.

"부끄러운 것이 아니다. 좋아한다는 표현이지."

담백한 말과는 달리 그의 얼굴도 상기되어 있었으나 윤조는 모른 척 고개를 끄덕였다. 홍시처럼 발간 얼굴에 환히 번지는 미소를 바라보며 준영 또한 기분 좋은 미소를 지었다.

완연한 봄이었다.

잘 여문 꽃망울이 터지는.

✦

"눈을 살짝 감아 보시겠어요?"

화장을 해 주는 시녀의 말에 윤조의 눈이 살며시 내리 감겼다. 눈두덩이 위를 가볍게 두드리는 손길이 몇 차례 오가고, 시녀가 그녀 앞에 거울을 가져왔다.

"한번 보시겠어요?"

감았던 눈을 뜬 윤조가 거울 안에 담긴 낯선 자신의 얼굴을 마주했다. 신부 화장을 곱게 한 거울 속의 윤조가 이리저리 고개를 돌려 자신의 모습을 확인하고 어색하게 웃었다.

"이렇게 진한 화장은 처음이라 낯설어요."

"예쁘기만 하신걸요! 대장군님께서도 분명 좋아하실 거예요."

그때 방문이 열리며 혼례복과 꽃 장식을 든 나래가 들어왔다. 그녀는 화장을 마친 윤조의 모습에 놀란 눈을 했다.

"화장이 사기 수준인데?"

그녀의 말에 윤조가 기쁘게 미소 지었다.

"그렇게 예뻐?"

"완전. 못 알아볼 만큼. 이야, 대장군님 다른 여자랑 결혼하는 기분 들고 좋겠다."

"익, 나래 너어!"

"장난이야, 장난. 정말 예쁘다, 우리 윤조."

"헤헤."

"아, 어머니도 같이 오셨어."

"어머니가? 일어나셨어?"

어머니라는 말에 놀란 윤조가 의자에서 몸을 일으켰다. 방문 너머로 파리한 안색의 중년 여인이 그녀를 향해 손을 흔들었다. 윤조의 어머니였다.

"어머니, 좀 더 누워 계셔도 괜찮은데."

윤조가 방 밖으로 나가 그녀를 맞이했다. 딸의 혼례식에 참석하기 위해 윤조의 동생들과 함께 국경에서부터 먼 길을 달려온 그녀의 어머니는 쇠한 기력 탓에 대부분의 시간을 누워서 보내야만 했다.

"괜찮아. 좋은 날이어서 그런지 이 어미, 힘이 펄펄 솟아나는 것 같구나."

애써 기운이 나는 척 앙상하게 마른 팔을 들어 올리는 어머니의 모습에 윤조의 눈시울이 시큰했다.

"우리 딸, 정말 예쁘다. 부모 잘못 만나 그렇게 고생을 했는데 이렇게 좋은 곳으로 시집오게 되어 얼마나 다행인지……."

"그런 소리 마세요. 어머니 아프신 것도 다 저랑 동생들 위해서 밤낮없이 일하시다가 그런 거잖아요. 이렇게라도 효도해서 얼마나 기쁜지 몰라요. 좋은 시아버님에, 남편에, 저희 가족들도 모두 함께 수도에서 머물 수 있게 되었잖아요. 정말 다행이에요. 너무 기뻐요, 정말로."

진심이었다. 마음 깊은 곳에서 우러나는 진심. 이전 생에서 누리지 못한 행복을 이렇게나마 보상받는 것 같아서. 화목하고 행복한 가정을 꿈꿨지만 슬픔뿐이었던 그 시간을 이제 더는 꺼내며 아파하지 않아도 될 것 같아서. 돈과 시간에 쫓겨 누군가를 사랑 한번 해 볼 여유도 없어 바삐 움직이기만 했던 불행했던 자신을 더는 들춰내며 연민하지 않아도 될 것 같아서.

과거의 그녀에게 '어머니'라는 단어는 불러도 불러도 괴로움만 가득한 이름이었다. 행복과 기쁨보다도 슬픔이 가득한 부름이었다. 그런 부름을 이제는 기쁘게 꺼낼 수 있어 얼마나 다행인지, 얼마나 기쁜지. 윤조는 어머니의 두 뺨에 흐르는 눈물을 닦아 내며 환히 웃었다.

"낳아 주셔서 정말 감사해요, 어머니."

"흐윽, 우리 딸. 우리 예쁜 셋째 딸. 집 나간 너희 오라비랑 언니가 이 모습을 봤다면 얼마나 기뻐했을까."

"헤헤, 오빠랑 언니가 깜짝 놀라는 모습 보고 싶긴 하네요. 수소문하고 있으니 곧 만날 수 있을 거예요. 조금만 기다려 주세요."

"그래그래. 우리 가족 다 같이 모여서 행복하게 살자꾸나. 흐윽, 이 모습을 하늘에 간 너희 아버지가 봤더라면 또 얼마나 좋아했을지……."

쉽게 그칠 것 같지 않은 흐느낌에 나래가 나서서 윤조의 어머니를 모시고 밖으로 나갔다.

"어머니 진정하세요. 좋은 날에 눈물 보이시면 윤조 마음이 아프잖아요. 저랑 같이 잠깐 바람 쐴까요? 윤조 너는 마저 준비해. 다른 건 걱정하지 말고."

"고마워."

나래와 함께 어머니가 방을 나서고, 남겨진 윤조는 나래가 탁자 위에 두고 간 혼례복을 매만졌다. 파이엔과 함께 시장에 갔을 때 입어 봤던 바로 그 혼례복이었다.

―많이 이상해요?

―아니, 이상한 건 아닌데…….

―별로 안 어울리는구나? 얼른 벗어야겠다.

―아니!

―네?

―아니, 괜, 괜찮네요. 나쁘지 않은데.

헛기침을 하며 자신을 바라보던 그의 모습이 생생했다. 문득 떠오르는 기억에 윤조는 창밖으로 시선을 돌렸다.

"살아 있을까?"

아주 가끔, 아주 가끔 그의 얼굴이 떠올랐다. 자신과 같은 대한민국에서 이 세계로 오게 되었다는 또 한 명의 사람.

그래서일까? 동료애는 아니었다. 하지만 죽지 않았으면 했다. 그날의 일을 곱씹고 생각해도 그를 살린 힘이 자신의 무의식이 맞는다면 그가 죽지 않았으면 했다. 마땅히 할 수 있는 일이 있다면 누군가의 죽음보다는 누군가의 삶이길 바랐다. 그것이 그녀가 오래도록 바라 왔던 것이었다.

그렇기에 그도 죽지 않았으면 했다. 죄책감을 벗어나고자 하는 생각일지라도, 그렇게 바랐다. 그도 나와 같이 이전 생의 아픈 기억을 지닌 채 이곳에 태어난 것이라면 새로운 삶, 새롭게 주어진 생은 부디 찬란하길. 다시는 이전과 같은 악연으로 마주할 일이 없기를.

그 후 보름이라는 시간이 지났다. 국경에서는 여전히 서국의 병사들과 잦은 충돌이 빚어진다는 이야기를 들었다. 걱정하는 윤조의 말에 준영은 전쟁 직후 여느 나라들이 그렇듯 감기처럼 잠시 왔다 가는 증상이라고 했다.

파이옌 사건 이후 큰 도발은 없었다. 최 승상이 알아본 바, 서국 황제가 살아 있으나 그 부상이 너무 깊어 궁인들과 백성들의 시름이 깊다고 했다. 세작들을 도운 배후에 관한 조사는 계속 진행 중이었다.

"정말 좋은 날씨가 아닙니까? 하늘도 이번 혼례를 축복하나 봅니다."

잔뜩 들뜬 표정으로 이야기하는 황후를 바라보며 무녀장 묘길은 옅은 미소를 머금었다.

"그러게 말입니다. 황후마마 말씀처럼 날씨가 무척 좋네요. 꼭 때를 아는 것처럼."

"호호, 그렇지요?"

돌아본 연회장은 마무리가 한창이었다. 묘길은 바삐 움직이며 각종 장식이며 깃발, 음식 따위를 나르는 궁인들을 물끄러미 쳐다봤다.

"모두 기뻐 보입니다."

그녀의 말에 황후가 푸근한 미소를 머금었다.

"아무렴요. 나라의 큰 축복이 아닙니까? 이렇게 보니 폐하께 시집 오던 때가 생각나네요."

"그때는 갑자기 소나기가 오는 바람에 난리가 났었죠."

"호호, 맞아요. 폐하도 저도 잔뜩 긴장한 상태였는데 서로 눈이 마주치자마자 웃음이 터져 버렸다니까요?"

"그래도 오랜 가뭄을 적신 단비였지요."

"맞아요. 그래서 그런 황후가 되고자 결심했답니다. 가뭄에 단비 같은, 그런 사람이 되고 싶다고."

황후는 그렇게 말하며 묘길을 돌아봤다.

"비록 그분 마음에 다른 이가 있다 해도."

"……."

"영영 이길 수 없는 상대라 해도 말입니다."

"마마."

"괜찮습니다. 이런 저라도 그분께 도움이 된다면 그걸로 감사하니까요. 애초에 사랑 없는 혼례였잖습니까, 저와 폐하 모두."

황후의 미소가 씁쓸하게 변했다. 그녀는 처음 만났던 수십 년 전과 조금도 다름없이 아름다운 묘길을 바라봤다.

"변치 않는 아름다움만큼이나 변치 않는 괴로움이 있겠죠. 누구에게나. 호호, 추억에 젖으니 감상적이 되네요. 무녀장도 이런 추억이 있겠죠?"

"예."

"궁금하네요. 무녀장의 마음 깊은 곳에 있을 그분이 누굴지."

"황후마마, 연회가 곧 시작되옵니다. 자리로 뫼시겠습니다."

"알겠다. 무녀장, 이번 담소는 여기까지인가 봅니다. 다음에 또 봐요."

"살펴 가십시오."

마중 온 궁인들을 따라 멀어지는 황후를 바라보던 묘길이 작게 읊조렸다.

"없습니다, 이제는. 마음속에 아무것도……."

돌로 된 난간을 붙잡은 그녀의 손이 잘게 떨려 왔다.

이윽고 축하연이 시작되었다. 연회의 시작을 알리는 폭죽이 터짐과 동시에 백성들의 함성 소리로 수도가 떠나갈 듯하였다.

훈련받은 응방의 매들이 화려한 장식을 달고 하늘 위로 날아올랐다. 어린아이들이 종이를 오려 막대에 내건 기旗를 만들어 거리를 누비며 큰 소리로 외치고, 관청들은 각각 비단과 깃털로 아름답게 만든 매 형상의 장식을 거리 이곳저곳에 설치했다. 성벽의 일부 경비를 제외한 수도 안의 모든 군대들도 길을 따라 화려한 비단을 길게 연결하여 놓으며 행진을 이어 갔다. 참으로 웅장하고 평화로운 광경이었다.

"시작됐나 봐."

준비를 바친 윤조와 나래는 마차를 타고 황궁으로 이동하는 중이었다. 마차는 군대가 행진을 하며 바닥에 펼쳐 놓은 비단 길을 따라 천천히 나아갔다. 까르르 아이들의 웃음소리가 들렸다. 머리에 쓰고 있던, 속이 어스름하게 비치는 얇은 천을 걷어 낸 윤조가 창문을 살며시 열어 밖을 살폈다.

"거의 다 와 가네. 으하, 나 엄청 떨려. 나래야, 나 어떡하지? 예식 순서 외운 거 다 까먹을 거 같아."

"괜찮아. 내가 옆에서 잘 알려 줄게. 나만 믿어."

"너도 긴장한 것 같은데?"

윤조의 손을 잡아오는 나래의 손에 힘이 잔뜩 들어가 있었다. 화들짝 놀라 손을 떼는 나래를 보며 윤조가 작게 웃어 버렸다. 나래는 멋쩍은 표정으로 시선을 이리저리 옮겼다.

"그, 뭐. 누구 혼례식에 직접 참여하는 건 나도 처음이라서 그렇지. 그것도 친구가 결혼한다는데. 기분 진짜 이상하다고."

"기분이 이상해?"

"처음에는 그냥 그런가 보다, 대장군님이랑 윤조 네가 결혼하나 보다, 했는데 점점 마음이 이상해. 좋기도 하다가, 친구 뺏기는 거 같아서 싫기도 하다가, 후련하기도 했다가, 아무튼 맘이 좀 그렇단 말이야."

울컥했는지 눈시울을 붉히는 나래를 보던 윤조가 코끝이 찡해져 숨을 참았다.

"야아, 나도 안 우는데 네가 울려고 하니까 눈물 나려고 하잖아."

"참아. 죽을힘을 다해 참아. 기껏 예쁘게 한 화장 다 망가질라. 눈 부릅떠!"

"으하하! 너 진짜―."

"내가 뭐."

"고맙다고. 정말로."

"흥, 앞으로 더 고마워해야 할 일 많을걸?"

"헤헤. 앞으로도 계속 고마울 예정이지."

황궁 앞에 도착한 마차가 멈춰 섰다. 마차 문이 열리고, 나래의 도움을 받아 마차에서 내린 윤조의 앞에 붉은 비단 길이 펼쳐졌다. 그 양옆으로 모여 있던 많은 사람이 보였다. 길 양쪽으로 늘어선 병사들 앞으로 꽃바구니를 들고 있던 궁녀들이 윤조의 걸음걸음마다 꽃잎을 뿌리며 그녀의 행복을 기원했다. 마중 나온 상궁과 나인들이 그녀의 앞에 고개를 조아렸다.

"윤조 님, 기다리고 있었습니다. 이쪽으로―."

연회를 앞세워 비밀리에 진행된 혼례였기에 황제가 미리 손을 써 둔 모양이었다. 행여 사람들이 눈치챌까, 심각한 표정으로 전방을 살피며 움직이는 상궁들의 얼굴이 심각하게 굳어 있었다. 왠지 깜짝 파티 준비 같네. 윤조는 과거 고등학생 시절 친구 몰래 생일 파티를 준비했던 때처럼 심장이 두근거렸다.

'대장군님은 지금 어디에 계실까?'

머리에 쓴 천 너머로 황궁을 둘러보던 그녀는 바삐 준비해야 한다는 상궁의 말에 빠른 걸음으로 뒤따랐다.

"두 분 다 이곳에서 조금만 기다려 주시면 차례가 되었을 때 모시러 오겠습니다."

연회장 뒤에 있는 건물로 윤조와 나래를 안내한 상궁이 처음과 같이 심각한 표정을 유지한 채 방을 나섰다. 둘만 남게 된 방 안에서 윤조가 참았던 숨을 몰아쉬며 까르르 웃음을 터뜨렸다. 나래도 마찬가지였다.

"무슨 세작이라도 된 것 같은 기분이야."

"푸하하, 그러게. 상궁이랑 나인들 표정이 너무 비장해서 웃음 참느라 혼났어."

나래의 말에 윤조가 맞장구치며 손뼉을 쳤다.

"너도 그랬어? 나도 웃음 참느라 혼났어."

"폐하께서 엄하게 훈련시킨 모양이야. 다들 바짝 긴장했던데?"

"하하, 맞아. 그런 것 같아. 결혼식이 이렇게 재미있는 거였다니."

"그래도 긴장 놓지 마. 그러다 실수할라."

"그렇지 않아도 계단 오를 때 넘어지지만 않으면 좋겠다는 생각을 하고 있었습니다."

"중간에 꽈당 하면 볼만하겠다."

"어후, 끔찍해. 창피해서 얼굴 못 들고 다닐 거야."

"왜? 윤조답고 좋은데."

키득거리는 나래를 보며 윤조가 불만스럽게 입술을 내밀었다.

"어째서 그게 나답다는 거지?"

툴툴거리는 중얼거림과, 간간이 섞여 드는 웃음소리가 방 안에 가득했다. 기분 좋은 기다림이었다. 그 어느 때보다도.

같은 시각 수도 성곽.

축하연에 투입된 대부분의 인원을 제외한 남은 수도군 보초병들이 하품을 하며 자리를 지키고 있었다. 성벽 아래 거리가 한산했다. 이례적으로 백성들에게도 황궁을 개방한 축하연을 보러 수도 안 대부분의 사람들이 황궁으로 몰려갔기 때문이었다.

"하암, 날씨 뭐 이리 좋냐. 잠만 오게."

"연회장 간 놈들은 좋겠다."

"몰래 술 좀 챙겨 온다고 했으니 기다려 보자고."

"크, 오늘 술이 쭉쭉 들어가나요? 안주는 안 챙겨 온데?"

"술 챙기는 것도 까먹지나 않으면 다행이지. 녀석들 무희들 무대보러 간다고 완전 정신이 나갔더만."

"아쉽다, 아쉬워! 거기에 내가 갔어야 했는데!"

창을 든 병사들이 수다를 떨며 연회에 참석하지 못한 것을 아쉬워하고 있을 때였다. 성문 쪽으로 접근하는 마차를 발견한 병사 하나가 의아한 얼굴을 했다.

"뭐야, 저건? 야, 우리 행상 마차 들어올 거 있었어?"

"아니. 이미 축하연 전에 다 들어갔지."

"뒤처진 마차인가?"

"중요한 물건일 수도 있으니 내려가서 확인할게."

성곽 위에 있던 병사 중 한 명이 내려와 성문을 향해 다가오는 마차를 향해 소리쳤다.

"어이! 거기 멈춰 보시오!"

하지만 병사의 외침에도 다가오는 마차의 속력은 줄어들지 않았다. 빠른 속도로 가까워지는 마차에 위협을 느낀 병사가 계속해서 속도를 줄이라고 소리쳤지만 소용없었다. 성곽 위에서 이 모습을 지켜보던 병사들도 이상함을 느끼고 마차를 주시했다.

"뭐야 저거. 왜 안 멈춰?"

"계속 달려오는데?"

"야!!! 마차 멈추게 해! 저러다 성문이랑 충돌한다고!!!"

병사들의 외침에도 마차는 곧장 성문을 향해 돌진했다.

"멈춰!!! 마차 세우라고-!!!"

성문 앞을 지키고 있던 병사가 계속해서 소리쳤다. 육안으로 마차에 탄 사람이 누구인지 분별이 가능한 거리가 되었을 때였다. 거친 천으로 덮여 있던 행상 마차 뒤쪽에서 거대한 통나무 기둥 두 개가 정면을 향했다. 이 모습을 확인한 병사가 다급히 성벽 위를 향해 소리쳤다.

"충차衝車[9]!!! 충차다!!!"

충차가 성문을 향해 바짝 다가왔다. 병사가 황급히 몸을 피함과 동시에 엄청난 소리와 함께 충차와 성문이 충돌했다. 한차례 우레와 같은 소리와 함께 성벽이 흔들렸다.

"뭐, 뭐가 어떻게 된 거야! 아래 상황 보고해!!!"

성벽 위에 있던 병사들이 당황하여 소리쳤다. 성벽 아래가 짙은 흙먼지에 가려 확인이 어려웠다.

"아래 상황 보고해!!!"

다시금 소리치는데, 차츰 옅어지는 분진 사이로 날아든 창이 병사의 머리를 꿰뚫었다. 병사들의 비명 소리와 함께 분진이 걷히고, 드러난 성문은 충차와 함께 산산이 부서진 채였다. 그 앞으로 언제부터 있었는지 모를 한 무리의 아름다운 여성들이 하늘거리는 무희복을 입은 채 자리했다.

병사들과 눈이 마주친 그녀들이 싱긋 미소 지었다. 다음 순간, 빠르게 성벽 위로 향하며 허벅지에 찬 곡도를 꺼내 든 그녀들이 순식간에 보초병들을 처리했다.

후드득-.

영혼 잃은 죽은 몸뚱이가 부서진 성벽과 함께 바닥으로 추락했다.

"하나아, 두울, 세엣, 네엣- 열다섯. 후후, 모두 처리했습니다, 대장니임~!"

콧소리를 내며 죽은 병사들의 수를 세던 무희 중 하나가 성벽 아래에 서 있던 하센을 향해 손을 흔들며 소리쳤다. 푸른색 무희복을 입은 하센의 머리카락은 무희들과 마찬가지로 검게 물든 채였다. 그녀는 코와 입을 가리고 있던 베일을 벗으며 무희들을 향해 외쳤다.

"괴혈단 후방부대 여희麗姬[10]. 작전 시작한다."

◈

"음? 방금 무슨 소리 들리지 않았어?"

윤조의 말에 곧 있을 행진을 준비하던 나래가 고개를 저었다.

"무슨 소리?"

"지금 뭔가 쾅, 하는 소리가 났는데."

"북이랑 꽹과리 소리 아니야?"

연회장에서는 분위기를 돋우기 위한 신나는 공연이 한창이었다. 시끄럽게 울리는 북과 꽹과리 소리에 고개를 갸웃거리던 윤조는 이내 잘못 들었나 보다, 대수롭지 않게 넘겨 버렸다.

곧 음악이 멈추고, 상석에 선 황제가 축하연을 위해 모인 신료들과 백성들을 바라보며 말했다.

"모두 들어라! 잔혹했던 7년이 지나고 이와 같은 태평성대가 이루어졌으니 이 얼마나 기쁜 일인가! 이번 연회는 신분 여하를 묻지 않고 누구나 즐길 수 있도록 개최한 것이니 마음껏 축배를 들고 즐겨 주길 바란다. 또한 이번 연회와 함께 준비한 기쁜 일이 한 가지 더 있으니, 부부의 연을 시작하려는 두 사람에게 축하를 아끼지 말고 행복을 기원해 주길 바라는 바이다."

---

9) 충차(衝車): 공성전을 할 때 성벽을 들이받거나 성문을 뚫기 위해 사용하던 수레로 된 병기.

10) 여희(麗姬): 아름다운 여인이라는 뜻.

황제의 말이 끝나자 음악이 바뀌었다. 잔잔하게 장내를 채우는 악기 소리에 윤조가 마른침을 삼켰다. 동시에 오색 비단 끈을 단 한 마리 커다란 매가 연회장의 하늘 위로 날아올랐다.

삐이이이-!

유연한 몸짓으로 윤조의 머리 위를 날아다니는 매는 일전에 윤조가 치료해 주었던 현령이었다.

"너도 축하해 주러 왔구나!"

윤조가 반갑게 하늘을 향해 손을 흔들었다. 온 황제의 깜짝 선물 중 하나가 분명했다. 그녀가 기분 좋은 미소를 머금고 있을 때 닫혀 있던 연회장 문이 열렸다. 그 앞으로 꽃잎이 흩날리는 붉은 비단길이 펼쳐졌다.

고개를 들어 그 길의 끝, 황제가 있는 계단 높은 곳을 바라보자 자신을 바라보고 있는 준영의 모습이 보였다. 또 푸근한 미소를 짓고 있는 홍 장군의 모습도, 어머니와 동생들의 모습도, 유모와 식솔들의 모습과 흥에 겨워 만세를 외치고 있는 시장 사람들의 모습도 보였다. 그들이 모두 자신을 축하하기 위해 이 자리에 모였다는 사실에 윤조의 마음 깊은 곳에서 울컥, 감정이 치밀었다.

"울면 안 된다."

"흡. 으응."

등을 두드리는 나래의 손길에 윤조가 간신히 눈물을 참으며 두 눈을 크게 떴다.

"여기서부터는 너 혼자 가야 해. 중간에 춤 신청하는 사람 있으면 간단하게 손잡고 한 바퀴만 돌아. 넘어지지 않게 조심하고."

나투국의 전통 혼례의 특징은 신부가 행진하는 길이 유난히 길다는 것과 신부가 행진하는 동안 춤 신청을 하는 사람들과 함께 춤을 추며 행진을 이어 간다는 것이었다. 이는 신부의 행복을 기원하는 나투국만의 축하 방법이었는데, 신부가 가는 길에 기쁨과 즐거움이 언제나 가득하길 바라는 마음에서 이런 흥겨운 행진 의식이 생겨났다고 했다. 심호흡을 크게 한 윤조가 고개를 끄덕이며 잡고 있던 나래의 손을 놓았다.

"가 볼게."

"당황하지 말고 대장군님만 보면서 가!"

"응!"

윤조가 천천히, 그리고 점차 속도를 내어 비단길을 나아갔다. 그녀가 행진을 시작함과 동시에 차분했던 음악이 흥겹고 빠른 박자로 변했고, 비단길 양쪽에 있던 사람들도 손뼉을 치며 춤을 주기 시작했다. 그때 윤조의 앞으로 내밀어지는 손이 있었다. 첫 번째 춤 신청자였다. 고개를 드니 보이는 어머니와 동생들의 모습에 윤조가 환히 웃으며 손을 마주 잡았다.

"언니 진짜 예쁘다! 그치, 엄마?"

"그러게. 우리 윤조 정말 예쁘다."

어머니의 손을 잡은 그녀가 몸을 돌려 크게 원을 그려 돌았다.

"딸아, 행복하렴."

어머니의 축하 속에 다시 행진을 이어 가던 그녀의 앞에 다시금 누군가의 손이 내밀어졌다. 홍 장군이었다.

"우리 며늘아기, 정말 예쁘구나. 우리 아들한테 보내기가 아까워서 어쩌누?"

"히히, 대장군님 들으면 서운해하세요."

"흥, 제깟 놈이 서운해 봤자."

홍 장군의 손을 잡은 그녀가 다시금 빙그르르 가볍게 몸을 회전 했다. 그녀가 움직일 때마다 펼쳐지는 치맛자락이 마치 커다란 꽃 잎처럼 활짝 피어났다.

"환영한다, 윤조야."

홍 장군의 배웅을 받으며 다시 행진이 시작되었다. 사방에서 들 려오는 환호성에 귀가 멀어 버릴 것 같았다. 윤조는 움츠러들었던 어깨를 펴고 정면, 자신을 기다리는 준영을 향해 가까이 다가갔다. 중간에 몇 사람이 더 춤 신청을 해 왔으나 무사히 넘겼다.

가장 의외였던 인물은 최 승상이었다. 그는 자신의 딸을 시집보 낼 때의 기분을 미리 알고 싶어 왔다고 했다. 축하 인사는 아니었 지만 너무도 엉뚱한 그의 발언에 윤조의 얼굴에서 웃음이 떠나지 않았다.

다음으로 계단을 올랐다. 춤을 추며 빙글빙글 돌아서인지 눈앞이 조금 어지러웠지만 다행히 넘어지지 않았다. 계단 끝에 다다르자 윤조의 앞으로 준영의 손이 내밀어졌다.

"고생했다."

다정한 한마디와 함께 그녀의 작은 손을 감싸는 온기가 따스했 다. 고개를 들어 바라본 준영은 그 어느 때보다 행복한 미소를 짓 고 있었다.

"대장군님, 축하해요."

속삭이는 윤조의 말에 준영도 웃으며 그녀를 바라봤다.

"그래. 축하한다, 윤조야."

계속해서 웃음이 났다. 좋아서, 기뻐서, 행복해서 웃음이 났다.

만감이 교차한다는 게 이런 걸까? 준영의 손이 단단하게 그녀의 손을 감싸 쥐었다. 마주 잡은 손안에서 심장이 뛰는 것 같은 감각이 느껴졌다. 두 사람이 멀지 않은 곳에 서 있는 온 황제를 향해 마지막 행진의 첫 발을 떼는 순간이었다.

어디선가 빠르게 땅을 울리는 말발굽 소리가 들렸다. 연회장에서 들릴 리 없는 군마의 거친 발소리였다. 두 사람의 정면으로 철갑을 두른 군마가 등장했다. 준영의 시선이 온 황제에게 닿았다. 그는 황제에게 점점 가까워지는 군마를 보며 소리쳤다.

"폐하-!!!"

준영이 빠르게 온 황제를 향해 달려 나갔다. 단단히 맞잡고 있던 윤조와 준영의 손이 멀어졌다. 준영의 외침에 뒤를 돌아본 온 황제가 간신히 바닥을 굴러 군마를 피했다. 군마는 그대로 넘어진 온 황제를 지나쳤다.

사나운 군마의 위로 도깨비 가면을 쓴 사내의 모습이 보였다. 노을빛 붉은 머리카락을 휘날리며 그는 준영을 비웃기라도 하듯 빠르게 그를 지나쳤다. 동시에 확장된 준영의 눈동자가 등 뒤를 향했다.

"윤조야!!!"

군마는 곧장 윤조를 향해 달려왔다. 그녀가 몸을 돌려 달아날 틈도 없이 가면을 쓴 사내가 그녀의 허리를 낚아챘다.

"까악!"

윤조의 입에서 비명이 터져 나왔다. 한차례 몸부림에 머리에 쓰고 있던 베일이 바닥에 떨어졌다. 비명을 지르는 건 윤조뿐만이 아니었다. 사방이 아수라장이었다. 잔뜩 흥분한 말 위에서 가면 쓴 사내가 고삐를 잡아당겼다. 앞발을 치켜들고 크게 투레질하는 군마에 윤조의 몸이 거칠게 흔들렸다.

"으차, 병아리 너 살 좀 더 쪄야겠다."

흘러내리는 윤조의 몸을 추슬러 다시 붙잡는 사내의 목소리가 익숙했다. 설마. 윤조의 두 눈이 믿을 수 없다는 듯이 커졌다.

"파이옌……?"

읊조리는 윤조의 말에 사내가 쓰고 있던 가면을 벗어 던졌다. 가면이 지면에 부딪치는 둔탁한 소리가 메아리쳤다. 드러난 사내의 얼굴, 장난스러운 미소는 그녀의 기억과 조금도 다르지 않았다.

"이제 철수 씨라고 안 하네?"

이마를 가리는 그의 붉은 머리카락이 바람에 나부꼈다. 처음 보는 그의 진짜 머리색에 잠시 시선을 빼앗겼던 윤조가 자신을 바라보는 그의 강렬한 눈동자를 마주하며 더듬거렸다.

"어떻게, 어떻게 당신이 여기에……!"

"파이옌-!!!"

동시에 준영의 비명 같은 부름이 내질러졌다. 자세를 고쳐 윤조를 품에 안은 파이옌이 준영을 향해 혀를 내밀었다.

"내가 말했지? 그러다 빼앗긴다고."

-上권 完-

비익조 上

초판 1쇄 인쇄 2019년 10월 18일
초판 1쇄 발행 2019년 10월 28일

지은이 이수연
펴낸이 신현호
편집부장 예숙영
편집 박상희
편집디자인 한방울
영업·관리 김민원 조은걸 조인희
물류 이순우 최준혁 박찬수

펴낸곳 ㈜디앤씨미디어
출판등록 2002년 5월 1일 제117-90-51792호
주소 서울시 구로구 디지털로 26길 111 JnK디지털타워 503호
대표전화 (02)333-2513 팩스 (02)333-2514
전자우편 dncbooks@dncmedia.co.kr
디앤씨북스 블로그 http://blog.naver.com/dncbooks

ISBN 979-11-264-4931-6 04810
ISBN 979-11-264-4927-9 세트